COLLECTION LANGUE ET CULTURE
DIRIGÉE PAR JEAN-CLAUDE CORBEIL

LA GRAMMAIRE EN TABLEAUX

MARIE-ÉVA DE VILLERS

LA GRAMMAIRE EN TABLEAUX

NOUVEAU

PLUS DE 75 MODÈLES DE CONJUGAISON

PAR L'AUTEURE DU

MULTI
DICTIONNAIRE
DE LA LANGUE FRANÇAISE

ÉDITIONS QUÉBEC AMÉRIQUE
329, RUE DE LA COMMUNE OUEST, 3E ÉTAGE, MONTRÉAL, QUÉBEC, H2Y 2E1
TÉLÉPHONE : (514) 499-3000 – TÉLÉCOPIEUR : (514) 499-3010

DONNÉES DE CATALOGAGE AVANT PUBLICATION (CANADA)

Villers, Marie-Éva de

La grammaire en tableaux

3e édition

Comprend des index.

ISBN 2-89037-915-9

1. Français (Langue) – Grammaire.
2. Français (Langue) – Grammaire – Tableaux
I. Titre

PC2105.V54 1997   448.2   C97–941407–5

TROISIÉME RÉIMPRESSION : JUILLET 2001
TOUS DROITS DE TRADUCTION, DE REPRODUCTION ET D'ADAPTATION RÉSERVÉS
© ÉDITIONS QUÉBEC AMÉRIQUE – DÉPÔT LÉGAL : 4E TRIMESTRE 1997
BIBLIOTHÈQUE NATIONALE DU QUÉBEC – ISBN : 2-89037-915 9 – BIBLIOTHÈQUE NATIONALE DU CANADA
IMPRIMÉ AU CANADA

DIRECTION
JACQUES FORTIN – ÉDITEUR
JEAN-CLAUDE CORBEIL – DIRECTEUR LINGUISTIQUE
FRANÇOIS FORTIN – DIRECTEUR INFOGRAPHIQUE

CONCEPTION ET RÉDACTION
MARIE-ÉVA DE VILLERS

COORDINATION ET RECHERCHE
LILIANE MICHAUD

CORRECTION RÉDACTIONNELLE
SERGE-PIERRE NOËL

RÉVISION ET CORRECTION
JOSÉPHINE DUBOIS-COMEAU
MARIE MALO
MONIQUE THOUIN

TABLE DES MATIÈRES

Mettre à la portée de tous l'essentiel de la grammaire : voilà l'objet principal de ce guide alphabétique et thématique. De consultation facile, de format pratique, *La Grammaire en tableaux* donne accès rapidement aux notions fondamentales de la grammaire, mais également aux modèles de conjugaison, aux règles de la ponctuation, de la typographie, aux écueils les plus fréquents de l'orthographe.

L'ouvrage traite aussi de l'analyse grammaticale, de distinctions sémantiques, de l'emploi des majuscules et des minuscules, de l'écriture des nombres, des abréviations, sigles et acronymes, des symboles d'unités de mesure, de la correspondance, de références bibliographiques, de curriculum vitæ, etc. *La Grammaire en tableaux* tente de répondre le plus efficacement possible aux questions multiples que pose l'écriture du français.

Les dictionnaires, les codes orthographiques nous renseignent sur la forme des mots, mais non sur les accords du français écrit. Les micro-ordinateurs comportent maintenant des correcteurs qui, fort heureusement, permettent de supprimer coquilles et fautes d'orthographe d'usage; cependant ces outils précieux ne maîtrisent pas encore la totalité des règles complexes de l'orthographe grammaticale. Il demeure important de maîtriser les règles d'accord pour écrire correctement.

Destinée particulièrement aux étudiants et aux enseignants, *La Grammaire en tableaux* s'adresse aussi aux professionnels de l'écriture, à l'ensemble du personnel administratif, à tous ceux qui recherchent prioritairement la qualité de la langue et de la communication.

Reprenant les tableaux de la troisième édition du *Multidictionnaire de la langue française*, cet ouvrage de référence ordonne en tableaux les informations grammaticales, orthographiques, typographiques. Il les explique dans une langue simple et les illustre d'exemples tirés de notre réalité.

La Grammaire en tableaux comporte une liste alphabétique et des index qui permettent un repérage rapide de l'information :

1. Liste alphabétique des tableaux. La liste répertorie les titres des quelque 170 pages de tableaux de l'ouvrage.

2. Dictionnaire des verbes. Le dictionnaire des verbes recense les verbes dans l'ordre alphabétique et renvoie aux modèles complets de conjugaison qui composent la seconde partie de cet ouvrage.

3. Index des mots clés. L'index donne par ordre alphabétique tous les mots clés qui apparaissent dans les tableaux avec l'indication des pages où l'on peut les retrouver.

Grâce à ces trois accès faciles, *La Grammaire en tableaux* permet d'apprivoiser ou de retrouver les notions essentielles à la maîtrise du français.

Marie-Éva de Villers

LISTE DES MODÈLES DE CONJUGAISON

Cette liste renvoie aux modèles
de conjugaison classés par ordre
alphabétique (p. 174 à 249).

accroître	congeler	faillir	naître	sortir
acquérir	coudre	faire		sourire
aimer	courir	falloir	ouvrir	soustraire
aller	craindre	fendre		suffire
aller (s'en)	créer	finir	paître	suivre
apercevoir	croire	fuir	paraître	surseoir
appeler	cueillir		payer	
apprendre		haïr	plaire	tressaillir
asseoir	devoir		pleuvoir	
avancer	dire	inclure	posséder	vaincre
avoir	dormir		pourvoir	valoir
		joindre	pouvoir	venir
boire	écrire		protéger	vêtir
bouillir	émouvoir	lever		vivre
	employer	lire	remettre	voir
changer	envoyer		résoudre	vouloir
clore	éteindre	moudre		
combattre	être	mourir	savoir	
conduire	étudier		servir	

ABRÉVIATIONS ET SYMBOLES UTILISÉS DANS L'OUVRAGE

abrév. .... abréviation
adv. .... adverbe
CC .... complément circonstanciel
COD .... complément d'objet direct
COI .... complément d'objet indirect
ex. .... exemple
f. .... féminin
fam. .... familier
fém. .... féminin
fig. .... figuré
intr. .... intransitif
litt. .... littéraire
loc. adj. .... locution adjective
loc. adv. .... locution adverbiale
loc. conj. ...... locution conjonctive

loc. nom. ...... locution nominale
loc. prép. ...... locution prépositive
loc. pronom. ... locution pronominale
m. .... masculin
maj./min. ...... majuscule ou minuscule
masc. .... masculin
n. .... nom
symb. .... symbole
tr. .... transitif
v. .... verbe
* .... précède une forme fautive
☞ .... précède une note sur la prononciation
⚜ .... précède un québécisme
☛ .... précède une note
↪ .... précède une note sur la construction

ALPHABET PHONÉTIQUE

ASSOCIATION PHONÉTIQUE INTERNATIONALE

VOYELLES		CONSONNES		SEMI-CONSONNES	
[i]	lyre, riz	[p]	poivre, loupe	[j]	yeux, travail
[e]	jouer, clé	[t]	vite, trop	[w]	jouer, oie
[ɛ]	laid, mère	[k]	cri, quitter	[ɥ]	huit, bruit
[a]	natte, la	[b]	bonbon		
[ɑ]	lâche, las	[d]	aide, drap		
[ɔ]	donner, port	[g]	bague, gant		
[o]	dôme, eau	[f]	photo, enfant		
[u]	genou, rouler	[s]	sel, descendre		
[y]	nu, plutôt	[ʃ]	chat, manche		
[ø]	peu, meute	[v]	voler, fauve		
[œ]	peur, fleur	[z]	zéro, maison		
[ə]	regard, ce	[ʒ]	je, tige		
[ɛ̃]	matin, feinte	[l]	soleil, lumière		
[ɑ̃]	dans, moment	[r]	route, avenir		
[ɔ̃]	pompe, long	[m]	maison, femme		
[œ̃]	parfum, un	[n]	nœud, tonnerre		
		[ɲ]	vigne, campagne		
		[']	haricot (pas de liaison)		
		[ŋ]	(emprunts à l'anglais) camping		

TABLEAUX

RÈGLES DE L'**ABRÉVIATION**

L'abréviation est la suppression de lettres dans un mot à des fins d'économie d'espace ou de temps.

▶ ABRÉVIATION

Mot dont on a supprimé des lettres.

> **Mme** est l'abréviation de *madame;* **M.,** de *monsieur;* **app.,** de *appartement;* **p.,** de *page.*

> ☞ Lors d'une première mention dans un texte, il importe d'écrire au long la signification de toute abréviation non usuelle, tout sigle, acronyme ou symbole non courant.

▶ SIGLE

Abréviation constituée par les initiales de plusieurs mots et qui s'épelle lettre par lettre.

> **PME** est le sigle de *petite et moyenne entreprise;* **SVP,** de *s'il vous plaît;* **BD,** de *bande dessinée.*

▶ ACRONYME

Sigle composé des initiales ou des premières lettres d'une désignation et qui se prononce comme un seul mot.

> **Cégep** est l'acronyme de *collège d'enseignement général et professionnel;*
> **OACI,** de *Organisation de l'aviation civile internationale.*

▶ SYMBOLE

Signe conventionnel constitué par une lettre, un groupe de lettres, etc.
Par exemple, les symboles des unités de mesure, les symboles chimiques et mathématiques.

> Le symbole de *mètre* est **m,** celui de *kilogramme,* **kg,** celui de *dollar,* **$.**

> ☞ Les symboles appartiennent au système de notation des sciences et des techniques et s'écrivent sans point abréviatif.

▶ **Pluriel des abréviations**

Les abréviations, les sigles et les symboles ne prennent pas la marque du pluriel, à l'exception de certaines abréviations consacrées par l'usage.

> Mme **Mmes** n^o **n^{os}**   M. **MM.**

▶ **Accents et traits d'union**

Les accents et les traits d'union du mot abrégé sont conservés dans l'abréviation.

> *c'est-à-dire* **c.-à-d.**   *États-Unis* **É.-U.**

▶ **Point abréviatif en fin de phrase**

En fin de phrase, le point abréviatif se confond avec le point final.

RÈGLES DE L'ABRÉVIATION – SUITE ▶

▶ **Absence de point abréviatif pour les symboles**

Les symboles ne comportent pas de point abréviatif.

année **a**   *centimètre* **cm**   *mercure* **Hg**   *cent* (monnaie) **¢**   *heure* **h**   *watt* **W**

▶ **Espacement des symboles**

Les symboles des unités de mesure et les symboles des unités monétaires sont séparés par un espace simple du nombre entier ou fractionnaire obligatoirement exprimé en chiffres.

15 ¢   *10,5 cm*

En l'absence d'une abréviation consacrée par l'usage, on abrégera selon les modes suivants :

• SUPPRESSION DES LETTRES FINALES
(après une consonne et avant une voyelle)

La dernière lettre de l'abréviation est suivie du point abréviatif. On abrège généralement devant la voyelle de l'avant-dernière syllabe.

environ **env.**   *introduction* **introd.**   *traduction* **trad.**   *exemple* **ex.**

☞ S'il n'y a pas de risque de confusion, il est possible de supprimer un plus grand nombre de lettres.

quelque chose **qqch.**   *téléphone* **tél.**

• SUPPRESSION DES LETTRES MÉDIANES

La lettre finale n'est pas suivie du point abréviatif, puisque la lettre finale de l'abréviation correspond à la dernière lettre du mot.

compagnie **Cie**   *maître* **M^e**   *madame* **Mme**   *vieux* **vx**

☞ L'abréviation des adjectifs numéraux ordinaux obéit à cette règle.

premier **1er**   *deuxième* **2e**

• SUPPRESSION DE TOUTES LES LETTRES, À L'EXCEPTION DE L'INITIALE

L'initiale est suivie du point abréviatif.

monsieur **M.**   *page* **p.**   *siècle* **s.**   *verbe* **v.**

• SUPPRESSION DES LETTRES DE PLUSIEURS MOTS, À L'EXCEPTION DES INITIALES

Les sigles et les acronymes sont constitués par les lettres initiales de plusieurs mots. Par souci de simplification, on observe une tendance à omettre les points abréviatifs dans les sigles et les acronymes.

Organisation des Nations Unies **ONU**   *Communauté urbaine de Montréal* **CUM**
Produit national brut **PNB**   *Train à grande vitesse* **TGV**

VOIR TABLEAUX ▶ ABRÉVIATIONS COURANTES. ▶ ACRONYME. ▶ SIGLE. ▶ SYMBOLE.

ABRÉVIATIONS COURANTES

@	a commercial
a	année
AC	atmosphère contrôlée
adr.	adresse
Alb.	Alberta
AM	modulation d'amplitude
ap. J.-C.	après Jésus-Christ
app.	appartement
art.	article
a/s de	aux soins de
av.	avenue
av. J.-C.	avant Jésus-Christ
BD	bande dessinée
bdc	bas-de-casse
bibl.	bibliothèque
bibliogr.	bibliographie
boul.	boulevard
bur.	bureau
c.	contre
CA ou c. a.	comptable agréé
CA ou c. a.	comptable agréée
c. a.	courant alternatif
c.-à-d.	c'est-à-dire
C.-B.	Colombie-Britannique
c. c.	copie conforme
c. c.	courant continu
C/c	compte courant
c. élec.	courrier électronique
cf., conf.	confer
ch.	chacun, chacune
ch.	chemin
chap.	chapitre
ch. de f.	chemin de fer
Cie	compagnie
coll.	collection
C. P.	case postale
C. R.	contre remboursement
c^{té}, cté	comté
CV	curriculum vitæ
dom.	domicile
D^r, Dr	docteur
D^{re}, Dre	docteure
E.	est
éd.	édition
édit.	éditeur
édit.	éditrice
enr.	enregistrée
env.	environ
et al.	et alii
etc.	et cetera
É.-U., USA	États-Unis
ex.	exemple
excl.	exclusivement

exp.	expéditeur, expéditrice
FAB	franco à bord
féd.	fédéral
fig.	figure
FM	modulation de fréquence
gouv.	gouvernement
H., haut.	hauteur
HT	hors taxes
ibid.	ibidem
id.	idem
inc.	incorporée
incl.	inclusivement
Î.-P.-É.	Île-du-Prince-Édouard
l., larg.	largeur
l., long.	longueur
ltée	limitée
M.	monsieur
Man.	Manitoba
max.	maximum
MD	marque déposée
M^e	maître
M^{es}	maîtres
min.	minimum
Mlle	mademoiselle
Mlles	mesdemoiselles
MM.	messieurs
Mme	madame
Mmes	mesdames
N.	nord
N. B.	nota bene
N.-B.	Nouveau-Brunswick
n^{bre}	nombre
NDLR	note de la rédaction
NDT	note du traducteur
N.-É.	Nouvelle-Écosse
N^o, n^o	numéro
N^{os}, n^{os}	numéros
O.	ouest
o	octet
Ont.	Ontario
p.	page(s)
%, p. c., p. cent	pour cent
p.c.q.	parce que
p.-d.-g., pdg	président-directeur général
p.-d.-g., pdg	présidente-directrice générale

p. ex.	par exemple
pH	potentiel hydrogène
p. j.	pièce jointe
P^r, Pr	professeur
P^{re}, Pre	professeure
prov.	province
prov.	provincial
P.-S.	post-scriptum
p.-v.	procès-verbal
QC	Québec
qq.	quelque
qqch.	quelque chose
qqn	quelqu'un
quest., Q.	question
RC, r.-de-ch.	rez-de-chaussée
réf.	référence
rép., R.	réponse
r^o	recto
RR	route rurale
RSVP	répondez, s'il vous plaît
r^{te}, rte	route
r.-v.	rendez-vous
s.	siècle
S.	sud
Sask.	Saskatchewan
sc.	science(s)
s. d.	sans date
SI	Système international d'unités
s. l.	sans lieu
s. l. n. d.	sans lieu ni date
s. o.	sans objet
S^t, S^{ts}	Saint, Saints
S^{te}, S^{tes}	Sainte, Saintes
S^{té}	société
suppl.	supplément
SVP, svp	s'il vous plaît
t.	tome
tél.	téléphone
tél. cell.	téléphone cellulaire
téléc.	télécopie
T.-N.	Terre-Neuve
T. N.-O.	Territoires du Nord-Ouest
TSVP	tournez s'il vous plaît
TTC, t. t. c.	toutes taxes comprises
TU	temps universel
V., v.	voir
v^o	verso
vol.	volume(s)
v.-p.	vice-président
v.-p.	vice-présidente
Yn	Territoire du Yukon

VOIR TABLEAUX ▶ ABRÉVIATION (RÈGLES DE L'). ▶ GRADES ET DIPLÔMES UNIVERSITAIRES. ▶ SIGLE.

ACCENTS

Les accents sont des signes qui se placent sur certaines voyelles afin d'en préciser la prononciation.

- **Accent aigu** ´

    Éléphant, école, accéléré, cinéma, télévision, féminiser, malgré, nuitée, péril.

- **Accent grave** `

    Règle, grève, lèvre, complètement, baromètre, lèche-vitrines, nèfle, parallèle.

- **Accent circonflexe** ^

    Pâle, tâche, forêt, prêt, quête, abîmer, croître, dîme, plutôt, rôder, bûche, jeûner.

- **Tréma** ¨

    Signe orthographique que l'on met sur les voyelles *e, i, u* pour indiquer que la voyelle qui précède ou qui suit doit être prononcée séparément.

    Noël, héroïsme, capharnaüm, barzoï, laïque, maïs, haïr, inouï, mosaïque.

▶ ACCENTS ET SENS

En plus d'indiquer la prononciation, les accents permettent de distinguer certains mots dont la signification varie en fonction de leur accentuation :

acre	« surface »	*âcre*	« irritant »
chasse	« poursuite du gibier »	*châsse*	« coffret »
colon	« membre d'une colonie »	*côlon*	« intestin »
cote	« mesure »	*côte*	« pente »
haler	« tirer »	*hâler*	« bronzer »
mat	« non brillant »	*mât*	« pièce dressée d'un voilier »
mur	« paroi »	*mûr*	« parvenu à maturité »
roder	« mettre au point »	*rôder*	« aller et venir »
sur	« aigre »	*sûr*	« certain »
tache	« marque »	*tâche*	« travail »

▶ ACCENTS ET MAJUSCULES

Parce que les accents permettent de préciser la prononciation et le sens des mots, il importe d'accentuer les majuscules aussi bien que les minuscules. En effet, l'absence d'accents peut modifier complètement le sens d'une phrase. Ainsi, les mots *SALE* et *SALÉ*, *MEUBLE* et *MEUBLÉ* ne se distinguent que par l'accent. Autre exemple : seul l'accent permet de différencier les phrases *UN ASSASSIN TUÉ* et *UN ASSASSIN TUE*.

- Les abréviations, les sigles et les acronymes n'échappent pas à cette règle. *É.-U.* (abréviation de *États-Unis*).

▶ ACCENTS ET PRONONCIATION

Pour harmoniser l'orthographe et la prononciation de certains mots, l'Académie française a admis l'emploi d'un accent grave en remplacement de l'accent aigu.

abrègement	(traditionnellement orthographié *abrégement*)
allègement	(traditionnellement orthographié *allégement*)
allègrement	(traditionnellement orthographié *allégrement*)
évènement	(traditionnellement orthographié *événement*)

- L'emploi de l'accent aigu selon l'orthographe traditionnelle demeure le plus courant.

VOIR TABLEAU ▶ **ACCENTS PIÈGES.**

ACCENTS PIÈGES

La langue française comporte plusieurs illogismes, de nombreuses anomalies qui peuvent être la cause d'erreurs. Voici, à titre d'exemples, une liste de mots pour lesquels les fautes d'accent sont fréquentes.

▶ MOTS DE MÊME ORIGINE AVEC OU SANS ACCENT ?

âcre	et	acrimonie	infâme	et	infamie
arôme	et	aromatique	jeûner	et	déjeuner
binôme	et	binomial	pôle	et	polaire
côte	et	coteau	râteau	et	ratisser
diplôme	et	diplomatique	sûr	et	assurer
grâce	et	gracieux	symptôme	et	symptomatique
impôt	et	imposer	trône	et	introniser

▶ MOTS AVEC OU SANS ACCENT CIRCONFLEXE ?

Les participes passés des verbes *croître, devoir et mouvoir* :

crû, mais *crue, crus, crues* – *dû*, mais *due, dus, dues* – *mû*, mais *mue, mus, mues*.

Avec un accent circonflexe		**Sans** accent circonflexe	
abîme	fraîche	barème	cyclone
aîné	gîte	bateau	égout
bâbord	huître	boiter	flèche
blême	maître	chalet	guépard
câble	mât	chapitre	pédiatre
chaîne	piqûre	cime	racler
dégât	voûte	crèche	toit

Avec un accent circonflexe	**Sans** accent circonflexe
assidûment	éperdument
crûment	ingénument
dûment	prétendument

▶ MOTS AVEC UN ACCENT AIGU OU UN ACCENT GRAVE ?

Avec un accent **aigu**		Avec un accent **grave**	Avec un accent **aigu**		Avec un accent **grave**
assécher	et	assèchement	réglementer	et	règlement
bohémien	et	bohème	régler	et	règle
crémerie	et	crème	régner	et	règne
hypothéquer	et	hypothèque	repérer	et	repère
poésie	et	poète	zébrer	et	zèbre

▶ MOTS AVEC OU SANS TRÉMA ?

Avec un tréma		**Sans** tréma
aïeul	haïr	coefficient
archaïque	héroïsme	goéland
caïd	inouï	goélette
caïman	maïs	homogénéiser
canoë	mosaïque	israélien
coïncidence	naïf	kaléidoscope
égoïste	ouïe	moelle
faïence	païen	poème
glaïeul	troïka	protéine

VOIR TABLEAU ▶ ACCENTS.

ACRONYME

L'acronyme est un sigle composé des initiales ou des premières lettres d'une désignation et qui se prononce comme un seul mot, à la différence du sigle qui s'épelle lettre par lettre (SRC, PME, CLSC).

Benelux .... Belgique-Nederland-Luxembourg
Cégep .... Collège d'enseignement général et professionnel
CILF .... Conseil international de la langue française
Laser .... Light Amplification by Stimulated Emission of Radiation
Modem .... Modulateur démodulateur
OACI .... Organisation de l'aviation civile internationale
Radar .... Radio Detecting and Ranging

À son premier emploi dans un texte, l'acronyme est généralement précédé de sa désignation au long.

▸ **Points abréviatifs**

La tendance actuelle est d'omettre les points abréviatifs. Dans cet ouvrage, les acronymes sont notés sans points ; cependant, la forme avec points est généralement correcte.

▸ **Genre et nombre des acronymes**

Les acronymes sont du genre et du nombre du mot principal de la désignation abrégée.

La ZEC (zone [féminin singulier] d'exploitation contrôlée).
Le SIDA (syndrome [masculin singulier] immuno-déficitaire acquis).

ACDI .... Agence canadienne de développement international
ACÉF .... Associations coopératives d'économie familiale
ACFAS .... Association canadienne-française pour l'avancement des sciences
AFÉAS .... Association féminine d'éducation et d'action sociale
AFNOR .... Association française de normalisation
ALÉNA .... Accord de libre-échange nord-américain
ASCII .... American Standard Code for Information Interchange
CHU .... Centre hospitalier universitaire
CNUCED .... Conférence des Nations Unies sur le commerce et le développement
COFI .... Centre d'orientation et de formation des immigrants
CROP .... Centre de recherches sur l'opinion publique
DOM .... Département (français) d'outre-mer
ÉNA .... École nationale d'administration (France)
ÉNAP .... École nationale d'administration publique
MIDEM .... Marché international du disque et de l'édition musicale
NASA .... National Aeronautics and Space Administration
ONU .... Organisation des Nations Unies
OPEP .... Organisation des pays exportateurs de pétrole
OTAN .... Organisation du traité de l'Atlantique Nord
OVNI .... Objet volant non identifié
RADAR .... Répertoire analytique d'articles de revues
RAIF .... Réseau d'action et d'information pour les femmes
REÉR .... Régime enregistré d'épargne-retraite
RREGOP .... Régime de retraite des employés du gouvernement et des organismes publics
SACO .... Service administratif canadien outre-mer
SALT .... Strategic Arms Limitation Talks
SIDA .... Syndrome immuno-déficitaire acquis
UNICEF .... United Nations International Children's Emergency Fund
UQAM .... Université du Québec à Montréal
ZAC .... Zone d'aménagement et de conservation
ZEC .... Zone d'exploitation contrôlée

VOIR TABLEAUX ▸ ABRÉVIATION (RÈGLES DE L'). ▸ ABRÉVIATIONS COURANTES. ▸ SIGLE. ▸ SYMBOLE.

ADJECTIF

On distingue généralement deux grandes catégories d'adjectifs :

– les **adjectifs qualificatifs, adverbiaux** et **verbaux** ;

– les **déterminants** : **adjectifs démonstratifs** ;
adjectifs possessifs ;
adjectifs numéraux ;
adjectifs relatifs ;
adjectifs interrogatifs et exclamatifs ;
adjectifs indéfinis.

☞ Les articles sont aussi des déterminants.

VOIR TABLEAU ► DÉTERMINANT.

ADJECTIFS QUALIFICATIFS, ADVERBIAUX ET VERBAUX

► ADJECTIF QUALIFICATIF

Adjectif qui exprime une qualité des êtres ou des objets désignés par le nom qu'il accompagne et avec lequel il s'accorde.

*Un **beau** citron, une **grande** fille, un vélo **rouge**, des roses **odorantes**, de **jolis** dessins.*

ACCORD DE L'ADJECTIF QUALIFICATIF

De façon générale, l'adjectif s'accorde en genre et en nombre avec le nom qu'il accompagne.

CAS PARTICULIERS

• Avec **plusieurs noms au singulier** auxquels il se rapporte, l'adjectif se met au pluriel.

*Un fruit et un légume **mûrs**. Une pomme et une orange **juteuses**.*

• Avec **plusieurs noms de genre différent,** l'adjectif se met au masculin pluriel.

*Une mère et un fils **avisés**.*

• Avec des **mots séparés par ou,** si l'un des mots exclut l'autre, l'adjectif s'accorde avec le dernier.

*Il est d'une générosité ou d'une bêtise **extraordinaire** : il donne sans compter.*

• Avec un **nom complément d'un autre nom,** l'adjectif s'accorde selon le sens.

*Une coupe d'or **ciselée** ou **ciselé**.*

• Avec un **nom collectif,** l'adjectif s'accorde avec le collectif ou son complément, selon le sens.

*La plupart des élèves sont **malades**. Ce groupe de touristes est **américain**.*

VOIR TABLEAU ► COLLECTIF.

• Les adjectifs de couleur de forme simple s'accordent en genre et en nombre, alors que les adjectifs composés et les noms employés comme adjectifs de couleur restent invariables.

*Des robes **bleues**, des costumes **noirs**. Une jupe **vert forêt**, des cheveux **poivre et sel**.*
*Des écharpes **tangerine**, des foulards **turquoise** ou **kaki**.*

VOIR TABLEAU ► COULEUR (ADJECTIFS DE).

ADJECTIF – SUITE ▶

▶ ADJECTIF – SUITE

DEGRÉS DE SIGNIFICATION

Les adjectifs qualificatifs peuvent s'employer :

• au **positif**	– qualité attribuée	*La rose est belle.*
• au **comparatif**	– supériorité	*La rose est **plus** belle **que** l'iris.*
	– égalité	*La rose est **aussi** belle **que** l'iris.*
	– infériorité	*La rose est **moins** belle **que** l'iris.*
• au **superlatif** relatif	– supériorité	*La rose est **la plus** belle de toutes.*
	– infériorité	*La rose est **la moins** belle de toutes.*
• au **superlatif** absolu	– supériorité	*La rose est **très** belle.*
	– infériorité	*La rose est **très peu** belle.*

☞– Le langage de la publicité crée volontiers des superlatifs à l'aide des préfixes latins ***super, extra, ultra.*** *C'était une fête **super.*** Les adolescents font aussi largement usage de ces super-latifs. *Ma copine est **extra.*** Ces emplois doivent être réservés à la langue familière. *Elle est hyper-chouette. Il est archi-fou.* Les mots formés pour la circonstance à l'aide de ces préfixes s'écrivent avec un trait d'union.

▶ ADJECTIF ADVERBIAL

Adjectif employé comme adverbe, il est invariable.

Haut *les mains ! Ces produits coûtent **cher.** Cela sonne **faux.** Ils vont **vite.***

▶ ADJECTIF VERBAL

Adjectif qui a la valeur d'un simple qualificatif, il s'accorde en genre et en nombre avec le nom déterminé.

*Des îles **flottantes.** Une soirée **dansante** à la nuit **tombante.***

☞– Il ne faut pas confondre l'adjectif verbal et le participe présent. Alors que le participe présent, toujours invariable, exprime une action qui a lieu en même temps que l'action du verbe qu'il accompagne, l'adjectif verbal traduit un état, une qualité et prend la marque du féminin et du pluriel. Il joue le même rôle qu'un adjectif qualificatif et ne peut être suivi d'un complément d'objet direct ou d'un complément circonstanciel.

Certains verbes ont un participe présent et un adjectif verbal dont l'orthographe est différente :

Participe présent	Adjectif verbal
adhérant	adhérent
communiquant	communicant
convainquant	convaincant
différant	différent
équivalant	équivalent
excellant	excellent
fatiguant	fatigant
intriguant	intrigant
naviguant	navigant
négligeant	négligent
précédant	précédent
provoquant	provocant
suffoquant	suffocant
zigzaguant	zigzagant

Négligeant *leur rôle d'arbitres, ils ont pris parti pour nos adversaires. Ces arbitres **négligents** seront congédiés. Les articles vendus **équivalant** à plusieurs milliers, le chiffre d'affaires est excellent. Il faut acheter des quantités **équivalentes** à celles de l'an dernier.*

VOIR TABLEAUX ▶ DÉTERMINANT. ▶ INDÉFINI (ADJECTIF). ▶ INTERROGATIF ET ADJECTIF EXCLAMATIF (ADJECTIF). ▶ NUMÉRAL (ADJECTIF). ▶ PARTICIPE PRÉSENT. ▶ POSSESSIF (ADJECTIF ET PRONOM).

ADRESSE

RÈGLES D'ÉCRITURE	EXEMPLES

► **1. DESTINATAIRE**

- **Titre de civilité** au long, prénom et nom
  - ✍ Le titre de civilité (le plus souvent *Monsieur* ou *Madame*) s'écrit au long et le prénom est abrégé ou non.

- **Fonction,** s'il y a lieu

- **Nom de l'entreprise, de l'organisme,** s'il y a lieu

Madame Laurence Dubois
Directrice des communications
Dubuffet et Lavigne

Monsieur Philippe Larue
Chef de produit
Groupe Gamma

► **2. DESTINATION**

- **Numéro** et **nom de la voie publique**
  - ✍ L'indication du numéro est suivie d'une virgule, du nom générique (*avenue, boulevard, chemin, côte, place, rue,* etc.) écrit en minuscules et enfin du nom spécifique de la voie publique. Si ce nom comporte plusieurs éléments, ils sont joints par des traits d'union.

37, avenue Claude-Champagne
55, place Cambray

NOMS GÉNÉRIQUES USUELS	ABRÉVIATIONS
avenue	**av.**
boulevard	**boul.**
chemin	**ch.**
route	**rte ou rte**

- **Point cardinal,** s'il y a lieu
  - ✍ Le point cardinal (abrégé ou non) s'écrit avec une majuscule à la suite du nom spécifique de la voie publique.

  VOIR TABLEAU ► ODONYMES.

630, boul. Laurentien Ouest ou O.

ABRÉVIATIONS DES POINTS CARDINAUX		
Est .... **E.**	Ouest .... **O.**
Nord .... **N.**	Sud ...... **S.**

- **Appartement, bureau,** s'il y a lieu
  - ✍ Le nom *appartement* s'abrège en *app.* (et non *apt.*) et le nom *bureau* en *bur.* L'emploi du nom *suite en ce sens est un anglicisme.

234, rue Lajoie, app. 102
630, boul. Lebeau, bureau 500

- **Bureau de poste,** s'il y a lieu
  - ✍ Pour des raisons d'uniformisation, la nouvelle *Norme canadienne d'adressage* recommande d'utiliser le terme *case postale* (abrégé **C. P.**) de préférence à l'expression *boîte postale* (abrégée **B. P.**).

Case postale 6204, succursale Centre-ville
ou
C. P. 6204, succ. Centre-ville

ADRESSE – SUITE ►

• **Nom de la ville** et **de la province,** s'il y a lieu

Il est recommandé d'écrire le nom de la province au long entre parenthèses. S'il est nécessaire d'abréger, on utilisera l'abréviation normalisée.

☞ L'Office de la langue française a normalisé le symbole *QC* (pour *Québec*) qui doit être réservé à certains usages techniques (tableaux, formulaires, envois massifs, etc.). Le symbole *QC* s'écrit sans parenthèses.

Montréal (Québec)
Ottawa (Ontario)

Abréviations normalisées des provinces
et territoires du Canada

Alberta	Alb.
Colombie-Britannique	C.-B.
Île-du-Prince-Édouard	Î.-P.-É.
Manitoba	Man.
Nouveau-Brunswick	N.-B.
Nouvelle-Écosse	N.-É.
Ontario	Ont.
Québec	–
Saskatchewan	Sask.
Terre-Neuve	T.-N.
Territoire du Yukon	Yn
Territoires du Nord-Ouest	T. N.-O.

• **Code postal**

Mention obligatoire, le code postal doit figurer en majuscules après l'indication de la ville et de la province, s'il y a lieu. Dans la mesure du possible, le code postal suit la mention de la ville et de la province après un espacement équivalant à deux caractères. Sinon, il figure à la ligne suivante.

Montréal (Québec) H3T 1A3

Hudson (Québec) J0P 1J0

Sainte-Agathe-des-Monts (Québec)
J2D 4G8

• **Nom du pays**

Pour les lettres destinées à l'étranger, on écrit le nom du pays en majuscules à la dernière ligne de l'adresse. Au Québec, il est préférable d'écrire le nom du pays en français puisque cette indication sert au tri postal du pays de départ. Dans la mesure du possible, il importe de se conformer aux usages du pays de destination.

19, rue Bonaparte
75006 Paris
FRANCE

Time Magazine
541 North Fairbanks Court
Chicago
Illinois
ÉTATS-UNIS 60611

▶ **3. NATURE ET MODE D'ACHEMINEMENT**

Les mentions relatives à la nature de l'envoi ainsi qu'au mode d'acheminement s'écrivent au **masculin singulier en majuscules.**

VOIR TABLEAU ▶ ENVELOPPE.

RECOMMANDÉ
PERSONNEL
CONFIDENTIEL

REMARQUE GÉNÉRALE : Ces règles d'écriture sont conformes à la *Norme canadienne d'adressage* de la Société canadienne des postes. Il importe de respecter l'usage français en ce qui a trait à l'emploi des majuscules et des minuscules, de l'emploi de la virgule et des abréviations ; c'est pourquoi il est déconseillé de noter l'adresse en majuscules non accentuées et sans ponctuation ainsi que le propose la Société canadienne des postes dans l'adresse qu'elle qualifie d'optimale.

ADVERBE

L'adverbe est un mot invariable qui se joint à un autre mot pour en modifier ou en préciser le sens.

L'adverbe peut ainsi modifier ou préciser :
- un verbe — *Il dessine **bien**.*
- un adjectif — *Une maison **trop** petite.*
- un autre adverbe — *Elle chante **tellement** mal.*
- un nom — *Un roi **vraiment** roi.*
- une phrase — ***Généralement**, il arrive à l'heure.*

☞ L'adverbe peut parfois préciser le sens d'un pronom. *C'est **bien** lui, mon ami.*

Les adverbes peuvent exprimer :
- la manière — *tendrement, férocement*
- le lieu — *derrière, devant*
- le temps — *demain, hier*
- la quantité — *beaucoup, peu*
- l'affirmation — *certainement, assurément*
- la négation — *nullement, aucunement*
- le doute — *peut-être, probablement*
- l'interrogation — *où ? combien ? quand ? comment ?*

☞ La locution adverbiale est composée de plusieurs mots et joue le même rôle que l'adverbe.

LES ADVERBES ET LES LOCUTIONS ADVERBIALES DE **MANIÈRE**

► **COMMENT ?**

ainsi	comment	calmement
à loisir	d'aplomb	doucement
à part	exprès	gentiment
à tort	faux	gravement
à volonté	fort	méchamment
beau	gratis	prudemment
bien	juste	rapidement
bon	mal	sagement
cher	pêle-mêle...	la plupart des adverbes en -**ment**.

☞ Certains mots comme ***bien, bon, cher, faux, fort, juste...*** ne sont des adverbes de manière que s'ils modifient le sens du mot auquel ils se rapportent. *Cela sent bon.* Sinon, ils sont adjectifs qualificatifs. *C'est un bon ami.*

► **DANS QUEL ORDRE ?**

après	premièrement	*primo*
auparavant	deuxièmement	*secundo*
avant	troisièmement	*tertio*
d'abord	quatrièmement	*quarto*
dernièrement	cinquièmement	*quinto*
de suite	sixièmement	*sexto*
ensuite	septièmement	*septimo*
successivement...	huitièmement...	*octavo...*

LES ADVERBES ET LES LOCUTIONS ADVERBIALES DE **LIEU**

► **OÙ ?**

à droite	au-dessous	dessous	en dehors	là-bas
à gauche	au-dessus	dessus	en dessous	loin
ailleurs	au-devant	devant	en dessus	par-derrière
alentour	autour	en arrière	en haut	par-devant
au-dedans	dedans	en avant	hors	partout
au-dehors	dehors	en bas	ici	près
au-delà	derrière	en dedans	là	quelque part...

ADVERBE – SUITE ►

☞– Certains mots comme *autour, devant, derrière, dessous, dessus, hors, près, au-devant*... ne sont des *adverbes* ou des *locutions adverbiales* de lieu que s'ils modifient le sens du mot auquel ils se rapportent. *Elle joue derrière. Ils sont assis devant. Tourne à gauche.* S'ils sont suivis d'un complément, ils sont des *prépositions* ou des *locutions prépositives. Il y a un arbre derrière la maison. Ils jouent devant l'école. Prends le sentier à gauche de la maison.*

LES ADVERBES ET LES LOCUTIONS ADVERBIALES DE **TEMPS**

▶ **QUAND ?**

antérieurement	bientôt	ensuite	postérieurement	tard
après	demain	hier	puis	tôt
aujourd'hui	dernièrement	jadis	soudain	toujours
auparavant	désormais	jamais	sous peu	tout à coup
autrefois	dorénavant	naguère	souvent	tout à l'heure
avant-hier	encore	parfois	tantôt	tout de suite...

PENDANT COMBIEN DE TEMPS? brièvement   longtemps...

DEPUIS COMBIEN DE TEMPS? depuis longtemps   depuis peu...

LES ADVERBES ET LES LOCUTIONS ADVERBIALES DE **QUANTITÉ** ET D'**INTENSITÉ**

▶ **COMBIEN ?**

à demi	aussi... que	entièrement	peu	tant
à moitié	autant	le moins	plus	tellement
à peine	beaucoup	le plus	plus ou moins	tout
à peu près	bien	moins	plus... que	tout à fait
assez	comme	moins... que	presque	très
aussi	davantage	pas du tout	quasi	trop...

☞– 1° Certains mots comme *aussi, comme*... peuvent être également des conjonctions. *J'arrivais comme* (conjonction) *il partait. Comme* (adverbe) *il est grand! Ces produits ne sont pas biodégradables, aussi* (conjonction) *vaut-il mieux ne pas les utiliser. Il est aussi* (adverbe) *gentil qu'elle.*
2° Les mots *autant, bien, tant, tellement*... immédiatement suivis de la conjonction *que* forment des *locutions conjonctives. Je ne le changerai pas tant qu'il fonctionnera.*

LES ADVERBES ET LES LOCUTIONS ADVERBIALES D'**AFFIRMATION**

absolument	certes	justement	sûr
à la vérité	d'accord	oui	volontiers
après tout	effectivement	parfaitement	vraiment...
assurément	en vérité	précisément	
bien sûr	évidemment	sans doute	
certainement	exactement	si	

LES ADVERBES ET LES LOCUTIONS ADVERBIALES DE **NÉGATION**

aucunement	ne... guère	ne... plus	non
jamais	ne... jamais	ne... point	nullement
ne	ne... pas	ne... rien	pas du tout...

LES ADVERBES ET LES LOCUTIONS ADVERBIALES DE **DOUTE**

à peu près	environ	par hasard	probablement
apparemment	éventuellement	peut-être	sans doute...

LES ADVERBES ET LES LOCUTIONS ADVERBIALES D'**INTERROGATION**

combien ?	est-ce que ?	n'est-ce pas ?	pourquoi ?
comment ?	et alors ?	où ?	quand ?...

ALLER

▶ **VERBE INTRANSITIF**

1. Se déplacer en s'éloignant du lieu où l'on se trouve. *Nous **allons** au parc. Nous **irons** en Gaspésie.*
   - Ne pas confondre avec le verbe **venir** qui exprime l'idée inverse. *Ce soir, j'irai chez toi. Demain, tu viendras chez moi.*
2. *Aller + à.* Aller sur, en parlant d'un moyen de transport. ***Aller à** cheval, à vélo.*
3. *Aller + en.* Aller dans, en parlant d'un moyen de transport. ***Aller en** voiture, en bateau, en avion.*
4. *Aller + chez.* ***Aller chez** le dentiste. Ma grand-maman **allait chez** Dupuis Frères.*
   - Devant un nom de profession, un nom de famille, on emploiera la préposition **chez** alors que le complément circonstanciel de lieu est généralement lié au verbe par la préposition **à**. *Aller à l'épicerie, à la campagne.*
5. *Aller + nom géographique.*
   – *Aller à* + nom géographique féminin de petite île ou devant un nom masculin d'île. ***Aller à** Saint-Pierre, à Cuba.*
   – *Aller au* + nom géographique masculin singulier ou pluriel, ou nom féminin pluriel. ***Aller au** Portugal, **au** Québec, **aux** États-Unis, **aux** Îles-de-la-Madeleine.*
   – *Aller en* + nom géographique féminin ou nom masculin singulier commençant par une voyelle ou par un **h** muet. ***Aller en** Abitibi, **en** Italie, **en** Europe, **en** Gaspésie.*
6. *Aller + infinitif.* Être sur le point de. *Il **va** neiger. Attention! tu **vas** tomber!*
   - Cette construction exprime l'idée d'un futur proche.
7. *Aller + participe présent.* (VX) (LITT.) Progresser. *Son inquiétude **va** croissant depuis qu'elle est sans nouvelles.*
   - En ce sens, le participe est invariable. Cette construction est remplacée aujourd'hui par **en** + gérondif. *Son inquiétude va en croissant.*
8. *Aller + sur.* (FAM.) Atteindre bientôt (un certain âge). *Mes grands-parents **vont sur** leurs 80 ans.*
9. Se sentir. *Comment ça **va**? Je **vais** mieux depuis que je suis en vacances.*
10. Convenir. *Ce vert **va** bien avec le jaune maïs. Sa robe lui **va** à ravir, elle est très jolie.*
11. Marcher, fonctionner, en parlant d'une chose. *Mon nouveau vélo **va** très vite.*
12. *S'en aller.* Quitter un lieu. ***S'en aller** de Vaudreuil.*
    – (avec mouvement) Se rendre. *Je **m'en vais** à l'école, à ce soir!*
    – (sans mouvement) (FAM.) Être sur le point de. *Je **m'en vais** te dire ce que je pense.*
    – (FIG.) Disparaître. *Les jours **s'en vont**, le temps passe vite.*

    - Le verbe se conjugue avec l'auxiliaire **être**.

LOCUTIONS
– *À la va-comme-je-te-pousse.* N'importe comment. *Ils travaillent mal, à la va-comme-je-te-pousse.*
– *Aller son petit bonhomme de chemin.* Ne pas se laisser distraire de sa voie et cheminer sans se presser.
– *Allez au diable!* Fichez-moi la paix! *Allez au diable avec votre vacarme!*
– *Cela va de soi.* C'est évident. *Il lui offrira des fleurs, cela va de soi.*
– *Cela va sans dire.* Il est clair que. *Cela va sans dire que je serai de la fête.*
– *Il y va, il en va.* (LITT.) Être en jeu. *Il y va de notre honneur, il en va de notre succès.*
– *Se laisser aller à.* Ne pas résister. *Ils se sont laissés aller à dormir.*
– *Va pour.* (FAM.) Accord non enthousiaste. *Va pour l'excursion, mais demain j'opte pour la lecture.*
– *Y aller.* Agir d'une certaine manière. *Il faut y aller doucement.*

FORMES FAUTIVES
*aller en appel. Impropriété pour **en appeler, faire appel, interjeter appel, se pourvoir en appel**.
*aller en élections. Impropriété pour **déclencher des élections**.
*aller en grève. Calque de «*to go on strike*» pour **faire la grève**.
*aller sous presse. Calque de «*to go to press*» pour **mettre sous presse**.

VOIR TABLEAUX ▶ ALLER (CONJUGAISON DU VERBE). ▶ ALLER (CONJUGAISON DU VERBE S'EN).

ANALYSE GRAMMATICALE

NATURE	FONCTIONS
VERBE OU LOCUTION VERBALE ▸ **conjugué** ▸ **à l'infinitif** *groupe, mode, temps, personne et nombre*	Mot moteur de la phrase. ☞– Il est d'usage d'indiquer son sujet. Comme le nom, le verbe à l'infinitif peut être sujet, complément d'objet direct, complément d'objet indirect, complément circonstanciel, complément du nom ou attribut.

NATURE	FONCTIONS	QUESTIONS	EXEMPLES
NOM ▸ **commun** ▸ **propre** *genre (masculin ou féminin) nombre (singulier ou pluriel)*	sujet du verbe x	**qui est-ce qui ? qu'est-ce qui ?**	*L'enfant rit, la voiture roule.*
	complément d'objet direct du verbe x	**qui ? quoi ?**	*La jardinière plante des fleurs, nous aimons les jardins.*
	complément d'objet indirect du verbe x	**à qui ? à quoi ? de qui ? de quoi ? par qui ? par quoi ?**	*Pierre parle à son ami.*
	complément circonstanciel **de lieu** du verbe x	**où ?**	*Bianca mange au bureau. Range ton livre dans ton sac.*
	... **de temps**...	**quand ?**	*Le spectacle finit à 22 heures.*
	... **de manière, de moyen**...	**comment ?**	*Ils pêchent la sardine au filet.*
	... **de but, de cause, de raison**...	**pourquoi ?**	*Il faut manger pour vivre.*
	... **de prix, de poids, de mesure**...	**combien ?**	*Ce repas coûte 20 $. Ce fromage pèse 200 g.*
	complément du nom x	**quel ? quelle ? quels ? quelles ? de qui ? de quoi ? à quoi ? pour qui ?**	*La clé de ta maison. La porte de la mienne. Un litre de lait.*
	complément du pronom x	**de qui ? de quoi ?**	*Celle de mon frère.*
	complément de l'adjectif x	**à quoi ? de quoi ? en quoi ?**	*Clara est bonne en maths. Elle est fière de ses enfants.*
	attribut du sujet x	**qui ? quoi ?**	*La vache est un mammifère.*
	mot(s) mis en apostrophe. Sert à nommer la personne ou la chose personnifiée à qui l'on s'adresse		*Robert, viens ici !*
	mot(s) mis en apposition. Sert à préciser un autre nom		*Michèle, ma copine, est très gentille.*

▶ ANALYSE GRAMMATICALE – SUITE

NATURE			FONCTIONS
▶ **personnel** ▶ **possessif**	▶ **démonstratif** ▶ **indéfini**	▶ **relatif**	fonctions identiques à celles du nom
personne, genre et nombre	*genre et nombre*	*remplace x, genre et nombre*	

(colonne de gauche : **PRONOM**)

	NATURE		FONCTIONS	EXEMPLES
DÉTERMINANT	▶ **article**	– défini – indéfini – partitif	détermine le nom x	*L'ordinateur.* *Des imprimantes.* *Il n'y a plus de pain.*
	▶ **adjectif** *genre et nombre*	– possessif – démonstratif – numéral (cardinal ou ordinal) – indéfini – interrogatif ou exclamatif	détermine le nom x	*Mon ami.* *Cette copine.* *Les deux oiseaux.* *Certains arbres.* *Quel jour ? Quelle journée !*

	NATURE	FONCTIONS	EXEMPLES
ADJECTIF QUALIFICATIF	*genre et nombre*	épithète du nom x	*La douce Tao est venue me voir.*
		attribut du sujet x	*Cette invention est géniale.*
		attribut du complément d'objet direct ou du complément d'objet indirect x	*Je la trouve super !* *Il me semble parfait.*

	NATURE	FONCTIONS	EXEMPLES
MOT INVARIABLE	▶ **conjonction** ou locution conjonctive – **de coordination**	unit deux mots ou deux propositions de même nature ou de même fonction	*Tania ou Zoé sera gagnante.* *Il pleut et il vente.*
	– **de subordination**	unit deux propositions de nature différente	*Les élèves réussissent parce qu'ils s'en donnent la peine.*
	▶ **préposition** ou locution prépositive	relie le complément y au mot x	*Martin parle à sa mère. Le chien de Nellie. Ils fêtent avec leurs amis. L'arbre est devant la maison.*
	▶ **adverbe** ou locution adverbiale	modifie le sens d'un verbe x, d'un adjectif x ou d'un autre adverbe	*Simon nage rapidement. Léa parle bien. Il est très rapide. Elle court très vite.*
	▶ **interjection** ou locution interjective	ne joue pas de rôle grammatical	*Attention ! tu vas tomber.*

EMPRUNTS À **L'ANGLAIS**

Bon nombre de mots anglais – empruntés principalement au cours du XIXᵉ siècle – sont passés dans l'usage français tout en conservant leur forme originale. Ces emprunts, qui appartiennent surtout à la langue des sports, des techniques et des transports, sont nécessaires parce que le français ne dispose pas d'équivalents pour ces mots.

En voici quelques exemples :

aluminium	cottage	lunch	slogan
auburn	cow-boy	match	smoking
autocar	crash	music-hall	snob
bacon	crawl	nylon	soda
badminton	curling	palace	square
bar	drain	ping-pong	stand
barman	ferry	plaid	standard
barracuda	film	poker	steak
baseball	folklore	punch	stock
basket-ball	football	quota	stop
bifteck	gang	radar	studio
blazer	geyser	rade	tank
bluff	gin	raglan	tartan
bobsleigh	golf	raid	test
bowling	hall	rail	tract
bridge	harmonica	rallye	tramway
camping	handicap	record	transistor
cardigan	hockey	reporter	volley-ball
cheddar	jazz	revolver	wagon
clone	jockey	rhum	water-polo
clown	jogging	sandwich	western
club	joker	scotch	whisky...
cocktail	kilt	scout	
coroner	laser	short	
cortisone	lock-out	sketch	

▶ **Orthographe**

Ces emprunts conservent le plus souvent leur graphie d'origine et s'écrivent sans accents ; la plupart prennent un *s* au pluriel (*des crawls, des cocktails*), certains sont invariables (*des ping-pong, des manches raglan*), d'autres gardent ou non leur pluriel anglais (*des sandwiches, des whiskies*).

▶ **Un juste retour des choses**

Certains emprunts à l'anglais réintègrent leur langue d'origine puisqu'ils proviennent eux-mêmes du français.

Exemples : antilope — de ***antelope*** « animal fabuleux »

budget — de ***bougette*** au sens de « petit sac »

flirt — de ***fleureter*** au sens de « conter fleurette »

gentleman — de ***gentilhomme*** au sens de « homme noble »

hockey — de ***hoquet*** au sens de « bâton crochu »

palace — de ***palais*** au sens de « résidence des rois »

stencil — de ***estinceler*** « parer de couleurs éclatantes »

tennis — de ***tenez,*** exclamation du joueur lançant la balle au jeu de paume

ticket — de ***estiquette*** « marque fixée à un pieu »

toast — de ***tosté*** au sens de « grillé »

VOIR TABLEAU ▶ **ANGLICISMES.**

ANGLICISMES

L es anglicismes sont des mots, des expressions, des constructions, des orthographes propres à la langue anglaise.

▶ **TYPES D'ANGLICISMES**

- ▶ **Anglicisme orthographique.** Ex. : *apartment pour **appartement,** *addresse pour **adresse.**
- ▶ **Anglicisme sémantique.** Ex. : *agressif au sens de **dynamique,** *balance au sens de **solde.**
- ▶ **Anglicisme syntaxique.** Ex. : *siéger sur un comité au lieu de **siéger à un comité,**
  *aller en grève au lieu de **faire la grève.**
- ▶ **Anglicisme typographique.** Ex. : *Mr pour **M.,** abréviation de monsieur, * $10 pour **10 $.**

▶ **FAUX AMIS** Emploi de mots français dans un sens qu'ils ne possèdent pas, sous l'influence de mots anglais qui ont une forme semblable.

Ex. : *batterie au sens de **pile,**
*breuvage au sens de **boisson,**
*définitivement au sens de **assurément, certainement, sans aucun doute,**
*juridiction au sens de **compétence,**
*quitter au sens de **démissionner,**
*sanctuaire au sens de **réserve (naturelle),**
*voûte au sens de **chambre forte.**

▶ **CALQUE** Traduction littérale d'expressions anglaises.

Ex. : *à date, calque de «*up-to-date*» au lieu de **jusqu'à maintenant, à ce jour,**
*hors d'ordre, calque de «*out of order*» au lieu de **en panne,**
*passé dû, calque de «*past due*» au lieu de **échu,**
*prendre pour acquis, calque de «*to take for granted*» au lieu de **tenir pour acquis,**
*prime de séparation, calque de «*severance pay*» au lieu de **indemnité de départ,**
*retourner un appel, calque de «*to return a call*» au lieu de **rappeler,**
*temps supplémentaire, calque de «*overtime*» au lieu de **heures supplémentaires.**

▶ **EMPRUNT INUTILE** Emploi d'un mot, d'un terme ou d'une expression emprunté directement à l'anglais, alors que le français dispose déjà de mots pour désigner ces notions.

Ex. : *bumper pour **pare-chocs,**
*computer pour **ordinateur,**
*discount pour **rabais,**
*jack pour **cric,**
*opener pour **ouvre-bouteille,**
*refill pour **recharge,**
*software pour **logiciel.**

▶ **EMPRUNT NÉCESSAIRE** Emploi d'un mot, d'un terme anglais parce que le français ne dispose pas de mot pour désigner une notion.

Ex. : **hot dog, rail, scout, steak, stock.**

☞ Ces emprunts – souvent anciens – sont passés dans l'usage français. La langue des sports comprend plusieurs emprunts. Ex. : **baseball, football, golf, soccer, tennis.**

VOIR TABLEAU ▶ ANGLAIS (EMPRUNTS À L').

ANIMAUX

Les animaux **domestiques** vivent à la maison, servent aux besoins de l'homme ou à son agrément, et sont nourris, logés et protégés par lui, tandis que les animaux **sauvages** vivent dans les forêts, les déserts, en liberté.

Les animaux **terrestres** vivent sur terre, les animaux **aquatiques,** dans l'eau et les **amphibies,** aussi bien sur terre que dans l'eau.

Les animaux **carnivores** se nourrissent de chair, les **herbivores,** d'herbes, les **frugivores,** de fruits ou de graines, les **granivores,** exclusivement de graines, les **insectivores,** d'insectes et les **omnivores,** à la fois de végétaux et d'animaux.

Les **ovipares** se reproduisent par des œufs, les **vivipares** mettent au monde des petits vivants.

► LES NOMS ET LES BRUITS D'ANIMAUX

Le nom de l'animal désigne généralement et le mâle et la femelle.

Ainsi, on dira *une autruche mâle* pour la différencier de la femelle, *une couleuvre mâle,* ou *un gorille femelle* pour le distinguer du mâle, *une grenouille mâle* ou *femelle.*

Cependant, le vocabulaire des animaux qui nous sont plus familiers comporte parfois des désignations spécifiques du mâle, de la femelle, du petit, des cris ou des bruits, de l'accouplement ou de la mise bas.

MÂLE	FEMELLE	PETIT	BRUIT
abeille, faux bourdon	reine (mère), ouvrière	larve, nymphe	bourdonne
aigle (un)	aigle (une)	aiglon, aiglonne	glapit, trompette
alouette mâle	alouette femelle		turlute
âne	ânesse	ânon	brait
bouc	chèvre	chevreau, chevrette	bêle, chevrote
bœuf, taureau	vache, taure	veau, génisse	meugle, beugle
buffle	bufflonne	buffletin, bufflette	mugit, souffle
canard	cane	caneton	nasille
carpe	carpe	carpeau	elle est muette !
cerf	biche	faon	brame
chameau	chamelle	chamelon	blatère
chat, matou	chatte	chaton	miaule, ronronne
cheval, étalon	jument	poulain, pouliche	hennit
chevreuil	chevrette	faon, chevrotin	brame
chien	chienne	chiot	aboie, jappe, hurle, grogne
chouette mâle	chouette femelle		(h)ulule
cigale mâle	cigale femelle		chante, stridule
cigogne mâle	cigogne femelle	cigogneau	craquette
cochon, porc, verrat	truie	goret, porcelet, pourceau	grogne, grouine
colombe	colombe		roucoule
coq	poule	poussin	chante (coq), glousse (poule)
corbeau mâle	corbeau femelle	corbillat	croasse
crocodile mâle	crocodile femelle		pleure, vagit
daim	daine	faon	brame
dindon	dinde	dindonneau	glouglou te
éléphant	éléphante	éléphanteau	barrit

ANIMAUX – SUITE ▶

faisan	faisane	faisandeau	criaille
geai mâle	geai femelle		cajole
grenouille mâle	grenouille femelle	grenouillette, têtard	coasse
hibou mâle	hibou femelle		(h)ulule
hirondelle mâle	hirondelle femelle	hirondeau	gazouille, tridule
jars	oie	oison	criaille, jargonne
lapin	lapine	lapereau	clapit, glapit
lièvre	hase	levraut	vagit
lion	lionne	lionceau	rugit
loup	louve	louveteau	hurle
marmotte mâle	marmotte femelle		siffle
merle	merlette	merleau	flûte, siffle
moineau mâle	moineau femelle		pépie
mouton, bélier	brebis	agneau, agnelle, agnelet	bêle
ours	ourse	ourson	gronde, grogne
paon	paonne	paonneau	braille
perdrix mâle	perdrix femelle	perdreau	cacabe, glousse
perroquet mâle	perroquet femelle		parle, cause
perruche mâle	perruche femelle		jacasse, siffle
pie mâle	pie femelle		jacasse, jase
pigeon	pigeonne	pigeonneau	roucoule
pintade mâle	pintade femelle	pintadeau	cacabe, criaille
rat	rate	raton	chicote, couine
renard	renarde	renardeau	glapit
rhinocéros mâle	rhinocéros femelle		barète, barrit
rossignol mâle	rossignol femelle	rossignolet	chante, trille
sanglier	laie	marcassin	grumelle, grommelle
serpent mâle	serpent femelle	serpenteau	siffle
singe	guenon		crie, hurle
souris mâle	souris femelle	souriceau	chicote
tigre	tigresse		râle, feule
tourterelle mâle	tourterelle femelle	tourtereau	roucoule
zèbre mâle	zèbre femelle		hennit

▶ **Les animaux hybrides**

Certains animaux proviennent du croisement de deux races, de deux espèces différentes. *Le mulet, la mule proviennent d'une jument et d'un âne.*

▶ **Reproduction des animaux**

Pour se reproduire, *l'âne* **saillit,** *le bélier* **lutte,** *l'étalon et le taureau* **montent** *ou* **saillissent,** *le lapin, le lièvre* **bouquinent,** *l'oiseau mâle* **côche,** *les oiseaux* **s'apparient,** *le poisson* **fraye...**

La mise bas se nomme différemment selon les animaux : *la brebis* **agnelle,** *la biche et la chevrette* **faonnent,** *la chatte* **chatte,** *la chèvre* **chevrote,** *la chienne* **chienne,** *la jument* **pouline,** *la lapine* **lapine,** *la louve* **louvette,** *la truie* **cochonne,** *la vache* **vêle...**

ANOMALIES ORTHOGRAPHIQUES

Certains mots d'une même origine, d'une même famille ont des orthographes différentes.

▶ **Orthographes différentes**

À titre d'exemples, voici quelques mots dont il faut se méfier :

affoler	et	folle
asepsie	et	aseptique
assonance	et	sonner
battu	et	courbatu
bonhomme	et	bonhomie
boursoufler	et	souffler
chariot	et	charrette
combattant	et	combatif
concourir	et	concurrence
consonne	et	consonance
donner	et	donation
exclu	et	inclus
hypothèse	et	hypoténuse
imbécile	et	imbécillité
interpeller	et	appeler
mamelle	et	mammifère
nommer	et	nomination
persifler	et	siffler
pomme	et	pomiculteur
psychose	et	métempsycose
relais	et	délai
résonance	et	résonner
spacieux	et	spatial
tonnerre	et	détonation...

▶ **Variantes orthographiques**

Plusieurs mots ont des **orthographes multiples,** appelées **variantes orthographiques.** Ces mots qui sont souvent empruntés à d'autres langues peuvent s'écrire de deux façons, parfois davantage. En voici quelques exemples :

acupuncture	ou	acuponcture
cacher	ou	kascher, casher, cascher
cari	ou	carry, curry
clé	ou	clef
cleptomane	ou	kleptomane
cuiller	ou	cuillère
gaieté	ou	(vx) gaîté
haschisch	ou	haschich, hachisch
hululement	ou	ululement
igloo	ou	iglou
kola	ou	cola
lis	ou	lys
paie	ou	paye
tsar	ou	tzar
tsigane	ou	tzigane
yack	ou	yak
yaourt	ou	yogourt, yoghourt

PIÈGES DE L'ORTHOGRAPHE

▶ Certains mots d'une même famille ont une orthographe distincte.

Avec	et	sans accent	Avec un accent aigu	et	avec un accent grave
arôme	et	aromatique	bohémien	et	bohème
jeûner	et	déjeuner	crémerie	et	crème
sûr	et	assurer	poésie	et	poète

▶ Certains adjectifs verbaux et certains participes présents s'orthographient différemment.

Adjectif verbal	et	participe présent	Adjectif verbal	et	participe présent
différent	et	différant	convaincant	et	convainquant
équivalent	et	équivalant	intrigant	et	intriguant
précédent	et	précédant	provocant	et	provoquant

ANTONYMES

Les antonymes ou contraires sont des mots de même nature qui ont une **signification opposée.**

beauté .... et .... laideur	(noms)
chaud .... et .... froid	(adjectifs)
allumer .... et .... éteindre	(verbes)
rapidement .... et .... lentement	(adverbes)

Voici quelques exemples d'antonymes :

ancien .... et .. moderne	force .... et .. faiblesse	mou .... et .. dur
antipathique .. et .. sympathique	fort .... et .. faible	plein .... et .. vide
avare .... et .. généreux	grand .... et .. petit	premier .... et .. dernier
baisser .... et .. monter	haut .... et .. bas	public .... et .. privé
bon .... et .. méchant	jeune .... et .. vieux	rapide .... et .. lent
calmer .... et .. exciter	malheur .... et .. bonheur	riche .... et .. pauvre
clair .... et .. sombre	masculin ...... et .. féminin	rigide .... et .. flexible
court .... et .. long	minimal .... et .. maximal	sec .... et .. humide
difficilement .. et .. facilement	monter .... et .. descendre	visibilité .... et .. invisibilité

☞ Ne pas confondre avec les mots suivants :

▸ **homonymes,** mots qui s'écrivent ou se prononcent de façon identique sans avoir la même signification :

air (expression)
air (mélange gazeux)
air (mélodie)
aire (surface)
ère (époque)
erre (vitesse acquise d'un navire)
hère (malheureux)
hère (jeune cerf).

▸ **paronymes,** mots qui présentent une ressemblance d'orthographe ou de prononciation sans avoir la même signification :

acception
  (sens d'un mot)
acceptation (accord).

▸ **synonymes,** mots qui ont la même signification ou une signification très voisine :

gravement, grièvement.

VOIR TABLEAUX ▸ HOMONYMES. ▸ PARONYMES. ▸ SYNONYMES.

▸ **NOMS ANTONYMES**

APOGÉE n. f. ....
Point où un astre est à sa plus grande distance de la Terre.

PÉRIGÉE n. m.
Point de l'orbite d'un astre le plus proche de la Terre.

▸ **ADJECTIFS ANTONYMES**

CAMPAGNARD, ARDE adj. et n. m. et f. ....
Qui est de la campagne.

CITADIN, INE adj. et n. m. et f.
Qui habite la ville.

▸ **VERBES ANTONYMES**

ACCLAMER v. tr. ....
Saluer par des cris d'enthousiasme.

HUER v. tr.
Siffler, manifester son désaccord.

▸ **ADVERBES ANTONYMES**

ANTÉRIEUREMENT adv. ....
Avant, précédemment.

POSTÉRIEUREMENT adv.
Plus tard, ultérieurement.

▸ **LOCUTIONS ANTONYMES**

A PRIORI loc. adv. ....
Locution latine signifiant «en partant de ce qui vient avant». En ne se fondant pas sur les faits, avant tout examen.

A POSTERIORI loc. adv.
Locution latine signifiant «en partant de ce qui vient après». En se fondant sur des faits.

APOSTROPHE

Signe orthographique en forme de virgule qui se place en haut et à droite d'une lettre, l'apostrophe remplace la voyelle finale (*a, e, i*) qu'un mot perd devant un mot qui commence par une voyelle ou un *h* muet. Cette suppression de la voyelle finale, appelée *élision*, n'a pas lieu devant un mot commençant par un *h* aspiré.

D'abord, je prendrai l'orange, s'il vous plaît, puis le homard.

✍— Certains mots qui comportaient une apostrophe s'écrivent maintenant en un seul mot. *Entracte, entraide,* mais *entr'apercevoir, s'entr'égorger...*

Les mots qui peuvent s'élider sont :

le la je me te	se ne de que ce	— devant une voyelle ou un *h* muet. *J'aurai ce qui convient.*
jusque		— devant une voyelle. ***Jusqu'**au matin.*
lorsque **puisque** **quoique**		— devant *il, elle, en, on, un, une, ainsi* seulement. ***Lorsqu'**elle est contente.* ***Puisqu'**il est arrivé. **Quoiqu'**on ait prétendu certaines choses.*
presque		— devant *île* seulement. *Une **presqu'**île,* mais *un bâtiment **presque** achevé.*
quelque		— devant *un, une* seulement. ***Quelqu'**un, **quelqu'**une.*
si		— devant *il* seulement. ***S'**il fait beau.*

VOIR TABLEAU ► ÉLISION.

APPEL DE NOTE

Signe noté dans un texte pour signaler qu'une note, un éclaircissement ou une référence bibliographique figure au bas de la page, à la fin du chapitre ou à la fin de l'ouvrage.

L'appel de note est indiqué par un chiffre, une lettre, un astérisque inscrit entre parenthèses ou non, généralement en exposant, après la mention faisant l'objet du renvoi.

Ex. : Boucane n.f. (amérindianisme) Fumée. *Il y a de la boucane quand il y a un incendie*[1].

On s'en tiendra à une présentation uniforme des appels de note tout au long du texte. Si l'on a recours à l'astérisque, il est recommandé de ne pas effectuer plus de trois appels de note par page (*), (**), (***).

1. Gaston Dulong, *Dictionnaire des canadianismes,* Montréal, Larousse, 1989, p. 57.

✍— Dans ce contexte, le prénom précède le nom de famille, contrairement à la bibliographie où le nom de famille est inscrit avant le prénom pour faciliter le classement alphabétique.

VOIR TABLEAU ► RÉFÉRENCES BIBLIOGRAPHIQUES.

EMPRUNTS À L'ARABE

La langue arabe a donné au français quelques centaines de mots

- par emprunt direct (*couscous, fakir, haschisch, khôl, sofa*),
- par l'espagnol (*alcôve, guitare, sarabande*),
- par le portugais (*marabout, pastèque*),
- par l'italien (*artichaut, assassin, mosquée, nacre, sorbet*),
- par le provençal (*lime, luth, orange*),
- par le latin (*laque, nuque, raquette*),
- par le grec (*élixir*).

De nombreux emprunts à la langue arabe commencent par les lettres *al* (article arabe signifiant « le, la »).

Emprunt	Signification du mot arabe d'origine
alcôve	« la grotte, la petite chambre »
alezan	« le cheval »
algarade	« l'attaque de nuit »
algèbre	« la réduction des calculs »
algorithme	d'après Al-Khawarizmi, grand mathématicien arabe

▶ **Orthographe**

Les mots empruntés à l'arabe sont généralement francisés ; ils s'écrivent avec des accents, s'il y a lieu, et prennent la marque du pluriel. *Des camaïeux, des émirs, des razzias.*

Voici quelques exemples de mots provenant de l'arabe :

abricot	cafard	girafe	mousson
alambic	caïd	goudron	musulman
alcalin	calife	guitare	nacre
alchimie	camaïeu	harem	nadir
alcool	camphre	hasard	nénuphar
alcôve	câpre	haschisch	nuque
alezan	caroube	henné	orange
algarade	carrousel	jarre	pastèque
algèbre	carvi	jasmin	raquette
algorithme	cheik	jujube	razzia
alkékenge	chiffre	khôl	récif
almanach	chimie	kif-kif	safran
ambre	coran	laque	salamalecs
amiral	coton	lilas	salsepareille
arak	couscous	lime	sarabande
arsenal	djellaba	luth	sirop
artichaut	douane	magasin	sofa
assassin	échec	marabout	sorbet
avanie	élixir	massepain	sucre
avarie	émir	matelas	sultan
azimut	épinard	matraque	taboulé
azur	estragon	méchoui	talisman
babouche	fakir	mesquin	tambour
baobab	fanfaron	minaret	tasse
bédouin	fez	moka	timbale
bled	gandoura	momie	zénith
burnous	gazelle	mosquée	zéro...

ARTICLE

L'article est un déterminant qui est placé devant le nom pour déterminer d'une façon précise ou imprécise le nom dont on parle. L'article fournit aussi des indications sur le genre et le nombre du nom qu'il détermine. Il existe trois sortes d'articles : **l'article défini, l'article indéfini, l'article partitif.**

► ARTICLE DÉFINI

L'article défini se place devant le nom d'**une personne** ou d'**une chose déterminée** de façon précise.

↜ L'article défini individualise le nom qu'il accompagne.

FORME SIMPLE	**Le** (devant un nom masculin singulier). *Le chat de sa fille.*
	La (devant un nom féminin singulier). *La tortue de Julien.*
	L' (devant un nom masculin ou féminin singulier commençant par une voyelle ou un *h* muet). *L'avion, l'école, l'habit, l'heure.*
	↜ On dit alors qu'il s'agit d'un article élidé.
	Les (devant un nom masculin ou féminin pluriel). *Les livres de la bibliothèque.*
FORME CONTRACTÉE	**Au** (combinaison de *à* et de *le* devant un nom masculin singulier). *Au printemps.*
	Du (combinaison de *de* et de *le* devant un nom masculin singulier). *Je parle du soleil.*
	Aux (combinaison de *à* et de *les* devant un nom masculin ou féminin pluriel). *J'explique aux garçons et aux filles...*
	Des (combinaison de *de* et de *les* devant un nom masculin ou féminin pluriel). *Les adresses des cousines et des amis.*

► ARTICLE INDÉFINI

L'article indéfini se place devant le nom d'**une personne** ou d'**une chose indéterminée.**

↜ L'article indéfini ne nous renseigne pas sur l'identité de la personne ou de la chose désignée par le nom qu'il accompagne.

Un (devant un nom masculin singulier). *Un garçon.*
Une (devant un nom féminin singulier). *Une fille.*
Des (devant un nom masculin ou féminin pluriel). *Des enfants.*

↜ L'article indéfini *des* peut être remplacé par *de* quand il est immédiatement suivi d'un adjectif qualificatif ou quand il est placé après un verbe à la forme négative. *Ce sont de beaux chiens. Je n'ai pas de remarques à te faire.*

► ARTICLE PARTITIF

L'article partitif se place devant le nom **de choses** qui **ne peuvent se compter.**

↜ L'article partitif indique une quantité indéterminée de ce qui est désigné par le nom.

Du (devant un nom masculin singulier). *Je bois du lait.*
De la (devant un nom féminin singulier). *Je mâche de la gomme.*
De l' (devant un nom masculin ou féminin singulier commençant par une voyelle ou un *h* muet). *Je mange de l'agneau, j'avale de l'eau, elle verse de l'huile.*
Des (devant un nom masculin ou féminin pluriel). *Des cretons et des confitures.*

↜ À la forme négative, les articles partitifs sont remplacés par *de* ou *d'* si le nom peut être précédé de l'expression « aucune quantité de ». *Il n'y a pas de poussière, elle n'a pas d'ennuis.*

VOIR TABLEAUX ► **DÉTERMINANT.** ► **LE, LA, LES,** ARTICLES DÉFINIS. ► **LE, LA, LES,** PRONOMS PERSONNELS. ► **UN.**

ATTRIBUT

L'attribut est un mot ou un groupe de mots exprimant une qualité, une manière d'être attribuée à un nom ou à un pronom par l'intermédiaire d'un verbe, le plus souvent, le verbe **être**.

Cependant, plusieurs verbes – nommés **verbes d'état** – peuvent jouer le même rôle :

appeler	demeurer	faire	savoir
choisir	devenir	juger	sembler
connaître	dire	paraître	trouver
croire	élire	proclamer	vivre
déclarer	estimer	rester	vouloir...

▶ **Attribut du sujet**

La maison paraîtra **grande** lorsque les enfants seront **partis.** Étienne deviendra **médecin** en l'an 2000. Ces chiens semblent **attachés** à Françoise : ce sont **les siens.** Elle restera **présidente.**

☞ L'attribut dont la forme est variable **s'accorde avec le sujet du verbe.**

▶ **Attribut du complément d'objet**

Je le crois **fou de toi.** Le directeur la trouve **compétente.** On la nomma **trésorière.**

☞ L'attribut dont la forme est variable **s'accorde avec le complément d'objet direct.**

▶ **L'attribut peut être**

Un nom ou **un groupe nominal.**
Les membres l'élurent **président.** Elle est **directrice générale.**

Un adjectif.
Cette maison est **accueillante.** Que vous êtes **gentil !**

Un pronom.
Cette bicyclette est **la tienne.** Sa joie était **telle** qu'il éclata de rire. **Qui** es-tu ?

Un participe.
Le jardin est **ombragé.** Cet enfant est **aimé.** Ces personnes semblent **touchées.**

Un infinitif.
Partir, c'est **mourir** un peu.

Un adverbe.
Elle est habillée **chic.** Ce texte est **bien.**

Une proposition.
Son objectif est de **publier au cours de l'année.**

▶ **Place de l'attribut**

L'attribut se place généralement **après** le verbe qui le relie au mot qu'il qualifie. *La fleur est rouge.*

Il est parfois **avant** le verbe, notamment dans les interrogations, dans les phrases où le verbe est sous-entendu, lorsque l'auteur veut mettre l'accent sur l'attribut. *Quel est ton âge ? Heureux les insouciants ! Grande était sa joie.*

AUXILIAIRE

Verbe sans signification servant à la **formation des temps composés** pour la conjugaison des autres verbes. Les auxiliaires sont *avoir* et *être*.

Auxiliaire *avoir*

j'	**ai**	*aimé*
tu	**as**	*aimé*
elle	**a**	*aimé*
il	**a**	*aimé*
nous	**avons**	*aimé*
vous	**avez**	*aimé*
elles	**ont**	*aimé*
ils	**ont**	*aimé*

Auxiliaire *être*

je	**suis**	*venu, ue*
tu	**es**	*venu, ue*
elle	**est**	*venue*
il	**est**	*venu*
nous	**sommes**	*venus, ues*
vous	**êtes**	*venus, ues*
elles	**sont**	*venues*
ils	**sont**	*venus*

- Le mot *auxiliaire* signifie « aide ».
- Les lettres *au* se prononcent *o* ouvert ou fermé, [ɔksiljɛʀ] ou [oksiljɛʀ].

▶ **FORMATION DES TEMPS COMPOSÉS AVEC L'AUXILIAIRE *AVOIR* ET LE PARTICIPE PASSÉ**

Les verbes *avoir* et *être*. *J'ai eu froid, j'ai été malade.*

Tous les **verbes transitifs**. *Tu as lu des livres.*
- Les verbes transitifs ont un complément d'objet direct ou indirect.

La plupart des **verbes intransitifs**. *Elle a voyagé.*
- Les verbes intransitifs s'emploient sans complément d'objet.

Les verbes **impersonnels non pronominaux**. *Il a neigé.*
- Les verbes impersonnels ne s'emploient qu'à la troisième personne du singulier avec un sujet indéterminé.

▶ **FORMATION DES TEMPS COMPOSÉS AVEC L'AUXILIAIRE *ÊTRE* ET LE PARTICIPE PASSÉ**

Certains verbes **intransitifs**. *Qu'est-il devenu ? Elles sont sorties.*

advenir	échoir	naître	rentrer	sortir
aller	entrer	partir	rester	survenir
arriver	intervenir	parvenir	retourner	tomber
devenir	mourir	provenir	revenir	venir...

- Les verbes intransitifs sont employés sans complément d'objet.

Tous les verbes à la **forme pronominale**. *Elle s'est regardée. Nous nous sommes vues.*
- Les verbes pronominaux sont accompagnés d'un pronom personnel qui représente le sujet.

Tous les verbes à la **forme passive**. *Tu seras apprécié par tes amis.*
- La forme passive exprime l'action à partir de l'objet qui la subit *(la pomme est mangée)* alors que la forme active exprime l'action à partir du sujet qui la fait *(je mange la pomme)*.

▶ **FORMATION DES TEMPS COMPOSÉS AVEC L'AUXILIAIRE *AVOIR* OU *ÊTRE* ET LE PARTICIPE PASSÉ**

Certains verbes intransitifs se conjuguent avec l'auxiliaire *avoir* pour exprimer une action et avec l'auxiliaire *être* pour exprimer l'état qui résulte de l'action. *Il a passé ses vacances ici. L'hiver est enfin passé.*

accoucher	crever	diminuer	enlaidir	pourrir
accourir	déborder	disparaître	entrer	rajeunir
apparaître	décamper	divorcer	expirer	rentrer
atterrir	décroître	échapper	grandir	retourner
augmenter	dégeler	échouer	grossir	sonner
baisser	dégénérer	éclater	maigrir	stationner
camper	déménager	éclore	monter	tourner
changer	demeurer	embellir	paraître	trépasser
chavirer	descendre	empirer	passer	vieillir...

VOIR TABLEAUX ▶ AVOIR ▶ ÊTRE.

AVIS LINGUISTIQUES ET TERMINOLOGIQUES

C'est la Charte de la langue française – sanctionnée le 26 août 1977 – qui a confié à l'Office de la langue française (OLF) la mission de recommander ou de normaliser certains termes par leur publication à la *Gazette officielle.*

Les avis de l'OLF portent principalement sur des terminologies présentant un phénomène massif d'emprunt, sur des terminologies traditionnelles régionales qui entrent en conflit avec des terminologies françaises, des terminologies en voie d'élaboration.

En France, le gouvernement a également constitué des commissions de terminologie qui ont pour objet d'étudier le vocabulaire de certains domaines menacés par l'anglicisation et de formuler des recommandations officielles.

VOICI QUELQUES EXEMPLES D'AVIS :

▸ **Accentuation des majuscules**

Les majuscules sont notées avec accents, tréma et cédille lorsque les minuscules équivalentes en comportent.

▸ **Signalisation des issues de secours**

– *sortie,* équivalent français de «*exit*»

▸ **Signalisation routière**

– *halte routière,* équivalent français de «*rest area*»

▸ **Transports**

– *déviation* (et non *détour), équivalent français de «*bypass*»

▸ **Commerce**

– *dépanneur,* équivalent français de «*convenience store*»

– *centre commercial* (et non *centre d'achats), équivalent français de «*shopping center*»

▸ **Règles d'écriture**

Indication de l'heure selon la période de 24 heures. Ex. : *20 h 30 min* ou *20 h 30*

Symbole du dollar à la suite de la partie numérique. Ex. : *75 $, 50,25 $*

▸ **Informatique**

– *éditique,* équivalent français de «*desktop publishing*»

▸ **Publicité**

– *commanditaire,* équivalent français de «*sponsor*»

– *commandite,* équivalent français de «*sponsorship*»

▸ **Espèces marines québécoises**

– *saumon de l'Atlantique,* équivalent français de «*Atlantic salmon*» (appellation non retenue : saumon de Gaspé)

– *pétoncle,* équivalent français de «*scallop*» (appellation non retenue : coquille Saint-Jacques)

– *crevette nordique,* équivalent français de «*pink shrimp*» (appellations non retenues : crevette de Matane, crevette rose, crevette de Sept-Îles)

▸ **Mentions**

– *breveté,* équivalent français de «*patented*»

– *imprimé à, au, en,* équivalent français de «*printed in*»

– *fabriqué à, au, en,* équivalent français de «*made in*»

▸ **Éducation**

– *sanction des études* (et non *certification)

– *délivrance des diplômes* (et non *émission des diplômes)

– *droits de scolarité* (et non *frais de scolarité)

AVOIR

▶ VERBE TRANSITIF

1. Posséder. *Laurence **a** une bicyclette. Ils **ont** une petite maison à la campagne.*
2. Le verbe marque un rapport entre des personnes sans impliquer l'idée de possession.
   *Nous **avons** deux enfants. Ils **ont** un bon patron. Vous **avez** un médecin consciencieux.*
3. Acquérir, se procurer. *Nous **avons eu** ce voilier à bon compte.*
4. Obtenir. *Catherine **a** le premier prix ! Martin espère **avoir** une bourse afin de poursuivre ses études.*
5. Éprouver. *Cet enfant **avait** du chagrin. Tu **as** une faim de loup. Il **a** beaucoup d'amitié pour eux.*
6. Être de telle manière, présenter une caractéristique. *Elle **a** les cheveux roux et une forte tête.*
   *Il **a** de larges épaules et beaucoup de courage.*
7. Comporter. *Cet édifice **a** une cour intérieure.*
8. Tromper, rouler quelqu'un. *Cet escroc cherche à nous **avoir**.*

▶ AUXILIAIRE

Le verbe ***avoir*** suivi du participe passé sert à former les temps composés :

- des verbes ***avoir*** et ***être***. *J'**ai** eu soif. J'**ai** été heureuse de faire votre connaissance.*
- de tous les **verbes transitifs**. *Tu **as** vu ce film, ils **ont** aimé cette exposition.*
  - ☞ Les verbes transitifs ont un complément d'objet direct ou indirect.
- de la plupart des **verbes intransitifs**. *Les pommes **ont** mûri, les haricots **ont** germé.*
  - ☞ Les verbes intransitifs sont employés sans complément d'objet.
- des verbes **impersonnels non pronominaux**. *Il **a** plu. Il **a** neigé.*

▶ SEMI-AUXILIAIRE

Avoir à + infinitif. Devoir. *Vous **avez** à vous lever tôt pour prendre ce train. Nous **aurons** à mettre les bouchées doubles pour atteindre notre objectif.*

▶ Locutions

- ***Avoir affaire.*** Être en relation avec quelqu'un. *Nous avons déjà eu affaire avec vous.*
  - ☞ Dans cette locution, le nom ***affaire*** est au singulier.
- ***Avoir beau.*** S'efforcer en vain. *Ils avaient beau se creuser la tête, ils ne trouvaient pas la réponse.*
  - ☞ Dans cette locution qui exprime l'inutilité de l'action énoncée par l'infinitif, l'adjectif ***beau*** demeure invariable.
- ***Avoir l'air.*** Avoir l'apparence, l'allure. *Ces fillettes ont l'air espiègle* (ont une mine espiègle).
  - ☞ L'adjectif qui suit la locution s'accorde avec le nom masculin ***air*** si le sujet désigne une personne. Si le sujet est un nom de chose, l'accord se fait toujours avec le sujet. *Ces pommes ont l'air mûres.*
- ***Avoir l'air.*** Paraître, sembler. *Elle a l'air inquiète* (semble inquiète).
  - ☞ L'adjectif qui suit s'accorde avec le sujet du verbe. S'il s'agit de personnes, l'accord peut se faire aussi avec le nom masculin ***air***.
- ***Il y a.*** Il existe. *Il y a cinq continents : l'Amérique, l'Europe, l'Afrique, l'Asie et l'Océanie.*
- ***Il y a.*** Voilà. *Il y a dix ans que nous nous connaissons.*
- ***Il n'y a que.*** Il suffit de, il faut seulement. *Il n'y a qu'à nous prévenir de votre venue afin que nous réservions une chambre.*

De nombreuses locutions figées sont composées avec le verbe ***avoir*** : *avoir besoin de, avoir chaud, avoir envie de, avoir faim, avoir froid, avoir mal, avoir peur, avoir pitié, avoir raison, avoir soif...*

CHIFFRES ARABES

Les chiffres sont des caractères servant à écrire les nombres. *Nous employons généralement les **chiffres arabes**, mais nous recourons parfois aux **chiffres romains**.*

La numération arabe est composée de dix chiffres : **0, 1, 2, 3, 4, 5, 6, 7, 8, 9.**

🖙 Les nombres s'écrivent par **tranches de trois chiffres** séparées entre elles par un espace (de droite à gauche pour les entiers, de gauche à droite pour les décimales). *1 865 234,626 125* Si le nombre ne comprend que quatre chiffres, il peut s'écrire avec ou sans espace. *1 865 ou 1865* Le **signe décimal** du système métrique est la **virgule.** *45,14* (et non plus **45.14*)

On recourt généralement aux chiffres arabes pour noter les nombres dans la langue courante ainsi que dans les textes techniques, scientifiques, financiers ou administratifs.

🖙 Cependant, tout nombre qui commence une phrase doit être noté en toutes lettres. *Trente élèves ont réussi.* En fin de ligne, on veillera à ne pas séparer un nombre en chiffres du nom qu'il accompagne.

▶ **PRINCIPAUX EMPLOIS DES CHIFFRES ARABES**

▶ **1. Quantité complexe.**
Il y a 9335 étudiants qui fréquentent l'École des HEC cette année.

🖙 Dans un texte de style soutenu, on écrit généralement en toutes lettres les nombres de **0** à **10.**

▶ **2. Date, heure** et **âge.**
Le 31 juillet 1996 à 11 h 30, Marie-Ève a eu 20 ans.

▶ **3. Numéros d'ordre.**

Adresse. *Ils habitent 35 rue des Bouleaux.*
Numéro de loi, d'article, de règlement. *Projet de loi 40, article 2.*
Numéro de page, de paragraphe. *Voir p. 354, par. 4.*

▶ **4. Pourcentage et taux (%).**
La note de passage est de 60 %. Un taux d'intérêt de 8,5 %.

🖙 Le symbole % est séparé par un espace du nombre qu'il suit.

▶ **5. Nombre suivi d'un symbole d'unité de mesure.**
Un poids de 15 kg, une longueur de 35 cm, une température de 25 °C.

🖙 Le symbole de l'unité de mesure est séparé par un espace du nombre qu'il suit et il s'écrit sans point abréviatif.

▶ **6. Nombre suivi d'un symbole d'unité monétaire.**
Le prix est de 100 $, 500 F, 250 £.

▶ **7. Fraction, échelle de carte.**
Les 2/3 des élèves ou 66,66 % ont réussi. Une carte à l'échelle de 1/50 000.

🖙 Les fractions décimales sont toujours composées en chiffres. Les unités ne se séparent pas des dixièmes. *Une distance de 15,5 km* (et non **15 km 5*). Si le nombre est inférieur à **1,** la fraction décimale est précédée d'un **0**; on ne laisse pas d'espace avant ni après la virgule décimale. *Un écart de 0,38 cm a été constaté.*

VOIR TABLEAUX ▶ **CHIFFRES ROMAINS.** ▶ **NOMBRES.** ▶ **SYMBOLE.**

CHIFFRES ROMAINS

Les chiffres romains sont notés à l'aide de sept lettres majuscules auxquelles correspondent des valeurs numériques.

I	V	X	L	C	D	M
1	5	10	50	100	500	1 000

🔊– Comme les chiffres arabes, les chiffres romains s'écrivent de gauche à droite en commençant par les milliers, puis les centaines, les dizaines et les unités.

Les nombres sont constitués :

▶ **par addition** : en inscrivant les chiffres plus petits ou égaux à droite des chiffres plus grands.

XIII	CXX	MCL
10 + 3 = 13	100 + 10 + 10 = 120	1 000 + 100 + 50 = 1 150

▶ **par soustraction** : en inscrivant les chiffres plus petits à gauche des chiffres plus grands.

IV	XL	CMXCIX
-1 + 5 = 4	- 10 + 50 = 40	(-100 + 1000) + (-10 + 100) + (-1 + 10) = 999

▶ **par multiplication** : un trait horizontal au-dessus d'un chiffre romain le multiplie par 1 000.

$$\overline{V} = 5\ 000 \qquad \overline{X} = 10\ 000 \qquad \overline{M} = 1\ 000\ 000$$

🔊– Le chiffre **I** ne peut être soustrait que de **V** ou de **X**;
le chiffre **X** ne peut être soustrait que de **L** ou de **C**;
le chiffre **C** ne peut être soustrait que de **D** ou de **M**.

On ne peut additionner plus de trois unités du même nombre, on recourt ensuite à la soustraction.

III, IV	XXX, XL
3, 4	30, 40

▶ **PRINCIPAUX EMPLOIS DES CHIFFRES ROMAINS**

▶ **1.** Noms de **siècles** et de **millénaires**. *Le XVIᵉ siècle, le IIᵉ millénaire.*

▶ **2.** Noms de **souverains** et ordre des **dynasties**. *Louis XIV, IIIᵉ dynastie.*

▶ **3.** Noms d'**olympiades**, de **manifestations**. *Les XXIIᵉˢ Jeux olympiques.*

▶ **4.** **Divisions d'un texte**. *Tome IV, volume III, fascicule IX, avant-propos p. IV.*

▶ **5.** Inscription de la **date sur un monument**, au **générique d'un film**. *MCMLXXXIX.*

🔊– Contrairement aux chiffres arabes, les chiffres romains d'une colonne s'alignent verticalement à gauche.

VOIR TABLEAU ▶ CHIFFRES ARABES.

CHIFFRES ARABES	CHIFFRES ROMAINS	CHIFFRES ARABES	CHIFFRES ROMAINS	CHIFFRES ARABES	CHIFFRES ROMAINS
1	I	40	XL	700	DCC
2	II	50	L	800	DCCC
3	III	60	LX	900	CM
4	IV	70	LXX	1000	M
5	V	80	LXXX	1534	MDXXXIV
6	VI	90	XC	1642	MDCXLII
7	VII	100	C	1965	MCMLXV
8	VIII	200	CC	1987	MCMLXXXVII
9	IX	300	CCC	1990	MCMXC
10	X	400	CD	1998	MCMXCVIII
20	XX	500	D	1999	MCMXCIX
30	XXX	600	DC	2000	MM

COLLECTIF

Mot singulier désignant un ensemble d'êtres ou de choses.

▶ **COLLECTIFS COURANTS**

amas	classe	équipe	minorité	tas
armée	comité	foule	multitude	totalité
assemblée	cortège	groupe	nuée	tribu
bande	dizaine	lot	poignée	troupe
brassée	douzaine	majorité	quantité	troupeau...
centaine	ensemble	masse	série	

▶ **1.** Nom collectif **employé seul**

Si le sujet est un collectif employé sans complément, le verbe se met **au singulier**.
L'équipe gagna la partie.

▶ **2.** Nom collectif **suivi d'un complément au singulier**

Si le sujet est un collectif suivi d'un complément au singulier, le verbe se met **au singulier**.
La plupart du temps se passe à jouer dehors.

▶ **3.** Nom collectif **suivi d'un complément au pluriel**

Si le sujet est un collectif suivi d'un complément au pluriel (*une foule de passants, un groupe d'élèves*), le verbe se met **au singulier** lorsque l'auteur veut insister sur l'ensemble, **au pluriel**, lorsqu'il veut insister sur le complément au pluriel (la pluralité).
Une majorité des élèves a réussi ou *ont réussi l'examen.*

▶ **4.** Nom collectif **précédé d'un article défini, d'un adjectif possessif ou d'un adjectif démonstratif et suivi d'un complément au pluriel**

Si le sujet est un collectif précédé d'un article défini (*le, la*), d'un adjectif possessif (*mon, ma*) ou d'un adjectif démonstratif (*ce*) et suivi d'un complément au pluriel, le verbe se met **au singulier**.
La bande de copains est en excursion. Mon groupe d'amis raffole de cette musique.

▶ **5.** Locutions *un des, une moitié des, un grand nombre de, un certain nombre de, un petit nombre de... suivies d'un complément au pluriel*

Si le sujet est l'une de ces expressions, le verbe se met **au singulier** lorsque l'auteur veut insister sur l'ensemble, **au pluriel**, lorsqu'il veut insister sur le complément au pluriel (la pluralité).
Une moitié des pommes est tombée ou *sont tombées.*

▶ **6.** Locutions *beaucoup de, la plupart de, nombre de, peu de, quantité de, une infinité de, une quantité de...*

Si le sujet est l'une de ces expressions, l'accord du verbe se fait avec le complément **au pluriel** du nom ou du pronom.
La plupart des amis étaient là. Une infinité de roses sont cultivées dans ce jardin.

   ✎– Malgré la logique,
– le verbe s'accorde **au singulier** après *plus d'un* (*plus d'un élève était absent*);
– le verbe s'accorde **au pluriel** après *moins de deux* (*moins de deux heures se sont écoulées avant son arrivée*).

▶ **7.** Collectifs *catégorie, classe, espèce, sorte, type*

Si le sujet est l'un de ces collectifs au singulier suivi d'un complément au singulier, le verbe se met **au singulier**. Si le collectif est suivi d'un complément au pluriel, c'est avec celui-ci que se fait l'accord.
Ce type de cuir est durable. Une espèce d'oiseaux qui pourraient disparaître.

   ✎– Cependant, si le collectif est accompagné par un démonstratif, c'est avec ce collectif plutôt qu'avec son complément que se fera l'accord. *Cette catégorie de personnes est insupportable.*

COMPLÉMENT

▶ COMPLÉMENT DU VERBE

▶ Le **complément d'objet direct** (COD) :
qui ? quoi ?

Il désigne l'être ou l'objet sur lequel s'exerce l'action du sujet, sans l'intermédiaire d'une préposition.

Nature du complément d'objet direct :

- un nom .... *Elle plante des **fleurs**.*
- un pronom .... *Il ne connaît **personne**.*
- un infinitif .... *Tu aimes **courir**.*
- une proposition .... *Je pense **que l'été est fini**.*

▶ Le **complément d'objet indirect** (COI) :
à qui ? à quoi ? de qui ? de quoi ? par qui ? par quoi ?

Il désigne l'être ou l'objet sur lequel s'exerce l'action du sujet, par l'intermédiaire d'une préposition.

Nature du complément d'objet indirect :

- un nom .... *Elle participe à la **fête**.*
- un pronom .... *Il s'intéresse à **vous**.*
- un infinitif .... *Préparez-vous à **venir**.*

▶ Le **complément circonstanciel** (CC) :
où ? d'où ? par où ? quand ? comment ? pourquoi ? combien ? avec quoi ? en quoi ?...

Il ajoute une précision à l'idée exprimée par le verbe en indiquant le lieu, le temps, la manière, le but, le prix, l'instrument, la matière, la cause, la distance, le poids, l'origine...

Nature du complément circonstanciel :

- un nom .... *Le soleil se lève de ce **côté**.*
- un pronom .... *Tu es partie avec **lui**.*
- un infinitif .... *Ils économisent pour **acheter** une maison.*
- une proposition .... *Vous commencerez **quand vous serez prêt**.*
- un adverbe .... *Il est arrivé **hier**.*

▶ COMPLÉMENT DU NOM ET DU PRONOM

Il complète l'idée exprimée par un nom ou un pronom en la limitant ; il est introduit le plus souvent par la préposition **de** et sert à préciser la possession, le lieu, la matière, l'origine, la qualité, l'espèce, l'instrument, le contenu...

Nature du complément du nom, du pronom :

- un nom .... *La voiture de ma **sœur**. Celle de ma **sœur**.*
- un pronom .... *Le souvenir d'**eux**. L'une d'**elles**.*
- un infinitif .... *L'art d'**aimer**. À toi de **jouer**.*
- une proposition .... *La pensée **qu'elle pourrait être blessée** me terrifiait.*
- un adverbe .... *Les neiges d'**antan**. Celles de **jadis**.*

CONCORDANCE DES TEMPS

Le mode et le temps du verbe principal définissent le mode et le temps du verbe subordonné selon que l'action de celui-ci a eu lieu AVANT (antériorité), a lieu PENDANT (simultanéité) ou aura lieu APRÈS (postériorité) celle du verbe principal.

▶ INDICATIF

MODE ET TEMPS DU VERBE PRINCIPAL	MOMENT DE L'ACTION DU VERBE SUBORDONNÉ	MODE ET TEMPS DU VERBE SUBORDONNÉ	
▶ PRÉSENT		**INDICATIF**	
	AVANT	qu'il était là	(imparfait)
		qu'il a été là	(passé composé)
		qu'il fut malade	(passé simple)
Il pense		qu'il avait été malade	(plus-que-parfait)
	PENDANT	qu'il est là	(présent)
	APRÈS	qu'il sera là	(futur)
		SUBJONCTIF	
	AVANT	qu'elle ait été malade	(passé)
		qu'elle fût malade	(imparfait)
Elle redoute		qu'elle eût été malade	(plus-que-parfait)
	PENDANT	qu'elle soit malade maintenant	(présent)
	APRÈS	qu'elle vienne en retard	(présent)
▶ PASSÉ		**INDICATIF**	
Elle pensait	AVANT	qu'il avait été là	(plus-que-parfait)
Elle a pensé	PENDANT	qu'il était là	(imparfait)
Elle pensa		**CONDITIONNEL**	
Elle avait pensé	APRÈS	qu'il serait là	(présent)
		SUBJONCTIF	
	AVANT	qu'elle eût été malade	(plus-que-parfait)
Elle redoutait	PENDANT	qu'elle fût malade	(imparfait)
	APRÈS	qu'elle fût malade désormais	(imparfait)
▶ FUTUR		**INDICATIF**	
	AVANT	qu'il a été là	(passé composé)
		qu'il était là	(imparfait)
Ils diront		qu'il fut là	(passé simple)
Elles auront dit	PENDANT	qu'il est là	(présent)
	APRÈS	qu'il viendra	(futur)
		SUBJONCTIF	
	AVANT	qu'il ait été là	(passé)
		qu'il fût là	(imparfait)
Il doutera		qu'il eût été malade	(plus-que-parfait)
	PENDANT	qu'elle vienne	(présent)
	APRÈS	qu'elle soit là à temps	(présent)

CONCORDANCE DES TEMPS – SUITE ▶

▶ CONCORDANCE DES TEMPS – SUITE

▶ **CONDITIONNEL**

MODE ET TEMPS DU VERBE PRINCIPAL	MOMENT DE L'ACTION DU VERBE SUBORDONNÉ	MODE ET TEMPS DU VERBE SUBORDONNÉ
▶ PRÉSENT		SUBJONCTIF
Elle douterait	AVANT	*qu'il eût été là* .... (plus-que-parfait)
	PENDANT	*qu'il fût là* .... (imparfait)
	APRÈS	*qu'il fût malade* .... (imparfait)
▶ PASSÉ		SUBJONCTIF
Il aurait douté	AVANT	*qu'elle eût été malade* .... (plus-que-parfait)
	PENDANT	*qu'elle fût là* .... (imparfait)
	APRÈS	*qu'elle fût présente désormais* .... (imparfait)

☞ L'emploi du subjonctif imparfait ou plus-que-parfait relève aujourd'hui de la langue écrite ou littéraire. Dans la langue orale, le subjonctif imparfait est généralement remplacé par le présent du subjonctif (*elle douterait que tu sois malade*); le subjonctif plus-que-parfait, par le subjonctif passé (*elle douterait que tu sois parti*).

VOIR TABLEAUX ▶ CONDITIONNEL. ▶ FUTUR. ▶ INDICATIF. ▶ PASSÉ (TEMPS DU). ▶ PRÉSENT. ▶ SUBJONCTIF.

CONDITIONNEL

▶ **LE CONDITIONNEL – MODE**

Dans une proposition indépendante, le conditionnel peut marquer :

– **Un vœu, un désir** (conditionnel présent). *J'aimerais revenir un jour.*
– **Un regret** (conditionnel passé). *Qu'elle aurait aimé rester là-bas !*
– **Une demande** (conditionnel présent). *Pourrais-je avoir un verre d'eau, s'il vous plaît ?*
– **Un ordre poli** (conditionnel présent). *Vous devriez ranger vos documents.*
– **Un fait soumis à une condition :** (conditionnel présent) *Si j'étudiais, je réussirais mieux.*
    (conditionnel passé) *Si tu avais su, tu ne serais pas venu.*

☞ Une proposition subordonnée à l'imparfait introduite par *si* indique à quelle condition peut se réaliser l'action exprimée par le verbe de la principale au conditionnel.

▶ **LE CONDITIONNEL – TEMPS**

Dans une proposition subordonnée, le conditionnel marque :

– **Le futur dans le passé.** *Je croyais qu'ils seraient présents.*

CONJONCTION

La conjonction est un mot invariable qui unit deux mots ou deux propositions. Il y a deux types de conjonctions :

▶ **Les conjonctions de coordination** qui unissent des mots ou des propositions de même nature. *Des feuilles **et** des branches. **Soit** un fruit, **soit** un gâteau. Nous irons à la campagne **ou** nous partirons en voyage.*

▶ **Les conjonctions de subordination** qui unissent une proposition subordonnée à une proposition principale. *Nous ferons cette excursion **si** le temps le permet.*

✎— **La locution conjonctive** est un groupe de mots qui joue le rôle d'une conjonction. *À supposer qu'elle vienne, nous serons cinq. Il restera **jusqu'à ce que** le travail soit terminé.*

PRINCIPALES CONJONCTIONS ET LOCUTIONS CONJONCTIVES DE COORDINATION

La conjonction ou la locution conjonctive de coordination sert à unir soit deux propositions de même nature soit deux éléments de même fonction dans une proposition. Les conjonctions ou les locutions conjonctives de coordination n'imposent pas de mode particulier pour le verbe.

ALTERNATIVE
ou
ou au contraire
ou bien
soit... soit
tantôt... tantôt

CAUSE
car
en effet
effectivement
puisque

CONSÉQUENCE
ainsi
alors
aussi
c'est pourquoi
donc
d'où
en conséquence
parce que
par conséquent
par suite

EXPLICATION
à savoir
c'est-à-dire
par exemple
savoir
soit

LIAISON
alors
aussi

comme
de plus
en outre
ensuite
et
mais aussi
même
ni
puis

RESTRICTION
cependant
du moins
du reste
mais
néanmoins
or
pourtant
toutefois

SUITE
alors
enfin
ensuite
puis

TRANSITION
après tout
bref
d'ailleurs
en somme
or
peut-être

PRINCIPALES CONJONCTIONS ET LOCUTIONS CONJONCTIVES DE SUBORDINATION

La conjonction ou la locution conjonctive de subordination définit le mode de la proposition subordonnée. La plupart des conjonctions de cause, de conséquence, de comparaison sont suivies d'un verbe au mode indicatif (**i**) ou au mode conditionnel (**c**) ; certaines conjonctions de concession, de but, de condition et de temps expriment une incertitude et imposent le mode subjonctif (**s**).

BUT
afin que . . . . (s)
de crainte que . . . . (s)
de façon que . . . . (s)
de manière que . . . . (s)
de peur que . . . . (s)
pour que . . . . (s)
que . . . . (s)

CAUSE
attendu que . . . . (ic)
comme . . . . (ic)
du fait que . . . . (ic)
étant donné que . . . . (ic)
parce que . . . . (ic)
puisque . . . . (ic)
sous prétexte que . . . . . . (ic)
vu que . . . . (ic)

COMPARAISON
ainsi que . . . . (ic)
comme . . . . (ic)
de même que . . . . (ic)
moins que . . . . (ic)
plus que . . . . (ic)

CONCESSION
alors que . . . . (ic)
bien que . . . . (s)
en admettant que . . . . . . (s)
encore que . . . . (s)
en dépit du fait que . . . . (s)
pendant que . . . . (ic)
quoique . . . . (s)
tandis que . . . . (ic)

CONDITION
à supposer que . . . . (s)
au cas où . . . . (c)
en admettant que . . . . . . (s)
même si . . . . (i)
pourvu que . . . . (s)
si . . . . (i)
si ce n'est . . . . (i)

CONSÉQUENCE
à tel point que . . . . (ic)
au point que . . . . (ic)
de façon que . . . . (ic)
de sorte que . . . . (ic)
si bien que . . . . (ic)
tellement que . . . . (ic)

TEMPS
alors que . . . . (ic)
à mesure que . . . . (ic)
après que . . . . (ic)
au moment où . . . . (ic)
aussitôt que . . . . (ic)
avant que . . . . (s)
depuis que . . . . (ic)
dès que . . . . (ic)
en attendant que . . . . . . (s)
en même temps que . . . (ic)
jusqu'à ce que . . . . (s)
lorsque . . . . (ic)
pendant que . . . . (ic)
quand . . . . (ic)
tandis que . . . . (ic)
toutes les fois que . . . . . . (ic)
une fois que . . . . (ic)

VOIR TABLEAU ▶ QUE, CONJONCTION.

CORRESPONDANCE

▶ DATE

Dans la correspondance, l'**indication de la date** est généralement **alphanumérique** : elle est composée de lettres et de chiffres. S'il y a lieu, on écrit le **nom du lieu** suivi d'une virgule et la date qui s'écrit toujours sans ponctuation finale.

> *Le 14 décembre 2000*
>
> *Outremont, le 14 décembre 2000*

☞ On limite à certains emplois techniques (graphiques, tableaux, horaires, etc.) une notation strictement numérique telle *2000-12-14*.

Il n'y a pas lieu d'écrire le **nom du jour de la semaine** de façon générale. Si ce renseignement est nécessaire, il n'est pas séparé de la date par une virgule.

> *Jeudi 14 décembre 2000*

☞ Dans le corps d'une lettre, d'un texte, on écrira : *le jeudi 14 décembre 2000*.

▶ NATURE DE L'ENVOI ET MODE D'ACHEMINEMENT

Les indications relatives à la nature de l'envoi et au mode d'acheminement (PAR MESSAGERIE, URGENT, PAR EXPRÈS, etc.) s'écrivent en majuscules et sont notées à gauche au début de la lettre.

S'il y a lieu, la mention *PERSONNEL* précise que la lettre est de nature personnelle et qu'elle doit être remise au destinataire sans avoir été décachetée.

La mention *CONFIDENTIEL* signifie que l'écrit doit rester secret.

☞ Ces mentions qui sont toujours au masculin singulier s'écrivent en majuscules soulignées.

> PERSONNEL   CONFIDENTIEL   PAR TÉLÉCOPIE   RECOMMANDÉ

▶ VEDETTE

La vedette comprend :
- le **titre de civilité**, le plus souvent **Monsieur** ou **Madame**,
- le **prénom** (abrégé ou non) et le **nom du destinataire**,
- le **titre de fonction** et la **désignation de l'unité administrative**,
- le **nom de l'entreprise** ou de **l'organisme**, s'il y a lieu,
- l'**adresse** au long.

> *Madame Laurence Dubois*
> *Directrice des communications*
> *Dubuffet et Lavigne*
> *630, boul. René-Lévesque O.*
> *Montréal (Québec) H3B 1S6*

> *Monsieur Philippe Larue*
> *Chef de produit*
> *Groupe Gamma*
> *329, rue de la Commune Ouest, bureau 300*
> *Montréal (Québec) H2Y 2E1*

VOIR TABLEAU ▶ **ADRESSE.**

☞ 1° La vedette s'écrit sans ponctuation en fin de ligne.

2° En français, le titre de *docteur* est réservé aux médecins ; celui de *maître*, aux avocats ou aux notaires.

3° Les titres honorifiques et les grades universitaires ne doivent pas figurer immédiatement à la suite du nom dans la vedette. *Madame Hélène Fougère* (et non *Madame Hélène Fougère, architecte*).

4° Il n'est pas dans l'usage d'indiquer le titre professionnel des ministres et des députés ni de faire précéder leur nom de l'adjectif **Honorable*; on écrit *Madame* ou *Monsieur* tout simplement.

CORRESPONDANCE – SUITE ▶

▶ OBJET

L'objet exprime de façon concise (une ligne) le contenu de la lettre.

🙶 Cette mention est facultative, mais elle est recommandée.

> Objet (et non *sujet) : Lancement d'un nouveau produit

▶ APPEL

L'appel est la formule de salutation qui précède le corps de la lettre. Les formules d'appel les plus courantes sont les titres de civilité **Madame** ou **Monsieur**. L'appel s'écrit au long avec une majuscule initiale et il est suivi d'une virgule.

🙶 Le titre de **Mademoiselle** est de moins en moins utilisé sauf si la lettre est destinée à une très jeune fille ou à une personne qui préfère ce titre.

> Madame,
> Monsieur,

Le **titre professionnel** du destinataire peut éventuellement remplacer le titre de civilité ou s'y joindre ; il s'écrit avec une majuscule initiale.

> Docteur,
> Maître,
> Madame la Présidente,
> Monsieur le Directeur,

🙶 Contrairement à l'usage anglais, l'adjectif **cher** doit être réservé aux correspondants que l'on connaît bien. Le patronyme ne fait pas partie de l'appel.

> Monsieur,
> (et non *Cher Monsieur Laforêt)

🙶 Lorsqu'on ne connaît pas le nom du destinataire, on utilise la formule d'appel **Mesdames, Messieurs,** sur deux lignes.

> Mesdames,
> Messieurs,
> (et non *À qui de droit)

Dans le tableau qui suit, **x** est mis pour le nom et **z** pour les autres mentions.

TITRE	VEDETTE	APPEL
abbé	Monsieur l'Abbé x	Monsieur l'Abbé, ou Mon Père,
ambassadeur	Son Excellence Monsieur x Ambassadeur de z	Monsieur l'Ambassadeur, ou (Votre) Excellence,
ambassadrice	Son Excellence Madame x Ambassadrice de z	Madame l'Ambassadrice, ou (Votre) Excellence,
avocat avocate	Maître x Maître x	Maître, Maître,
bâtonnier bâtonnière	Monsieur le Bâtonnier x Madame la Bâtonnière x	Monsieur le Bâtonnier, Madame la Bâtonnière,
cardinal	Son Éminence le Cardinal x ou Monsieur le Cardinal x	Monsieur le Cardinal, ou (Votre) Éminence,
consul consule	Monsieur x Consul de z Madame x Consule de z	Monsieur le Consul, Madame la Consule,

TITRE	VEDETTE	APPEL
curé	Monsieur le Curé x ou Monsieur le Curé de z	Monsieur le Curé, ou Mon Père,
député députée	Monsieur x Député de z Madame x Députée de z	Monsieur le Député, Madame la Députée,
évêque	Son Excellence Monseigneur x Évêque ou Archevêque de z	Monseigneur, ou Excellence, ou Mon Père,
juge	Madame la Juge x Monsieur le Juge x	Madame la Juge, Monsieur le Juge,
madame	Madame x	Madame,
maire (mairesse) maire	Madame la Maire (Mairesse) x Monsieur le Maire x	Madame la Maire (Mairesse), Monsieur le Maire,
médecin	Docteur x Docteure x	Docteur, Docteure,
ministre	Madame x Ministre de z Monsieur x Ministre de z	Madame la Ministre, Monsieur le Ministre,
monsieur	Monsieur x	Monsieur,
notaire	Maître x	Maître,
pasteur	Monsieur le Pasteur x	Monsieur le Pasteur,
père	Révérend Père x	Révérend Père,
premier ministre première ministre	Monsieur x Premier Ministre de z Madame x Première Ministre de z	Monsieur le Premier Ministre, Madame la Première Ministre,
professeure professeur	Madame x Professeure Monsieur x Professeur	Madame, Monsieur,
rabbin	Monsieur le Rabbin x	Monsieur le Rabbin,
religieuse	Révérende Mère x ou Révérende Sœur x	Révérende Mère, ou Ma Mère, ou Ma Sœur,
sénateur sénatrice	Monsieur x Sénateur Madame x Sénatrice	Monsieur le Sénateur, Madame la Sénatrice,
vicaire	Monsieur le Vicaire x	Monsieur le Vicaire,

Si l'on s'adresse à un couple ou à plusieurs personnes, on peut s'inspirer des exemples suivants :

mesdames	Mesdames x et x	Mesdames,
messieurs	Messieurs x et x	Messieurs,
madame et monsieur	Madame et Monsieur x ou Madame x et Monsieur x (si les noms diffèrent)	Madame et Monsieur,
monsieur et madame	Monsieur et Madame x ou Monsieur x et Madame x (si les noms diffèrent)	Monsieur et Madame,
la ministre et monsieur	Madame la Ministre et Monsieur x	Madame la Ministre et Monsieur,
le député et madame	Monsieur le Député et Madame x	Monsieur le Député et Madame,

☞ La mention de l'appel est reprise de façon identique dans la salutation.

EXEMPLES DE FORMULES USUELLES :

▶ INTRODUCTION [1]

▸ **Accusés de réception**
- *J'ai pris connaissance de...*
- *Nous avons pris bonne note de...*
- *Nous accusons réception de...*
  - *... votre lettre et...*
  - *... votre demande et...*
  - *... votre offre et...*
  - *... votre commande et...*
- *J'ai bien reçu votre...*
  - *... documentation...*
  - *... aimable invitation...*
  - *... lettre...*
    - *... et je vous en remercie.*
- *À votre demande,...*
  - *... je vous transmets...*

▸ **Communications diverses**
- *J'ai le plaisir de (et non *il me fait plaisir)...*
  - *... l'honneur de vous informer...*
    - *... vous aviser...*
    - *... vous faire part de...*
    - *... vous faire connaître...*
- *Permettez-moi...*
  - *... de vous féliciter de...*
  - *... de vous exprimer notre reconnaissance*
    - *... notre chagrin...*
    - *... nos regrets...*

▸ **Regrets**
- *Nous regrettons de...*
- *Je suis au regret de...*
- *Nous avons le regret de...*
- *C'est avec regret que nous devons...*
  - *... vous informer que...*
  - *... vous faire part...*
- *Il m'est malheureusement impossible...*
- *Il nous est malheureusement impossible...*

- *... de retenir votre offre, votre candidature...*
- *... de donner suite à votre demande...*
- *... d'accepter votre proposition...*

▸ **Réponses**
- *À la suite de (et non *suite à)...*
  - *... notre conversation téléphonique,*
  - *... notre rencontre de...,*
  - *... notre entretien,*
    - *... je vous confirme...*
    - *... je vous transmets...*
- *En réponse à*
  - *... votre lettre du...,*
  - *... votre demande,*
  - *... votre offre du...,*
    - *... je désire vous informer...*
    - *... je vous confirme...*

▶ CONCLUSION

▸ **Confirmations, réponses demandées**
- *Veuillez nous confirmer...*
- *Nous apprécierions que vous confirmiez*
  - *... votre accord...*
  - *... votre acceptation...*
  - *... votre présence...*
- *Nous vous serions reconnaissants*
  - *... de nous transmettre...*

▸ **Décisions favorables souhaitées**
- *Nous espérons que notre proposition vous...*
  - *... conviendra.*
  - *... agréera.*
- *Dans l'attente d'une réponse favorable, ...*
- *Dans l'espoir que vous recevrez favorablement ...*
  - *... notre offre...*
  - *... notre demande...*
- *En espérant que vous retiendrez...*
  - *... ma candidature...*

---

1. On consultera le *Guide de la communication écrite* de Marie Malo publié en 1996 par Québec/Amérique, p. 137-142, pour ses nombreux exemples de formules usuelles d'introduction, de conclusion et de salutation.

▶ **Excuses**

- *Il y a eu erreur de notre part et nous regrettons vivement les inconvénients que cela a pu vous causer.*
- *Nous comptons sur votre compréhension et vous assurons que cette erreur ne se reproduira plus.*
- *Soyez assuré...*
  - *... que nous corrigerons ce problème dès que possible*
  - *... que nous apporterons un correctif dans les plus brefs délais.*
- *Nous vous transmettons nos excuses pour...*

▶ **Invitations à communiquer**

- *Je demeure...*
- *Nous demeurons...*
- *Je me tiens...*
- *Nous nous tenons...*
  - *... à votre (entière) disposition*
    - *... pour tout renseignement complémentaire...*
- *N'hésitez pas à communiquer avec nous en composant le...*
- *Pour de plus amples renseignements, vous pouvez vous adresser à...*

▶ **Regrets**

- *Je regrette de...*
- *Nous regrettons de...*
  - *... ne pas être en mesure de...*
  - *... ne pouvoir...*
    - *... donner suite à...*
    - *... accéder à...*
    - *... accepter...*
      - *... votre demande...*
      - *... votre proposition...*
      - *... votre offre...*
- *Il nous est malheureusement impossible d'accepter votre invitation...*

▶ **Remerciements**

- *Je tiens à...*
- *Nous tenons à...*
  - *... vous remercier de...*
  - *... vous remercier pour...*
  - *... vous exprimer...*
  - *... vous témoigner...*

- *... ma gratitude...*
- *... toute notre gratitude...*
- *... notre vive reconnaissance...*
- *Nous vous remercions du chaleureux accueil que vous nous avez réservé...*

▶ **SALUTATION**

La formule de salutation est composée de trois éléments :

▶ **1. Une forme verbale**
Agréez...
Recevez...
Veuillez agréer...
Veuillez recevoir...
Je vous prie d'agréer...
... de recevoir...

▶ **2. La répétition de l'appel**
..., Madame, Monsieur, ...
..., cher collègue, ...
..., Madame la Présidente, ...

▶ **3. Une formule de courtoisie**

(formules officielles et protocolaires)
... l'expression de mes sentiments respectueux.
... l'expression de mes sentiments les plus respectueux.
... l'assurance de ma considération distinguée.
... l'assurance de mes sentiments les plus distingués.
... l'assurance de ma haute considération.
... l'assurance de ma très haute considération.

(formules courantes)
... mes salutations distinguées.
... mes salutations cordiales.
... mes meilleures salutations.
... l'expression de mes meilleurs sentiments.
... l'expression de mes sentiments les meilleurs.
... l'expression de mes sentiments distingués.

▶ CORRESPONDANCE – SUITE

Le nom *salutations* s'emploie directement après la formule verbale et l'appel (*Veuillez agréer, Monsieur, mes salutations distinguées*) alors que les noms *sentiment* ou *considération* s'emploient avec les termes *l'expression de* ou *l'assurance de* (*Je vous prie d'agréer, Madame, l'expression de mes sentiments respectueux*).

FORME VERBALE	APPEL	FORMULE DE COURTOISIE
Je vous prie d'agréer,	*Monsieur,*	*mes salutations les meilleures.*
Veuillez recevoir,	*cher collègue,*	*mes salutations distinguées.*
Nous vous prions d'agréer,	*Madame la Présidente,*	*l'assurance de notre haute considération.*

Dans la correspondance personnelle, on peut recourir à une salutation plus simple :

Recevez,	*cher ami,*	*l'expression de mes sentiments les meilleurs.*
Je vous prie d'agréer,	*chère collègue,*	*l'expression de mes sentiments très cordiaux.*
Reçois,	*chère Florence,*	*mes salutations les plus amicales.*

Plus familièrement, on emploiera les formules suivantes :

Amitiés,	*Bien cordialement,*	*Meilleurs souvenirs,*
Toutes mes amitiés,	*Salutations cordiales,*	*Affectueux souvenirs,*

☞ Les formules « **Sincèrement vôtre* », « **Bien vôtre* », « **Bien à vous* » sont à éviter.

☞ Pour une construction juste de la salutation, il importe de ne faire intervenir qu'un seul sujet. Si la formule commence par un membre de phrase qui concerne l'auteur ou les auteurs de la lettre, le verbe principal de la salutation doit être à la première personne du singulier ou du pluriel, selon le cas. *Espérant que ce projet vous conviendra, **je vous prie** de recevoir, Madame, mes salutations distinguées. Nous souhaitons que ces renseignements vous seront utiles et **vous prions** d'agréer, Monsieur, l'assurance de nos sentiments respectueux.*

▶ **SIGNATURE**

La signature s'inscrit à gauche ou à droite, selon la disposition, à quelques interlignes sous la formule de salutation.

1. Si le ou la signataire est **titulaire d'un poste de direction,** l'indication du titre précède généralement la signature.

La directrice de l'administration,

Dubois

Lorraine Dubois

2. Si le ou la signataire **partage sa fonction** avec d'autres personnes, l'indication du titre s'écrit au-dessous de la signature, à la suite du nom dont il est séparé par une virgule. Dans les autres cas, la fonction ou la profession est inscrite après la signature.

Pierre Giroux

Pierre Giroux, ingénieur

Colette Tremblay

Colette Tremblay,
adjointe administrative

☞ La signature manuscrite s'inscrit au-dessus du nom dactylographié.

VOIR TABLEAUX ▶ ADRESSE. ▶ ENVELOPPE. ▶ LETTRE TYPE.

ADJECTIFS DE **COULEUR**

▶ **1. Les adjectifs de couleur simples** s'accordent en genre et en nombre :

alezan	brun	glauque	noir	rouge
beige	châtain	gris	orangé	roux
blanc	cramoisi	incarnat	pers	vermeil
bleu	écarlate	jaune	pourpre	vert
blond	fauve	mauve	rose	violet...

Ex. : *des robes mauves, des jupes violettes, des foulards bleus.*

▶ **2. Les adjectifs dérivant d'adjectifs ou de noms de couleur** s'accordent en genre et en nombre :

basané	doré	olivâtre	rouquin
blanchâtre	mordoré	rosé	rubicond
cuivré	noiraud	rougeaud	verdoyant...

Ex. : *des ciels orangés, des teints olivâtres, des fillettes rouquines.*

▶ **3. Les adjectifs composés** (avec un autre adjectif ou un nom) sont invariables :

arc-en-ciel	bleu roi	feuille-morte	noir de jais
bleu foncé	bleu turquoise	gorge-de-pigeon	rouge tomate
bleu horizon	bleu-vert	gris acier	vert amande
bleu marine	café au lait	gris perle	vert-de-gris
bleu nuit	cuisse-de-nymphe	jaune maïs	vert olive...

Ex. : *des écharpes gris perle, une nappe bleu nuit.*

☞ On emploie le trait d'union lorsque deux adjectifs de couleur simples sont juxtaposés. *Des yeux bleu-vert.*

▶ **4. Les noms simples ou composés employés comme adjectifs** pour désigner une couleur sont invariables :

abricot	bruyère	crevette	marengo	prune
absinthe	caca d'oie	cuivre	marine	réséda
acajou	cachou	cyclamen	marron	rouille
acier	café	ébène	mastic	rubis
agate	canari	émeraude	moutarde	safran
amadou	cannelle	épinard	nacre	saphir
amarante	caramel	fraise	noisette	saumon
ambre	carmin	framboise	ocre	sépia
améthyste	carotte	fuchsia	olive	serin
anthracite	cassis	garance	or	soufre
ardoise	céladon	grenat	orange	souris
argent	cerise	groseille	paille	tabac
aubergine	chamois	havane	pastel	tango
auburn	champagne	indigo	pastèque	terre de Sienne
aurore	chocolat	ivoire	pêche	thé
avocat	citron	jade	perle	tilleul
azur	clémentine	jonquille	pervenche	tomate
bistre	cognac	kaki	pétrole	topaze
bordeaux	coquelicot	lavande	pie	turquoise
brique	corail	lilas	pistache	vermillon...
bronze	crème	magenta	platine	

Ex. : *des tapis ardoise, une ombrelle kaki.*

CURRICULUM VITÆ

Document qui résume la formation, les aptitudes, l'expérience professionnelle et les principales réalisations d'un candidat ou d'une candidate à un poste, à une bourse, à une subvention, etc.

☞ Cette locution empruntée au latin depuis un siècle est une métaphore employée par Cicéron signifiant « carrière de la vie » ; elle est construite à partir du nom latin *curriculum* qui désigne un champ où se tiennent des courses de chars romains.

► OBJECTIF DU CURRICULUM VITÆ

Démonstration de la compétence d'un candidat ou d'une candidate et de son aptitude à occuper le poste proposé, à recevoir la bourse, la subvention offerte.

MOT D'ORDRE : NE DITES QUE L'ESSENTIEL, DITES-LE BIEN ET DITES-LE COURT

► QUALITÉS RECHERCHÉES

► **Esprit de synthèse**
Choix des éléments de la formation, de l'expérience les plus importants et les plus pertinents.

► **Structure logique**
Organisation claire et hiérarchisée des renseignements utiles.

► **Mise en valeur**
Présentation avantageuse, mais exacte des réalisations pertinentes.

► **Rigueur et concision**
Exactitude des renseignements, précision et sobriété (trois pages au maximum).

► **Clarté et lisibilité**
Regroupement par thèmes, disposition aérée et équilibrée.

► **Expression juste et efficace**
Orthographe, grammaire et vocabulaire irréprochables, style de niveau correct ou recherché.

► **Présentation soignée et classique**
Disposition aérée sur une seule colonne, au recto seulement des feuilles.

► **Description des responsabilités[1]**
Il est recommandé d'employer des verbes d'action pour décrire et expliciter les responsabilités d'une fonction :

Exemples	Mettre à jour...	Organiser...	– Analyser les demandes de financement.
	Superviser...	Transmettre...	– Assurer le suivi des décisions du conseil.
	Conseiller...	Assurer le suivi...	– Gérer le service après-vente.
	Promouvoir...	Commander...	– Coordonner le travail des représentants.
	Corriger...	Livrer...	– Veiller au respect de l'échéancier.
	Analyser...	Gérer...	– Vérifier les comptes clients.

► **Description des réalisations[1]**
Il est recommandé d'employer des noms abstraits pour faire état des réalisations liées à une fonction :

Exemples

Création de...	Développement de...	– Augmentation de 10 % du chiffre d'affaires.
Mise à jour de...	Mention d'honneur pour...	– Hausse du nombre des clients de 8 %.
Implantation de...	Coordination de...	– Réduction marquée des coûts d'entreposage.
Publication de...	Réduction de...	– Réorganisation du service de la comptabilité.
Gestion de...	Représentation de...	– Conception d'un système informatisé.
Augmentation de...	Amélioration de...	– Élaboration d'un manuel de procédés administratifs.
Accroissement de...	Perfectionnement de...	– Respect des budgets et échéanciers prévus.

☞ Dans une énumération, il faut s'en tenir à des mots de même catégorie grammaticale : des verbes ou des noms, mais non des verbes et des noms dans la même liste.

1. D'après Marie Malo, *Guide de la communication écrite*, Montréal, Québec/Amérique, 1996, p. 70.

CURRICULUM VITÆ – SUITE ►

CURRICULUM VITÆ
(Style américain)

Frédérique de Blois

28, rue du Ruisseau
Saint-Lambert (Québec)
H1V 2R8
Tél. : 678 -1143
Site W3 personnel : http:/www.obs.blois.ca

Rédactrice-conceptrice publicitaire

Expérience

1995... **IMAGE MARKETING INC.**
RÉALISATIONS
– Le Coq d'or du Publicité Club pour la campagne des restaurants McIntosh !
– Accroissement de 15 % du chiffre d'affaires.
RESPONSABILITÉS
– Coordonner en studio la réalisation de messages par des maisons de production :
    messages télévisés des Confitures Beaux Fruits, panneaux des magasins L'Air sage.
– Élaborer le texte des messages multimédias.
– Participer à l'élaboration de la stratégie globale de communication.
– Faire des présentations aux clients éventuels (trois nouveaux comptes en un an !).

1993 -1994 **COMMUNICATIONS LEROY**
RÉALISATIONS
– Conception d'un dépliant promotionnel de l'entreprise destiné à l'ensemble de la
    clientèle.
– Implantation d'un système informatique de suivi des dossiers de l'entreprise.
RESPONSABILITÉS
– Faire la recherche de noms de produits (Savon Blanc-Neige, Casse-croûte Midi).
– Rédiger deux rapports annuels (Société Levallois, Groupe-Conseil Dubois).

1989 -1991 **SOCIÉTÉ MULTI-CONCEPTS INC.**

– Participer à l'élaboration de concepts sous la supervision du directeur de la création.
– Rédiger des brochures, des dépliants variés.
– Préparer des textes d'affichage (Groupe Ventilus).
– Concevoir des documents publicitaires (Les magasins Simon).

Formation

1991 -1993 Maîtrise en administration des affaires (option marketing),
École des Hautes Études Commerciales.

1986 -1989 Baccalauréat en sciences politiques,
Université du Québec à Montréal.

CURRICULUM VITÆ

(Style classique)

Christine LEFEBVRE

168, rue de l'Église
Montréal (Québec)
H3T 5M7
Tél. : 735 -1532 (bureau)
        456 -7890 (domicile)

Adjointe administrative

EXPÉRIENCE

1995 - ...	• **Société Techniplus inc. – Adjointe administrative**
Réalisation	– Informatisation des fichiers clients de l'entreprise (450 clients)
Responsabilités	– Préparer des publipostages adressés aux groupes cibles du service (envoi trimestriel)
	– Gérer les agendas des 4 conseillers commerciaux
	– Superviser 2 employés de secrétariat (1 sténo-dactylo, 1 agent de bureau)

1992 -1993	• **Blouin, Benoît et associés – Secrétaire de direction**
Responsabilités	– Effectuer le suivi administratif du bureau du directeur général
	– Rédiger les procès-verbaux des réunions hebdomadaires du conseil de direction
	– Saisir la correspondance et divers textes administratifs

1989 -1992	• **Bélanger et Dupont inc. – Sténo-dactylo principale**
Responsabilités	– Coordonner le groupe de secrétariat (3 personnes)
	– Effectuer le suivi administratif général et la comptabilité des honoraires (2 personnes)
	– Rédiger la correspondance française et anglaise

1984 -1989	• **Duguette et Duguette, comptables – Agente de bureau**
Responsabilités	– Saisir la correspondance commerciale
	– Dépouiller et classer le courrier
	– Accueillir les clients

FORMATION

1995	**Certificat en administration** École des HEC
1993	**Cours de bureautique (3 crédits)** Cégep de Bois-de-Boulogne
1984	**Diplôme de secrétariat** École de secrétariat moderne
1983	**Diplôme d'études secondaires** École Lajoie

LOISIRS

Ski, planche à voile, peinture

CURRICULUM VITÆ – SUITE ▶

CURRICULUM VITÆ
(Style classique)

Arnaud Leforestier
453, avenue de la Brunante
Outremont (Québec) H3T 1T3
Téléphone : (514) 788.0987
Courrier électronique : leforesa@ere.umont.ca

FORMATION

1993 -1996   **Baccalauréat spécialisé en biochimie**
Université de Montréal

1991 -1993   **Diplôme d'études collégiales et baccalauréat international**
Concentration sciences naturelles
Collège Jean-de-Brébeuf

1986 -1991   **Diplôme d'études secondaires**
Collège Jean-de-Brébeuf

BOURSES

1994   • Bourse d'excellence de la fondation Rose-Daoust-Duquette
1993 -1994 -1995   • Bourse Canada

RÉALISATIONS

1991 -1996   • **Implication active pour la promotion des sciences au collège Jean-de-Brébeuf**
Juge au concours scientifique annuel du collège Brébeuf
Membre fondateur d'un club sciences au collégial

1992   • **Projet d'innovation scientifique «Cholestérol en excès : une solution ?»**
Médaille d'or à l'Expo-Sciences pancanadienne (niveau national),
catégorie «sciences de la vie»

1990   • **Projet d'expérimentation scientifique : «Déplacement linéaire par magnétisme»**
1er prix de l'Expo-Sciences de Montréal
Médaille de l'Association canadienne-française pour l'avancement des sciences (ACFAS)

EXPÉRIENCE PROFESSIONNELLE

été 1995   • **Stages d'été à temps plein au laboratoire de neuroendocrinologie**
été 1994   **de l'hôpital Notre-Dame**
Synthèse de peptides en phase solide à la main et à la machine

été 1993   • **Stage d'été à temps plein au laboratoire de génie biomédical de l'Institut**
de recherches cliniques de Montréal
Aide à la mise au point d'un stéthoscope électronique

été 1992   • **Préposé aux bénéficiaires au Centre d'accueil Marcelle-Ferron**

LOISIRS

Sports : cyclisme, badminton, plongée sous-marine, ski de fond, musculation

Voyages, lecture, cinéma, musique

RÉFÉRENCES SUR DEMANDE

DATE

▸ **Des chiffres et des lettres**

On indique généralement la date à l'aide de lettres et de chiffres ; on peut écrire la date avec ou sans l'article défini *le.*

Le 27 janvier 1997 ou *27 janvier 1997*

ℱ– La date n'est jamais suivie d'un point final ; les noms de jours, de mois s'écrivent avec une minuscule.

▸ **Indication du jour de la semaine**

De façon générale, il n'y a pas lieu d'écrire le nom du jour de la semaine. Si ce renseignement est nécessaire, il n'y a pas de virgule entre le jour de la semaine et le jour du mois exprimé en chiffres (le quantième).

Jeudi 14 décembre 2000

ℱ– Dans le corps d'un texte, d'une lettre, on écrira *le jeudi 14 décembre 2000.* L'année est notée au long à l'aide de quatre chiffres. *1997* (et non *97)

▸ **Indication du lieu**

Dans certains documents juridiques, officiels, etc., on doit indiquer le lieu avec la date ; la mention du lieu est alors suivie d'une virgule.

Montréal, le 27 janvier 1997

▸ **Des lettres seulement**

Dans certains documents de registre soutenu, la date est composée en toutes lettres.

Le vingt-sept janvier mil neuf cent quatre-vingt-dix-sept.

▸ **Des chiffres seulement**

L'usage de l'indication uniquement en chiffres de la date doit être limité aux échanges d'informations entre systèmes de données et à la présentation en colonne ou en tableau. Cette notation procède par ordre décroissant : (année, mois, jour) 1997 01 27 ou 1997-01-27 ou 19970127.

VOIR TABLEAUX ▸ **CORRESPONDANCE.** ▸ **JOUR.** ▸ **LETTRE TYPE.**

JOURS, MOIS, SAISONS : DES NOMS MASCULINS

▸ JOURS

Lundi, mardi, mercredi, jeudi, vendredi, samedi, dimanche.

ℱ– Les noms des jours s'écrivent avec une minuscule, ils prennent la marque du pluriel et ils sont tous de genre masculin. *Je viendrai tous les lundis. Un dimanche ensoleillé.*

▸ MOIS

Janvier, février, mars, avril, mai, juin, juillet, août, septembre, octobre, novembre, décembre.

ℱ– Les noms des mois s'écrivent avec une minuscule et ils sont tous de genre masculin. *Un novembre pluvieux.*

▸ SAISONS

Été, automne, hiver, printemps.

ℱ– Les noms des saisons s'écrivent avec une minuscule et ils sont tous de genre masculin. *Un été agréable.*

DÉTERMINANT

Le déterminant est un mot (ou un groupe de mots) qui fournit des indications sur le nom.

En général, le déterminant est placé devant le nom et il est habituellement du même genre et du même nombre que ce nom.

Les vacances. *Ton* maillot de bain. *Cette* plage. *Deux* palmiers. *Quelques* souvenirs. *Quelles* photos ? *Quel* voyage !

Les déterminants sont :

▸ **des articles** (définis, indéfinis et partitifs). *L'*ordinateur. *Une* imprimante. *De* l'eau.
VOIR TABLEAU ▸ ARTICLE.

▸ **des adjectifs possessifs.** *Ma* bicyclette. *Mon* ami.
VOIR TABLEAU ▸ POSSESSIF (ADJECTIF ET PRONOM).

▸ **des adjectifs démonstratifs.** *Cette* copine. *Ces* chiens.
L'adjectif démonstratif détermine le nom en montrant l'être ou l'objet désigné par ce nom. Il s'accorde en genre et en nombre avec le nom déterminé :

- • au masculin singulier   *ce, cet*   *Ce livre, cet ouvrage, cet homme.*

  🖝 On emploie *ce* devant un mot commençant par une consonne ou un *h* aspiré, *cet* devant un mot commençant par une voyelle ou un *h* muet.

- • au féminin singulier   *cette*   *Cette fleur.*
- • au pluriel   *ces*   *Ces garçons et ces filles.*

L'adjectif démonstratif est parfois renforcé par *ci* ou *là* joint au nom par un trait d'union. Alors que *ci* indique la proximité, *là* suggère l'éloignement. *Cette étude-ci* (démonstratif prochain), *cette maison-là* (démonstratif lointain).

🖝 Certains adjectifs démonstratifs sont vieillis et ne se retrouvent plus que dans la langue juridique : *ledit, ladite, lesdits, lesdites, audit, à ladite, auxdits, auxdites, dudit, de ladite, desdits, desdites, susdit, susdite, susdits, susdites.*

▸ **des adjectifs numéraux.** *Deux* amoureux.
VOIR TABLEAU ▸ NUMÉRAL (ADJECTIF).

▸ **des adjectifs indéfinis.** *Quelques* mois.
VOIR TABLEAU ▸ INDÉFINI (ADJECTIF).

▸ **des adjectifs interrogatifs** ou exclamatifs. *Quel* jour ? *Quelle* journée !
VOIR TABLEAU ▸ INTERROGATIF ET ADJECTIF EXCLAMATIF (ADJECTIF).

▸ **des adjectifs relatifs.**
L'adjectif relatif se place devant un nom pour indiquer que l'on rattache à un antécédent la subordonnée qu'il introduit.

SINGULIER		PLURIEL	
MASCULIN	FÉMININ	MASCULIN	FÉMININ
lequel	laquelle	lesquels	lesquelles
duquel	de laquelle	desquels	desquelles
auquel	à laquelle	auxquels	auxquelles

Il a reconnu vous devoir la somme de 300 $, **laquelle** *somme vous sera remboursée sous peu.*

🖝 Les adjectifs relatifs sont d'emploi peu courant en dehors de la langue juridique ou administrative.

VOIR TABLEAU ▸ PRONOM.

DIVISION DES MOTS

La division des mots en fin de ligne doit être évitée autant que possible. Si elle est nécessaire, la coupure des mots se marque par un court tiret, appelé trait d'union, et respecte des règles définies.

▶ 1. LA DIVISION DES SYLLABES

On coupe un mot entre les syllabes qui le composent.

▶ **Une consonne entre deux voyelles**

On coupe après la première voyelle.

| oui | *Cho / colat ou choco / lat.* |

▶ **Deux voyelles**

On coupe après la deuxième voyelle.

| oui | *Initia / le, abrévia / tion.* |

☞ 1° On coupe après la dernière voyelle lorsque le groupe de voyelles se réduit à un seul son (ai, au, eau, æ, eu, œu, ou, etc.). *Nécessai / rement, heureu / sement.*
2° Le mot se divise entre les voyelles seulement lorsque la deuxième voyelle fait partie d'un élément qui a servi à la formation d'un mot (*rétro / actif, extra / ordinaire*). Dans le doute, on évitera de diviser des voyelles.

▶ **Deux consonnes**

On coupe entre les consonnes.

| oui | *Éper / dument, fendil / lement.* |

☞ Les groupes ch, ph, gn, th sont inséparables. *Ache / miner, ryth / mer.* En début de syllabe, certains groupes de consonnes (bl, cl, fl, gl, pl, br, cr, dr, fr, gr, pr, tr, vr) sont inséparables. *Dé / plorer, in / croyable.*

▶ **Trois ou quatre consonnes**

On coupe après la première consonne.

| oui | *Désassem / bler, illus / tration.* |

▶ 2. LA DIVISION DES MOTS COMPOSÉS

▶ **Mots composés sans trait d'union**

On peut diviser entre deux mots non reliés par un trait d'union.

| oui | *Compte / rendu.* |

☞ On ne met pas de trait d'union dans ce cas.

▶ **Mots composés comportant un trait d'union**

On peut diviser à ce trait d'union.

| oui | *Demi- / heure.* |

☞ Il est parfois difficile de distinguer entre les traits d'union du mot composé et ceux de la division des mots en fin de ligne.

▶ 3. LES DIVISIONS INTERDITES

▶ **Abréviations et sigles**

Ne jamais diviser une abréviation ou un sigle.

| non | **O / NU.* |

▶ **Apostrophes**

On ne coupe jamais à l'apostrophe.

| non | **L' / école.* |

▶ **Initiales et patronymes**

Ne pas séparer du nom le prénom abrégé.

| non | **J. / Picard.* |

DIVISION DES MOTS – SUITE ▶

▶ DIVISION DES MOTS – SUITE

▸ **Titres de civilité, titres honorifiques et patronymes**

Ne pas séparer le titre du nom auquel il s'applique.
non | *D^r / Laroche.

▸ **Nombres en chiffres arabes ou romains**

Ne pas diviser les nombres écrits en chiffres (par contre, les nombres écrits en toutes lettres sont divisibles).
non | *153 / 537, *XX / IV.

▸ **Nom déterminé par un nombre**

Ne pas séparer un nombre du nom qui le suit ou le précède.
non | *Art. / 2, *Louis / XIV.

▸ **Pourcentage**

Ne pas séparer un nombre du symbole du pourcentage.
non | *75 / %.

▸ **Points cardinaux**

Ne pas séparer l'abréviation du point cardinal du groupe qu'il détermine.
non | *Par 52° de latitude / N.

▸ **Date**

Ne pas séparer le quantième et le mois ou le mois et l'année.
non | *7 / mai 1998 ou * 7 mai / 1998.

▸ **Symboles des unités de mesure**

Ne pas séparer le symbole du nombre qui le précède.
non | *12 / h, *14 / F, *25 / kg.

▸ **Symboles chimiques, mathématiques, etc.**

Ces symboles sont indivisibles.
non | *3 / + 2 = 6

▸ **Lettres *x* et *y***

Ne pas diviser avant ni après les lettres *x* ou *y* placées entre deux voyelles.
non | *Ve / xation, *apitoy / er.

> 1° Si ces lettres sont suivies d'une consonne, la division est permise après le *x* ou le *y*. *Ex / ténuant, bicy / clette.*

> 2° Si la lettre *x* correspond au son « z », la coupure est tolérée. *Deu / xième.*

▸ **Etc.**

Ne pas séparer l'abréviation *etc.* du mot qui la précède.
non | *Vert, jaune, / etc.

▸ **Syllabe finale muette**

On ne reporte pas à la ligne suivante une syllabe finale muette.
non | *Cou / dre, *définiti / ve.

▸ **Mots d'une seule syllabe**

Ces mots sont indivisibles.
non | *Pi / ed.

▸ **Mots en fin de page**

On ne peut couper un mot lors d'un changement de page.

> Dans la mesure du possible, on prendra soin de ne pas renvoyer en début de ligne des syllabes muettes ou de moins de trois lettres. *Directri / ce, *validi / té.*

> Dans certains ouvrages, notamment dans le cas où le texte est composé sur deux colonnes ou plus, il n'est pas toujours possible de respecter cette règle.

DOUBLETS

Le français, comme plusieurs autres langues, provient du latin. Il est intéressant d'observer qu'un même mot latin a donné parfois deux mots français, différents par la forme et le sens : on appelle ces mots des **doublets**.

Ainsi les noms **parole** et **parabole** viennent du mot latin «*parabola*». Le premier a subi l'évolution phonétique normale (formation populaire), tandis que le second a été emprunté directement au latin par l'Église (formation savante) pour nommer la parole du Christ.

Il est intéressant de constater que le mot **design** que nous avons emprunté à l'anglais (qui l'avait lui-même emprunté au français plus tôt) est un doublet du mot **dessin** et que ces deux mots proviennent du verbe latin «*designare*».

Voici quelques exemples de doublets :

MOT FRANÇAIS (FORME POPULAIRE)	MOT LATIN	MOT FRANÇAIS (FORME SAVANTE)
aigre	*acer*	âcre
écouter	*auscultare*	ausculter
chaire	*cathedra*	cathédrale
chose	*causa*	cause
cheville	*clavicula*	clavicule
cueillette	*collecta*	collecte
combler	*cumulare*	cumuler
dessiner	*designare*	désigner
frêle	*fragilis*	fragile
hôtel	*hospitalis*	hôpital
entier	*integer*	intègre
livrer	*liberare*	libérer
mâcher	*masticare*	mastiquer
métier	*ministerium*	ministère
œuvrer	*operare*	opérer
parole	*parabola*	parabole
poison	*potio*	potion
porche	*porticus*	portique
recouvrer	*recuperare*	récupérer
sembler	*simulare*	simuler

CONFUSIONS COURANTES

▸ Les verbes **agonir** « accabler, injurier » et **agoniser** « être sur le point de mourir » ne doivent pas être confondus.

▸ Les verbes **recouvrer** « récupérer, retrouver » et **recouvrir** « couvrir de nouveau » ne sont pas synonymes.

▸ La locution **mi-figue mi-raisin** qui exprime un mélange de satisfaction et de mécontentement « ni bon ni mauvais » doit être distinguée de la locution **ni chair ni poisson** qui signifie « sans caractère, imprécis ».

▸ On écrit **être bourrelé de remords** (et non *bourré), **rebattre les oreilles** (et non *rabattre).

ÉLISION

L'élision est le remplacement d'une voyelle finale (*a, e, i*) par une apostrophe devant un mot commençant par une voyelle ou un *h* muet. Devant un *h* aspiré cependant, il n'y a pas d'élision.

L'arbre, l'hôpital, mais *le homard.*

▸ **Les mots qui peuvent s'élider sont :**

le	se		
la	ne	devant une voyelle ou un *h* muet.	*L'école, l'araignée, l'habitation, l'honneur.* *Il s'est endormi, elle s'habille. Je n'irai pas.* *J'aurai ce qui convient. J'habite ici. M'aimes-tu?* *Qu'arrive-t-il? J'essaie d'y aller.* *C'était hier. Je t'invite. Tu t'habitues.*
je	de		
me	que		
te	ce		
jusque		devant une voyelle. *Jusqu'au matin.*	
lorsque puisque quoique		devant *il, elle, en, on, un, une, ainsi* seulement. *Lorsqu'elle est contente.* *Puisqu'il est arrivé. Quoiqu'on ait prétendu certaines choses.*	
presque		devant *île* seulement. *Une presqu'île,* mais *un bâtiment presque achevé.*	
quelque		devant *un, une* seulement. *Quelqu'un, Quelqu'une.*	
si		devant *il* seulement. *S'il fait beau.*	

▸ **Élisions interdites**

- Devant *huit, onze, un.*

  Une quantité de huit grammes. Des colis de onze kilos, de un kilo.

  ☞ L'élision ne peut se faire devant l'adjectif numéral *un*, mais elle peut se faire devant l'article indéfini. *Plus d'un voyageur est passé ici.*

- Devant *oui.*

  Les millions de oui.

- Devant les mots d'origine étrangère commençant par un *y.*

  Le yogourt, le yacht.

  ☞ L'élision doit se faire avec les noms propres selon les mêmes règles qu'avec les noms communs. *Le film d'Étienne,* mais *la ville de Halifax.*

VOIR TABLEAU ▸ **APOSTROPHE.**

Doit-on écrire

- Le herpès *ou* l'herpès est d'origine virale ?
- La hacienda *ou* l'hacienda est grande ?
- L'haut-parleur *ou* le haut-parleur est en panne ?
- Le héron *ou* l'héron vient de s'envoler ?
- La hurluberlue *ou* l'hurluberlue nous a étonnés ?
- Le huis clos *ou* l'huis clos a été imposé ?
- Elle sait parler l'huron *ou* le huron ?

Réponses : l'herpès, l'hacienda, le haut-parleur, le héron, l'hurluberlue, le huis clos, le huron.

EN, PRÉPOSITION

La préposition *en* marque un rapport de **lieu**, de **temps**, une notion de **forme**, de **matière**, de **manière**. Elle s'emploie devant un nom qui n'est pas accompagné d'un article défini ou devant un pronom.

Ils voyagent en avion. Les enfants sont en retard. Un décolleté en pointe, un manteau en laine. L'avion a atterri en douceur.

↝ Devant un nom précédé d'un article défini, d'un possessif, d'un démonstratif, on emploiera plutôt la préposition *dans. Ils sont allés dans la ville d'Oka. Mettre les mains dans ses poches. Dépose le livre dans cette boîte.*

▶ RAPPORT DE LIEU

La préposition indique le **lieu où l'on est,** le **lieu où l'on va.**
Les étudiants sont en classe. Ils iront en ville.

EN + NOM GÉOGRAPHIQUE	– **Nom féminin de pays,** de région. *En France, en Gaspésie.*
	– **Nom masculin de pays** commençant par une **voyelle.** *En Équateur.*
	↝ Devant un **nom masculin de pays,** d'État commençant par une **consonne,** on emploiera plutôt l'article contracté *au. Au Québec.*
	– **Nom féminin de grande île.** *En Martinique.*
	↝ Devant un **nom féminin de petite île,** ou devant un **nom masculin d'île,** on emploiera plutôt *à. À Cuba.*
	↝ Devant un **nom de ville,** on emploiera la préposition *à. À Trois-Rivières.*

▶ RAPPORT DE TEMPS

La préposition marque un **intervalle de temps,** une **date.** Elle a le sens de *durant, pendant.*
En été, il fait bon vivre à la campagne. Ils ont construit la maison en quelques mois. En 1996, on a célébré son vingtième anniversaire.

▶ NOTION DE FORME, DE MATIÈRE, DE MANIÈRE

La préposition sert à marquer l'**état,** la **forme,** la **matière,** la **manière.**
Il est en attente. Des cheveux en brosse. Pedro parle en espagnol. Des gants en laine.

EN + MATIÈRE	*Une colonne en marbre, de marbre, une sculpture en bois, de bois.*
	↝ Il est possible d'utiliser les prépositions *en* ou *de* pour introduire le complément de **matière.** Toutefois au sens figuré, on emploiera surtout la préposition *de. Une volonté de fer.*
EN + SINGULIER OU PLURIEL	*Un lilas en fleur ou en fleurs, un texte en anglais, une maison en flammes.*
	↝ Il n'y a pas de règle particulière pour le nombre du nom précédé de *en.* C'est le sens qui le dictera.

▶ GÉRONDIF

La préposition suivie du participe présent constitue le gérondif qui exprime la simultanéité, une circonstance de cause, de temps, de manière.
En skiant, elle s'est fracturé la jambe. Il écrit en chantant.

▶ LOCUTIONS

La préposition sert à former des locutions prépositives, conjonctives ou adverbiales.

Locutions prépositives	Locutions conjonctives	Locutions adverbiales
en cas de	en admettant que	en bas
en comparaison de	en attendant que	en dedans
en deçà de	en même temps que	en définitive

↝ Les locutions formées avec *en* s'écrivent sans trait d'union.

VOIR TABLEAU ▶ EN, PRONOM.

EN, PRONOM

▶ PRONOM PERSONNEL DE LA TROISIÈME PERSONNE

Le pronom **en** représente une chose, une idée, parfois un animal et signifie **de ce, de ces, de cet, de cette, de cela, de lui, d'elle, d'eux.**
Cette escapade, nous en parlerons longtemps. Ce projet est emballant, ils en parlent constamment.

Le pronom **en** représente des noms de choses, d'idées et remplace le possessif.
Les touristes aiment les forêts et les lacs; ils en apprécient le calme et la beauté.

Le pronom **en** représente des noms d'animaux.
Ton cheval est magnifique; j'en admire la couleur, ou encore j'admire sa couleur.

> ☞ L'emploi du pronom **en** est recommandé, mais on observe également l'emploi du possessif.

Le pronom **en** représente parfois des personnes lorsqu'il est complément d'un pronom numéral ou d'un pronom indéfini et dans la langue littéraire.
A-t-il des collègues compétents? Il en a plusieurs.

> ☞ Dans la langue courante, on emploie alors les adjectifs possessifs **son, sa, ses.** *Il admire cette amie et apprécie son courage.*

▶ Impératif + *en*

Le pronom **en** employé avec un pronom personnel se place après ce pronom.
Des livres, écris-nous-en plusieurs. Souvenez-vous-en.

> ☞ Le pronom **en** est joint au pronom personnel par un trait d'union, sauf lorsque le pronom est élidé. *Souviens-t'en.* Si le pronom **en** suit un verbe à la deuxième personne du singulier de l'impératif qui se termine par un **e,** ce verbe prend un **s** euphonique. *Respectes-en les conditions.*

▶ Accord du participe passé avec *en*

La plupart des auteurs recommandent l'invariabilité du participe passé précédé du pronom **en.**
Il a dessiné plus d'immeubles qu'il n'en a construit. Ce sont des fleurs carnivores, en aviez-vous déjà vu?

> ☞ On remarque cependant un usage très indécis où l'on accorde parfois le participe passé avec le nom représenté par **en.** «Mais les fleurs, il n'en avait jamais vues.» (Marcel Proust, cité par Grevisse.) Pour simplifier la question, il semble préférable d'omettre le pronom si celui-ci n'est pas indispensable au sens de la phrase ou de choisir l'invariabilité du participe passé.

VOIR TABLEAU ▶ **EN,** PRÉPOSITION.

Le pronom est un mot qui représente généralement un nom ou une proposition.

On trouvera au TABLEAU – PRONOM les six types de pronoms :

1. Pronom personnel.
2. Pronom possessif.
3. Pronom démonstratif.
4. Pronom indéfini.
5. Pronom relatif.
6. Pronom interrogatif.

ÉNUMÉRATION

▶ **LES ÉLÉMENTS D'UNE ÉNUMÉRATION**

▶ **Présentation horizontale**

Les chiffres romains sont composés des caractères suivants : I, V, X, L, C, D, M.

✎– On met une virgule entre chaque élément de l'énumération et un point à la fin.

▶ **Présentation verticale**

Cet ouvrage traite des difficultés du français :

1. orthographe; ou	*1– orthographe;* ou	*1) orthographe;*
2. grammaire;	*2– grammaire;*	*2) grammaire;*
3. conjugaison.	*3– conjugaison.*	*3) conjugaison.*

✎– Les éléments sont suivis d'un point-virgule à l'exception du dernier élément qui est suivi d'un point. Il est également possible de présenter les éléments de l'énumération sans ponctuation. En ce cas, on écrira généralement avec une majuscule initiale chacun des éléments de l'énumération.

Types de difficultés

1. Orthographe ou	*A. Orthographe* ou	• *Orthographe*
2. Grammaire	*B. Grammaire*	• *Grammaire*
3. Conjugaison	*C. Conjugaison*	• *Conjugaison*

▶ **LES PARTIES D'UN TEXTE**

En vue de découper un texte ou de mettre l'accent sur le nombre ou l'ordre des éléments, on a recours à divers jalons énumératifs : des lettres, des chiffres ou d'autres signes (tiret, point, etc.).

✎– Une règle est importante : quel que soit le type de jalon retenu, il importe de respecter tout au long du document le même ordre, la même gradation de repères énumératifs.

JALONS COURAMMENT UTILISÉS

– les lettres minuscules *a), b), c);*
– les lettres majuscules *A., B., C.;*
– les chiffres arabes *1., 2., 3.;*
– les chiffres romains *I, II, III;*
– les adjectifs numéraux ordinaux du latin sous leur forme abrégée *1°, 2°, 3°;*
– la numérotation décimale *1., 1.1., 1.1.1., 1.2., 1.3., 2., 2.1.*

Pour une **énumération simple,** on utilise un seul signe énumératif : le tiret, les majuscules, les adjectifs numéraux latins, par exemple.

Pour une **énumération double,** on a recours à deux types de signes; pour une **énumération triple,** à trois types, et ainsi de suite.

Simple	Double	Triple	Quadruple	Complexe
a)	a)	A.	I–	1.
b)	1°	1°	A.	1.1.
c)	2°	a)	1°	1.1.1.
d)	3°	b)	a)	1.1.2.
e)	b)	2°	b)	1.2.
f)	1°	B.	2°	1.2.1.
g)	2°	1°	B.	1.2.2.
h)	3°	a)	II–	1.3.
i)	c)	b)	A.	2.

✎– Si l'on recourt à la numération décimale, il est préférable de se limiter à trois niveaux de subdivision (avec un maximum de dix sous-classes), afin de ne pas trop alourdir la structuration.

ENVELOPPE

Gabriel Girard
Groupe Alpha
4077, rue Saint-Hubert
Montréal (Québec) H2L 4A7

1

2

RECOMMANDÉ

3

Madame Delphine Déplanche
Directrice de la recherche
Société Amarante
775, chemin des Vieux-Moulins
L'Acadie (Québec) J0J 1H0

4

5

NORMES DE LA SOCIÉTÉ CANADIENNE DES POSTES

1. Adresse de l'expéditeur ou de l'expéditrice.
2. Espace réservé aux timbres.
3. Les mentions PERSONNEL, CONFIDENTIEL, RECOMMANDÉ (toujours au masculin singulier) s'écrivent en lettres majuscules dans cet espace.
4. Adresse du ou de la destinataire. Selon la longueur de l'adresse, celle-ci peut chevaucher les sections 3 et 4. Le code postal figure en dernière place, à la suite du nom de la ville et de la province. En cas de manque d'espace, le code postal s'écrit sur la ligne suivante, mais il doit absolument apparaître dans cette section.
5. Espace réservé au code du tri mécanique de la Société canadienne des postes.

▶ ADRESSE COURANTE NORMALISÉE

L'adresse courante normalisée de la *Norme canadienne d'adressage* respecte l'usage français en ce qui a trait à la ponctuation (emploi de la virgule entre le numéro de l'adresse et le générique du nom de rue), à l'emploi des majuscules et des minuscules, à l'accentuation des mots et aux abréviations.

☞ Par contre, l'adresse « optimale » que préconise la Société canadienne des postes n'est pas conseillée, car elle est libellée en majuscules sans accents et sans ponctuation. Selon la quatrième édition du *Français au bureau*, cette adresse « ne respecte pas le bon usage en matière d'abréviations, de ponctuation et d'emploi des majuscules et des minuscules* ». Il est à noter qu'aucun tarif préférentiel ne peut être refusé sous prétexte que l'expéditeur ou l'expéditrice privilégie l'adresse courante normalisée.

---

* Noëlle Guilloton et Hélène Cajolet-Laganière, *Le français au bureau*, 4e éd., coll. « Guides de l'Office de la langue française », Québec, Les Publications du Québec, 1996, p. 32.

ENVELOPPE – SUITE ▶

▶ ORDRE DES ÉLÉMENTS DE L'ADRESSE

Les éléments d'une adresse vont du particulier au général.

▶ **Nom du** ou **de la destinataire.** **1**
- Titre de civilité
- Prénom
- Nom

▶ **Titre** et **nom de l'unité administrative,** s'il y a lieu. **2**

▶ **Nom de l'entreprise** ou **de l'organisme,** s'il y a lieu. **3**

▶ **Adresse.**
- Numéro et nom de la voie publique **4**
  - ☞ L'indication du numéro est suivie d'une virgule, du nom générique (*avenue, boulevard, chemin, côte, place, rue,* etc.) écrit en minuscules et, enfin, du nom spécifique de la voie publique.
- Appartement, étage, bureau, s'il y a lieu **5**
  - ☞ En cas de manque d'espace, la mention de l'étage, du bureau ou de l'appartement s'écrit sur la ligne qui précède l'adresse.
- Bureau de poste, s'il y a lieu **6**
- Nom de la ville **7**
- Nom de la province, s'il y a lieu **8**
  - ☞ Au Canada, le nom de la province s'écrit entre parenthèses.
- Code postal **9**
  - ☞ En cas de manque d'espace, le code postal s'écrit sur la ligne suivante.
- Nom du pays, s'il y a lieu **10**
  - ☞ La mention du nom de pays s'écrit en majuscules sur la ligne qui suit le code postal.

VOIR TABLEAU ▶ ADRESSE.

Madame Laurence Dubois **1**
Directrice des communications **2**
Dubuffet et Lavigne **3**
630, boul. René-Lévesque O., 5e étage **4** **5**

ou

Madame Laurence Dubois **1**
Directrice des communications **2**
Dubuffet et Lavigne **3**
5e étage **5**
630, boul. René-Lévesque Ouest **4**

Montréal (Québec) H3B 1S6 **7** **8** **9**

ou

Montréal (Québec) **7** **8**
H3B 1S6 **9**

Madame Hélène Lessard **1**
Direction des finances **2**
C. P. 6204, succ. Centre-ville **6**
Montréal (Québec) H3C 3T4 **7** **8** **9**

Monsieur Antoine Lebel **1**
Service après-vente **2**
Portes et fenêtres V.Q. **3**
860, rue de l'Église **4**
Sainte-Agathe-des-Monts (Québec) **7** **8**
J2D 4G8 **9**

Mrs. Bev Darnell
Jefferies Silversmiths Ltd.
1026 Fort St.
Victoria (Colombie-Britannique) V8V 3K4
CANADA **10**

▶ COURRIER POUR L'ÉTRANGER

Pour les envois à destination de l'étranger, il est préférable d'inscrire le nom du pays en majuscules. Dans la mesure du possible, il importe de se conformer aux usages du pays de destination. Cependant, le nom du pays doit être noté dans la langue du pays de départ, c'est-à-dire du lieu où s'effectue le tri postal.

▶ ABSENCE DE PONCTUATION FINALE DANS L'ADRESSE

On ne met ni point ni virgule pour les fins de ligne des adresses et des mentions qui figurent sur l'enveloppe.

Monsieur Michel Delage
17, rue de Phalsbourg, 3e étage
75017 Paris
FRANCE

Time Magazine
541 North Fairbanks Court
Chicago
Illinois
ÉTATS-UNIS 60611

ESPACEMENTS

SIGNES DE PONCTUATION	AVANT		APRÈS	EXEMPLES
LE POINT	0 espace	.	1 espace	*Les vacances commenceront le 23 juin. J'ai hâte.*
LA VIRGULE	0 espace	,	1 espace	*Voici des pommes, des poires et des oranges.*
LE POINT-VIRGULE	0 espace	;	1 espace	*Léa adore la lecture ; elle dévore les romans.*
LE DEUX-POINTS	1 espace	:	1 espace	*Liste des articles à apporter : cahier, crayons et règles.*
LE POINT D'INTERROGATION	0 espace	?	1 espace	*Est-ce que tu viens jouer avec nous ? Oui.*
LE POINT D'EXCLAMATION	0 espace	!	1 espace	*Vive les vacances ! Au diable les pénitences !*
LES POINTS DE SUSPENSION	0 espace	…	1 espace	*Elle a dit qu'elle viendrait... Je l'attends.*

SIGNES TYPOGRAPHIQUES	AVANT		APRÈS	EXEMPLES
LE TRAIT D'UNION	0 espace	-	0 espace	*Un lance-pierres et vingt-trois billes.*
LE TIRET	1 espace	—	1 espace	*Le béluga – un mammifère marin – est le favori des visiteurs.*
LA PARENTHÈSE OUVRANTE	1 espace	(	0 espace	*Elle est née lors des Jeux olympiques de Montréal*
LA PARENTHÈSE FERMANTE	0 espace	)	1 espace	*(1976) et se nomme Nadia.*
LE CROCHET OUVRANT	1 espace	[	0 espace	*On note entre crochets* [krofe] *l'alphabet phonétique.*
LE CROCHET FERMANT	0 espace	]	1 espace	
LE GUILLEMET OUVRANT	1 espace	«	1 espace	*Il lui a répondu : « Ce fut un plaisir » et elle a souri.*
LE GUILLEMET FERMANT	1 espace	»	1 espace	
LA BARRE OBLIQUE	0 espace	/	0 espace	*Elle roule à 40 km/h.*
L'ASTÉRISQUE	0 espace	*	1 espace	*Le béluga* est un mammifère.*
	1 espace	*	0 espace	**Le béluga est aussi appelé baleine blanche.*
FRACTION DÉCIMALE (VIRGULE DÉCIMALE)	0 espace	,	0 espace	*15,25 unités.*
DEGRÉ	0 espace	°	1 espace	*On règle le chauffage à 20°.*
	1 espace	°	0 espace	*Il fait 20 °C. (Si l'échelle de mesure est donnée.)*
SYMBOLE DU DOLLAR	1 espace	$	1 espace	*Cet article coûte 15 $.*
POUR CENT	1 espace	%	1 espace	*Ils ont eu 81 % de moyenne.*

☞– Le tableau des espacements s'applique aux documents produits par dactylographie ou traitement de texte. Dans l'édition, on recourt aux espacements plus détaillés prescrits par les codes typographiques.

VOIR TABLEAU ▸ **PONCTUATION.**

ÊTRE

▶ VERBE INTRANSITIF

1. Exister, avoir une réalité. «*Je pense, donc je suis.*» (Descartes) *L'heureux temps des vacances n'est plus.*
2. Se situer. *La ville de Trois-Rivières est au nord du Saint-Laurent.*
3. Se trouver. *Ils seront à Paris en mai.*
4. Appartenir. *Cette maison est à elle.*
5. Être en train de. *Ils sont toujours à se vanter.*
6. S'occuper à. *Être à son travail.*
7. Tendre vers. *Le temps est à la neige.*
8. Faire partie de. *Être de la fête, d'une société donnée.*
9. Provenir. *Geneviève est de Montréal.*
10. Donner son soutien à. *Elle est pour l'indépendance du Québec.*
11. N'avoir pas. *Il est sans le sou.*

▶ VERBE RELIANT L'ATTRIBUT AU SUJET

Le verbe *être* établit la relation entre le sujet et l'attribut. *Les érables sont magnifiques.*

VOIR TABLEAU – ATTRIBUT.

▶ AUXILIAIRE

Le verbe *être* sert à conjuguer :

– les verbes passifs dans tous leurs temps et modes. *Elle est aimée.*
– les temps composés des verbes pronominaux. *Ils se sont habillés.*
– les temps composés de certains verbes intransitifs. *Le lac est dégelé.*

VOIR TABLEAU – AUXILIAIRE.

▶ LOCUTIONS

– *Ce + être.* La locution sert à présenter quelqu'un, quelque chose. Le verbe s'emploie au pluriel s'il est suivi d'un nom au pluriel. *Ce sont* (et non * c'est) *des pommes vertes.*

> Exceptions : – devant l'indication d'une quantité. *C'est trois dollars.*
> – devant *nous* ou *vous*. *C'est nous qui partirons les premiers.*

> ↪ Devant *eux, elles*, on emploie le verbe *être* au pluriel à la forme affirmative, mais on emploie le verbe *être* au singulier à la forme négative ou interrogative pour éviter les formes qui manquent d'euphonie telles que *sont-ce, furent-ce. Ce sont eux ! Ce n'est pas eux ! Est-ce eux ? Est-ce des chevaliers ?*

– *Être en train de* + infinitif. Le verbe marque une action en voie d'accomplissement. *Les enfants sont en train de manger.*

– *Être sur le point de* + infinitif. Le verbe marque un futur proche. *Je suis sur le point de partir.*

– *Il est.* (LITT.) Il y a. *Il est des souvenirs remplis de tendresse.*

– *N'être pas sans savoir quelque chose.* Ne pas l'ignorer. *Vous n'êtes pas sans savoir* (et non sans *ignorer*)...

FAIRE

Verbe dont l'emploi est le plus fréquent en français, c'est le verbe d'action par excellence. Il est toutefois souvent possible de remplacer ce verbe « à tout faire » par un verbe plus précis.

☞ Les lettres *ai* se prononcent *e* dans les formes *nous faisons, faisons, faisant* et à toutes les formes de l'imparfait.

VERBE TRANSITIF	1. Créer, produire. *Faire un bouquet, un dessin.*
	2. Accomplir, exécuter. *Faire un travail. La randonnée que j'ai faite.*
	3. Former, composer. *Deux et deux font quatre.*
	4. Jouer le rôle de. *Elle faisait celle qui n'entend pas.*
	☜ Le verbe *faire* se conjugue avec l'auxiliaire *avoir* aux formes transitive et intransitive et avec l'auxiliaire *être* à la forme pronominale.
VERBE INTRANSITIF	Agir. *Elle a fait de son mieux. Il n'y a rien à faire : il n'en fait qu'à sa tête.*
	☜ À la forme intransitive, le verbe se conjugue avec l'auxiliaire *avoir*.
VERBE PRONOMINAL	1. Arriver, venir à être. *Elle s'est faite belle. Comment se fait-il que vous soyez en retard ?*
	2. Devenir. *Ils se sont faits marins. Elles commencent à se faire vieilles.*
	3. S'habituer. *Les enfants se sont faits à leur nouveau quartier.*
	☜ La forme pronominale se conjugue avec l'auxiliaire *être*. Devant un infinitif, la forme pronominale du participe passé est toujours invariable. *Ils se sont fait élire. Elle s'est fait couper les cheveux.*
SEMI-AUXILIAIRE	1. *Faire* + infinitif. Être la cause. *Cette tisane fait dormir.*
	2. *Faire* + infinitif. *Elle fait travailler dix personnes.*
	↜ Cette construction indique qu'une action ordonnée par le sujet est exécutée par quelqu'un d'autre.
	☜ Le participe passé reste invariable. *Les personnes qu'elle a fait travailler.*
	3. *Faire* + verbe défectif. *Elle faisait éclore des fleurs dans sa serre.*
VERBE IMPERSONNEL	(Pour préciser les conditions atmosphériques.) *Il fait froid, il fait du vent. Il fait nuit.*
	☜ Le participe passé du verbe impersonnel reste invariable. *Les froids qu'il a fait cet hiver. Quelle chaleur il a fait hier !*

LOCUTIONS
- *À tout faire,* loc. adj. Non spécialisé. *Un employé à tout faire.*
- *Autant que faire se peut.* Dans la mesure du possible.
- *Avoir affaire, avoir à faire.* On écrit plus souvent *avoir affaire* que *avoir à faire* sans changement de sens, sauf dans le cas où la locution a un complément d'objet direct. *Elle a à faire une dissertation* (on peut à ce moment inverser les mots). *Elle a une dissertation à faire. Il a affaire à forte partie.*
- *Ce faisant.* En faisant cela. Cette locution est vieillie.
- *Faire affaire.* Traiter, conclure un marché. *Nous faisons affaire avec ce fournisseur depuis peu.*
  - ☜ Dans cette locution, le nom *affaire* est au singulier.
- *N'avoir que faire de.* Ne faire aucun cas. *Il n'a que faire de ces critiques.*
- *Ne faire que.* Ne pas cesser de. *Elle ne fait que dormir.*
- *Se faire des idées.* S'imaginer. *Les idées qu'il s'est faites sur vous sont étonnantes.*
- *Se faire fort de.* S'engager à. *Elle se fait fort de réussir.*
  - ☜ En ce sens, l'adjectif *fort* est invariable.
- *Se faire fort de.* Tirer sa force de. *Elle se fait forte de leur appui.*
  - ☜ En ce sens, l'adjectif *fort* est variable.
- *S'en faire.* (FAM.) S'inquiéter. *Ne t'en fais pas, tu obtiendras ce que tu veux.*
- *Tant qu'à faire.* (FAM.) Puisqu'il le faut.

FORMES FAUTIVES
   *faire application. Calque de «*to make an application*» pour **postuler un emploi, faire une demande d'emploi, poser sa candidature.**
   *faire du sens. Calque de «*to make sense*» pour **avoir du sens.**
   *faire sa part. Calque de «*to do one's part*» pour **collaborer, contribuer à, participer à.**

FÉMINISATION DES TITRES

Depuis l'accès des femmes à de nouvelles fonctions et devant le désir de celles-ci de voir leurs désignations refléter cette nouvelle réalité, il est recommandé d'utiliser les formes féminines des titres de fonctions.

Cette féminisation peut se faire :

▸ **Soit à l'aide du féminin courant.**

Avocate, directrice, technicienne.

▸ **Soit à l'aide du terme épicène marqué par un déterminant féminin.**

Une journaliste, une architecte, une astronome, une ministre.

> ▰⤙ L'adjectif *épicène* se dit d'un mot qui conserve la même forme au masculin et au féminin.

▸ **Soit par la création spontanée d'une forme féminine qui respecte les règles du français.**

Policière, chirurgienne, banquière, navigatrice, professeure.

> ▰⤙ Dans cet ouvrage qui répertorie un grand nombre de noms de métiers, de professions, les formes féminines ont été systématiquement présentées lorsque leur usage est attesté. À l'entrée du dictionnaire, la désignation féminine figure en toutes lettres.

LISTE DE TITRES ET DE FONCTIONS

académicien académicienne	agent de change agente de change	arpenteur arpenteuse	bijoutier bijoutière	bruiteur bruiteuse
accompagnateur accompagnatrice	agent de voyages agente de voyages	artificier artificière	bimbelotier bimbelotière	buandier buandière
accordeur accordeuse	agriculteur agricultrice	artisan artisane	biophysicien biophysicienne	bûcheron bûcheronne
accoucheur accoucheuse	aiguilleur aiguilleuse	assistant assistante	blanchisseur blanchisseuse	câbleur câbleuse
acériculteur acéricultrice	ajusteur ajusteuse	assureur assureuse	bonnetier bonnetière	cadreur cadreuse
acheteur acheteuse	aléseur aléseuse	astrophysicien astrophysicienne	bottier bottière	caissier caissière
acteur actrice	amareyeur amareyeuse	auditeur auditrice	boucher bouchère	camionneur camionneuse
acupuncteur ou acuponcteur acupunctrice ou acuponctrice	ambassadeur ambassadrice	auteur auteure	boulanger boulangère	caporal caporale
	ambulancier ambulancière	aviateur aviatrice	boulanger-pâtissier boulangère-pâtissier	cardeur cardeuse
adaptateur adaptatrice	amiral amirale	aviculteur avicultrice	boxeur boxeuse	cartomancien cartomancienne
adjoint adjointe	animateur animatrice	avocat avocate	brancardier brancardière	cascadeur cascadeuse
adjudant adjudante	annonceur annonceure ou annonceuse	balayeur balayeuse	brasseur brasseuse	cavalier cavalière
administrateur administratrice	apiculteur apicultrice	banquier banquière	brigadier brigadière	chanteur chanteuse
agent agente	arboriculteur arboricultrice	barman barmaid	brocanteur brocanteuse	chapelier chapelière
agent de bord agente de bord		berger bergère	brodeur brodeuse	charcutier charcutière

FÉMINISATION DES TITRES – SUITE ▶

chargé (de projet, de cours)
chargée (de projet, de cours)

charpentier
charpentière

chaudronnier
chaudronnière

chauffeur
chauffeuse

chercheur
chercheuse

chiromancien
chiromancienne

chiropraticien
chiropraticienne

chirurgien
chirurgienne

chocolatier
chocolatière

chroniqueur
chroniqueuse

chronométreur
chronométreuse

clinicien
clinicienne

coauteur
coauteure

cocher
cochère

codirecteur
codirectrice

coiffeur
coiffeuse

colonel
colonelle

colporteur
colporteuse

comédien
comédienne

commandant
commandante

commentateur
commentatrice

commerçant
commerçante

compositeur
compositrice

concepteur
conceptrice

conducteur
conductrice

conférencier
conférencière

confiseur
confiseuse

conseiller
conseillère

conseiller juridique
conseillère juridique

conservateur
conservatrice

consul
consule

consultant
consultante

contremaître
contremaîtresse

contrôleur
contrôleuse

coordonnateur ou coordinateur
coordonnatrice ou coordinatrice

cordonnier
cordonnière

correcteur
correctrice

correcteur-réviseur
correctrice-réviseuse ou réviseure

correspondancier
correspondancière

costumier
costumière

courtier
courtière

couturier
couturière

couvreur
couvreuse

créateur d'entreprise
créatrice d'entreprise

cuisinier
cuisinière

cultivateur
cultivatrice

curateur
curatrice

cybernéticien
cybernéticienne

danseur
danseuse

débardeur
débardeuse

décideur
décideuse

décorateur
décoratrice

découvreur
découvreuse

dégustateur
dégustatrice

délégué
déléguée

démarcheur
démarcheuse

déménageur
déménageuse

démonstrateur
démonstratrice

député
députée

dessinateur
dessinatrice

diététicien
diététicienne

directeur
directrice

directeur d'école
directrice d'école

docteur
docteure

dompteur
dompteuse

douanier
douanière

doyen
doyenne

draveur
draveuse

éboueur
éboueuse

écrivain
écrivaine

éditeur
éditrice

éducateur
éducatrice

électricien
électricienne

électronicien
électronicienne

éleveur
éleveuse

embaumeur
embaumeuse

enquêteur
enquêteuse ou enquêtrice

enseignant
enseignante

ensemblier
ensemblière

entraîneur
entraîneuse

entreposeur
entreposeuse

entrepreneur
entrepreneure

épicier
épicière

esthéticien
esthéticienne

excavateur
excavatrice

expert
experte

exploitant
exploitante

exportateur
exportatrice

fabricant
fabricante

facteur
factrice

fermier
fermière

ferronnier
ferronnière

fondé de pouvoir
fondée de pouvoir

forgeron
forgeronne

fossoyeur
fossoyeuse

fournisseur
fournisseuse

fripier
fripière

gantier
gantière

gardien
gardienne

général
générale

généticien
généticienne

géophysicien
géophysicienne

gérant
gérante

grainetier
grainetière

grammairien
grammairienne

graveur
graveuse

guichetier
guichetière

habilleur
habilleuse

historien
historienne

horloger
horlogère

horticulteur
horticultrice

hôtelier
hôtelière

huissier
huissière

illustrateur
illustratrice

importateur
importatrice

indicateur
indicatrice

infirmier
infirmière

informateur
informatrice

informaticien
informaticienne

ingénieur
ingénieure

inspecteur
inspectrice

instituteur
institutrice

intendant
intendante

inventeur
inventrice

jardinier
jardinière

joaillier
joaillière

jongleur
jongleuse

juré / jurée	meunier / meunière	pâtissier / pâtissière	ramoneur / ramoneuse	speaker / speakerine
laborantin / laborantine	mineur / mineuse	pêcheur / pêcheuse	réalisateur / réalisatrice	statisticien / statisticienne
laitier / laitière	moniteur / monitrice	pharmacien / pharmacienne	recteur / rectrice	superviseur / superviseure
lamineur / lamineuse	monteur / monteuse	phonéticien / phonéticienne	rédacteur / rédactrice	surveillant / surveillante
laveur / laveuse	musicien / musicienne	physicien / physicienne	relieur / relieuse	sylviculteur / sylvicultrice
lecteur / lectrice	mytiliculteur / mytilicultrice	pisciculteur / piscicultrice	rembourreur / rembourreuse	tanneur / tanneuse
lieutenant / lieutenante	narrateur / narratrice	plombier / plombière	réparateur / réparatrice	tapissier / tapissière
lieutenant-gouverneur / lieutenante-gouverneure	navigateur / navigatrice	plongeur / plongeuse	représentant / représentante	technicien / technicienne
livreur / livreuse	négociant / négociante	poinçonneur / poinçonneuse	restaurateur / restauratrice	teinturier / teinturière
luthier / luthière	négociateur / négociatrice	poissonnier / poissonnière	réviseur / réviseuse ou réviseure	teneur de livres / teneuse de livres
lutteur / lutteuse	nettoyeur / nettoyeuse	policier / policière	romancier / romancière	théologien / théologienne
maçon / maçonne	neurochirurgien / neurochirurgienne	pomiculteur / pomicultrice	sacristain / sacristaine ou sacristine	tisserand / tisserande
magasinier / magasinière	obstétricien / obstétricienne	pompier / pompière	scrutateur / scrutatrice	traducteur / traductrice
magicien / magicienne	officier / officière	portier / portière	sculpteur / sculpteure ou sculptrice	tragédien / tragédienne
magistrat / magistrate	oiselier / oiselière	postier / postière	sémanticien / sémanticienne	traiteur / traiteuse
maire / mairesse	oléiculteur / oléicultrice	potier / potière	sémioticien / sémioticienne	trappeur / trappeuse
maquilleur / maquilleuse	omnipraticien / omnipraticienne	préposé / préposée	sénateur / sénatrice	trésorier / trésorière
maraîcher / maraîchère	opérateur / opératrice	présentateur / présentatrice	sergent / sergente	truqueur / truqueuse
marchand / marchande	opticien / opticienne	président / présidente	sériciculteur / séricicultrice	tuteur / tutrice
marinier / marinière	orateur / oratrice	producteur / productrice	serveur / serveuse	vendangeur / vendangeuse
masseur / masseuse	orchestrateur / orchestratrice	professeur / professeure	soldat / soldate	vendeur / vendeuse
mathématicien / mathématicienne	organisateur / organisatrice	programmateur / programmatrice	sommelier / sommelière	vérificateur / vérificatrice
mécanicien / mécanicienne	orienteur / orienteuse	programmeur / programmeuse	sondeur / sondeuse	vice-président / vice-présidente
menuisier / menuisière	ostréiculteur / ostréicultrice	promoteur / promotrice	soudeur / soudeuse	vigneron / vigneronne
metteur en scène / metteure ou metteuse en scène	ouvreur / ouvreuse	pyrotechnicien / pyrotechnicienne	souffleur / souffleuse	viticulteur / viticultrice...
	parfumeur / parfumeuse	quincaillier / quincaillière		

EMPLOIS **FIGURÉS**

M ode d'expression de la réalité ou des idées à l'aide d'images (sens figuré) plutôt qu'avec les mots courants ou les expresssions habituelles de la langue (sens propre).

Pour la fermeture des piscines l'été prochain, le maire a évité de se mouiller.

◦↝– Dans cette phrase, le verbe *se mouiller* a la signification suivante : le maire n'a pas cherché à se protéger de la pluie, de l'eau **(sens propre)**, mais plutôt il n'a pas voulu donner son avis, se compromettre **(sens figuré)**.

▸ **Quelques exemples :** *Être dans la lune* (pour «être distrait»).

Mettre un copain en boîte (pour «se moquer de lui»).

⚜ *Accrocher ses patins* (pour «cesser ses activités»).

Verser des larmes de crocodile (pour «faire semblant de pleurer»).

Être suspendu aux lèvres de quelqu'un (pour «écouter attentivement»).

Les emplois figurés frappent l'imagination, ils sont expressifs, vivants, colorés et ils permettent de communiquer un message de façon très efficace. Les poètes, les écrivains, les auteurs de textes et de chansons privilégient les **emplois figurés** appelés aussi **figures de style**. Ces auteurs enrichissent constamment la langue en créant de nouveaux sens figurés.

Quand Félix Leclerc chante : «Moi, mes souliers ont beaucoup voyagé…», c'est une image qu'il emploie pour dire qu'il a parcouru de grandes distances à pied, une image qui reste dans notre mémoire.

IL Y A PLUSIEURS TYPES D'EMPLOIS FIGURÉS :

▸ **La comparaison**   Rapprochement entre des êtres, des idées, des objets.

Ce cheval est rapide comme l'éclair. Un enfant blond comme les blés.

Elle s'élança telle une gazelle. Ainsi qu'un jeune chien, il gambadait.

◦↝– La comparaison est introduite par ***comme, ainsi que, de même que…***

▸ **La métaphore**   Remplacement d'un sens premier par un sens imagé, comparaison sous-entendue.

Être sur la corde raide (pour «être en danger»).

Mettre la main à la pâte (pour «participer, travailler soi-même à quelque chose»).

◦↝– La comparaison n'est pas introduite par ***comme, ainsi que, de même que…***

▸ **L'hyperbole** ou **exagération**   Emploi volontaire d'un mot qui a un sens très fort pour frapper l'imagination.

Je meurs de faim (pour «j'ai une grande faim»).

Merci mille fois (pour «merci beaucoup»).

Pleurer toutes les larmes de son corps (pour «avoir beaucoup de chagrin»).

▸ **La litote** ou **atténuation**   Emploi volontaire d'un mot, d'une expression dont le sens est faible pour dire plus.

Elle n'est pas bête (pour «elle est intelligente, astucieuse»).

Je ne le déteste pas (pour «il me plaît»).

▸ **L'euphémisme**   Adoucissement d'un mot trop brutal, d'une expression trop cruelle.

Ton chien est au paradis (pour «il est mort»).

Les aînés (pour «les personnes âgées»).

▸ **L'allégorie**   Personnification de choses abstraites.

Le bonhomme hiver a déposé son blanc manteau.

▸ **La synecdoque**   Expression de la partie pour le tout.

Être sans toit (pour «être sans maison»).

Expression de l'espèce pour le genre.

Les mortels (pour «les hommes»).

Expression du singulier pour le pluriel.

Le cultivateur (pour «les cultivateurs»).

▸ **La métonymie**   Expression du contenant pour le contenu.

Mange ton assiette (pour «mange ton repas»).

Expression de la cause pour l'effet.

Il est né sous une bonne étoile (pour «il réussit bien»).

Expression de l'effet pour la cause.

Boire la mort (pour «boire une potion mortelle»).

FUTUR

AXE DU TEMPS

PASSÉ	PRÉSENT	FUTUR
AUTREFOIS, ON S'ÉCRIVAIT.	**AUJOURD'HUI,** ON SE TÉLÉPHONE.	**DEMAIN,** ON EMPLOIERA L'INFOROUTE.

▸ **Le FUTUR exprime un fait qui aura lieu plus tard, une action à venir, par rapport au présent.**
*Nous **serons** en vacances à la fin de juin. Il **arrivera** demain.*

Ce temps traduit également :
– Une **vérité générale.** *Il y **aura** toujours des gagnants et des perdants.*
– Un **fait probable.** *L'été **sera** ensoleillé, je crois.*
– Un **ordre poli.** *Tu **voudras** bien m'expliquer ce retard.*
   ⏳ Dans cet emploi, le futur correspond à un impératif exprimé de façon moins autoritaire.
– Un **présent atténué.** *Tu **comprendras** que je ne peux lui faire confiance.*
– Un **conseil,** une **recommandation.** *Vous **prendrez** ce médicament après chaque repas.*
– Un **futur dans une narration au passé.** *La bataille des Plaines d'Abraham entraîna la chute de Québec en 1759 : ce **sera** la fin de la Nouvelle-France.*
   ⏳ On qualifie cet emploi de **futur historique.**

▸ **Le FUTUR ANTÉRIEUR exprime un fait qui doit précéder un fait futur.**
*Quand vous **aurez fini** vos devoirs, vous pourrez jouer dehors.*

Ce temps traduit également :
– Un **fait futur inévitable.** *Je suis sûr qu'il **aura** vite **réuni** les provisions nécessaires à l'expédition.*
– Un **fait passé hypothétique.** *Nos amis ne sont pas encore là, ils se **seront** encore **attardés** à la piscine.*

VOIR TABLEAU ▸ CONCORDANCE DES TEMPS.

▸ AUTRES MODES D'EXPRESSION DU FUTUR

▸ SEMI-AUXILIAIRE

ALLER + infinitif. *Martine va arriver en retard si elle rate son autobus.*
   ⏳ En fonction d'auxiliaire exprimant le **futur proche**, le verbe s'emploie au présent de l'indicatif et il est suivi d'un infinitif. Pour exprimer le **futur dans le passé**, le verbe s'emploie à l'imparfait de l'indicatif et il est suivi d'un infinitif. *Martine a promis qu'elle allait réussir son examen.*

Devoir + infinitif. *Max doit téléphoner d'une minute à l'autre.*
   ⏳ En fonction d'auxiliaire exprimant le **futur proche**, le verbe s'emploie au présent de l'indicatif et il est suivi d'un infinitif. Pour exprimer le **futur dans le passé**, le verbe s'emploie à l'imparfait de l'indicatif et il est suivi d'un infinitif. *Max, distrait comme toujours, a perdu ses gants : cela devait arriver.*

▸ LOCUTION VERBALE

Être sur le point de + infinitif. *Ils sont sur le point de partir.*
   ⏳ En fonction d'auxiliaire exprimant le **futur proche**, le verbe s'emploie au présent de l'indicatif et il est suivi d'un infinitif. Pour exprimer le **futur dans le passé**, le verbe s'emploie à l'imparfait de l'indicatif et il est suivi d'un infinitif. *J'étais sur le point de partir quand le téléphone a sonné.*

▸ PRÉSENT DE L'INDICATIF

Présent + adverbe ou locution adverbiale de temps. *Attends-moi, j'arrive bientôt. Elle rentre demain.*
   ⏳ La dimension future est indiquée à l'aide de l'adverbe ou de la locution adverbiale de temps qui accompagne le verbe au présent.

Si + présent (dans une subordonnée conditionnelle). *Si tu préviens ta copine, elle ne s'inquiétera pas inutilement. Si vous plantez un arbre tous les jours, vous reboiserez ce domaine.*
   ⏳ Dans une subordonnée conditionnelle dont la principale est au futur, on emploie un verbe au présent de l'indicatif pour exprimer une action future.

GENRE

Le genre des mots est l'une des grandes difficultés de la langue française, comme d'ailleurs de toutes les autres langues où cette distinction existe, notamment le grec, qui ajoute le neutre au masculin et au féminin.

Spontanément, on a tendance à croire qu'il existe une relation entre le genre du mot et le sexe de l'être désigné. Cela n'est vrai que pour les êtres humains, les êtres mythologiques et certains animaux.

▶ LE GENRE DES NOMS D'ÊTRES ANIMÉS

▶ **1. Relation entre le genre du mot et le sexe de l'être désigné**

Dans de nombreux cas, le masculin correspond effectivement à un être mâle et le féminin à un être femelle, lorsque les noms désignent :

- Les **êtres humains** ou les **êtres mythologiques.** *Homme/femme, garçon/fille, dieu/déesse.*
- Des **liens familiaux.** *Mari/femme, père/mère, fils/fille, frère/sœur, cousin/cousine, oncle/tante.*
- Des **désignations de métiers, de fonctions.** *Directeur/directrice, épicier/épicière, romancier/romancière.*
  VOIR TABLEAU ▶ FÉMINISATION DES TITRES.
- Des **animaux domestiques.** *Cheval/jument, bouc/chèvre, canard/cane, bœuf/vache, coq/poule, chat/chatte.*
- Du **gibier traditionnel.** *Cerf/biche, renard/renarde, ours/ourse, sanglier/laie, faisan/faisane.*
  VOIR TABLEAU ▶ ANIMAUX.

▶ **2. Sexe non différencié**

La langue ne fait pas toujours la distinction entre les sexes, même lorsque celle-ci existe dans les faits :

- Soit parce que le masculin est utilisé comme une ***appellation générale.*** *Les hommes sont mortels.*
- Soit parce que la notion de sexe est ***indifférente aux propos tenus.*** *Ce cheval court vite.*
- Soit parce que les êtres ne sont pas considérés comme appariés, en raison de leur **petitesse,** de leur **caractère exotique** ou **fabuleux.** *La mouche, le lynx, la panthère, le vautour.*
- Soit parce qu'on considère comme **sans sexe** certains êtres qui, en fait, ont un sexe. *La rose, le jasmin, la truite, le requin, la baleine.*

▶ **3. Genre non marqué**

Parfois, le nom – dit épicène – peut être tour à tour masculin et féminin selon qu'il désigne un être mâle ou un être femelle. *Un* ou *une architecte, un* ou *une enfant, un* ou *une propriétaire.*

▶ **4. Absence de relation entre le genre du mot et le sexe de l'être désigné**

Une sentinelle, une canaille, un mannequin.

▶ LE GENRE DES NOMS D'ÊTRES INANIMÉS

Dans la très grande majorité des cas, l'attribution du genre est sans motivation précise. *Une chaise, un fauteuil, un canapé, une causeuse.*

Dans de rares cas, la différence de genre correspond à une **distinction de sens.** Ne pas confondre :

un pendule, balancier ....et......... *une pendule,* appareil qui indique l'heure
un tour, mouvement circulaire ....et......... *une tour,* construction en hauteur
un mémoire, écrit, thèse ....et......... *une mémoire,* fonction biologique qui conserve
le souvenir du passé

GENRE – SUITE ▶

▶ LES ACCORDS

En fonction du genre et du nombre du nom auquel il se rapporte, le déterminant et l'adjectif qualificatif s'accordent au masculin ou au féminin, au singulier ou au pluriel :

– Accord du **déterminant**. *Le* pont, *la* balle, *les* billes, *un* crayon, *une* règle, *son* chapeau, *cette* fleur.

– Accord de l'**adjectif qualificatif**. *Un* **beau** gâteau, *une* **belle** tarte, de **beaux** enfants, un **bon** biscuit, une **bonne** pomme.

Si l'on fait généralement les accords de façon instinctive, quelques noms sont cause d'hésitation, notamment :

– Les mots commençant par une **voyelle** ou un **h** muet, parce que les articles et les adjectifs sont alors neutralisés. *L'escalier* (nom masculin), *l'horloge* (nom féminin), *son avion* (nom masculin), *son amie* (nom féminin), *son histoire* (nom féminin) ;

– Les mots se terminant par un **e** muet. *Un* pétale, *un* globule, *un* incendie, *un* pétoncle.

▶ EXEMPLES DE NOMS DONT LE GENRE EST DIFFICILE À RETENIR

▶ Noms masculins

abaque	arpège	embâcle	holocauste	oreiller
accident	ascenseur	emblème	hôpital	orteil
agrume	asphalte	en-tête	incendie	ovule
ambre	astérisque	entracte	insigne	ozone
amiante	augure	équinoxe	interstice	pamplemousse
ampère	autobus	escalier	ivoire	pénates
antidote	autographe	esclandre	jade	pétale
apanage	automne	évangile	jute	tentacule
apogée	avion	granule	libelle	termite
appendice	camée	habit	lobule	testicule
après-guerre	chrysanthème	haltère	narcisse	tubercule
armistice	décombres	hémicycle	nimbe	ulcère
aromate	effluve	hémisphère	obélisque	vivres...

▶ Noms féminins

abscisse	arabesque	ébène	horloge	oriflamme
acné	argile	échappatoire	immondice	ouïe
acoustique	armoire	écritoire	molécule	primeur
alcôve	atmosphère	enclume	moustiquaire	réglisse
algèbre	autoroute	épice	nacre	spore
améthyste	avant-scène	épitaphe	oasis	stalactite
amibe	azalée	épithète	obsèques	stalagmite
ancre	bonace	épître	ocre	strate
anicroche	câpre	fibre de verre	omoplate	ténèbres
apostrophe	cuticule	gélule	once	topaze
appendicite	débâcle	hélice	orbite	urticaire...

▶ Noms à double genre

aigle	enseigne	manche	office	physique
amour	espace	mémoire	orge	poste
couple	geste	météorite	orgue	relâche
crêpe	gîte	mode	parallèle	solde
délice	hymne	œuvre	pendule	voile...

▶ LE GENRE ET LE NOMBRE DES SIGLES

Les sigles prennent généralement le genre et le nombre du premier nom abrégé.
La LNH (La Ligue nationale de hockey).
La SRC (la Société Radio-Canada).

Les sigles de langue étrangère prennent le genre et le nombre qu'aurait eus, en français, le générique de la dénomination.
La BBC (British Broadcasting Corporation) (**société**, féminin singulier).
Les USA (United States of America) (**États**, masculin pluriel).

NOMS **GÉOGRAPHIQUES**

Les noms géographiques sont des **noms de lieux** (appelés également **toponymes**) qui désignent des pays, des villes, des régions, des cours d'eau, des montagnes, etc., ainsi que des **noms de voies de communication** (nommés également **odonymes**).

1. Nom géographique employé seul
Le nom propre géographique prend une majuscule.
Le Québec, le Saint-Laurent, La Malbaie, les Laurentides.

2. Nom géographique constitué d'un nom commun accompagné par un nom propre ou par un adjectif
Le nom commun – **nom générique** – s'écrit avec une minuscule (lac, rivière, mont, baie, mer, océan, etc.), tandis que le nom propre ou l'adjectif – **élément distinctif** – prend la majuscule.
Le cap Diamant, les montagnes Rocheuses, l'anse de Vaudreuil, l'océan Atlantique, le golfe Persique, la rivière Saint-François, la chute Montmorency, les îles de la Madeleine.

3. Nom géographique composé
Le nom est accompagné d'un adjectif nécessaire à l'identification, qui précède souvent le nom. Les deux mots s'écrivent avec une majuscule et sont souvent liés par un trait d'union.
Terre-Neuve, le Proche-Orient, la Grande-Bretagne, Trois-Rivières, les Pays-Bas, la Nouvelle-Angleterre, les Grands Lacs.

4. Nom des habitants d'un lieu (gentilé)
Le nom des habitants d'un lieu (continent, pays, région, ville, village, etc.), appelé également *gentilé,* s'écrit avec une majuscule.
Un Québécois, une Montréalaise, des Trifluviens.

Les adjectifs dérivés de gentilés s'écrivent avec une minuscule.
Une coutume beauceronne. Une recette gaspésienne.

VOIR TABLEAU ► PEUPLES (NOMS DE).

5. Nom géographique étranger
Dans les cas où le nom géographique n'a pas d'équivalent français, la graphie d'origine est respectée.
New York, San Diego, Los Angeles, Rhode Island, Cape Cod, Detroit.

> Les noms des habitants d'un lieu et les adjectifs dérivés de noms étrangers sont écrits à la française avec accents et traits d'union, s'il y a lieu. *Les New-Yorkais.*

6. Surnom géographique
Les expressions désignant certaines régions, certaines villes s'écrivent avec une majuscule au nom et à l'adjectif qui précède.
Le Nouveau Monde, les Grands Lacs, les Prairies.

Si l'adjectif suit, il garde la minuscule.
La Ville éternelle, la Péninsule gaspésienne, le Bouclier canadien.

7. Toponyme administratif
Le toponyme administratif désigne un espace délimité par l'homme.
Le parc des Laurentides, Outremont, Les Méchins, l'autoroute Transcanadienne.

> L'élément distinctif du toponyme administratif s'écrit avec des traits d'union lorsqu'il est constitué de plusieurs mots. *La rue Saint-Jean-Baptiste, le chemin de la Côte-Sainte-Catherine, Port-au-Persil.*

8. Odonyme (nom de voie de communication)
Les noms génériques des odonymes (avenue, boulevard, place, rue, etc.) s'écrivent en minuscules et sont suivis de l'élément distinctif simple ou composé qui s'écrit avec une ou des majuscules, selon le cas.
Le boulevard René-Lévesque, le chemin Saint-Louis, la place d'Armes, la rue du Manoir.

> L'élément distinctif de l'odonyme s'écrit avec des traits d'union lorsqu'il est constitué de plusieurs mots.

VOIR TABLEAU ► ODONYMES.

GRADES ET DIPLÔMES UNIVERSITAIRES

▶ **DÉSIGNATIONS**

Dans le corps d'un texte, les désignations de grades et de diplômes universitaires s'écrivent au long et en minuscules. *Elle a terminé son doctorat en physique. Il est titulaire d'une maîtrise en histoire.*

☞ La préposition **ès** qui résulte de la contraction de **en** et de **les** est suivie d'un pluriel. *Un doctorat ès lettres.*

▶ **ABRÉVIATIONS**

Les abréviations des grades et des diplômes se composent ainsi :

▶ **le grade**

Le nom désignant le grade ou le diplôme s'abrège par le retranchement des lettres à l'exception de l'initiale qui s'écrit en majuscule et qui est suivie du point abréviatif :

- *certificat* ....C.
- *baccalauréat* ......B.
- *licence* ....L.
- *maîtrise* ....M.
- *doctorat* ....D. ou Ph. D.

▶ **la discipline**

Le nom désignant la discipline ou la spécialité s'abrège par le retranchement des lettres finales (après une consonne); la première lettre s'écrit en majuscule, la dernière lettre de l'abréviation est généralement suivie du point abréviatif. *Architecture, Arch. Urbanisme, Urb.*

☞ Font exception à ces règles, certaines abréviations consacrées par l'usage qui proviennent du latin, *Ph. D., LL. D., LL. M., LL. L.,* ou de l'anglais, *M.B.A.*

▶ **ABRÉVIATIONS DES GRADES UNIVERSITAIRES**

B.A. ....baccalauréat ès arts
B.A.A. ....baccalauréat en administration des affaires
B. Arch. ....baccalauréat en architecture
B.A.V. ....baccalauréat en arts visuels
B. Éd. ....baccalauréat en éducation
B. Mus. ....baccalauréat en musique
B. Pharm. ....baccalauréat en pharmacie
B. Ps. ....baccalauréat en psychologie
B. Sc. ....baccalauréat ès sciences
B. Sc. A. ....baccalauréat ès sciences appliquées
B. Sc. inf. ....baccaulauréat en sciences infirmières
B. Sc. (nutrition) ....baccalauréat ès sciences (nutrition)
B. Sc. pol. ....baccalauréat en sciences politiques
B. Sc. soc. ....baccalauréat en sciences sociales
B. Serv. soc. ....baccalauréat en service social
B. Th. ....baccalauréat en théologie
B. Urb. ....baccalauréat en urbanisme
D.C.L. ....doctorat en droit civil
D. Éd. ....doctorat en éducation
D. ès L.. ....doctorat ès lettres
D.M.D. ....doctorat en médecine dentaire

GRADES ET DIPLÔMES UNIVERSITAIRES – SUITE ▶

D. Mus. .... doctorat en musique
D.M.V. .... doctorat en médecine vétérinaire
D. Sc. .... doctorat ès sciences
D.U. .... doctorat de l'Université
J.C.B. .... baccalauréat en droit canonique
J.C.D. .... doctorat en droit canonique
L. ès L. .... licence ès lettres
LL. B. .... baccalauréat en droit
LL. D. .... doctorat en droit (*Legum Doctor*)
LL. L. .... licence en droit (*Legum Licentiatus*)
LL. M. .... maîtrise en droit (*Legum Magister*)
L. Ph. .... licence en philosophie
L. Pharm. .... licence en pharmacie
L. Th. .... licence en théologie
M.A. .... maîtrise ès arts
M.A.P. .... maîtrise en administration publique
M. A. Ps. .... maîtrise ès arts en psychologie
M.A. (théologie) .... maîtrise ès arts en théologie
M.B.A. .... maîtrise en administration des affaires (*Master of Business Administration*)
M.D. .... doctorat en médecine (*Medicinæ Doctor*)
M. Éd. .... maîtrise en éducation
M. Ing. .... maîtrise en ingénierie
M. Mus. .... maîtrise en musique
M. Sc. .... maîtrise ès sciences
M. Sc. A. .... maîtrise ès sciences appliquées
M. Sc. (biologie) .... maîtrise ès sciences (biologie)
M. Sc. (gestion) .... maîtrise ès sciences (gestion)
M. Th. .... maîtrise en théologie
Ph. D. .... doctorat (*Philosophiæ Doctor*)
Ph. D. (llnguistique) ..... doctorat en linguistique
Ph. D. (biochimie) .... doctorat en biochimie

▶ ABRÉVIATIONS DES DIPLÔMES ET CERTIFICATS

D.E.C. .... diplôme d'études collégiales
D.E.S. .... diplôme d'études secondaires
D.E.S.S. .... diplôme d'études supérieures spécialisées
D.M.V.P. .... diplôme de médecine vétérinaire préventive
D.P.H. .... diplôme de pharmacie d'hôpital
D.S.A. .... diplôme en sciences administratives
C.A.E.S.L.S. .... certificat d'aptitude à l'enseignement spécialisé d'une langue seconde
C.A.P.E.M. .... certificat d'aptitude pédagogique à l'enseignement musical
C.A.P.E.S. .... certificat d'aptitude pédagogique à l'enseignement secondaire
C.E.C. .... certificat pour l'enseignement collégial
C.E.C.P. .... certificat pour l'enseignement collégial professionnel
C.E.E. .... certificat pour l'enseignement au cours élémentaire
C.E.S. .... certificat pour l'enseignement au cours secondaire
C.E.S.P. .... certificat pour l'enseignement secondaire professionnel
C.P.E.C.P. .... certificat de pédagogie pour l'enseignement collégial professionnel

EMPRUNTS AU **GREC**

Un grand nombre de mots français proviennent de la langue grecque ancienne. Ce sont des mots de formation savante qui appartiennent surtout à la langue technique, scientifique, médicale ou religieuse.

Suivent quelques exemples de mots français d'origine grecque :

amnésie	catholicisme	hygiène	rhétorique
anatomie	dactylographie	iota	rhizome
anecdote	démocratie	kaléidoscope	sténographie
anthropologie	diaphane	larynx	syntagme
apocalypse	diocèse	lexicologie	syntaxe
apoplexie	diphtérie	lexique	système
archevêque	éphémère	méthode	télépathie
ascèse	épisode	mètre	téléphone
asphyxie	érotique	neurologie	typographie
baptême	grammaire	œsophage	xénophobie
batracien	gramme	olympique	xylophone
bibliothèque	graphie	orthopédie	zoologie...
botanique	gynécologie	philanthropie	
cathode	heuristique	phonétique	

Certains mots ont été empruntés au grec par l'intermédiaire du latin :

antidote	gymnase	mécanique	salamandre
architecte	harmonique	nécromancie	synchronisme
arthrite	hermaphrodite	orchidée	taxer
basilique	hiéroglyphe	pédagogie	tigre
catéchisme	hippodrome	périple	trigonométrie
catastrophe	hyperbole	péritoine	typique
dialectique	iris	philologie	tyran
épitaphe	logique	philosophie	utopie
ermite	logistique	pyramide	zéphyr
esthétique	magie	rhésus	zizanie
flegme	mandragore	rhinocéros	zodiaque
géométrie	méandre	rhumatisme	zone...

Aujourd'hui, ce sont plutôt les **racines grecques** qui servent à créer les nouveaux mots, les **néologismes** :

PRÉFIXES	SENS	EXEMPLES
aéro-	air	aérodynamique
anthropo-	homme	anthropologie
anti-	contre	antibiotique
auto-	soi-même	automatique
chrono-	temps	chronomètre
démo-	peuple	démographie
kilo-	mille	kilogramme
micro-	petit	microscope
patho-	maladie	pathologie
télé-	au loin	télématique
xéno-	étranger	xénophobie

SUFFIXES	SENS	EXEMPLES
-archie	pouvoir	monarchie
-céphale	tête	encéphale
-gène	qui crée	tératogène
-gyne	femme	androgyne
-graphe	écriture	géographe
-logie	science	biologie
-pathie	sentiment	sympathie
-phage	manger	anthropophage
-phile	ami	bibliophile
-phobe	crainte	xénophobie
-scope	observer	microscope

VOIR TABLEAU ► **NÉOLOGISME.**

GUILLEMETS

Les guillemets sont de petits chevrons doubles (« ») qui se placent au commencement (***guillemet ouvrant***) et à la fin (***guillemet fermant***) d'une citation, d'un dialogue, d'un mot, d'une locution que l'auteur désire isoler.

▶ FORME

Les guillemets se présentent en français sous la forme de petits chevrons doubles (« »), et en anglais, sous la forme d'une double apostrophe (" ").

▶ CITATION

Les guillemets encadrent les citations : ils en indiquent le début et la fin.

La Charte de la langue française édicte : « 1.– Le français est la langue officielle du Québec. »

🖎 Si la citation porte sur plusieurs alinéas, on met un guillemet ouvrant au début de chaque alinéa et on termine la citation par un guillemet fermant.

« Langue distinctive d'un peuple majoritairement francophone, la langue française permet au peuple québécois d'exprimer son identité.

« L'Assemblée nationale reconnaît la volonté des Québécois d'assurer la qualité et le rayonnement de la langue française. »

*Préambule de la **Charte de la langue française.***

Si la citation comporte plus de trois lignes, elle est généralement disposée en retrait et composée à interligne simple. Dans ce cas, on n'emploie pas de guillemets.

🖎 Dans la bande dessinée, les bulles jouent le rôle des guillemets.

▶ STYLE DIRECT

Lorsqu'on redit mot à mot les paroles ou les écrits d'une ou de plusieurs personnes, on emploie le guillemet ouvrant à la suite du deux-points et le guillemet fermant à la fin des mots cités.

Martin m'a demandé : « Veux-tu un cornet de crème glacée à la tire d'érable ? »

▶ DIALOGUE

On met des guillemets au début et à la fin des dialogues. Un changement d'interlocuteur est signalé par l'alinéa précédé d'un tiret.

Le jardinier constata :
« Les roses sont superbes cette année.
– Vraiment, je suis de votre avis : elles sont superbes.
– Désirez-vous que j'ajoute une nouvelle variété de pivoines ? »

🖎 Les incises telles que ***dit-il, répondit-elle*** se mettent entre virgules, sans répétition de guillemets.

▶ MISE EN VALEUR

Pour isoler un mot, une expression, on peut recourir aux guillemets.

La locution italienne « a giorno » s'écrit en deux mots.

▶ Guillemets anglais (" ") :

Les guillemets anglais en double apostrophe sont utilisés à l'intérieur d'une citation déjà guillemetée.

Elle m'a dit : « Paul m'a rapporté que votre jardin est "magnifique". »

HAUT

► **ADJECTIF QUALIFICATIF**

1. Élevé, grand verticalement. *Une **haute** montagne. Dans le centre-ville, il y a de très **hauts** immeubles.*
2. Qui a une certaine dimension dans le sens vertical. *Un arbre **haut** de 15 mètres.*
3. Éminent, supérieur. *Des **hauts** fonctionnaires.*
   ☞ En ce sens, l'adjectif se place avant le nom qu'il qualifie.
4. Grand. *L'horloger fait un travail de **haute** précision.*
   ☞ En ce sens, l'adjectif se place avant le nom qu'il qualifie.
5. Aigu. *Une voix **haute**.*
6. Qui dépasse le niveau ordinaire. *Les eaux de la rivière sont **hautes**. Le prix de l'or est **haut**.*
   ☞ Joint au nom **mer**, l'adjectif a un sens différent selon qu'il est placé avant ou après le nom. ***En haute mer,*** au large. *Ils pêchent en haute mer.* ***La mer est haute,*** la marée est haute, près de son niveau le plus élevé.

► *Haut* + dénominations géographiques
Se dit des lieux, des pays qui sont plus élevés, comparativement à d'autres, au-dessus du niveau de la mer ou plus éloignés de la mer. *Les **Hautes**-Terres-du-Cap-Breton, le **Haut**-Canada.*

► *Haut* + dénominations historiques
Se dit des périodes historiques les plus anciennes. *Le **haut** Moyen Âge.*
   ☞ L'adjectif s'écrit avec une minuscule sans trait d'union.

► **ADVERBE**

À une grande hauteur. *Les avions volent **haut**. Des partenaires **haut** placés. **Haut** les mains !*
   ☞ Pris adverbialement, le mot **haut** est toujours invariable.

► **NOM MASCULIN**

1. Élévation, hauteur. *L'immeuble a 500 mètres de **haut**. Des **hauts** et des bas.*
2. Sommet. *Le **haut** d'un édifice.*
3. Partie supérieure. *Dans le **haut** du tableau, vous remarquerez une comète qui traverse le ciel.*

Locutions
- ***À haute voix, à voix haute,*** loc. adv. Fort. *Ne parlez pas à haute voix dans la bibliothèque.*
- ***Au haut de,*** loc. prép. (LITT.) Au sommet. *Sa maison est au haut de la colline.*
- ***Avoir la haute main, la main haute.*** Diriger. *Elle garde la haute main sur l'entreprise.*
- ***De haut,*** loc. adv. De la partie supérieure. *Voir la vue panoramique de haut.*
- ***De haut,*** loc. adv. (FIG.) Avec dédain. *Pour qui se prend-il pour nous traiter de haut ?*
- ***De haut en bas,*** loc. adv. Entièrement. *Nous avons repeint l'immeuble de haut en bas.*
- ***En haut,*** loc. adv. En un endroit plus élevé. *Ma sœur habite en haut. Il a lancé la balle en haut.*
   ☞ L'expression *monter en haut est un pléonasme.
- ***En haut de, du haut de,*** loc. prép. Au-dessus de. *En haut de la colline, il y a une maison blanche.*
- ***Haut comme trois pommes,*** loc. adj. Très petit. *Une fillette haute comme trois pommes.*
- ***Haut de gamme,*** loc. adv. De catégorie supérieure. *Des voitures haut de gamme.*
- ***Haut de gamme,*** loc. nom. Produit de qualité supérieure. *Ils se spécialisent dans les hauts de gamme.*
- ***Haut en couleur,*** loc. adj. Très coloré. *Des personnages hauts en couleur.*
   ☞ Dans cette locution, l'adjectif s'accorde en genre et en nombre.
- ***Là-haut,*** loc. adv. Dans le ciel. *Elle est maintenant là-haut.*
- ***Marcher la tête haute.*** Être sans reproche, fier et digne.

Noms composés
Les noms composés avec l'adjectif **haut** prennent le plus souvent la marque du pluriel aux deux éléments et s'écrivent généralement avec un trait d'union. *Des **hauts**-fonds.*
   ☞ L'expression **haute-fidélité** est toujours invariable.

Les noms composés avec l'adjectif **haut** pris adverbialement ne prennent la marque du pluriel qu'au deuxième élément. *Des **haut**-parleurs.*
   ☞ Qu'il soit adjectif, adverbe ou nom, le mot **haut** s'écrit avec un *h* aspiré qui empêche l'élision de la voyelle précédente ou la liaison. *Le **haut** niveau d'une athlète.*

LA GRAMMAIRE EN TABLEAUX – **H**

HEURE

Symboles du système international d'unités (SI) :

> *heure* .... **h**
> *minute* .... **min**
> *seconde* .... **s**

▶ La **notation de l'heure** réunit les indications des unités par ordre décroissant, sans virgule, mais avec un espace de part et d'autre de chaque symbole.

> *C'est à 12 h 35 min 40 s qu'il est arrivé.*

▶ Les **symboles** des unités de mesure n'ont pas de point abréviatif, ne prennent pas la marque du pluriel et ne doivent pas être divisés en fin de ligne.

> *La cérémonie commencera à 16 h 30 (et non à 16 *hres 30).*

▶ Conformément à la norme 9990-911 du Bureau de normalisation du Québec, l'heure doit être indiquée selon la **période de 24 heures.**

> *Le musée est ouvert de 10 h à 18 h tous les jours.*

▶ Cependant, la langue courante, ou la conversation, s'en tient le plus souvent à la **période de 12 heures** avec l'indication du matin, de l'après-midi ou du soir.

> *Le musée ferme à 6 heures du soir.*

▶ L'heure doit être indiquée de **façon uniforme** :

– si le nom d'une unité est écrit au long, les autres noms devront être notés en toutes lettres.

> *14 heures 8 minutes (et non *14 heures 8 min).*

– si le nom de la première unité est abrégé, le second sera également abrégé ou omis.

> *Je vous verrai à 18 h 25 min (ou 18 h 25) demain.*

▶ Les abréviations *a.m. et *p.m. qui proviennent du latin «*ante meridiem*» qui signifie «avant-midi » et «*post meridiem*» qui signifie « après-midi » ne sont utilisées qu'en anglais. En français, on écrira **17 h** (langue officielle) ou **5 h du soir** (langue courante), mais si l'on doit abréger, on ne retiendra que les 24 divisions du jour.

> *15 h (et non *3 h pm).*

> 1° La fraction horaire n'étant pas décimale, il n'y a pas lieu d'ajouter un zéro devant les unités. *1 h 5 (et non *1 h 05).*

> 2° L'utilisation du **deux-points (:)**, recommandée par l'Organisation internationale de normalisation (ISO) pour désigner les soixantièmes, doit être limitée à l'échange d'informations entre systèmes de données et à la présentation en tableau. *20 h 15 min 30 s (20 :15 :30).*

> 3° Pour exprimer la vitesse, on recourt à l'expression *à l'heure* qui s'abrège **/h** (s'écrit sans point). *Il roule à 60 **km/h** en moyenne.*

H MUET ET H ASPIRÉ

▶ H MUET

La lettre *h* est dite *muette* lorsqu'elle n'empêche pas l'élision de la voyelle précédente ou la liaison entre deux mots. *L'hôpital : le **h** du mot **hôpital** est muet.* C'est donc un signe purement orthographique qui, le plus souvent, constitue un simple rappel de l'étymologie.

habile	hécatombe	hennin	heure	homogène	huître
habileté	hégémonie	hépatique	hévéa	honnêteté	humain
habit	hélas !	herbage	hexagonal	honoraire	humanité
habitat	hélicoptère	herbe	hiatus	horaire	humeur
habitude	héliport	herbivore	hibiscus	horizon	humidité
hacienda	helvète	hercule	hiératique	horoscope	humilité
haleine	hématome	hérédité	hilarité	horreur	humour
hallucination	hémicycle	hérésie	hippocampe	hospice	hurluberlu
halogène	hémiplégie	hermine	hiver	hôte	hyacinthe
haltère	hémistiche	héroïsme	homéopathie	hôtel	hydratant
hebdomadaire	hémorragie	herpès	homicide	huile	hydraulique...

▶ H ASPIRÉ

La lettre *h* est dite *aspirée* quand elle empêche l'élision de la voyelle qui la précède ou la liaison entre deux mots. *Le haricot : le **h** du mot **haricot** est aspiré.*

Seuls quelques mots, surtout d'origine germanique ou anglo-saxonne, ont le *h* aspiré pour initiale :

ha !	hampe	harnais	havane	hiéroglyphe	houleux
hache	hamster	haro	havre	hisser	houppe
haché	hanche	harpe	havresac	HLM	houppelande
hacher	hand-ball	harpie	hayon	ho !	houppette
hachette	handicap	harpiste	hé !	hobereau	hourra !
hachure	handicapé	harpon	heaume	hochement	houspiller
hachurer	handicaper	harponner	hein !	hocher	housse
hagard	hangar	hasard	héler	hochet	houx
haie	hanneton	hasarder	henné	hockey	hublot
haillon	hanter	hasardeux	hennir	hockeyeur	huche
haine	hantise	haschisch	hennissement	holà	huée
haineux	happer	hase	hep !	homard	huer
haïr	hara-kiri	hâte	hère	honnir	huis clos
haïssable	harangue	hâter	hérisser	honte[1]	huit
halage	haras	hâtif	hérisson	honteux	huitième
hâle	harassant	hâtivement	hernie	hop !	hululement
haler	harasser	hauban	héron	hoquet	hululer
hâler	harcèlement	haubert	héros[1]	hors	hum !
haletant	harceler	hausse	herse	hors-bord	humer
haleter	harde	haussement	hêtre	hors-d'œuvre	hune
hall	hardi	hausser	heu !	hors-jeu	huppe
halle	hardiesse	haut	heurt	hors-la-loi	huppé
hallebarde	hardiment	hautain	heurter	hot dog	hurlement
halo	harem	hautbois	hi !	hotte	hurler
halte	hareng	haut-de-forme	hibou	hou !	huron
halte-garderie	harfang	haute-fidélité	hic	houblon	hussard
hamac	hargneux	hauteur	hideux	houille	hutte...
hamburger	haricot	haut-le-cœur	hiérarchie	houle	
hameau	harnacher	haut-parleur	hiérarchique	houlette	

---

1. Les noms *héros, honte* ne comportent pas un véritable *h* aspiré; c'est par euphonie qu'on ne fait pas de liaison ou d'élision devant ces mots. *Les héros* (s'entendrait les «zéros»). Par contre, le nom féminin *héroïne* a un *h* muet. *L'héroïne.*

HOMONYMES

Les *homonymes* sont des mots qui s'écrivent ou se prononcent de façon identique, sans avoir la même signification :

air	mélange gazeux	*cou*	partie du corps
air	mélodie	*coud*	du verbe *coudre*
air	expression	*coup*	choc brutal
aire	surface	*coût*	somme que coûte une chose
ère	époque	*maire*	personne élue à la direction d'une municipalité
erre	vitesse acquise d'un navire		
hère	jeune cerf	*mer*	vaste étendue d'eau salée
hère	malheureux	*mère*	femme qui a donné naissance à un ou plusieurs enfants
ancre	pièce servant à retenir un navire		
encre	liquide utilisé pour écrire		

Dans les *homonymes,* on peut distinguer :

- les *homographes* qui ont une orthographe identique, souvent la même prononciation, mais une signification différente :

bas	peu élevé	*prêt*	dont la préparation est terminée
bas	vêtement qui couvre la jambe	*prêt*	somme prêtée
bis	très brun	*sur*	qui a un goût acide
bis	une seconde fois	*sur*	au sommet de
noyer	arbre	*verre*	substance transparente
noyer	périr par noyade	*verre*	récipient pour boire

- les *homophones* qui ont une prononciation identique, mais une orthographe et une signification différentes :

amande	fruit de l'amandier	*champ*	étendue de terre
amende	somme d'argent à payer	*chant*	chanson
basilic	herbe aromatique	*chaîne*	lien
basilique	église	*chêne*	arbre
censé	supposé	*filtre*	dispositif servant à filtrer
sensé	raisonnable	*philtre*	boisson magique
chair	substance	*mante*	cape
chaire	tribune	*menthe*	herbe potagère, bonbon
chère	nourriture	*pain*	aliment
cher	coûteux	*pin*	conifère

C'est le contexte qui permet de situer le terme et de préciser son orthographe ; la tâche n'est pas toujours facile, car le français est une des langues qui comportent le plus d'homonymes.

☞– Ne pas confondre avec les noms suivants :

- *antonymes,* mots qui ont une signification contraire :

    devant, derrière ; froid, chaud ; doux, rugueux ; haut, bas ; petit, grand ; faible, fort ; actif, passif ;

- *paronymes,* mots qui présentent une ressemblance d'orthographe ou de prononciation sans avoir la même signification :

    vénéneux, qui contient une substance toxique *acception,* sens d'un mot
    venimeux, qui contient du venin *acceptation,* accord ;

- *synonymes,* mots qui ont la même signification ou une signification très voisine :

    gravement, grièvement ; clé anglaise, clé à molette ; imprenable, inexpugnable ; duper, berner.

VOIR TABLEAUX ► ANTONYMES. ► PARONYMES. ► SYNONYMES.

IMPÉRATIF

L'impératif est le mode du commandement (ordre ou défense), du conseil, de l'invitation, du souhait ou du désir.

▶ **L'IMPÉRATIF EXPRIME**

– **un ordre**
Présentez-vous demain au bureau de la direction. Viens faire tes devoirs.

  ✍ On peut recourir au mode infinitif ou au mode conditionnel pour atténuer le ton autoritaire du mode impératif. *Prière de transmettre la réponse par courrier électronique. Il faudrait me remettre vos travaux avant le 15 novembre.*

– **une défense**
Ne buvez pas de cette eau : elle n'est pas potable. Ne sois pas injuste.

– **un conseil**
Reposez-vous un peu : vous travaillez trop. Ne te fais pas de souci pour si peu.

– **une invitation**
Venez manger à la maison, ce sera à la bonne franquette !

– **un souhait ou un désir**
Passez de bonnes vacances ! Amuse-toi bien avec tes copains.

▶ **VERBE À L'IMPÉRATIF SUIVI DE PRONOMS**

– **verbe à l'impératif + pronom personnel**
complément d'objet direct (COD). *Regarde-toi.*
complément d'objet indirect (COI). *Raconte-moi.*

  ↳ Le verbe à l'impératif se joint par un trait d'union au pronom personnel complément d'objet direct ou indirect qui le suit.

– **verbe à l'impératif + deux pronoms personnels.** *Dis-le-moi.*

  ↳ Si le verbe à l'impératif est suivi de deux pronoms, le pronom complément d'objet direct s'écrit avant le pronom complément d'objet indirect et deux traits d'union sont alors nécessaires.

– **verbe à l'impératif + pronom *en* et *y*.** *Donnes-en, entres-y.*

  ↳ Devant les pronoms *en* et *y* non suivis d'un infinitif, les verbes du premier groupe (en *er*) s'écrivent avec un *s* euphonique et se joignent aux pronoms *en* et *y* par un trait d'union.

VOIR TABLEAU ▶ TRAIT D'UNION.

▶ **LE MODE IMPÉRATIF NE COMPORTE QUE TROIS PERSONNES**

▶ Deuxième personne du singulier. *Aime ton prochain. Connais-toi mieux.*

  ✍ À l'impératif, il n'y a pas de *s* final pour les verbes en *er*, contrairement au présent de l'indicatif (*tu aimes*) ou au présent du subjonctif (*que tu aimes*). *Cueille. Offre.*

▶ Première personne du pluriel. *Aimons-nous les uns les autres.*

▶ Deuxième personne du pluriel. *Aimez la nature, respectez-la.*

▶ **LE MODE IMPÉRATIF NE COMPREND QUE DEUX TEMPS QUI SE SITUENT DANS UN AVENIR PLUS OU MOINS RAPPROCHÉ**

▶ **Le présent.** *Reviens vite.*

  ✍ L'impératif présent a une valeur de futur proche.

▶ **Le passé.** *Sois revenu avant la nuit.*

  ✍ L'impératif passé a une valeur de futur qui doit être achevé avant un évènement.

ADJECTIF **INDÉFINI**

L'adjectif indéfini (ou le déterminant indéfini) détermine un nom pour le marquer d'une manière plus ou moins vague. Il exprime une idée de quantité, une qualité indéterminée, une idée de ressemblance ou de différence.

Principaux adjectifs indéfinis

aucun, aucune	chaque	force	nul, nulle	quelque
autre	différents, différentes	maints, maintes	plusieurs	tel, telle
certain, certaine	divers, diverses	même	quelconque	tous, toutes...

Locutions indéfinies

assez de	le plus possible de	n'importe quel,	peu de	tant de
autant de	l'un et l'autre des	quelle	plus d'un, une	trop de...
beaucoup de	n'importe lequel,	nombre de	quantité de	
bien de, des	laquelle des	pas un, une des	un peu de	

🐟– Les locutions comprenant **de** ou **des** marquent une idée de quantité et sont toujours suivies d'un verbe au pluriel. *Beaucoup de personnes ont applaudi.*

► **L'ADJECTIF INDÉFINI (OU LE DÉTERMINANT INDÉFINI) EXPRIME**

► UNE IDÉE DE QUANTITÉ

0	Une quantité nulle, **zéro**	*aucun, aucune, aucuns* ..... *Martin n'a reçu aucun appel.*
		nul, nulle, nuls .... *Nul chien n'a été aperçu.*
		pas un, pas une .... *Pas une maison à l'horizon.*

🐟– Ces adjectifs indéfinis doivent toujours être accompagnés de **ne, ne... jamais** ou **ne... plus**. Cependant, on ne peut employer les adverbes **pas** ou **point**.

=1	Une quantité **égale à un**	*chaque* .... *Chaque élève a un crayon et un cahier.*
		quelque .... *Elle a quelque peine à lui faire confiance.*
		un certain, une certaine ... *Après avoir lu un certain temps, elle a dormi.*

+1	Une quantité indéfinie **supérieure à un**	*certains, certaines* .... *Certains jouets seront offerts.*
		différents, différentes ..... *Différentes personnes étaient présentes.*
		divers, diverses .... *Diverses épreuves auront lieu.*
		quelques .... *J'ai vu quelques enfants.*
		maints, maintes .... *Tu l'as rencontré maintes fois.*

🐟– Lorsque la quantité indéfinie est supérieure à **un**, l'adjectif indéfini est obligatoirement au pluriel.

tout	Une quantité **totale**	*tous, toutes* .... *J'ai essayé tous les patins.*
		VOIR TABLEAU – **TOUT.**

► UNE QUALITÉ INDÉTERMINÉE | *n'importe quel, lequel,* .... *N'importe quelle personne peut entrer.*
| | *laquelle, lesquels,* |
| | *lesquelles* |
| | *quelconque,* .... *Il a acheté un ballon quelconque.*
| | *quelconques* |
| | *tel, telle, tels, telles* .... *Si tu ajoutes telle quantité de sucre, ce sera délicieux.*
| | VOIR TABLEAU – **TEL.**

► UNE IDÉE DE RESSEMBLANCE | *même* .... *Ils ont vu le même film et ont mangé les mêmes fruits.*
| | VOIR TABLEAU – **MÊME.**

► UNE IDÉE DE DIFFÉRENCE | *autre, autres* .... *Je te verrai un autre jour.*

INDICATIF

Mode du réel, des faits certains, l'indicatif permet de situer une action dans le temps par rapport à l'instant présent.

AXE DU TEMPS

PASSÉ	PRÉSENT	FUTUR

AUTREFOIS, ON S'ÉCRIVAIT.   AUJOURD'HUI, ON SE TÉLÉPHONE.   DEMAIN, ON EMPLOIERA L'INFOROUTE.

L'indicatif est le mode le plus souvent utilisé ; il comprend un temps pour le **présent**, cinq temps pour le **passé** et deux temps pour le **futur**.

► LE PRÉSENT

► Ce temps exprime un **fait présent, actuel.**

Youpi ! Aujourd'hui il fait beau et on a congé. Il commence à neiger : est-il prudent de s'aventurer sur la route ?

► Le présent traduit également :

– **une vérité éternelle, générale.**

Deux et deux font quatre. Le ciel est bleu. Le moi est haïssable. (Pascal) Je pense, donc je suis. (Descartes)

– **un fait habituel.**

Les enfants partent tous les matins à 7 h 30 : les cours commencent à 8 h 30.

– **un fait historique.**

Maisonneuve fonde Montréal en 1642. C'est l'ordonnance de Villers-Cotterêts – signée en 1539 par François Ier – qui fait du français la langue officielle de la France.

– **un passé récent.**

La partie de tennis se termine à l'instant.

– **un futur proche.**

Attends-moi, j'arrive dans quelques minutes.

VOIR TABLEAU – **PRÉSENT.**

► LE PASSÉ

► L'**imparfait** exprime :

– **un fait qui dure dans le passé.**

Autrefois, on s'éclairait à la chandelle. À cette époque, il était d'usage de transmettre des invitations par écrit.

– **un fait non achevé quand un autre a eu lieu.**

Il pleuvait quand nous sommes arrivés à Gaspé.

– **un fait habituel dans le passé.**

Tous les jours, le laitier nous livrait lait, beurre et œufs.

– **un fait hypothétique dans une subordonnée conditionnelle alors que le verbe de la principale est au conditionnel présent.**

Si j'avais su, je ne serais pas venu.

INDICATIF – SUITE ▶

▸ Le **passé simple** traduit :

– **un fait qui s'est produit il y a longtemps (passé lointain) et qui est complètement achevé.**

Le Vésuve entra en éruption en 79 après Jésus-Christ et ensevelit la ville de Pompéi.

🔊- Le passé est le temps du récit historique : il décrit des actions coupées du présent. Il s'emploie surtout dans la langue écrite, car la langue orale lui préfère le passé composé.

▸ Le **passé composé** décrit :

– **un fait accompli,** qui a eu lieu avant le moment où l'on parle.

Ils ont bien travaillé et ils ont fini leur rapport à temps.

▸ Le **passé antérieur** traduit :

– **un fait passé** qui s'est produit immédiatement **avant un autre fait passé.**

Quand ils eurent terminé, ils partirent.

▸ Le **plus-que-parfait** exprime :

– **un fait entièrement achevé** lors d'un autre fait passé.

Nous avions terminé nos exercices quand la cloche a sonné.

VOIR TABLEAU – PASSÉ (TEMPS DU).

▶ LE FUTUR

▸ Le **futur simple** exprime un fait qui aura lieu dans l'avenir.

Nous finirons bientôt. Marie-Ève aura vingt ans l'été prochain.

Il exprime également :

– **une vérité générale.**

Il y aura toujours des gagnants et des perdants.

– **une probabilité.**

L'automne sera beau, je crois.

– **un futur dans le passé.**

Vous assisterez ensuite à la victoire de notre équipe.

– **un impératif.**

Vous voudrez bien m'expliquer cette erreur.

– **un présent atténué par politesse.**

Tu comprendras que je ne pouvais te révéler ce secret.

▸ Le **futur antérieur** traduit un fait qui devra en précéder un autre dans l'avenir.

Quand il aura terminé, il prendra des vacances.

Il peut également marquer :

– **un fait futur inévitable.**

Je ne suis pas inquiète, il aura conquis son auditoire en quelques minutes.

– **un fait passé hypothétique.**

Il ne s'est pas présenté, il se sera rendu à notre ancienne adresse.

VOIR TABLEAUX ▸ FUTUR. ▸ CONCORDANCE DES TEMPS.

INFINITIF

L'infinitif exprime une idée d'action ou d'état sans indication de personne ni de nombre, sans relation à un sujet; c'est un **mode impersonnel.** L'infinitif s'emploie tantôt comme un **verbe,** tantôt comme un **nom.**

▶ VERBE

Dans une **proposition indépendante,** l'infinitif exprime :

– Un **ordre,** un **conseil.** *Ne pas exposer à l'humidité.*
  ☞ Dans ce contexte, l'infinitif a valeur d'impératif. Sur les formulaires, dans l'affichage, on préférera le mode infinitif au mode impératif qui est plus autoritaire, moins poli.

– Une **narration.** *Et les invités d'applaudir.*
  ☞ L'infinitif est précédé de *de.*

– Une **question,** une **exclamation.** *Où aller? Abandonner la partie, jamais !*

TEMPS DE L'INFINITIF

Infinitif présent

Selon le sens du verbe de la principale, l'infinitif présent prend une valeur :
– De présent. *Les enfants sont en train de jouer.*
– De passé. *Elle vient de nager.*
– De futur. *Il va dormir.*

☞ Après certains verbes (*devoir, espérer, souhaiter, promettre,* etc.), l'infinitif présent exprime toujours un futur. *J'espère réussir* (que je réussirai).

Infinitif passé

Quel que soit le temps du verbe de la principale, l'infinitif passé a la valeur d'un passé :
– *Je pense avoir atteint mon objectif* (... que j'ai atteint...).
– *Je pensais avoir atteint mon objectif* (... que j'avais atteint...).
– *Je souhaite avoir atteint mon objectif en décembre* (... que j'aurai atteint...).
– *Je souhaitais avoir atteint mon objectif en décembre* (... que j'aurais atteint...).

☞ Après certains verbes (*espérer, souhaiter,* etc.), l'infinitif passé a la valeur d'un futur antérieur et permet d'alléger la structure de la phrase.

▶ NOM

Certains infinitifs sont devenus de véritables noms : *le rire, le savoir-faire, le baiser, le déjeuner, le devoir, le sourire, le souvenir.*

☞ Ces noms prennent la marque du pluriel s'ils sont simples; s'ils sont composés, ils sont invariables. *Des rires, des savoir-vivre.*

L'infinitif nom peut remplir les fonctions du nom :
– **Sujet.** . . . . *Lire me plaît.*
– **Attribut du sujet.** . . . . *Partir c'est mourir un peu.*
– **Complément du nom ou du pronom.** . . . . . . *Le temps de jouer.*
– **Complément de l'adjectif qualificatif.** . . . . . *Apte à réussir.*
– **Complément d'objet direct.** . . . . *Tu aimes courir. Il aime chanter, danser et puis rire.*
  ☞ On peut employer plusieurs infinitifs à la suite.
– **Complément d'objet indirect.** . . . . *Préparez-vous à partir.*
– **Complément circonstanciel.** . . . . *Il faut travailler pour réussir. Avant de partir, préviens-moi.*

INTERJECTION

L'interjection est un mot, un groupe de mots qui exprime une réaction émotive de la personne qui parle (surprise, peur, joie, chagrin, etc.). Les multiples exclamations, tous les jurons imaginables rendent la création des interjections toujours vivante.

▸ Les interjections peuvent être :

– Des **noms.** *Ciel ! Courage ! Dame ! Flûte ! Miracle ! Silence !*

– Des **verbes.** *Allez ! Suffit ! Tenez ! Tiens ! Voyons ! Va !*

– Des **adverbes.** *Arrière ! Assez ! Bien ! Debout ! Enfin ! Hélas ! Non !*

– Des **adjectifs.** *Bon ! Chic ! Las ! Mince ! Parfait ! Vite !*

– Des **jurons.** *Diable ! Mamma mia ! Zut !*

– Des **cris.** *Aïe ! Bis ! Chut ! Hourra ! Hue ! Olé !*

– Des **onomatopées.** *Brrr ! Crac ! Hon ! Hum ! Pssit !*

– Des **locutions.** *À la bonne heure ! Au feu ! Au secours ! Par exemple ! D'accord !*

🕮 On nomme **locution interjective** l'exclamation formée de plusieurs mots. *Mystère et boule de gomme !*

Les *interjections* et les *locutions interjectives* sont suivies du point d'exclamation et s'écrivent généralement avec une majuscule initiale.

QUELQUES INTERJECTIONS ET LOCUTIONS INTERJECTIVES

Adieu !	Dame !	Hourra !	Parfait !
Ah !	Debout !	Hue !	Pas possible !
Aïe !	Diable !	Hum !	Patience !
Ainsi soit-il !	Dieu !	Jamais !	Pitié !
À la bonne heure !	Dommage !	Juste ciel !	Pssit !
Allez !	Eh !	Là !	Quoi !
Allô !	Eh bien !	Ma foi !	Quoi donc !
Allons !	Eh bien soit !	Malheur !	Salut !
Arrière !	En avant !	Mamma mia !	Silence !
Assez !	Enfin !	Merci !	Soit !
Attention !	Est-ce Dieu possible !	Mince !	Stop !
Au feu !	Euh !	Minute !	Suffit !
Au secours !	Flûte !	Miracle !	Tant mieux !
Bah !	Gare !	Mon Dieu !	Tant pis !
Bien !	Grâce !	N'importe !	Tenez !
Bis !	Ha !	Nom d'un chien !	Tiens !
Bon !	Ha ! ha !	Non !	Tonnerre !
Bon Dieu !	Halte !	Ô...!	Tout beau !
Bonté divine !	Hé !	Oh !	Tout doux !
Bravo !	Hé quoi !	Oh là là !	Très bien !
Brrr !	Hein !	Ohé !	Va !
Ça alors !	Hélas !	Oh ! hisse !	Vite !
Chic !	Heu !	Olé !	Vive...!
Chut !	Ho !	Ouf !	Voilà !
Ciel !	Ho ! ho !	Oui !	Voyons !
Courage !	Holà !	Ouste !	Zut !
Crac !	Hop !	Pan !	
D'accord !	Hou !	Par exemple !	

PRONOM **INTERROGATIF**

Pronom relatif employé pour introduire une proposition interrogative directe ou indirecte. *Qui frappe à la porte ? Dis-moi ce que tu dessines.*

▶ **FORMES SIMPLES**

qui ? (pour les personnes)

que ? quoi ? (pour les choses)

▶ **FORMES COMPOSÉES**

	MASCULIN SINGULIER	FÉMININ SINGULIER	MASCULIN PLURIEL	FÉMININ PLURIEL
– avec *le*	lequel ?	laquelle ?	lesquels ?	lesquelles ?
– avec *à*	auquel ?	à laquelle ?	auxquels ?	auxquelles ?
– avec *de*	duquel ?	de laquelle ?	desquels ?	desquelles ?

▶ **FONCTIONS DU PRONOM INTERROGATIF**

▶ **Sujet.** *Qui vient dîner ce soir ? Sais-tu qui a découvert le Canada ?*

▶ **Attribut.** *Dis-moi qui elle est. Il ne sait pas ce que devient ce projet.*

▶ **Complément d'objet direct.** *Dis-moi qui tu as vu. Que voulez-vous ?*

▶ **Complément d'objet indirect.** *À qui voulez-vous parler ? À quoi pensez-vous ?*

▶ **Complément circonstanciel.** *Chez qui allez-vous ? Avec quoi écrivez-vous ?*

VOIR TABLEAU ▶ **PRONOM.**

ADJECTIF **INTERROGATIF ET ADJECTIF EXCLAMATIF**

▶ **ADJECTIF INTERROGATIF**

Déterminant indiquant que l'on s'interroge sur la qualité de l'être ou de l'objet déterminé. L'adjectif interrogatif s'accorde en genre et en nombre avec le nom déterminé.

▶ **ADJECTIF EXCLAMATIF**

Déterminant qui sert à traduire l'étonnement, l'admiration que l'on éprouve devant l'être ou l'objet déterminé. L'adjectif exclamatif s'accorde en genre et en nombre avec le nom déterminé.

	GENRE	NOMBRE	ADJECTIF INTERROGATIF	ADJECTIF EXCLAMATIF
Quel	masculin	singulier	*Quel livre ?*	*Quel succès !*
Quelle	féminin	singulier	*Quelle personne ?*	*Quelle maison !*
Quels	masculin	pluriel	*Quels ballons ?*	*Quels amis !*
Quelles	féminin	pluriel	*Quelles bicyclettes ?*	*Quelles vacances !*

VOIR TABLEAU ▶ **ADJECTIF.**

EMPRUNTS À L'ITALIEN

De nombreux mots d'origine italienne se sont intégrés au français; ils proviennent surtout des domaines de la musique, de l'art et de la cuisine.

▸ **Orthographe**

La plupart des emprunts à l'italien sont maintenant francisés; ils s'écrivent avec des accents, s'il y a lieu, et prennent la marque du pluriel. *Des scénarios, des trémolos, des opéras.*

☞ Certains auteurs recommandent l'invariabilité des mots pluriels italiens tels que *gnocchi, macaroni, ravioli, spaghetti...* Il apparaît plus pratique de considérer que ces mots sont maintenant francisés, et donc variables. *Des spaghettis, des macaronis, des raviolis.*

▸ **Musique**

Certains mots italiens qui font partie du vocabulaire musical demeurent invariables lorsqu'ils désignent des mouvements, des nuances; ils s'écrivent alors sans accent. *Jouer allegro, andante...* Lorsque ces mots désignent des pièces de musique, ils s'écrivent avec des accents, s'il y a lieu, et prennent la marque du pluriel. *Des allégros, des andantes, des adagios.*

▸ **Quelques emprunts à l'italien**

Emprunt	Signification du mot italien d'origine	Emprunt	Signification du mot italien d'origine
bravo	« beau, excellent »	malaria	« mauvais air »
brio	« vivacité »	opéra	« œuvre »
brocoli	« pousses de chou »	pergola	« tonnelle »
casino	« maison de jeux »	pierrot	« de Pedrolino, personnage de la Commedia del Arte »
crescendo	« en croissant »		
dilettante	« celui qui s'adonne à un art par plaisir »	polichinelle	« de Pulcinella, personnage de farces de Naples »
diva	« divine »	salami	« viande salée »
farniente	« ne rien faire »	scénario	« décor »
fiasco	« échec »	sépia	« seiche »
incognito	« inconnu »	tombola	« culbute »
loto	« sort, lot »		

▸ **Quelques exemples de mots provenant de l'italien**

agrume	banque	calepin	cortège	fugue	nonce	soldat
air	banqueroute	calque	courtisan	fumerole	numéro	solfège
ambassade	banquet	cambiste	crédit	galbe	pantalon	sonate
antichambre	barcarolle	campanile	crinoline	gélatine	partisan	sourdine
appartement	bataillon	canaille	dégrader	gondole	pastel	soutane
aquarelle	bicoque	cannelure	disgrâce	gouache	perruque	store
arcade	bilan	canon	dôme	grandiose	piédestal	tarentelle
arpège	bisbille	cantate	duo	granit	pistache	tarentule
artisan	biscotte	cantine	entrechat	grotesque	politesse	ténor
babiole	bizarre	caprice	escapade	improviste	radis	trafic
bagatelle	bosquet	capucin	escarpin	incarnat	rafale	trille
bagne	botte (escrime)	carnaval	escorte	incartade	reflet	vasque
baguette	bouffon	cartouche	esquisse	lagune	régate	vedette
balcon	bravade	cavalcade	façade	lampion	ristourne	vermicelle
baldaquin	bravoure	cavalerie	faillite	lavande	ritournelle	veste
ballerine	brigade	citadelle	fanal	lettrine	salon	violoncelle
bambin	brigand	concert	fantassin	macaron	saltimbanque	virtuose
banderole	burlesque	confetti	fioriture	manège	semoule	volte-face
bandit	cabriole	contrebande	fortin	maquette	sérénade	voltiger

ITALIQUE

L'italique, caractère typographique légèrement incliné vers la droite, permet d'attirer l'attention du lecteur sur un mot, un titre, une citation, une dénomination.

☞ Dans un texte manuscrit ou dactylographié destiné à l'impression, on souligne d'un trait les mots qui doivent être composés en italique.

▶ SE COMPOSENT EN ITALIQUE

▶ **Titres d'œuvres** (livres, tableaux, journaux, revues, etc.)

Le mot initial du titre s'écrit avec une majuscule.

> Martine a beaucoup aimé *Les grands sapins ne meurent pas*.
> Le journal *Le Devoir*.
> Connais-tu la chanson *J'aurais voulu être un artiste* de Luc Plamondon ?

▶ **Enseignes commerciales**

Citées intégralement, les inscriptions d'enseignes se composent en *italique*; abrégées, elles seront composées en romain.

> S'arrêter à l'*Auberge du Cheval blanc*.
> Manger au Cheval blanc.

▶ **Noms de véhicules** (bateaux, avions, trains, engins spatiaux, etc.)

Les noms propres de véhicules se composent en *italique.* Ces noms propres s'écrivent avec une capitale initiale au nom spécifique et à l'adjectif qui précède le nom.

> Il a pris le *Concorde*.
> Le lanceur de satellites *Ariane* est européen.

▶ **Notes de musique**

Les huit notes de musique se composent en *italique.* Les indications qui peuvent accompagner les notes sont en **romain**.

> Une étude en *si* bémol.
> ☞ Lorsqu'il s'agit d'un titre d'œuvre (qui est donc déjà en italique), la note reste en italique.
> *Toccata et fugue en ré mineur de Bach.*

▶ **Citations, mots en langue étrangère**

Les locutions latines, les citations, les mots, les expressions qui appartiennent à une langue étrangère sont composés en *italique.*

> Une déduction *a posteriori*.
> C'est un véritable *one man show*.

▶ **Devises**

Les devises sont toujours composées en *italique.*

> *Je me souviens.*
> *A mari usque ad mare.*

▶ **Avis, indications au lecteur**

Si le texte (avant-propos, dédicace, etc.) n'excède pas 20 pages, il peut être composé en *italique.* On utilise l'*italique* pour attirer l'attention du lecteur à qui l'on s'adresse directement.

> *La suite au prochain numéro.*

JOUR

1. Division du temps qui comprend 24 heures. *Il y a 365 jours dans une année.*

> ☞ Dans son sens astronomique, le mot *jour* désigne le temps qui s'écoule entre le lever et le coucher du soleil, par opposition à la *nuit*. *Les jours allongent à compter de janvier.*

▶ **Locutions**

– *De jour en jour,* loc. adv. De plus en plus, davantage. *Maxime grandit de jour en jour.*
– *Du jour au lendemain,* loc. adv. Très rapidement. *Du jour au lendemain, ils ont changé d'avis.*
– *Jour et nuit, le jour et la nuit,* loc. adv. Continuellement. *Ces restaurants sont ouverts jour et nuit.*
– *Le jour J.* Jour où doit avoir lieu un grand évènement, où l'on doit déclencher une attaque, une opération importante.
– *Mettre à jour.* Rendre actuel. *Le dictionnaire sera mis à jour tous les trois ans* (et non *mis à date).
> ☞ Ne pas confondre avec la locution *mettre au jour*, qui signifie « découvrir, révéler ».
> *Les archéologues ont mis au jour les fondations du premier immeuble.*
– *Tous les jours,* loc. adv. Chaque jour. *Paula vient tous les jours* (et non *à tous les jours).

▶ **Jours de la semaine**
– Lundi, mardi, mercredi, jeudi, vendredi, samedi, dimanche.
> ↬ Les noms de jours s'écrivent avec une minuscule et prennent la marque du pluriel. *Je viendrai tous les jeudis,* mais *je viendrai tous les jeudi et vendredi de chaque semaine.* Attention à la construction de la dernière phrase où les noms de jours restent au singulier parce qu'il n'y a qu'un seul jeudi et qu'un seul vendredi par semaine.
– Jour de la semaine + *matin, midi, après-midi, avant-midi, soir. Le cours a lieu tous les jeudis matin.*
> ↬ Dans cette construction, les noms *matin, midi, après-midi, avant-midi, soir* restent généralement au singulier parce que l'article défini est sous-entendu. *Tous les jeudis* (le) *matin.* Il est cependant à noter que certains auteurs admettent le pluriel.

▶ **Jours de fête**
Les noms de fêtes s'écrivent avec une capitale initiale au nom spécifique et à l'adjectif qui le précède. *Le jour de l'An, le Nouvel An, le jour des Rois, le Mardi gras, le mercredi des Cendres, le Vendredi saint, Pâques, la fête des Mères, la fête du Travail, la Saint-Jean, la fête de la Confédération, la Toussaint, Noël.*

▶ **Date**
L'Indication de la date se fait généralement par ordre croissant : jour, mois, année. *Le 14 décembre 2000.*
> ☞ Si la date comprend l'indication du jour de la semaine, on ne séparera pas à l'aide d'une virgule le jour de la semaine et l'article précédant le quantième du mois. *Jeudi 14 décembre 2000.* Dans le corps d'un texte, on écrit : *le jeudi 14 décembre 2000.*

VOIR TABLEAU ▶ DATE.

2. Clarté. *Le jour se lève.*

▶ **Locutions**
– *À contre-jour,* loc. adv. Avec un éclairage insuffisant. *On distingue mal son visage qui est à contre-jour.*
– *Au petit jour,* loc. adv. À l'aube. *Le duel a eu lieu au petit jour.*
– *Au grand jour,* loc. adv. À la connaissance de tous. *Ils ne craignent pas de sortir au grand jour.*
– *Donner le jour à un enfant.* (LITT.) Donner naissance à un enfant, mettre au monde un enfant. *Jeanne a donné le jour à sa fille le jour même de son anniversaire : elle l'a prénommée Jeanne.*
– *En plein jour,* loc. adv. En pleine lumière, au milieu de la journée. *Le vol a été commis en plein jour.*
– *Se faire jour.* Apparaître. *Ces indications à la baisse se font jour de plus en plus.*
> ☞ Dans cette expression, le nom *jour* est invariable.
– *Sous un jour* + adjectif, loc. adv. Sous un certain angle. *Il verra la question sous un jour nouveau.*

3. Ouverture, orifice. *Il y a un peu de jour dans l'assemblage de cette fenêtre.*

– *À jours.* Brodé et ajouré. *Des serviettes à jours.*

LÀ, ADVERBE ET INTERJECTION

▶ **ADVERBE**

▶ **L'adverbe marque :**

- **Un lieu éloigné.** *Es-tu allé là ?*

  ✍– Dans cet emploi, *là* est en opposition à l'adverbe *ici* qui marque la proximité. Dans les faits, les deux adverbes sont souvent confondus. *Berthe, je ne suis là pour personne.*

- **Un point d'arrêt.** *Restons-en là. Je ne croyais pas qu'on allait en venir là.*

  ✍– Pour désigner un objet éloigné de la personne qui parle, l'adverbe *là* se joint par un trait d'union au nom qui le précède si celui-ci est précédé d'un adjectif démonstratif. *Ce livre-là, cette raquette-là.* Il se joint également par un trait d'union à certains mots pour former les composés suivants : ***celui-là, celle-là, ceux-là, jusque-là, là-bas, là-dedans, là-dessous, là-haut.***

▶ **Locutions adverbiales**

- ***Çà et là, par-ci, par-là.*** Par endroits. *Des fleurs sauvages poussent çà et là.*

  ✍– L'expression ***çà et là*** s'écrit sans traits d'union, mais ***par-ci, par-là*** s'écrit avec des traits d'union.

- ***De là.*** De ce lieu-là, pour cette raison. *C'est de là qu'ils sont partis.*

- ***D'ici là.*** Entre ce moment et un autre moment postérieur. *J'attendrai votre retour, mais d'ici là donnez-moi de vos nouvelles.*

  ✍– Cette locution s'écrit sans trait d'union.

- ***Jusque-là.*** Jusqu'à ce point. *La falaise est à 2 km d'ici, marcherez-vous jusque-là ?*

- ***Là-bas.*** Plus loin.

- ***Par là.*** Par ce lieu, par ce moyen. *Passons par là, ce sera plus court.*

▶ **INTERJECTION**

Là ! L'interjection s'emploie, généralement redoublée, pour apaiser, consoler. *Là, là ! Tout s'arrangera.*

▶ **Locutions interjectives**

- ***Eh là !*** Interpellation. *Eh là ! Venez m'aider, s'il vous plaît.*
- ***Halte-là !*** Ordre de s'arrêter. *Halte-là !, leur cria le douanier.*
- ***Oh là là !*** Exclamation qui marque l'étonnement, l'admiration. *Oh là là, quel beau jardin !*

▶ L'**adverbe** est un mot invariable qui se joint à un autre mot pour en modifier ou en préciser le sens.

- La **locution adverbiale** est composée de plusieurs mots et joue le même rôle que l'adverbe.

- L'adverbe *là* répond à la question *où ?* Il est un adverbe de lieu.

▶ L'**interjection** est un mot qui exprime une réaction émotive (surprise, peur, joie, chagrin, etc.) de la personne qui parle.

- La **locution interjective** est composée de plusieurs mots et joue le même rôle que l'interjection.

  ✍– Les interjections et locutions interjectives sont suivies du point d'exclamation. Si la phrase n'est pas terminée, le mot qui suit le point d'exclamation s'écrit avec une minuscule initiale.

EMPRUNTS AU **LATIN**

Langue des anciens Romains, le latin constitue l'origine du français et de plusieurs autres langues. La plupart des emprunts au latin ont subi l'évolution phonétique normale (**formation populaire**) et se sont intégrés au français : ils ont pris une **forme française**. Ainsi le mot latin «*caballus*» est devenu *cheval* en français. D'autres emprunts faits par les érudits des XIVᵉ, XVᵉ et XVIᵉ siècles (**formation savante**) ont conservé une **forme française voisine du latin**. *Le mot **parabole** vient du latin «*parabola*». Le même mot latin a donné aussi le mot de formation populaire **parole**.*

D'autres mots empruntés au latin ont conservé leur **forme latine**. En voici quelques exemples :

MOTS LATINS VARIABLES

SINGULIER LATIN	PLURIEL LATIN
addendum	addenda
desideratum	desiderata
erratum	errata
maximum	maxima
minimum	minima
stimulus	stimuli...

☞ Certains mots gardent le pluriel latin et s'écrivent sans accent.

MOTS LATINS INVARIABLES

credo	nimbus	requiem
cumulus	nota	statu quo
ex-voto	nota bene	tumulus
minus habens	pater	vade-mecum
miserere	post-scriptum	veto...

☞ Certains mots empruntés au latin restent invariables : ces mots s'écrivent sans accent, malgré leur prononciation.

MOTS LATINS FRANCISÉS

agenda	intérim
album	médium
alibi	mémento
alinéa	mémorandum
alléluia	pensum
atrium	quatuor
angélus	quorum
bénédicité	quota
consortium	recto
décorum	référendum
déficit	sanatorium
duplicata	solarium
fac-similé	spécimen
folio	ultimatum
forum	verso...

☞ Certains mots empruntés au latin ont été francisés par leur usage fréquent. Ces mots prennent la marque du pluriel et s'écrivent avec des accents s'il y a lieu. *Des médias électroniques.*

LOCUTIONS LATINES

LOCUTION	SIGNIFICATION
a contrario	par l'argument des contraires
ad patres	dans l'autre monde
ad valorem	selon la valeur
ad vitam æternam	pour toujours
a fortiori	à plus forte raison
a posteriori	fondé sur des faits
a priori	non fondé sur des faits
de facto	de fait
de visu	après l'avoir vu
et cætera	et les autres
ex æquo	au même rang
ex cathedra	avec un ton doctoral
extra-muros	à l'extérieur des murs
grosso modo	en gros
in extenso	intégralement
in extremis	au tout dernier moment
intra-muros	à l'intérieur des murs
ipso facto	immédiatement
manu militari	par la force
modus vivendi	entente
nec plus ultra	ce qu'il y a de mieux
sine die	sans jour fixé
sine qua non	condition essentielle
vice versa	inversement

☞ Ces locutions s'écrivent sans accent.

☞ La tendance actuelle est de franciser les noms *maximum, minimum* en les écrivant au pluriel avec un *s*. Comme adjectifs, ils sont remplacés par *maximal, ale, aux* et *minimal, ale, aux.*

☞ En typographie soignée, les mots étrangers sont composés en italique. Dans des textes déjà en italique, la notation se fait en romain. Pour les textes manuscrits, on utilisera les guillemets.

VOIR TABLEAU ► DOUBLETS.

LE, LA, LES, ARTICLES DÉFINIS

Déterminants employés pour désigner des personnes ou des choses dont le sens est complètement défini.

✒ Ce déterminant s'emploie devant un nom qui désigne des personnes ou des choses connues, dont on a déjà parlé. *La pomme que j'ai mangée était délicieuse.* Il s'agit précisément d'une pomme en particulier, celle qui a été mangée. S'il s'agissait de n'importe quelle pomme, on emploierait l'article indéfini. *Achète-moi une pomme.*

FORMES SIMPLES			EXEMPLES
MASCULIN	FÉMININ	NOMBRE	*Le chien de Martin, la robe de Laurence,*
le	la	singulier	*les amis de la classe.*
les	les	pluriel	

FORMES CONTRACTÉES AVEC *DE*			
MASCULIN	FÉMININ	NOMBRE	*Les outils du maçon, les dons de la fée,*
du (de le)	de la	singulier	*les noms des parents.*
des (de les)	des (de les)	pluriel	

FORMES CONTRACTÉES AVEC *À*			
MASCULIN	FÉMININ	NOMBRE	*Nous irons au centre des loisirs, à la*
au (à le)	à la	singulier	*patinoire ou aux divers parcs de la ville.*
aux (à les)	aux (à les)	pluriel	

▸ **Élision et liaison**

Les articles définis *le* et *la* s'élident devant un mot commençant par une voyelle ou un *h* muet. *L'école, l'hommage, mais le homard.*

✒ Cette élision ne se fait pas devant les adjectifs numéraux. *Le onze du mois, le huit de cœur, le un de la rue des Érables.*

La liaison de l'article *les* avec le mot qui suit se fait si ce mot commence par une voyelle ou un *h* muet. *Les enfants (lézenfants), les hommes (lézommes), mais la hache.*

▸ **Omission**

On ne répète pas l'article si deux adjectifs se rapportent au même nom. *La tendre et belle enfant.*

On peut omettre l'article dans certaines énumérations. *Orthographe, grammaire, typographie feront l'objet de tableaux.*

Les articles sont omis dans certaines expressions figées. *Des faits et gestes, sur mer et sur terre, blanc comme neige, avoir carte blanche...*

▸ **Répétition**

L'article est répété devant les noms joints par les conjonctions *et, ou. Les fruits et les légumes.*

▸ **Devant un superlatif**

Quand la comparaison est établie avec des êtres ou des objets différents, l'article défini s'accorde en genre et en nombre avec le nom auquel il se rapporte. *Cette amie est la plus gentille de toutes ces personnes.*

Quand la comparaison porte sur des états distincts du même être ou du même objet, l'article défini est neutre et invariable. *C'est le matin qu'elle est le plus en forme (*en forme au plus haut degré*).*

▸ **À la place du possessif**

L'article défini s'emploie quand le nom employé sans adjectif désigne une partie du corps ou une faculté de l'esprit. *Il a mal à la tête. Elle s'est fracturé la jambe.*

✒ Attention, dans ces cas, on n'emploie pas l'adjectif possessif. *Il s'est cassé le bras* (et non **son bras*).

L'article s'emploie généralement devant un complément de manière. *Ils marchent la main dans la main.*

VOIR TABLEAU ▸ LE, LA, LES, PRONOMS PERSONNELS.

LE, LA, LES, PRONOMS PERSONNELS

Les pronoms *le, la, les* remplacent un nom de personne ou de chose déjà exprimé. *Quand Étienne sera de retour, préviens-le de notre arrivée prochaine. Ce film est excellent, je te le conseille.*

Les pronoms *le, la, les* accompagnent toujours un verbe (*je les aime*) à titre de **complément d'objet direct** ou d'**attribut du sujet,** tandis que les articles ou déterminants définis *le, la, les* accompagnent toujours un nom (*les personnes que j'aime*).

▶ COMPLÉMENT D'OBJET DIRECT

Les pronoms personnels *le, la, les* s'emploient avec les verbes transitifs directs (on pose la question *qui ? que ? quoi ?* pour trouver le complément d'objet direct). Ces verbes se conjuguent avec l'auxiliaire *avoir.*

Tu le regardes. Cette pomme, tu la mangeras à la récréation. Vous les avez lus pendant les vacances : ce sont de bons livres.

> Pour les verbes transitifs indirects (on pose la question *à qui ?*), ce sont les pronoms *lui* et *leur* qui sont employés. *Tu lui as parlé, tu leur as parlé* (à qui ?).

▶ ATTRIBUT

Les pronoms personnels *le, la, les* sont attributs du sujet lorsqu'ils sont employés avec les verbes qui se conjuguent avec l'auxiliaire **être.**

Le pronom s'accorde en genre et en nombre avec le sujet accompagné d'un article défini ou du démonstratif. *Ces fous de la vitesse, ils ne le sont plus.*

▶ FORME

Les pronoms *le, la* s'élident devant un verbe commençant par une voyelle ou un *h* muet. *Je l'aime, tu l'honores.*

▶ Place du pronom

Il se place généralement **avant** le verbe. *Ce vélo, je le veux.*

Si le verbe est à l'impératif dans une construction affirmative, le pronom se place **après** le verbe auquel il est joint par un trait d'union. *Admirez-le.*

Par contre, dans une construction négative, le pronom se place **avant** le verbe. *Ne l'admirez pas.*

Si le verbe comporte plusieurs pronoms compléments, le complément d'objet direct se place **avant** le complément d'objet indirect et se joint au verbe et au complément d'objet indirect par des traits d'union. *Donne-le-moi.*

VOIR TABLEAU ▶ **LE, LA, LES,** ARTICLES DÉFINIS.

À l'impératif, ne pas oublier le trait d'union entre le verbe et les pronoms, dans les constructions affirmatives :

	dites-moi
	faites-le
	laissez-la
	donnez-nous-les
	dites-le-lui...
mais,	ne me dites pas
	ne le faites pas
	ne la laissez pas
	ne nous les donnez pas
	ne le lui dites pas...

LETTRE TYPE

MULTI DICTIONNAIRE DES DIFFICULTÉS DE LA LANGUE FRANÇAISE **M**

Montréal, le 4 avril 1997 ◄········· LIEU ET DATE

VEDETTE ········►
Monsieur Jacques Fortin
Président
Les Éditions Québec/Amérique
329, rue de la Commune Ouest
Montréal (Québec)
H2Y 2E1

RÉFÉRENCES ········►
V/Réf. : MDD-MEV 1987/QA

Objet : Édition enrichie et mise à jour du *Multidictionnaire* ◄········· OBJET

APPEL ········►
Monsieur,

INTRODUCTION ········►
À la suite de notre agréable rencontre de la semaine dernière, je vous transmets les modifications que je souhaite apporter au *Multidictionnaire* en vue de la nouvelle édition.

CORPS ········►
J'ai tenu compte des commentaires pertinents que de nombreux utilisateurs ont eu la gentillesse de me faire parvenir.

CONCLUSION ········►
Vous constaterez que cette troisième édition comportera de nombreux ajouts ; l'ouvrage sera totalement mis à jour et considérablement enrichi.

SALUTATION ········►
Dans l'espoir que la nouvelle édition sera bien accueillie, je vous prie d'agréer, Monsieur, mes salutations distinguées.

M. E. de Villers ◄········· SIGNATURE

Marie-Éva de Villers ◄········· NOM DACTYLOGRAPHIÉ

PIÈCE JOINTE ········►
COPIE ········►
CONFORME
p. j. Commentaires généraux
c. c. M. Jean-Claude Corbeil

VOIR TABLEAUX ► ADRESSE. ► CORRESPONDANCE. ► ENVELOPPE.

LIAISON

La liaison est l'action de prononcer la consonne finale d'un mot placé devant un mot commençant par une voyelle ou un *h* muet.

☞ On ne prononce pas la consonne finale d'un mot précédant un mot commençant par un *h* aspiré. *Les homards* (et non les *(z) homards).

▶ **LA LIAISON SE FAIT TOUJOURS :**

Entre l'article et le nom. *Les* (z) *amis.*

Entre l'adjectif et le nom. *Les bons* (z) *amis.*

Entre le pronom et le verbe. *Nous* (z) *aimons. Je vous* (z) *aime.*

Entre le verbe et le nom ou l'adjectif attribut. *Ils sont* (t) *appréciés.*

Entre la préposition et le mot qui la suit. *Dès* (z) *aujourd'hui.*

Entre l'adverbe et le mot qui le suit. *Ils sont plus* (z) *aimables.*

Dans la plupart des locutions, des mots composés. *Petit* (t) *à petit.*

▶ **LA LIAISON SE FAIT PARFOIS :**

Entre le nom et le complément. *Les professeurs* (z) *en voyage.*

Entre le nom et l'adjectif. *Les fillettes* (z) *adorables.*

Entre le nom qui est sujet et le verbe. *Les fillettes* (z) *ont joué.*

Entre le verbe et son complément. *Ils allèrent* (t) *au bois.*

▶ **LA LIAISON NE SE FAIT JAMAIS :**

Devant un nom commençant par un *h* aspiré. *Les / handicapés.*
VOIR TABLEAU ▶ H MUET ET H ASPIRÉ.

Après un mot se terminant par une consonne muette. *Le puits / et le seau.*

Après un signe de ponctuation. *Voici des fruits, / une assiette.*

Devant un adjectif numéral : *un, onze, onzième, huit, huitième. Vous avez / onze ans.*

Devant les mots étrangers commençant par *y. Des / yaourts.*

▶ **En liaison :**

Les lettres *s* et *x* se prononcent *z. Les* (z) *iris. Dix* (z) *oranges.*

La lettre *d* se prononce *t. Un grand* (t) *homme.*

La lettre *g* se prononce *g* dans la langue courante. *Un long* (g) *hiver.*

La lettre *g* se prononce *k* dans certains emplois figés. *Suer sang* (k) *et eau. Qu'un sang* (k) *impur.* (*La Marseillaise*)

La lettre *f* se prononce *v. Du vif* (v) *argent.*

Attention aux liaisons fautives :

Cent*(z) étudiants ont réussi l'épreuve.

Les*(z) harnais étaient usés.

Je n'aime pas les *(z) haricots.

LOCUTIONS

Groupe de mots ayant une fonction grammaticale particulière.

▶ **LOCUTION VERBALE**

La **locution verbale** joue le rôle d'un verbe. Elle est composée :

– D'un verbe et d'un nom employé sans article. *Nous **avons besoin** de toi. Ces bijoux de fantaisie font illusion.*
 Avoir affaire. Avoir confiance. Avoir envie. Avoir faim. Avoir mal. Avoir peur. Avoir sommeil. Crier famine. Donner cours. Donner lieu. Entendre raison. Faire défaut. Faire face. Faire illusion. Faire pitié. Faire semblant. Lier conversation. Perdre patience. Porter bonheur. Prendre garde. Savoir gré.

– D'un verbe et d'un adjectif. ***Tenez bon** : les secours arrivent ! Je t'ai remboursé, nous **sommes quittes**.*
 À dire vrai.

– De deux verbes. ***Laisse faire,** il est inutile de discuter. On nous a **fait croire** qu'il serait là.*
 Aller chercher. Faire faire. Faire tomber.

– D'un verbe, d'une préposition et d'un nom. *Nous **avons à cœur** de réussir. On ne peut **passer sous silence** un tel geste.*
 Être d'accord.

 ☞ À l'exception du verbe, les éléments composant une locution verbale sont généralement invariables. *Les enfants ont raison : ils doivent faire attention à cet accord.*

▶ **LOCUTION ADVERBIALE**

La **locution adverbiale** a valeur d'adverbe. ***Tout à coup,** ils entendirent un grand bruit. Une conversation **à bâtons rompus**.*
 À bride abattue, à dessein, à l'endroit, en bas, en clair.

▶ **LOCUTION ADJECTIVE**

La **locution adjective** joue le rôle d'un adjectif. *Des chercheurs **de talent**. Ils ont acheté des tableaux **de prix**.*
 Bon marché, de rebut, de rechange, sans rival.

▶ **LOCUTION NOMINALE** OU **NOM COMPOSÉ**

La **locution nominale** ou **nom composé** joue le rôle d'un nom. *Des **pommes de terre** frites, un **arc-en-ciel** magnifique.*
 Hôtel de ville, robe de chambre, ruban à mesurer.

VOIR TABLEAU ▶ **NOMS COMPOSÉS.**

▶ **LOCUTION PRONOMINALE**

La **locution pronominale** a valeur de pronom. *J'aime les **uns et les autres. Ceux-là** ne nous ont rien dit.*
 N'importe lequel, ni l'un ni l'autre.

▶ **LOCUTION PRÉPOSITIVE**

La **locution prépositive** a valeur de préposition. *Je serai là **jusqu'à** 9 h. Il est **en haut de** l'escalier.*
 À destination de, en cas de, sous l'angle de, sous l'influence de.

▶ **LOCUTION CONJONCTIVE**

La **locution conjonctive** joue le rôle d'une conjonction. *Retiens-le **jusqu'à ce que** j'arrive **afin que** je puisse lui parler.*
 Bien que, dans le cas où.

▶ **LOCUTION INTERJECTIVE**

La **locution interjective** a valeur d'interjection. ***Oh là là,** quel bel arbre ! **Allons donc ! Beau dommage !** De grâce !, eh bien !, tant mieux !*

LOCUTIONS FIGÉES

Groupe de mots toujours employés ensemble qui ont un sens global différent des sens de chacun des mots qui le composent.

Main courante.	Partie supérieure d'une rampe d'escalier.
Pied de nez.	Grimace.
Coup de tête.	Décision impulsive.
Faire l'affaire.	Convenir.
Tirer d'affaire.	Aider, secourir.

On dit que ces locutions sont figées parce qu'on ne peut remplacer un mot par un autre dans ces expressions : on emploie toujours les mêmes mots. Ainsi dans les locutions qui suivent, on ne peut remplacer le nom **sac** par un synonyme comme **cartable, serviette, sac à main.**

▶ **Exemples avec le mot** *sac* :

Mettre dans le même sac.	Considérer sur le même pied.
Prendre quelqu'un la main dans le sac.	Le prendre en train de commettre un délit.
Vider son sac.	Dire la vérité, sans rien dissimuler.

▶ **Autres exemples :**

Appeler un chat un chat.	Appeler les choses par leur nom.
Avoir les deux pieds dans la même bottine.	⚜ Manquer de débrouillardise.
Avoir voix au chapitre.	Avoir droit de parole.
Contre vents et marées.	Malgré tous les obstacles.
Couper les cheveux en quatre.	Être trop subtil.
Donner sa langue au chat.	Abandonner, capituler.
Envoyer paître quelqu'un.	(FAM.) L'envoyer promener.
Être pieds et poings liés.	Être réduit à l'inaction.
Il y a anguille sous roche.	Il y a une chose cachée que l'on soupçonne.
Le jeu n'en vaut pas la chandelle.	C'est une chose qui n'en vaut pas la peine.
Mettre les points sur les ***i.***	Expliquer clairement quelque chose.
Monter sur ses grands chevaux.	Se mettre en colère.
Montrer patte blanche.	Se faire reconnaître avant de pénétrer quelque part.
Parler à tort et à travers.	Dire n'importe quoi.
Prendre la poudre d'escampette.	S'enfuir.
Renvoyer aux calendes grecques.	Renvoyer à une date qui n'arrivera jamais.
Reprendre du poil de la bête.	Réagir, reprendre le dessus.
Tirer à la courte paille.	Tirer au sort.
Tirer sa révérence.	Partir.
Voir le jour.	(LITT.) Venir au monde.

MAJUSCULES ET MINUSCULES

La majuscule sert à mettre en évidence les **noms propres.**

▶ **EMPLOI DE LA MAJUSCULE POUR SIGNALER UN NOM PROPRE**

▶ Le nom de **Dieu.**

Dieu, Notre-Seigneur, le Père éternel.

▶ Les noms de **personnes** (noms de famille, prénoms, surnoms).

Félix Leclerc. Jean-Baptiste Poquelin, dit Molière.

◉◄– La particule nobiliaire s'écrit avec une minuscule. *Alfred de Vigny.*

▶ Les noms de **peuples.**

Les Québécois, les Belges, les Suisses et les Français.

◉◄– Employés comme adjectifs, ces mots s'écrivent avec une minuscule. *Le drapeau québécois.* Attention, les noms d'adeptes de religions, de partis politiques, d'écoles artistiques, d'ordres religieux s'écrivent également avec une minuscule, contrairement aux noms de peuples. *Les chrétiens, les libéraux, les impressionnistes, les jésuites.*

VOIR TABLEAU ▶ PEUPLES (NOMS DE).

▶ Les noms de **dieux païens.** *Hermès, Aphrodite, Neptune.*

▶ Les noms d'**astres** (étoiles, planètes, constellations, comètes) et les signes du zodiaque.

Le Soleil, Saturne, le Sagittaire.

▶ Les noms de **points cardinaux.**

*L'Amérique du **Sud.** Boulevard René-Lévesque **Ouest.** Le pôle **Nord.***

▶ Les **noms géographiques.**

Le Québec, Montréal, le Saint-Laurent.

VOIR TABLEAU ▶ GÉOGRAPHIQUES (NOMS).

▶ Les noms de **rues,** les noms de **places,** de **monuments.**

– Ces noms s'écrivent avec une majuscule au mot caractéristique et une minuscule au mot générique (rue, avenue, boulevard, jardin...).

*La rue **Notre-Dame,** la statue de la **Liberté.***

– Quand la désignation spécifique est composée de plusieurs éléments, ceux-ci sont reliés par des traits d'union.

*Elle habite avenue **Antonine-Maillet,** rue **Saint-Jean-Baptiste,** le square du **Vert-Galant.***

▶ Les noms d'**établissements d'enseignement** (écoles, collèges, instituts...), de **musées,** de **bibliothèques.**

– Les génériques suivis d'un adjectif s'écrivent avec une majuscule.

*L'**École** polytechnique. La **Bibliothèque** nationale.*

– Les génériques suivis d'un nom propre s'écrivent avec une minuscule.

*Le **collège** Jean-de-Brébeuf. L'**école** Saint-Germain. L'**institut** Armand-Frappier.*

▶ Les noms d'**organismes** publics ou privés, de **sociétés,** d'**institutions.** On emploie généralement la majuscule au premier nom de ces diverses dénominations.

*L'**Assemblée** nationale, l'**Office** de la langue française, le **Centre** national de la recherche scientifique.*

MAJUSCULES ET MINUSCULES – SUITE ▶

    ☞– Pour les noms de ministères, la règle diffère ; en effet, c'est le nom du domaine d'activité spécifique qui s'écrit avec une majuscule, tandis que le nom *ministère* et les adjectifs de la désignation s'écrivent avec des minuscules. *Le ministère de la Culture et des Communications, le ministère de l'Éducation.*

▸ Les noms d'**évènements historiques**. Seuls le mot caractéristique de la désignation et l'adjectif qui le précède s'écrivent avec une majuscule, alors que le générique s'écrit avec une minuscule.
    La bataille des Plaines d'Abraham, la Renaissance, le Moyen Âge.

▸ Les noms de **fêtes** religieuses et nationales s'écrivent avec une majuscule au mot caractéristique et à l'adjectif qui le précède.
    Le jour de l'An, le Nouvel An, le jour des Rois, le Mardi gras, le mercredi des Cendres, le Vendredi saint, Pâques, la Saint-Jean-Baptiste, la fête du Travail, la Toussaint, Noël.

▸ Les titres d'**ouvrages**, d'**œuvres d'art**, les noms de **journaux**, de **périodiques** prennent une majuscule au premier nom et éventuellement à l'adjectif et à l'article qui le précèdent.
    Le Visuel, les *Lettres de mon moulin*, *Le Petit Prince*.

▶ EMPLOI DE LA MAJUSCULE POUR SIGNALER LE DÉBUT D'UNE PHRASE

▸ **Au premier mot d'une phrase.**
    La rencontre aura lieu le 29 mars. D'ici là, précisons nos projets.

▸ **Après les points d'interrogation, d'exclamation, de suspension** quand ces points terminent effectivement la phrase.
    Serez-vous présent ? Veuillez communiquer avec nous...

▸ **Après un deux-points introduisant :**
    – Une **citation**. *Et celui-ci de répondre : « L'art d'aimer, je connais ».*
    – Une **énumération** où les jalons énumératifs sont une lettre ou un numéro de classification suivi d'un point (*1., 2., A., B.*), d'un chiffre d'ordre (*1º, 2º*). *1. Introduction 2. Hypothèses...*

▶ EMPLOI DE LA MINUSCULE

▸ Les **titres** et **dignités**.
    L'empereur, le roi, le président, le premier ministre.

▸ Les noms de **religions**.
    Le christianisme, le bouddhisme, le protestantisme, le judaïsme, l'islam.

▸ Les noms des **mois**, des **jours** de la semaine.
    Le mois de mars ; lundi, mardi.

▸ Les noms de **pays**, ou de **régions**, **donnés aux produits** qui en sont originaires.
    Un champagne, un cheddar, un hollande, un médoc, un oka.

▸ Les noms de **langues**.
    Le français, l'anglais et l'espagnol.

▸ Les génériques des **noms géographiques**, des **noms de rues**, des **désignations administratives**.
    Montagne, lac, océan, mont, avenue, rue, école, collège.

MÊME

▶ ADJECTIF INDÉFINI

▸ **Devant un nom** et précédé d'un déterminant (*le, la, les, un, une...*) :

— il marque la ressemblance, l'identité.
> *Elle a lu le **même** livre plusieurs fois. Il porte les **mêmes** chaussettes que lui. Une **même** amitié les réunit.*

▸ **Après un nom :**

— il insiste sur la personne ou la **chose dont on parle** et qu'il marque expressément.
> *Ce sont les paroles **mêmes** qu'il a prononcées.*

— il marque une **qualité possédée au plus haut point.**
> *Cette personne est l'intégrité **même**, elle est la sagesse et l'honnêteté **mêmes**.*

🖐 Il n'est pas toujours possible de distinguer l'adjectif de l'adverbe dans cet emploi. Selon l'intention de l'auteur, le mot s'accorde ou demeure invariable. *Il craignait sa colère, son silence mêmes* (au sens de ***eux-mêmes***) ou *sa colère, son silence même* (au sens de ***même son silence***).

▸ **Après un pronom :**

— l'adjectif insiste sur l'identité de la personne.
> *Moi-**même**, toi-**même**, lui-**même**, elle-**même**, soi-**même**, nous-**mêmes**, vous-**mêmes**, eux-**mêmes**, elles-**mêmes**.*

🖐 L'adjectif indéfini placé après le pronom s'accorde en nombre avec celui-ci et s'y joint par un trait d'union. Attention : l'adjectif indéfini est au singulier si le pronom ***nous*** ou ***vous*** ne désigne qu'une seule personne. *Alain, vous décrirez vous-même les faits.*

▶ PRONOM INDÉFINI

▸ Toujours employé avec un déterminant (*le, la, les, un, une...*), il marque :

— **l'identité de la personne.**
> *Ce sont toujours **les mêmes** qui osent parler.*

— **la permanence de sa façon d'être.**
> *Elle est toujours **la même**.*

Locution
> ***Cela revient au même.*** *Cela revient à la même chose.*

▶ ADVERBE

Aussi, jusqu'à, y compris.
> ***Même** les plus habiles ne pourront réussir. Elle est aimable et **même** généreuse. Il ignorait **même** son nom.*

🖐 Placé devant un nom, un adjectif, ou accompagnant un verbe, le mot est adverbe et, par le fait même, invariable.

Locutions

— ***À même,*** loc. prép. Directement à. *Boire à même la bouteille.*
— ***De même,*** loc. adv. De même manière. *Nous devrions faire de même.*
— ***De même que,*** loc. conj. Comme, ainsi que. *Elle sera là de même que ma cousine.*
— ***Être à même de*** + infinitif, loc. adv. Apte à, en mesure de. *Ils sont à même d'effectuer les calculs.*
— ***Quand même, quand bien même,*** loc. conj. Même si. *Quand bien même il neigerait à plein ciel, nous irons.*
— ***Tout de même,*** loc. adv. Quand même. *Elle était malade, elle est sortie tout de même.*

🖐 Dans cette locution qui implique un **rapport de comparaison**, le verbe et l'attribut sont au singulier et la comparaison est généralement placée entre virgules. *Paul, de même que Pierre, est gentil.*

MILLE, MILLION, MILLIARD

▶ **MILLE,** ADJECTIF NUMÉRAL ET NOM MASCULIN – 1 000

- ▶ **Adjectif numéral invariable.** Dix fois cent. *Ils ont recueilli trois **mille** dons.*
- ▶ **Nom masculin invariable.** Le nombre mille. *Elle a dessiné des **mille** en chiffres dorés.*
  - ☞– ***Mille,*** adjectif numéral ou nom, est toujours invariable. Dans la composition des nombres, l'adjectif numéral n'est pas lié par un trait d'union au chiffre qui le précède ni à celui qui le suit. *Six **mille** deux cent trente-deux.*
  - ☞– Ne pas confondre avec le nom masculin ***mille,*** mesure de distance valant 1,6 km. *Il a marché pendant plusieurs **milles.***
- ▶ **Expression numérique.** 1 000 ou 10^3 (notation scientifique).
  Son symbole est **k** et le préfixe qui multiplie une unité par mille est ***kilo-.***
- ▶ **Écriture des sommes d'argent**
  Généralement, on utilise l'expression numérique et on remplace le nom de l'unité monétaire par son symbole. Le symbole suit l'expression numérique et en est séparé par un espace. *Le prix de cette voiture est de 18 000 $.*
  - ☞– Si le nombre est écrit en toutes lettres, le symbole de l'unité monétaire ne peut être utilisé, il faut alors écrire le nom de l'unité monétaire au long. *Le prix est de huit **mille** dollars.*

VOIR TABLEAU ▶ SYMBOLES DES UNITÉS MONÉTAIRES.

▶ **MILLION,** NOM MASCULIN – 1 000 000

- ▶ **Nom masculin.** Comme le mot **milliard,** le mot **million** est un nom qui prend la marque du pluriel. *Le total est de dix **millions** deux cent vingt mille.*
- ▶ **Expression numérique.** 1 000 000 ou 10^6 (notation scientifique).
  Son symbole est **M** et le préfixe qui multiplie une unité par un million est ***méga-.***
- ▶ **Écriture des sommes d'argent**
  La somme de 30 000 000 $ peut être notée également 30 millions de dollars parce que le mot ***million*** n'est pas un adjectif numéral, mais un nom. Si l'adjectif numéral qui précède le mot ***million*** est écrit en toutes lettres, le nom de l'unité monétaire doit être écrit au long. *Trente **millions** de dollars.*
  - ☞– Le symbole de l'unité monétaire suit l'expression numérique et en est séparé par un espace.

EN RÉSUMÉ, VOICI LES TROIS POSSIBILITÉS :
  30 000 000 $ – 30 **millions** de dollars – trente **millions** de dollars.

▶ **MILLIARD,** NOM MASCULIN – 1 000 000 000

- ▶ **Nom masculin.** Comme le mot **million,** le mot **milliard** est un nom qui prend la marque du pluriel. *Le total s'élève à trois **milliards,** le nombre est de sept **milliards** cinq cent trente-sept mille.*
- ▶ **Expression numérique.** 1 000 000 000 ou 10^9 (notation scientifique).
  Son symbole est **G** et le préfixe qui multiplie une unité par un milliard est ***giga-.***
- ▶ **Écriture des sommes d'argent**
  La somme de 45 000 000 000 $ peut être notée également 45 milliards de dollars parce que le mot ***milliard*** n'est pas un adjectif numéral, mais un nom. Si l'adjectif numéral qui précède le mot ***milliard*** est écrit en toutes lettres, le nom de l'unité monétaire doit être écrit au long. *Quarante-cinq **milliards** de dollars.*
  - ☞– Le symbole de l'unité monétaire suit l'expression numérique et en est séparé par un espace.

EN RÉSUMÉ, VOICI LES TROIS POSSIBILITÉS :
  45 000 000 000 $ – 45 **milliards** de dollars – quarante-cinq **milliards** de dollars.

  - ☞– Les adjectifs numéraux ***vingt*** et ***cent*** prennent la marque du pluriel s'ils sont multipliés par un nombre et ne sont pas suivis d'un autre adjectif numéral. Les mots ***million*** et ***milliard*** sont des noms, on écrira donc : *Quatre-vingts **millions** de francs. Quatre-vingts **milliards** de francs.*
  - ☞– La marque du pluriel ne s'inscrit qu'à compter de deux unités. *La somme s'élève à 1,5 **million** de dollars, à 1,5 **milliard** de dollars.*

MOINS

► **ADVERBE**

L'adverbe *moins* marque l'infériorité.

1. *Moins* + qualité. À un degré plus faible. *Les bouleaux sont **moins** résistants que les chênes. Cet article est **moins** cher.*

2. *Moins de* + quantité. D'une quantité moindre. *Ils sont **moins de** mille participants. Le film dure **moins de** deux heures.*

3. *Moins de deux* + verbe. ***Moins de deux** ans séparent ces évènements.*

 ☜ 1° Dans cette construction, le verbe se met au pluriel, malgré la logique.

 2° Par contre, le verbe se met au singulier après l'expression ***plus d'un.*** *Plus d'un étudiant a peiné sur ce travail.*

► **Comparatif** de l'adverbe *peu*

Moins que + comparaison.
 *Elles sont **moins** grandes **que** leurs frères. Les jeunes s'inquiètent **moins que** leurs parents.*

► **Superlatif** de l'adverbe *peu*

Le, la, les... que + subjonctif.
 *Cette maison est **la moins** chère **que** nous puissions trouver.*

 ☜ Le verbe se met généralement au subjonctif; on peut employer l'indicatif si l'on veut marquer davantage la réalité que la possibilité. *Cette maison est **la moins** chère **que** nous avons trouvée.*

Des moins.

 ☜ 1° L'adjectif ou le participe passé qui suit ***des moins, des plus, des mieux*** se met au pluriel et s'accorde en genre avec le sujet déterminé. *Cette personne est **des moins** compétentes. Un véhicule **des moins** performants.*

 2° Si le sujet est indéterminé, l'adjectif ou le participe reste invariable. *Acheter ces titres miniers est **des moins** sûr.*

► **PRÉPOSITION**

1. En soustrayant, en déduisant. *Sept **moins** trois égale quatre (7 – 3 = 4). Sept heures **moins** le quart.*

2. La préposition sert à introduire un nombre négatif. *C'est l'hiver, il fait **moins** vingt degrés Celsius (– 20 °C) ou vingt degrés au-dessous de zéro (et non *sous zéro ou *en bas de zéro).*

LOCUTIONS

– *À moins de,* loc. prép. Sauf si. *À moins d'un retard inattendu, il sera là bientôt. À moins de construire des écoles, nous manquerons de place.*
 ↪ Cette locution peut se construire avec un nom ou avec un infinitif.
– *À moins de,* loc. prép. Au-dessous de. *À moins de 10 $, je peux l'acheter.*
– *À moins que,* loc. conj. À condition que, sauf si. *À moins qu'il ne vienne ce soir, elle partira.*
 ↪ Cette locution se construit avec le subjonctif. On emploie généralement le *ne* explétif.
– *Au moins,* loc. adv. Au minimum. *Il a perdu au moins cinq kilos.*
– *Au moins,* loc. adv. En tout cas. *Au moins, écris-nous pour nous donner des nouvelles !*
– *De moins en moins,* loc. adv. En diminuant graduellement. *Les salaires augmentent de moins en moins.*
– *Du moins,* loc. adv. Néanmoins. *Tu ne peux venir, mais du moins, préviens-le de ton absence.*
– *En moins de,* loc. prép. Dans un moindre espace de temps. *En moins de quatre mois, ce sera terminé.*
– *Moins... moins, moins... plus,* loc. adv. Proportionnellement. *Moins il travaille, moins il réussit. Moins elle réussit, plus elle fait des efforts.*
– *Ni plus ni moins que,* loc. conj. Exactement. *Je lui ai donné ni plus ni moins que 20 $.*
– *Tout au moins, à tout le moins, pour le moins,* loc. adv. En tout cas.
 ☜ Ces locutions marquent une restriction. *S'il n'était pas très travailleur, tout au moins était-il compétent et honnête.*

VOIR TABLEAU ► PLUS.

MULTIPLES ET SOUS-MULTIPLES DÉCIMAUX

Les **multiples** et les **sous-multiples** sont formés à l'aide de préfixes qui se joignent sans espace aux unités de mesure.

▸ **Exemples de multiples :**

Le nom *kilogramme* désigne un millier de grammes (1 gramme x 1000).

Le nom *mégawatt* désigne un million de watts (1 watt x 1 000 000).

▸ **Exemples de sous-multiples :**

Le nom *centimètre* désigne un centième de mètre (1 mètre ÷ 100).

Le nom *nanoseconde* désigne un milliardième de seconde (1 seconde ÷ 1 000 000 000).

Les **symboles** de ces préfixes se joignent de la même façon aux symboles des unités de mesure.

Exemples : *3 kg, 1 MW, 2 cm, 4 mg (sans points).*

☞ Les symboles ne prennent pas la marque du pluriel et s'écrivent sans point abréviatif.

▸ MULTIPLES

PRÉFIXE	SENS	SYMBOLE	NOTATION SCIENTIFIQUE	EXEMPLE
exa- x	1 000 000 000 000 000 000	E	10^{18}	*exaseconde*
péta- x	1 000 000 000 000 000	P	10^{15}	*pétaseconde*
téra- x	1 000 000 000 000	T	10^{12}	*térawatt*
giga- x	1 000 000 000	G	10^{9}	*gigahertz*
méga- x	1 000 000	M	10^{6}	*mégajoule*
kilo- x	1 000	k	10^{3}	*kilogramme*
hecto- x	100	h	10^{2}	*hectolitre*
déca- x	10	da	10^{1}	*décamètre*

▸ SOUS-MULTIPLES

PRÉFIXE	SENS	SYMBOLE	NOTATION SCIENTIFIQUE	EXEMPLE
déci- ÷	0,1	d	10^{-1}	*décilitre*
centi- ÷	0,01	c	10^{-2}	*centimètre*
milli- ÷	0,001	m	10^{-3}	*milligramme*
micro- ÷	0,000 001	µ	10^{-6}	*microampère*
nano- ÷	0,000 000 001	n	10^{-9}	*nanoseconde*
pico- ÷	0,000 000 000 001	p	10^{-12}	*picofarad*
femto- ÷	0,000 000 000 000 001	f	10^{-15}	*femtogramme*
atto- ÷	0,000 000 000 000 000 001	a	10^{-18}	*attoseconde*

NE, NI, NON

▶ NE, ADVERBE DE NÉGATION

Adverbe qui se place devant un verbe pour marquer la négation et qui est généralement accompagné d'un adverbe ou d'un pronom qui a également un sens négatif (*pas, plus, jamais, aucun, personne, rien...*). *Elle ne part pas, il ne joue plus à la balle, les enfants n'ont rien mangé.*

> ☞ L'adverbe *ne* s'élide devant une voyelle ou un *h* muet. *Elle n'aime pas les tomates, il n'habite plus là.* Dans la langue parlée ou familière, on omet parfois l'adverbe de négation *ne*. Dans la langue écrite courante ou soutenue, l'emploi de l'adverbe *ne* s'impose.

▶ Négations composées

- *Ne... aucun. N'y a-t-il aucun problème à procéder ainsi ?*
- *Ne... jamais. Martine ne critique jamais ses amis.*
- *Ne... nul. Nous n'avons nul besoin de lui.*
- *Ne... nullement. Elle ne s'est nullement inquiétée.*
- *Ne... pas. Les enfants ne jouent pas dehors, car il pleut.*
- *Ne... personne. Nous n'avons vu personne dans la forêt.*
- *Ne... plus. André ne fume plus. Depuis quand ne fume-t-il plus ?*
- *Ne... point. Il ne dort point et rêve à sa belle amie.*
  > ☞ Cette négation composée est littéraire ou vieillie.
- *Ne... que. Il ne lit que des bandes dessinées.*
  > ☞ Cette locution a un sens restrictif (signifiant « seulement »).
- *Ne... rien. Sandra n'a rien acheté, elle a été très raisonnable.*

▶ Négation simple

Ne, employé seul
- Dans certains proverbes, dans certaines expressions toutes faites. *Qui ne dit mot consent. Qu'à cela ne tienne.*
- Avec les verbes *savoir, cesser, oser, pouvoir, avoir,* suivis de *que* interrogatif et d'un infinitif. *Il ne sait que dire. Elle n'a que faire de ses conseils.*

Une phrase qui contient une négation simple ou une négation composée est une **PHRASE NÉGATIVE**.

VOIR TABLEAU ▶ PHRASE.

▶ Le *ne* explétif

Il ne faut pas confondre l'adverbe de négation avec le *ne* explétif qui ne joue aucun rôle grammatical et qui peut souvent être supprimé sans compromettre le sens de la phrase. Il n'est pas utilisé dans la langue courante ; on ne le retrouve que dans les textes de niveau littéraire.

Emplois du *ne* explétif
- Après les verbes exprimant le doute, la crainte, la négation : *avoir peur, craindre, douter, empêcher, éviter, mettre en doute, nier, prendre garde, redouter.*
  > ☞ À la forme affirmative, on emploie *ne* lorsqu'on redoute de voir se produire un évènement. *Je crains qu'il ne pleuve.* Si l'on redoute qu'un évènement ne se produise pas, on emploie *ne... pas. Je crains qu'elle ne puisse pas arriver à temps.* À la forme négative, on n'emploie pas le *ne* explétif. *Je ne crains pas qu'il vienne.*

NE, NI, NON – SUITE ▶

– Après les expressions comparatives : *autre que, autrement que, meilleur que, mieux que, moins que, pire que, plus que... Il est plus âgé que tu ne l'es.*

– Après les expressions : *avant que, de crainte que, de peur que, à moins que... Nous viendrons à moins qu'il ne neige.*

▶ NI, CONJONCTION

Conjonction de coordination à valeur négative, elle est l'équivalent de la conjonction *et* dans la phrase affirmative et sert à lier des adjectifs, des noms, des pronoms ou des propositions.

• La conjonction marque l'**union entre deux éléments** dans une **phrase négative**. *Il n'est pas aimable ni même poli. Elles ont fait du ski sans bonnet ni gants. Elle ne chante ni ne danse.*

• La conjonction **joint** plusieurs mots **sujets** ou **compléments** d'un **verbe à la forme négative.** *Ni les filles ni les garçons ne sont d'accord. Il n'aime ni les navets ni les carottes.*

☞ La construction *ni... ni...* s'emploie avec la négation simple *ne.*

▶ Locution

– *Ni l'un ni l'autre,* locution pronominale indéfinie. Aucun des deux. *Ni l'un ni l'autre ne viendra.*

☞ Avec cette locution pronominale indéfinie, l'accord du verbe peut se faire au singulier ou au pluriel. *Ni l'un ni l'autre n'est arrivé* ou *ne sont arrivés.* Si le verbe précède la locution, il s'écrit obligatoirement au pluriel. *Ils ne sont arrivés ni l'un ni l'autre.*

☞ On ne met généralement pas de virgule entre les éléments de la négation.

▶ NON, ADVERBE DE NÉGATION

▶ Emplois

Dans une **réponse négative.** *Serez-vous présent ? Non.*

Au début d'une **phrase négative.** *Non, je ne pourrai être là.*

Avec un **nom.** *C'est une pomme que j'aimerais, non une poire.*

Avec un **adjectif,** un **participe.** *Elle est gentille et non compliquée.*

Avec un **pronom.** *Vous êtes invités, mais non eux.*

Avec un **infinitif.** *Ils veulent manger et non boire.*

▶ Locutions adverbiales

– *Non plus.* Pas davantage. *Tu n'as pas aimé ce film. Moi non plus.*

– *Non seulement... mais (encore).* *Il est non seulement habile, mais très expérimenté.*

▶ NON, NOM MASCULIN INVARIABLE

Expression du refus. *Opposer un non catégorique, des non.*

NÉOLOGISME

Mot nouveau ou sens nouveau accordé à un mot existant.

Généralement, on crée un néologisme quand la langue ne dispose pas déjà d'un mot pour nommer une réalité nouvelle. La néologie illustre la créativité d'une langue qui invente un mot pour nommer une nouveauté plutôt que d'emprunter un terme à une autre langue.

> ### Exemples de néologismes

AUTOROUTE ÉLECTRONIQUE n. f.
Réseau de télécommunications permettant de transmettre de manière interactive des données informatiques, des images, des sons.

BALADEUR n. m.
Radio ou lecteur de cassettes portatif muni d'écouteurs. *En cadeau, j'ai reçu un baladeur* (et non un *walkman).

DÉCROCHEUR, EUSE n. m. et f.
Élève qui quitte l'école avant la fin de la période de l'obligation scolaire. (Recomm. off. OLF) *Ce n'est pas un décrocheur* (et non un *dropout).

DÉPANNEUR n. m.
Établissement où l'on vend des aliments et une gamme restreinte d'articles de consommation courante et dont les heures d'ouverture s'étendent au-delà de l'horaire habituel des autres magasins. (Recomm. off. OLF)

INTERNAUTE n. m. et f.
Utilisateur du réseau Internet. *Navigue dans Internet : sois un bon internaute, mais non un pirate informatique !*

TÉLÉMATIQUE n. f.
Ensemble de services informatiques dont la prestation est assurée à l'aide d'un réseau de télécommunications.

> ### Formation de néologismes à l'aide de racines grecques ou latines

Les néologismes scientifiques sont souvent créés à l'aide des préfixes, des suffixes d'origine grecque ou latine dont le sens est connu. Ainsi, dans le domaine du traitement électronique des données, le néologisme *infographie,* qui désigne une application de l'informatique à la représentation graphique et au traitement de l'image, est composé de *info-*, élément du latin «*informatio*» signifiant «information», et de *-graphie*, élément du grec «*graphein*» signifiant «écrire».

VOIR TABLEAUX ▸ **PRÉFIXE.** ▸ **SUFFIXE.**

> ### Formation de néologismes par dérivation

- Radical + suffixe
  - *Bureau-* + suffixe *-tique* = *bureautique,* sur le modèle de *mathématique, informatique.*
  - *Didacti-* + suffixe *-ciel* = *didacticiel*, sur le modèle de *logiciel.*

- Constitution de familles de mots
  - *Bureautique* engendre *bureauticien, bureautiser.*
  - *Cégep* engendre *cégépien, cégépienne.*

> ### Formation de néologismes par composition

- Préfixe + radical
  - Préfixe *micro-* signifiant «petit» + radical *ordinateur* = *micro-ordinateur.*
  - Préfixe *méga-* signifiant «million» + radical *octet* = *méga-octet.*
  - Préfixe *télé-* signifiant «à distance» + radical *copieur* = *télécopieur.*

- Juxtaposition d'éléments pour composer un mot, une expression
  - *Banque de données, adresse électronique, courrier électronique, planche à roulettes.*

> ### Formation de néologismes à l'aide d'acronymes

Certains néologismes proviennent des initiales de plusieurs mots juxtaposés qui composent un terme, une désignation.

- Relativement nouveau (1965), le québécisme *cégep* est l'acronyme de **collège d'enseignement général et professionnel.**
- De création récente (1982), le nom *sida* est l'acronyme de **syndrome d'immuno-déficience acquise.**

VOIR TABLEAU ▸ **NOMS COMPOSÉS.**

NOM

Mot servant à nommer les êtres animés et les choses. *Un nom de famille, un nom d'oiseau.*

☞— Dans cet ouvrage, l'abréviation de **nom** est **n.**

Tous les mots de la langue peuvent devenir des noms si leur fonction est de désigner :

- Un nom commun........*Une pêche.*
- Un nom propre..........*Un camembert.*
- Un verbe ....*Le baiser.*
- Un adjectif ....*Le beau.*
- Un pronom ....*Les leurs.*

- Un adverbe ....*Les alentours.*
- Une préposition ....*Le dessous.*
- Une conjonction ....*Les toutefois.*
- Un acronyme ....*Un laser.*
- Une expression ....*Le qu'en-dira-t-on.*

► ESPÈCES DE NOMS

► **1. Noms communs et noms propres**

- Les **noms communs** désignent une personne, un animal, une chose concrète ou abstraite qui appartient à une espèce. *Un jardinier, un chat, un arbre, la tendresse.*

- Les **noms propres** ne peuvent désigner qu'un seul être, qu'un seul groupe d'êtres, qu'un seul objet ; ils s'écrivent toujours avec une majuscule, car ils rendent individuel l'être ou l'objet qu'ils nomment. *Fanny, le Pacifique.*

- Types de noms propres :
  - Les **noms de personnes** (prénom, nom de famille, surnom). *Étienne, Laforêt, le pirate Maboule, Molière* (surnom de Jean-Baptiste Poquelin).
  - Les **noms de peuples.** *Les Québécois et les Français parlent français. La cuisine italienne.*
    ☞— Les noms de peuples s'écrivent avec une majuscule, mais les adjectifs correspondants et les noms qui désignent une langue s'écrivent avec une minuscule.
  - Les **noms géographiques ou historiques.** *Le Canada, le mont Tremblant, la Renaissance.*
    VOIR TABLEAU ► GÉOGRAPHIQUES (NOMS).
  - Les **noms d'astres.** *Le Soleil, Mercure, la Grande Ourse.*
  - Les **noms d'œuvres.** *À la recherche du temps perdu* (Marcel Proust), *La Dolce Vita* (Fellini), *La Montagne Sainte-Victoire* (Paul Cézanne), *Starmania* (Luc Plamondon).
  - Les **dénominations.** *L'avenue des Érables, l'École des HEC, le ministère de la Culture et des Communications, le collège Brébeuf.*

VOIR TABLEAU ► MAJUSCULES ET MINUSCULES.

► **2. Noms individuels et noms collectifs**

- Les **noms individuels** sont propres à un être, à un objet, mais ils peuvent se mettre au pluriel. *Un enfant, une table, des chats.*

- Les **noms collectifs** désignent un ensemble d'êtres ou d'objets. *Foule, groupe, multitude.*
  ☞— Après un nom collectif suivi d'un complément au pluriel (par exemple : *la majorité des élèves, la foule des passants*), le verbe se met au singulier ou au pluriel suivant l'intention de l'auteur qui veut insister sur l'ensemble ou la pluralité. *La majorité des élèves a (ou ont) réussi l'examen.*

VOIR TABLEAU ► COLLECTIF.

► **3. Noms simples et noms composés**

- Les **noms simples** sont formés d'un seul mot. *Feuille, boulevard.*

- Les **noms composés** sont formés de plusieurs mots. *Rouge-gorge, arc-en-ciel, hôtel de ville.*

VOIR TABLEAU ► NOMS COMPOSÉS.

NOM – SUITE ►

▶ NOM – SUITE

► GENRE DU NOM

- Le **masculin.** *Un bûcheron, un chien, un tracteur, le courage.*
- Le **féminin.** *Une avocate, une lionne, une voiture, la candeur.*

VOIR TABLEAU ► GENRE.

► NOMBRE DU NOM

- Le nombre des noms est la propriété d'indiquer l'unicité ou la pluralité.
  - Le nom au **singulier** désigne un seul être, un seul objet. *Un adolescent, une rose.*
  - Le nom au **pluriel** désigne plusieurs êtres ou plusieurs objets. *Des touristes, des lilas, des groupes.*

VOIR TABLEAU ► PLURIEL DES NOMS.

► FONCTIONS DU NOM

- Le nom peut être : – Sujet. *Le **chien** jappe.*
  - Complément. *Il mange le **gâteau.** Le bord de la **mer.***
  - Attribut. *Elle est **ministre.***
  - Apposition. *La ville de **Québec.** Une clientèle **cible.***
  - Apostrophe. ***Marisol,** viens dîner !*

EMPLOIS DIFFÉRENTS

Selon le contexte, bon nombre de mots employés comme des noms peuvent être également des *adjectifs*, des *verbes*, des *participes présents*.

Quelques exemples :

ADJECTIFS	VERBES	PARTICIPES PRÉSENTS
ami, ie	être	couchant
blond, blonde	pouvoir	étudiant
gauche	rire	habitant
grand, grande	savoir	participant
voisin, ine...	sourire...	plaignant...

NOMBRES

▶ ÉCRITURE DES NOMBRES

▶ En chiffres

Dans la langue courante ainsi que dans les textes techniques, scientifiques, financiers ou administratifs, on recourt généralement aux chiffres arabes pour noter les nombres.
La fête aura lieu à 15 h 30. La distance entre Montréal et Québec est de 253 km.
VOIR TABLEAUX ▶ CHIFFRES ARABES. ▶ CHIFFRES ROMAINS.

▶ En lettres

Cependant, dans les textes de nature poétique ou littéraire, dans certains documents à portée juridique où l'on désire éviter toute fraude ou toute modification, les nombres s'écrivent parfois en lettres.
Ex. : Sur un chèque, la somme d'argent est écrite :
– en chiffres arabes suivis du symbole de l'unité monétaire. *25 $.*
– puis en toutes lettres. *Vingt-cinq dollars.*

▶ Principaux cas d'emploi des nombres en lettres

- Les nombres exprimant une **durée** : âge, nombre d'années, de mois, de jours, d'heures, de minutes, de secondes.
  La traversée est de sept heures. Il a quinze ans et demi.
- Les **fractions d'heure** suivant les mots **midi** ou **minuit.**
  Midi et quart, midi quarante-cinq, minuit et demi.
  ☞ Si l'heure est notée en chiffres, les fractions d'heure ne peuvent être écrites en lettres. *Il viendra à 12 h 45.*
- Les **nombres de un à neuf** inclusivement.
  La collection comprenait sept ouvrages en 1995.
  ☞ À compter de 10, on écrit généralement les nombres en chiffres. *La collection comporte 13 titres.* Si la même phrase réunit un nombre inférieur à 10 et le nombre 10 ou un nombre supérieur à 10, il est d'usage en typographie de noter les deux nombres en chiffres. *En 1995, la collection totalisait 7 publications et elle en compte 13 en 1997.*
- **En début de phrase,** le nombre s'écrit toujours en lettres.
  Quatorze chercheurs ont recueilli des données dans huit pays.

▶ Accord des adjectifs numéraux

- Les **adjectifs numéraux cardinaux** déterminent les êtres ou les choses par leur NOMBRE.
  Ces adjectifs sont invariables, à l'exception de :
  – **un** qui peut se mettre au féminin.
    Trente et une pommes.
  – **vingt** et **cent** qui prennent la marque du pluriel s'ils sont multipliés par un nombre et s'ils ne sont pas suivis d'un autre adjectif numéral.
    Quatre-vingts, trois cents, quatre-vingt-huit, trois cent deux, cent vingt.
    ☞ Alors que le mot *mille* est un adjectif numéral invariable, les mots *millier, million, milliard, billion, trillion...* sont des noms qui, tout à fait normalement, prennent la marque du pluriel. *Des milliers de personnes, trois millions, deux milliards.*

- Les **adjectifs numéraux ordinaux** déterminent les êtres ou les choses par leur ORDRE.
  Ces adjectifs sont formés du nombre cardinal auquel on ajoute la terminaison *ième* (à l'exception de *premier* et de *dernier*) ; ils prennent tous la marque du pluriel.
  Les troisièmes pages, les quinzièmes places, les dernières notes.
  ☞ Pour les abréviations des adjectifs numéraux ordinaux, VOIR TABLEAU ▶ NUMÉRAL (ADJECTIF).

▶ Avec ou sans trait d'union

Dans les adjectifs numéraux, le trait d'union s'emploie seulement entre les éléments qui sont l'un et l'autre inférieurs à cent, sauf s'ils sont joints par la conjonction **et.**
Dix-sept, trente-cinq, quatre-vingt-quatre, vingt et un, cent dix, deux cent trente-deux.

NOMBRES – SUITE ▶

- Les expressions numérales des **actes juridiques, notariés.**

  Pour la somme de vingt-cinq mille dollars (25 000 $).

  ✍ Dans les documents à portée juridique, les nombres sont d'abord écrits en toutes lettres, puis notés en chiffres, entre parenthèses. En dehors du contexte juridique, on évitera de recourir à ce procédé.

- Les nombres employés comme **noms.**

  Miser sur le neuf de cœur, voyager en première, manger les trois quarts d'une tarte, passer un mauvais quart d'heure.

- Les nombres qui font partie de **noms composés.**

  Le boulevard des Quatre-Bourgeois, la ville de Trois-Rivières, un deux-mâts, un deux-points.

▶ **Les nombres en toutes lettres**

un 1	vingt-neuf 29	quatre-vingt-un 81
deux 2	trente 30	quatre-vingt-deux 82
trois 3	trente et un 31	...
quatre 4	trente-deux 32	quatre-vingt-dix 90
cinq 5	...	quatre-vingt-onze 91
six 6	quarante 40	...
sept 7	quarante et un 41	quatre-vingt-dix-sept 97
huit 8	quarante-deux 42	quatre-vingt-dix-huit 98
neuf 9	...	quatre-vingt-dix-neuf 99
dix 10	cinquante 50	cent 100
onze 11	cinquante et un 51	cent un 101
douze 12	cinquante-deux 52	cent deux 102
treize 13	...	...
quatorze 14	soixante 60	cent vingt 120
quinze 15	soixante et un 61	...
seize 16	soixante-deux 62	deux cents 200
dix-sept 17	...	deux cent un 201
dix-huit 18	soixante-dix 70	...
dix-neuf 19	soixante et onze 71	neuf cent quatre-vingt-dix-neuf 999
vingt 20	soixante-douze 72	mille 1 000
vingt et un 21	soixante-treize 73	mille un 1 001
vingt-deux 22	soixante-quatorze 74	...
vingt-trois 23	soixante-quinze 75	dix mille 10 000
vingt-quatre 24	soixante-seize 76	dix mille un 10 001
vingt-cinq 25	soixante-dix-sept 77	...
vingt-six 26	soixante-dix-huit 78	cent mille 100 000
vingt-sept 27	soixante-dix-neuf 79	deux millions 2 000 000
vingt-huit 28	quatre-vingts 80	trois milliards 3 000 000 000

▶ **Les fractions**

Une fraction est composée d'un numérateur et d'un dénominateur. Le numérateur est un adjectif numéral cardinal qui suit la règle d'accord de ces adjectifs, tandis que le dénominateur est un nom qui prend la marque du pluriel.

Nous avons terminé les quatre cinquièmes de ce travail.

*Dans la fraction **huit trente-cinquièmes (8/35),** le **numérateur** est 8, le **dénominateur,** 35.*

On ne met pas de trait d'union entre le numérateur et le dénominateur ; en revanche, le numérateur ou le dénominateur s'écrivent avec un trait d'union, s'il y a lieu.

Vingt-huit millièmes (28/1000).

Trente cinquante-septièmes (30/57).

▶ ÉCRITURE DES GRANDS NOMBRES

CHIFFRES	LETTRES	NOTATION SCIEN-TIFIQUE	EXEMPLES
1 000	mille	10^3	*Cette maison vaut trois cent cinquante **mille** dollars.*
1 000 000	un million	10^6	*L'immeuble est évalué à trois **millions** de dollars.*
1 000 000 000	un milliard	10^9	*Ce gouvernement dépense près de trois **milliards** de dollars par année.*
1 000 000 000 000	un billion	10^{12}	*Une année-lumière représente une distance d'environ dix **billions** de kilomètres.*
1 000 000 000 000 000 000	un trillion	10^{18}	*Le volume du soleil est d'environ un **trillion** et demi de kilomètres cubes.*
1 000 000 000 000 000 000 000 000	un quatrillion ou un quadrillion	10^{24}	*Le Sahara compte sûrement plusieurs **quatrillions** de grains de sable.*
1 000 000 000 000 000 000 000 000 000 000	un quintillion	10^{30}	*Un **quintillion** de particules.*

▶ **Représentation chiffrée de quatre quintillions**

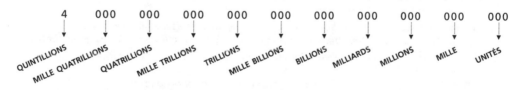

🔊 Ne pas confondre le nom français ***billion*** qui représente un million de millions ou un millier de milliards (10^{12}) avec le nom américain «*billion*» employé aux États-Unis ainsi qu'au Canada anglais et dont l'équivalent français est ***milliard*** (10^9), ni le nom français ***trillion*** qui représente un billion de millions (10^{18}), avec le nom américain «*trillion*» qui égale un billion de mille (10^{12}).

SYSTÈME INTERNATIONAL

DONNÉES DE BASE : **MILLION** 10^6

un million . . . . un **million** 10^6
un milliard . . . . mille **millions** 10^9
un billion . . . . un million de **millions** 10^{12}
un trillion . . . . un billion de **millions** 10^{18}
un quatrillion . . . . . . un trillion de **millions** 10^{24}

SYSTÈME AMÉRICAIN

DONNÉES DE BASE : **MILLE** 10^3

un million . . . . mille **mille** 10^6
un billion . . . . un million de **mille** 10^9
un trillion . . . . un billion de **mille** 10^{12}
un quatrillion . . . . . . un trillion de **mille** 10^{15}

🔊 Les noms français ***milliard, billion, trillion, quatrillion...*** du Système international sont des multiples de ***million*** (10^6) tandis que les noms «*million, billion, trillion, quatrillion...*» du système américain sont des multiples de ***mille*** (10^3).

VOIR TABLEAUX ▶ MULTIPLES ET SOUS-MULTIPLES DÉCIMAUX. ▶ SYMBOLE. ▶ SYMBOLES DES UNITÉS MONÉTAIRES.

NOMS COMPOSÉS

Les noms composés sont des mots formés de plusieurs éléments qui, ensemble, ont une nouvelle signification.

▶ MODE DE FORMATION
- Association de plusieurs mots. *Taille-crayon, va-et-vient, pomme de terre.*
- Juxtaposition de mots simples et de préfixes. *Antibruit, micro-ordinateur.*

▶ ORTHOGRAPHE
1. Sans trait d'union. *Robe de chambre, chemin de fer.*
2. Avec un ou des traits d'union. *Savoir-faire, garde-chasse, arc-en-ciel.*
3. En un seul mot. *Paratonnerre, bonheur, madame, motoneige.*

▶ ÉLÉMENTS COMPOSANTS
- ▶ **Nom + nom**
  - Apposition. *Aide-comptable, description type, expérience pilote, porte-fenêtre.*
  - Complément déterminatif. *Chef-d'œuvre, hôtel de ville, maître d'école.*
- ▶ **Adjectif + nom, nom + adjectif.** *Premier ministre, haut-fond, amour-propre, château fort.*
- ▶ **Adverbe + nom.** *Avant-garde, haut-parleur, arrière-pensée, sous-sol.*
- ▶ **Nom + verbe.** *Album à colorier, ruban à mesurer, compte rendu.*
- ▶ **Nom + préposition + nom.** *Arc-en-ciel, pomme de terre.*
- ▶ **Préposition + nom.** *En-tête, pourboire.*
- ▶ **Verbe + nom.** *Passeport, taille-crayon, tire-bouchon, compte-gouttes, aide-mémoire.*
- ▶ **Verbe + verbe.** *Savoir-vivre, laissez-passer, va-et-vient.*
- ▶ **Proposition.** *Un je-ne-sais-quoi, le qu'en-dira-t-on.*

▶ LE PLURIEL DES NOMS COMPOSÉS
1. Noms composés **écrits en un seul mot.** Ils prennent la marque du pluriel comme les mots simples.
   Des paratonnerres, des passeports.
   - ☞ Font exception les noms *bonhomme, madame, mademoiselle, monsieur, gentilhomme* qui font au pluriel *bonshommes, mesdames, mesdemoiselles, messieurs, gentilshommes.*
2. Noms composés **de noms en apposition.** Ils prennent généralement la marque du pluriel aux deux éléments.
   Des aides-comptables, des descriptions types, des expériences pilotes.
3. Noms composés **d'un nom et d'un complément du nom.** Le premier nom seulement prend la marque du pluriel.
   Des chefs-d'œuvre, des hôtels de ville, des maîtres d'école.
4. Noms composés **d'un nom et d'un adjectif.** Ils prennent tous deux la marque du pluriel.
   Des premiers ministres, des hauts-fonds, des amours-propres, des châteaux forts.
5. Noms composés **d'un nom et d'un mot invariable.** Le nom seulement prend la marque du pluriel.
   Des en-têtes, des arrière-pensées, des avant-gardes.
6. Noms composés **d'un verbe et de son complément.** Le verbe reste invariable et le nom complément conserve généralement la même forme qu'au singulier.
   Des aide-mémoire, un compte-gouttes, des compte-gouttes.
   - ☞ Cependant, certains noms composés ont un nom complément qui prend la marque du pluriel. *Des tire-bouchons, des taille-crayon(s).*
7. Noms composés avec le mot **garde-**
   - S'il est un nom, le mot *garde-* prend la marque du pluriel. *Des gardes-pêche, des gardes-chasse.*
   - S'il est un verbe, le mot *garde-* reste invariable. *Des garde-boue, des garde-fous.*
8. Noms composés **de deux verbes, de propositions.** Ces noms sont invariables.
   Des savoir-faire, des laissez-passer, des va-et-vient, des je-ne-sais-quoi, des qu'en-dira-t-on.

ADJECTIF **NUMÉRAL**

Lʹadjectif numéral est un déterminant qui indique le nombre précis des êtres ou des choses ou qui précise lʹordre des êtres, des objets dont on parle.

Certains adjectifs numéraux sont **simples.**

> *Sept, douze, mille.*

Certains adjectifs numéraux sont **composés.**

> *Trente-deux (30 + 2).*
> *Quatre-vingts (4 x 20).*
> *Trois cents (3 x 100).*

> ✎— Dans les adjectifs numéraux composés, le trait dʹunion sʹemploie seulement entre les éléments qui sont lʹun et lʹautre inférieurs à cent et quand ces éléments ne sont pas joints par la conjonction **et.** *Trente-huit, quatre-vingt-quatre, vingt et un, cent dix, deux cent trente-deux.*

▶ ADJECTIF NUMÉRAL CARDINAL

IL DÉTERMINE LES ÊTRES OU LES CHOSES PAR LEUR **NOMBRE.**

Ces adjectifs sont invariables à lʹexception de :

– *Un* qui peut se mettre au féminin.

> *Vingt et une écolières.*

VOIR TABLEAU ▶ **UN.**

– *Vingt* et *cent* qui prennent la marque du pluriel sʹils sont multipliés par un nombre et sʹils ne sont pas suivis dʹun autre adjectif numéral.

> *Six cents crayons, trois cent vingt règles, quatre-vingts feuilles, quatre-vingt-huit stylos.*

▶ ADJECTIF NUMÉRAL ORDINAL

IL DÉTERMINE LES ÊTRES OU LES CHOSES PAR LEUR **ORDRE** : IL INDIQUE LE **RANG** DANS UNE SÉRIE.

Ces adjectifs qui prennent le genre et le nombre du nom quʹils déterminent sont formés du nombre cardinal auquel on ajoute la terminaison *ième* (à lʹexception de *premier* et de *dernier*).

> *Les premières (1res) pages, les cinquièmes (5es) places.*

▶ Abréviations courantes

Premier **1er**, première **1re**, deuxième **2e**, troisième **3e**, quatrième **4e** et ainsi de suite **100e, 500e, 1 000e.** Philippe **Ier, 1re** année, **6e** étage.

> ✎— Les autres manières dʹabréger ne doivent pas être retenues (*1ère, *2ème, *2ième, *2^è...).

▶ Lʹadjectif numéral et les fractions

Une fraction est composée dʹun numérateur et dʹun dénominateur. Le numérateur est un adjectif numéral cardinal qui suit la règle dʹaccord de ces adjectifs, tandis que le dénominateur est un nom qui prend la marque du pluriel.

> *Les quatre cinquièmes (4/5).*
> *Les vingt-huit millièmes (28/1000).*
> *Les trente cinquante-septièmes (30/57).*

VOIR TABLEAUX ▶ **ADJECTIF.** ▶ **NOMBRES.**

ODONYMES

Les odonymes sont des noms de voies de communication (appelés également noms de rues). *Le chemin de la Côte-Sainte-Catherine, l'avenue Antonine-Maillet, la place d'Armes, le boulevard René-Lévesque.*

Les odonymes sont composés :

▶ **1. D'UN NOM GÉNÉRIQUE**

autoroute	cours	place	route
avenue	échangeur	pont	rue
boulevard	impasse	pont-tunnel	ruelle
carré	mail	promenade	square
chemin	montée	quai	tunnel
côte	passage	rang	viaduc...

▶ **2. D'UN ÉLÉMENT DISTINCTIF SIMPLE OU COMPOSÉ**

autoroute des Laurentides	impasse Saint-Denis	quai de l'Horloge
avenue de la Brunante	montée de Liesse	Septième Rang
boulevard du Mont-Royal	passage Paul-Émile-Borduas	route Marie-Victorin
carré Saint-Louis	place Jacques-Cartier	rue Lajoie
cours Le Royer	pont Champlain	ruelle Saint-Christophe
chemin Queen-Mary	pont-tunnel Louis-Hippolyte-LaFontaine	square Victoria
côte de la Fabrique		tunnel Lachine
échangeur Turcot	promenade Sussex	viaduc Mont-Royal

▶ **Règles d'écriture des odonymes**

1. Les noms génériques des odonymes s'écrivent en minuscules et au long, de préférence. *L'avenue du Parc, la **côte** du Beaver Hall, le **chemin** Don-Quichotte, la **rue** de la Montagne.*

   Par contre, les noms génériques de rues caractérisés par un adjectif numéral ordinal s'écrivent généralement avec une majuscule initiale. *La 18e Avenue, le 7e Rang, la 3e Rue.*

   ☞ S'il est nécessaire d'abréger, les abréviations des noms génériques usuels sont : *av.* (avenue), *boul.* (boulevard), *ch.* (chemin), *pl.* (place), *rte* (route).

2. Les éléments distinctifs des odonymes s'écrivent avec des majuscules initiales ; lorsqu'ils sont constitués de plusieurs mots, ceux-ci sont liés par des traits d'union. *La rue **Vincent-d'Indy**, le chemin de la **Côte-des-Neiges**, l'avenue du **Parc-LaFontaine**.*

   ☞ Il est à noter que la préposition *de,* les articles définis *le, la,* les articles définis contractés *des, du* s'écrivent en minuscules et qu'ils ne sont liés ni au nom générique ni à l'élément distinctif par des traits d'union. Font exception les particules nobiliaires et les articles qui composent des patronymes servant d'éléments distinctifs et qui s'écrivent avec une majuscule initiale. *L'avenue Le Corbusier, l'avenue De Lorimier, la rue De La Chevrotière.*

3. Le point cardinal qui fait partie d'un toponyme s'écrit de préférence au long, avec une majuscule à la suite de l'élément distinctif de l'odonyme et sans trait d'union. *Des bureaux situés rue Laurier Est et rue Sherbrooke Ouest.*

   ☞ S'il est nécessaire d'abréger, les abréviations des points cardinaux sont : E. (Est), N. (Nord), O. (Ouest), S. (Sud).

ON

Pronom indéfini de la troisième personne du singulier, le pronom *on* peut aussi remplacer, dans la langue familière ou orale, les pronoms personnels *je, tu, il, elle, nous, vous, ils, elles.*

▶ **FONCTION DU PRONOM INDÉFINI ET ACCORD DU VERBE**

Le pronom indéfini *on* agit toujours comme **sujet du verbe**. Le pronom *on* étant de la troisième personne du singulier, le **verbe** demeure toujours à la **troisième personne du singulier**.
  On a pensé que vous étiez malade.

▶ **ACCORD DE L'ADJECTIF OU DU PARTICIPE PASSÉ**

L'accord de **l'adjectif** ou du **participe passé** se fait **généralement au masculin singulier**.
  On est venu livrer du bois. On est convaincu de sa bonne foi.

Cependant, si le pronom représente un sujet féminin au singulier ou au pluriel ou un sujet masculin pluriel, l'adjectif ou le participe passé s'accorde avec ce sujet, s'il y a lieu.
  On est bien conciliante aujourd'hui, Madame.
  ◕➳– Dans un style familier, le pronom *on* s'emploie parfois au sens du pronom personnel de la première personne du pluriel *nous*. Il apparaît alors logique d'accorder l'adjectif ou le participe passé au pluriel. *On est tous très contents de vous retrouver en grande forme.*

▶ **SENS**

1. D'une façon indéfinie au sens de « tout le monde, n'importe qui ».
  On a sonné ? À cette question que tu as posée, qu'a-t-on répondu ?
    ◕➳– En ce sens, le pronom *on* exclut la personne qui parle.

2. Dans les proverbes au sens de « chacun ».
  On n'est jamais si bien servi que par soi-même.

3. (FAM.) En remplacement de :
  – *je.* Par modestie, l'auteur substitue le pronom indéfini, moins prétentieux que le *nous*, au *je.*
  On a longuement étudié la question. On est persuadé que ce choix s'impose.
    ◕➳– Si le pronom représente un sujet féminin au singulier ou au pluriel ou un sujet masculin pluriel, l'adjectif ou le participe passé s'accorde avec ce sujet, s'il y a lieu. *On est persuadée que ce choix s'impose.*
  – *tu, vous.* Alors, *on* a fait l'école buissonnière ?
  – *il, elle, ils, elles.* Est-ce qu'*on* a été gentil avec toi, au moins ?
  – *nous.* Hier, *on* est allé se promener, ou *on* est allés se promener ou *on* est allées se promener.
    ◕➳– L'adjectif, l'attribut ou le participe se met au genre et au nombre du sujet représenté par *on.* Cet emploi est de niveau familier; dans un style plus soigné, on emploie le pronom *nous.*

4. Pour désigner l'**auteur inconnu** ou **anonyme** d'un renseignement.
  On m'a dit que les employés étaient mécontents. Des on-dit, le qu'en-dira-t-on.

◕➳– 1° Quand il y a **plusieurs verbes coordonnés,** le pronom doit être répété. *On lave les légumes, on les coupe, on les fait revenir dans du beurre.*

2° L'**adjectif possessif** et le **pronom personnel** renvoyant au sujet *on* sont généralement de la troisième personne. *On a toujours besoin d'un plus petit que soi.* Cependant, si le pronom indéfini est employé pour un pronom de la première ou de la deuxième personne, les adjectifs possessifs ou les pronoms personnels pourront être de la première ou de la deuxième personne. *On se sent chez nous.*

3° Pour des raisons d'**euphonie**, surtout après les mots *et, ou, où, que, à qui, à quoi, si,* le pronom *on* est précédé de l'article élidé *l'*. *Si l'on examinait cette question.* En tête de phrase, l'emploi de l'article est archaïque. *L'on m'a dit que...*

4° Quand la **phrase** est **négative,** l'adverbe de négation *ne, n'* ne peut pas être omis. *On n'arrive pas à l'attacher.*

OÙ, ADVERBE ET PRONOM

▶ ADVERBE RELATIF

1. L'adverbe marque le **lieu**. Là.
   Nous irons où il fait plus chaud.

   ☞ L'adverbe ne s'emploie que pour des choses ; pour les personnes, on emploie *dont.* Construit sans antécédent, le mot *où* est un **adverbe**. Avec un antécédent, il est un **pronom**.

2. L'adverbe marque la **provenance**. D'un lieu.
   Nous savons d'où il vient.

3. L'adverbe marque la **conséquence**. De là.
   Nous la croyions en Europe : d'où notre surprise de la retrouver ici.

Locutions
   – *Je ne sais où.* Dans un lieu inconnu. *Ils sont je ne sais où : nous sommes sans nouvelles d'eux.*
   – *N'importe où.* En n'importe quel lieu. *Elles dormiront n'importe où, à la belle étoile, s'il le faut.*
   – *Où que,* loc. conj. de concession. En quelque lieu que. *D'où que vous m'appeliez, nous pourrons vous retrouver. Où que vous soyez, je vous rejoindrai.*

▶ ADVERBE INTERROGATIF

▶ **Interrogation directe**
   En quel lieu ? *Où êtes-vous ? Où vas-tu ? D'où m'appelez-vous ? Par où passerez-vous ?*
   ☞ L'adverbe interrogatif s'emploie en début de proposition pour interroger sur le lieu où l'on est, où l'on va.

▶ **Interrogation indirecte**
   L'adverbe interrogatif s'emploie à la suite d'un verbe qui pose une question ou qui énonce un jugement sur un lieu, une provenance. *Je me demande où elle part et d'où elle vient. Explique-moi où tu comptes aller.*

▶ PRONOM RELATIF

Quand il est précédé d'un antécédent, *où* est un pronom relatif employé avec les êtres inanimés au sens de *lequel, laquelle.*

1. Le pronom marque le **lieu** où l'on est, où l'on va. Dans lequel, au propre et au figuré.
   Le pays où il passe ses vacances. Le coin de campagne où il fait bon vivre. Dans ce parti politique où il y a de la place pour toutes les tendances, on privilégie l'action.

2. Le pronom marque la **provenance**, l'**origine**.
   La région d'où elle vient est bien pittoresque.

3. Le pronom marque le temps d'un **évènement**. Pendant lequel.
   C'était à une époque où l'on avait le temps de respirer, de profiter de la vie. Le jour où je l'ai rencontré. Les cambrioleurs ont commis leur méfait au moment où la lune était voilée par des nuages.

4. Le pronom marque l'**état**.
   Dans l'état où il se trouve, ce malade ne peut rentrer chez lui. Dans l'inquiétude où elle se trouvait, l'adolescente se réfugia auprès de cette famille.

Locutions
   – *Au cas où, dans le cas où, pour le cas où,* loc. conj. À supposer que. *Au cas où il pleuvrait, le pique-nique serait reporté.*
   ☞ Ces locutions conjonctives sont généralement suivies du conditionnel, parfois de l'indicatif.
   – *Du train* ou *au train où vont les choses.* À ce rythme. *Du train où vont les choses, nous ne finirons pas à temps.*
   – *Là où.* Au lieu dans lequel. *Là où tu iras, j'irai.*

VOIR TABLEAU ▶ OU, CONJONCTION.

OU, CONJONCTION

La conjonction de coordination *ou* lie des mots ou des propositions de même nature. *Porter du vert **ou** du bleu. Nous irons à la campagne **ou** nous partirons en voyage.*

▶ **EMPLOIS**

La conjonction *ou,* qui peut être remplacée par la locution conjonctive *ou bien* pour la distinguer du pronom relatif ou de l'adverbe *où,* marque :

1. **Une alternative.**

   *Le froid **ou** la chaleur. Il aimerait poursuivre ses études **ou** acquérir un peu d'expérience.*

2. **Un nombre approximatif.**

   *Vingt-huit **ou** trente étudiants*, c'est-à-dire environ une trentaine d'étudiants.

3. **Une opposition entre deux membres de phrase.**

   ***Ou** vous acceptez, **ou** vous cédez votre place.*

   ↝ Dans une proposition négative, la conjonction *ou* est remplacée par *ni. Elle ne lui a pas parlé ni écrit.*

▶ **ACCORD DU VERBE**

▶ **Deux sujets au singulier.** Le verbe se met au pluriel ou au singulier suivant l'intention de l'auteur qui désire marquer la coordination ou l'absence de coordination.

   *L'un et l'autre se dit **ou** se disent d'accord.*

   ↝ Si la conjonction est précédée d'une virgule, le verbe se met au singulier, car la phrase exprime une absence de coordination : un élément ou un autre, non les deux. *L'inquiétude, **ou** le découragement, lui fit abandonner la recherche.*

▶ **Un sujet au singulier + un sujet au pluriel.** Le verbe se met au pluriel.

   *Un chien **ou** des chats s'ajouteront à la famille.*

▶ **Un sujet au singulier + un synonyme.** Le verbe se met au singulier.

   *L'outarde **ou** bernache du Canada est une oie sauvage qui niche dans l'extrême Nord.*

   ↝ Le synonyme s'emploie sans article.

▶ **ACCORD DE L'ADJECTIF**

▶ L'adjectif qui se rapporte à deux noms coordonnés par *ou* se met au masculin pluriel si les noms sont de genres différents.

   *Du coton **ou** de la toile bleus.*

▶ L'adjectif qui se rapporte à un seul des deux noms coordonnés par *ou* s'accorde en genre et en nombre avec ce nom.

   *Il achètera un gigot **ou** des viandes marinées.*

↝ **Et/ou :** à l'exception de contextes très particuliers, de nature technique ou scientifique, où il apparaît nécessaire de marquer consécutivement la coordination ou l'absence de coordination de façon très brève et explicite, l'emploi de la locution *et/ou* est inutile, la conjonction *ou* exprimant parfaitement ces nuances. À cet égard, l'accord du verbe avec des sujets coordonnés par *ou* est significatif, le pluriel marquant la coordination, le singulier, l'absence de coordination. Ainsi, dans l'énoncé *Marie ou Benoît sont admissibles,* ils sont l'un et l'autre admissibles. Si l'on juge que l'énoncé n'est pas suffisamment explicite, on pourra recourir à une autre construction. *Les étudiants peuvent choisir les civilisations grecque **ou** latine **ou** les deux à la fois.*

VOIR TABLEAU ▶ OÙ, ADVERBE ET PRONOM.

PARENTHÈSES

- **La parenthèse** est un bref commentaire, un élément explicatif inséré dans une phrase.

  L'acériculture (culture de l'érable à sucre) est une des composantes particulières de l'agriculture québécoise.

  - ☞ L'élément intercalé peut être un mot, un groupe de mots ou une phrase et il n'est pas nécessairement entre parenthèses ; cette digression dans le corps d'une phrase peut être placée également entre virgules ou entre tirets. *La pomiculture – appelée également pomoculture – est la culture des arbres produisant des fruits à pépins, principalement des pommiers.*

- **Les parenthèses** sont le double signe de ponctuation (parenthèse ouvrante et parenthèse fermante) qui signale un élément explicatif intercalé dans une phrase.

  Mettre un exemple entre parenthèses. Ouvrir, fermer une parenthèse.

  - ☞ 1° Dans un passage déjà entre parenthèses, on emploie des crochets.

    2° Dans un index alphabétique, une liste, les parenthèses indiquent une inversion destinée à faciliter le classement d'un mot, d'une expression. Ainsi, *géographiques (noms)* doit se lire *noms géographiques.*

    3° Les parenthèses signifient également une possibilité de double lecture. *Exemple : antichoc(s).* L'adjectif peut s'écrire **antichoc** ou **antichocs.**

► ESPACEMENTS

Il y a un espace avant la parenthèse ouvrante et un espace après la parenthèse fermante. Par contre, on ne laisse pas d'espace après la parenthèse ouvrante ni avant la parenthèse fermante. *L'expression **tenir pour acquis** (du verbe **acquérir**) signifie...*

- ☞ Si la parenthèse fermante est suivie d'un signe de ponctuation, il n'y a pas d'espace avant ce signe à l'exception du deux-points. *Il vient de Nicolet (Québec). Et voici ce qu'a répondu la journaliste (interprétée par Andrée Lachapelle) : «Est-ce possible ?».*

VOIR TABLEAU ► ESPACEMENTS.

► EMPLOIS

- **Citation.** *«Je vous entends demain parler de liberté. »* (Gilles Vigneault)

- **Date.** *L'Exposition universelle de Montréal (1967) a été un énorme succès.*

- **Donnée.** *Ce disque rigide (20 méga-octets) est très fiable.*

- **Exemple.** *Les ongulés (ex. : éléphant, rhinocéros) sont des mammifères.*

- **Explication.** *L'ornithorynque (mammifère monotrème) est ovipare.*

- **Formule.** *L'eau (H_2O) est un composé d'oxygène et d'hydrogène.*

- **Mention.** *Louis XIV (le Roi-Soleil).*

- **Renvoi.** *Les règles de la ponctuation* (VOIR TABLEAU ► PONCTUATION.).

- **Sigle, abréviation.** *L'Organisation de l'aviation civile internationale (OACI).*

PARONYMES

Mots qui se ressemblent, mais qui n'ont pas la même signification.

accident .....évènement malheureux
incident ......évènement secondaire imprévisible

affectif ....qui concerne les sentiments
effectif ....qui existe réellement

agoniser .....être sur le point de mourir
agonir ....accabler

allocation ...somme d'argent
allocution ...discours bref

amnésie .....perte de la mémoire
amnistie .....annulation d'infractions

arborer ......porter ostensiblement
abhorrer .....exécrer

collision .....choc de deux corps
collusion .....entente secrète

confirmer ...rendre certain
infirmer ......remettre en question

décade ....période de dix jours
décennie ....période de dix ans

effiler ....défaire fil à fil
affiler ....aiguiser un instrument tranchant

émigrant ....personne qui quitte son pays pour
aller vivre à l'étranger
immigrant ...personne entrant dans un pays
étranger pour s'y établir

éminent .....remarquable
imminent ....qui est tout près d'arriver

éruption .....jaillissement soudain et brutal
irruption .....entrée soudaine de personnes
dans un lieu

évoquer .....rappeler
invoquer ....faire appel à

intégralité ...caractère de ce qui est entier
intégrité .....probité

justesse ......précision, exactitude
justice ....équité, impartialité

lacune ....déficience
lagune ....étendue d'eau séparée de la mer

littéraire .....qui concerne la littérature
littéral ....conforme au texte

notable ......digne d'être noté
notoire ......qui est bien connu

original ......inédit
originaire ...qui vient d'un lieu

perpétrer ....commettre (un délit, un crime)
perpétuer ...faire durer

prodige ......personne extraordinaire
prodigue ....personne dépensière à l'excès

vénéneux ....qui contient une substance toxique,
en parlant des végétaux
venimeux ...qui contient du venin, en parlant
d'un animal

☞ Ne pas confondre avec les noms suivants :

– **antonymes,** mots qui ont une signification contraire :
devant ....*derrière*
en avant ......*en arrière*
provisoire .... *permanent*
définitif ....*passager*

– **homonymes,** mots qui s'écrivent ou se prononcent de façon identique sans avoir la même signification :
air, mélange gazeux
air, mélodie
air, expression
aire, surface
ère, époque
hère, malheureux
hère, jeune cerf

– **synonymes,** mots qui ont la même signification ou une signification très voisine :
gravement ..... *grièvement*

VOIR TABLEAUX ► ANTONYMES. ► HOMONYMES. ► SYNONYMES.

PARTICIPE PASSÉ

▶ **ACCORD DU PARTICIPE PASSÉ**

▶ **1. Participe passé employé seul**   ACCORD AVEC LE NOM AUQUEL IL SE RAPPORTE

Employé sans auxiliaire, le participe passé est comme un adjectif : il s'accorde en genre et en nombre **avec le nom auquel il se rapporte.**

Un garçon encouragé. Une élève décidée. Des spectateurs éblouis.

☞ Si le participe passé se rapporte à des noms de genres différents, il se met au masculin pluriel. *Des adolescentes et des adolescents intéressés.*

▶ **2. Participe passé employé avec l'auxiliaire *être***   ACCORD AVEC LE SUJET DU VERBE

Employé avec l'auxiliaire ***être,*** le participe passé est attribut du sujet : il s'accorde en genre et en nombre ***avec le sujet du verbe.***

*La maison **est aménagée** avec goût. Les enfants **sont emballés** par ce jeu.*

☞ Si le verbe a des sujets de genres différents, le participe passé se met au masculin pluriel. *Julie et Nicolas sont ravis d'être invités.*

2.1 Participe passé employé avec certains verbes d'état   ACCORD AVEC LE SUJET DU VERBE

Employé avec certains verbes d'état (***demeurer, paraître, sembler...***), le participe passé est attribut du sujet comme avec le verbe ***être*** : il s'accorde en genre et en nombre **avec le sujet du verbe.**

*Ils **semblent fatigués**. Elles **demeurent charmées** par cette mélodie.*

*Les élèves **paraissent captivés** par ce film.*

▶ **3. Participe passé employé avec l'auxiliaire *avoir***   ACCORD AVEC LE COD QUI PRÉCÈDE LE VERBE

Employé avec l'auxiliaire ***avoir,*** le participe passé s'accorde en genre et en nombre **avec le complément d'objet direct (COD) s'il précède le verbe.**

*La pomme (COD) que **j'ai mangée.***

*Les amis (COD) que **j'ai rencontrés,** mais **j'ai rencontré** mes amis (COD).*

☞ Pour trouver le COD, on pose la question ***qui ?*** ou ***quoi ?*** après le verbe. J'ai mangé ***quoi ? Que,*** mis pour ***pomme.*** J'ai rencontré ***qui ? Que,*** mis pour ***amis.***

• Si le COD **précède le verbe** : **accord du participe passé.**

• Si le COD **suit le verbe** : **participe passé invariable.**

*J'**ai mangé** une pomme et j'**ai rencontré** des amis.*

J'ai mangé ***quoi ? Une pomme.*** J'ai rencontré ***qui ? Des amis.***

• Si le verbe n'a **pas de COD,** le **participe passé reste invariable.**

*Martine et Vincent **ont parlé** à leurs amis. Les travaux de construction **ont débuté.***

– Dans la première phrase, le verbe a un complément d'objet indirect (COI). Martine et Vincent ont parlé ***à qui ?***

– Dans la seconde phrase, il n'y a pas de complément : le participe passé reste invariable.

PARTICIPE PASSÉ – SUITE ▶

CAS PARTICULIERS

3.1 Participe passé employé avec l'auxiliaire *avoir* et suivi d'un infinitif

ACCORD AVEC LE COD QUI PRÉCÈDE LE VERBE ET ACCOMPLIT L'ACTION MARQUÉE PAR L'INFINITIF

Le participe passé suivi de l'infinitif s'accorde en genre et en nombre avec le COD qui précède le verbe si celui-ci accomplit l'action marquée par l'infinitif.

Les oiseaux que j'ai entendus chanter.   *J'ai entendu les oiseaux en train de chanter.*

J'ai entendu **qui ? Que,** mis pour **oiseaux.**

On peut reformuler la phrase pour vérifier si l'infinitif traduit une action accomplie par le COD en employant la locution **en train de** suivie de l'infinitif. Ce sont les oiseaux qui font l'action de chanter et le COD **que,** mis pour **oiseaux,** précède le verbe : il y a donc accord du participe passé.

Par contre, il n'y a pas d'accord si l'infinitif traduit une action qui n'est pas accomplie par le COD. *Les personnes que j'ai envoyé chercher sont arrivées.*

Ce ne sont pas les personnes qui font l'action de chercher : il n'y a donc pas accord du participe passé.

3.2 Participe passé des verbes impersonnels

ABSENCE D'ACCORD

Le participe passé des verbes impersonnels est toujours invariable.

Les explosions qu'il y a eu. Les gouttes qu'il a plu ont mouillé la nappe.

3.3 Participe passé précédé d'un collectif accompagné d'un complément au pluriel

ACCORD AU CHOIX

Le participe passé s'accorde avec le collectif singulier (***classe, foule, groupe, multitude...***), ou avec le complément au pluriel, suivant l'intention de l'auteur qui veut insister sur l'ensemble ou sur la pluralité.

La multitude des touristes que j'ai vue ou *vus.*

VOIR TABLEAU ▶ **COLLECTIF.**

3.4 Participe passé se rapportant aux pronoms *en* ou *le*

ABSENCE D'ACCORD

Le participe passé qui a pour complément d'objet direct le pronom *en* ou le pronom neutre *le, l'* reste invariable.

*J'ai cueilli des framboises et j'**en** ai mangé. La distance à parcourir est plus grande que je ne l'avais cru.*

☞ 1° Si le pronom **en** est précédé d'un adverbe de quantité (***autant, beaucoup, combien, moins, plus...***), le participe passé peut s'accorder en genre et en nombre avec le nom qui précède ou rester invariable. *Des limonades, combien j'**en** ai bues* ou *bu.*

2° Certains auteurs préconisent l'accord si le nom et l'adverbe précèdent le pronom **en** et l'absence d'accord si l'adverbe le suit. *Des pommes, combien j'en ai mangées ! Des framboises, j'en ai beaucoup mangé.*

3.5 Participe passé des verbes pronominaux

VOIR TABLEAU ▶ **PRONOMINAUX.**

PARTICIPE PRÉSENT

Le participe présent exprime une action qui a lieu **en même temps** que l'action du verbe qu'il accompagne.

En jouant dehors, les enfants ont admiré le beau coucher de soleil.

⌁– Le participe présent pourrait être remplacé par une proposition subordonnée relative. *Les enfants qui jouaient dehors ont admiré le beau coucher de soleil.*

► FORME

Le participe présent se termine toujours par -ant. *Aimant, dormant, marchant, voyant.* Le participe présent des verbes du deuxième groupe [VOIR MODÈLE – FINIR] se termine par **-issant**. *Finissant, bâtissant, polissant, remplissant.*

► ACCORD

Le participe présent est **invariable.**

⌁– Autrefois, le participe présent était variable. En 1679, l'Académie française décidait qu'il serait dorénavant invariable.

► CONSTRUCTION

Le verbe de la proposition et le participe présent doivent avoir le même sujet.

⌁ Il est fautif d'employer un participe présent qui ne se rapporte pas au sujet du verbe qu'il accompagne.

Exemple de construction fautive : *Affichant des prix trop élevés, les clients de ce commerce préfèrent acheter ailleurs.

Explication : Le sujet de la proposition est le nom *clients* alors que le participe présent se rapporte à *commerce.* Il faudrait plutôt écrire : *Les clients préfèrent acheter ailleurs parce que ce commerce affiche des prix trop élevés.*

► PARTICIPE PRÉSENT ET ADJECTIF VERBAL

L'adjectif verbal joue le rôle d'un qualificatif ou d'un attribut : il exprime **une manière d'être.** Contrairement au participe présent invariable, l'adjectif verbal s'accorde en genre et en nombre avec le nom ou le pronom auquel il se rapporte. *Des livres passionnants, des résultats excellents.*

⌁– De nombreux adjectifs verbaux ont des orthographes différentes de celles du participe présent.

EXEMPLES DE DIFFÉRENCES ORTHOGRAPHIQUES

PARTICIPE PRÉSENT	ADJECTIF VERBAL
adhérant	adhérent
communiquant	communicant
convainquant	convaincant
différant	différent
équivalant	équivalent
excellant	excellent
fatiguant	fatigant
intriguant	intrigant
naviguant	navigant
négligeant	négligent
précédant	précédent
provoquant	provocant
somnolant	somnolent
suffoquant	suffocant
zigzaguant	zigzagant

TEMPS DU **PASSÉ**

AXE DU TEMPS

| PASSÉ | PRÉSENT | FUTUR |

AUTREFOIS, ON S'ÉCRIVAIT. **AUJOURD'HUI**, ON SE TÉLÉPHONE. **DEMAIN**, ON EMPLOIERA L'INFOROUTE.

Les cinq temps du passé indiquent qu'une action a eu lieu, qu'un état a existé à un moment qui a précédé l'instant présent.

▶ 1. L'IMPARFAIT EXPRIME

– Un **fait** qui dure **dans le passé**. *Autrefois, on s'éclairait à la chandelle.*

– Un **fait non achevé** quand un autre a eu lieu. *Il pleuvait quand nous sommes arrivés à Gaspé.*

– Un **fait habituel** dans le **passé**. *Quand il faisait beau, elles allaient toujours se baigner.*

– Un **fait hypothétique** qui pourrait se réaliser si la condition de la subordonnée était remplie. *Si j'économisais, je pourrais m'acheter un vélo.*

  ☞ Le verbe de la principale est au conditionnel présent et la proposition subordonnée conditionnelle est introduite par la conjonction *si*.

▶ 2. LE PASSÉ SIMPLE EXPRIME

– Un **fait passé** qui s'est produit en un **temps précis** et qui est **complètement achevé**, sans continuité avec le présent. *C'est à l'automne qu'il vint nous rendre visite.*

  ☞ Le passé simple décrit **des actions coupées du présent** qui ont un début et une fin (**fait ponctuel**), alors que le passé composé marque un fait, une action qui dure encore. Il s'emploie presque essentiellement à l'écrit. Dans la langue parlée, le passé simple est peu employé et relève plutôt de la langue littéraire en raison de ses terminaisons trop difficiles. Oralement, et même par écrit, ce temps est remplacé plutôt par le passé composé ou par l'imparfait.

– Un **fait historique**. *Madeleine de Verchères se battit courageusement contre les Iroquois.*

  ☞ Le passé simple convient particulièrement à la **narration dans le passé**.

▶ 3. LE PASSÉ COMPOSÉ (OU PASSÉ INDÉFINI) EXPRIME

– Un **fait passé** à un moment déterminé qui demeure **en contact avec le présent**. *Mes grands-parents ont fait un potager et ont récolté de beaux légumes.*

  ☞ À la différence du passé simple, le passé composé marque une **durée qui dure encore**, un fait passé dont les conséquences sont actuelles, dont le résultat est encore présent.

– Une **vérité générale**, un **fait d'expérience** qui remonte au passé, mais qui est **toujours vrai**. *Les Beaucerons ont toujours eu l'esprit d'initiative.*

– Un **fait passé** dont les **conséquences** sont **actuelles**. *Il n'a pas eu le temps de déjeuner aujourd'hui.*

– Un **fait non encore accompli**, mais **sur le point de l'être**. *Je suis à vous dans quelques minutes, j'ai terminé.*

– Un **futur antérieur** avec si. *Si tu n'as pas terminé tes devoirs, nous n'irons pas au cinéma.*

  ☞ Le passé composé de la plupart des verbes est formé à partir du présent de l'indicatif de l'auxiliaire *avoir* auquel est ajouté le participe passé du verbe conjugué. *Sophie a joué. Antoine a couru.* Cependant, certains verbes intransitifs ou pronominaux se conjuguent avec l'auxiliaire **être**. *Elle est née le 31 juillet 1976. Vincent s'est toujours souvenu d'elle.*

TEMPS DU PASSÉ – SUITE ▶

▶ TEMPS DU PASSÉ – **SUITE**

▶ **4. LE PASSÉ ANTÉRIEUR EXPRIME**

– Un **fait ponctuel** qui a **précédé un fait passé** exprimé au passé simple (il a eu lieu avant cette action passée). *Dès qu'il **eut remis** son rapport, il se sentit en vacances.*

&⤸- Peu utilisé, le passé antérieur s'emploie surtout dans une proposition subordonnée temporelle après une conjonction ou une locution conjonctive, ***lorsque, dès que, aussitôt que, quand, après que...***, où il accompagne un verbe principal au passé simple.

&⤸- Le passé antérieur est formé à partir du passé simple des auxiliaires *avoir* ou *être* auquel est ajouté le participe passé du verbe conjugué.

▶ **5. LE PLUS-QUE-PARFAIT EXPRIME**

– Un **fait** entièrement **achevé** lors d'un **autre fait passé**. *Nous **avions** tout **rangé** quand ils sont rentrés.*

– Une **hypothèse dans le passé**. *Si j'**avais été** présente, j'aurais pu t'aider.*

– Un **fait habituel** qui avait lieu **avant une action passée**. *Quand j'**avais mangé**, j'allais marcher un peu dans le parc.*

VOIR TABLEAUX ▶ **PRÉSENT.** ▶ **FUTUR.**

Si le verbe de la proposition principale est à un des temps du passé :
– imparfait
– passé simple
– passé composé
– passé antérieur
– plus-que-parfait

les modes et temps du verbe subordonné seront :
– L'indicatif plus-que-parfait pour exprimer l'**antériorité**. *Il croyait qu'elle lui avait donné son numéro de téléphone.*
– L'indicatif imparfait pour exprimer la **simultanéité**. *Elle croyait qu'il était là.*
– Le conditionnel présent pour exprimer la **postériorité**. *Ils croyaient qu'ils réussiraient.*

VOIR LE **TABLEAU – CONCORDANCE DES TEMPS** pour les verbes qui se construisent avec le subjonctif.

PÉRIODICITÉ ET DURÉE

1. CERTAINS ADJECTIFS COMPOSÉS AVEC LES PRÉFIXES *BI-, TRI-, QUATRI-* ET D'AUTRES PRÉFIXES PROPRES À CHAQUE CHIFFRE EXPRIMENT LA **PÉRIODICITÉ**.

▸ **Une fois...**

une fois par jour	*quotidien*	Un appel quotidien.
une fois par semaine	*hebdomadaire*	Une revue hebdomadaire.
une fois par mois	*mensuel*	Un concours mensuel.
une fois par année	*annuel*	Une exposition annuelle.
une fois tous les deux mois...	*bimestriel*	Des exercices bimestriels.
une fois tous les deux ans	*bisannuel, biennal*	Un évènement bisannuel ou biennal.
une fois tous les trois mois ...	*trimestriel*	Des bulletins trimestriels.
une fois tous les trois ans	*trisannuel, triennal*	Des retrouvailles trisannuelles ou triennales.
une fois tous les six mois	*semestriel*	Des examens semestriels.

▸ **Deux fois par...**

deux fois par jour	*biquotidien*	Un vol biquotidien.
deux fois par semaine	*bihebdomadaire*	Des livraisons bihebdomadaires.
deux fois par mois	*bimensuel*	Un examen bimensuel.

 ✍– On emploie l'adjectif *semestriel* pour exprimer la périodicité de deux fois par année, « une fois tous les six mois ».

▸ **Trois fois par...**

trois fois par semaine	*trihebdomadaire*	Des cours trihebdomadaires.
trois fois par mois	*trimensuel*	Des visites trimensuelles.

2. CERTAINS ADJECTIFS EXPRIMENT LA **PÉRIODICITÉ** OU LA **DURÉE**.

annuel	ce qui a lieu une fois par an	ou	ce qui dure un an
biennal	ce qui a lieu tous les deux ans	ou	ce qui dure deux ans
triennal	ce qui a lieu tous les trois ans	ou	ce qui dure trois ans
quatriennal	ce qui a lieu tous les quatre ans	ou	ce qui dure quatre ans
quinquennal	ce qui a lieu tous les cinq ans	ou	ce qui dure cinq ans
sexennal	ce qui a lieu tous les six ans	ou	ce qui dure six ans
septennal	ce qui a lieu tous les sept ans	ou	ce qui dure sept ans
octennal	ce qui a lieu tous les huit ans	ou	ce qui dure huit ans
novennal	ce qui a lieu tous les neuf ans	ou	ce qui dure neuf ans
décennal	ce qui a lieu tous les dix ans	ou	ce qui dure dix ans

– Les fleurs **annuelles** ne durent qu'un an.

– La rose trémière ou passerose est **bisannuelle** : elle fleurit tous les deux ans.

– La **biennale** de Venise a lieu tous les deux ans.

– *Le Devoir, La Presse, Le Soleil* sont des **quotidiens** : ils sont publiés tous les jours (sauf le dimanche pour *Le Devoir*).

– Le journal *Les Affaires* est un **hebdomadaire** : il paraît une fois par semaine.

– Certains doivent verser des acomptes **trimestriels**, c'est-à-dire tous les trois mois.

NOMS DE **PEUPLES**

▶ **RÈGLES TYPOGRAPHIQUES**

▶ Les **noms de peuples,** de races, d'habitants de régions, de villes s'écrivent avec une **MAJUSCULE.**

Les Québécois, les Canadiens, les Américains, les Chinois, les Européens.
Les Noirs, les Blancs, les Amérindiens, les Inuits.
Les Madelinots, les Beaucerons, les Gaspésiens, les Acadiens, les Louisianais, les Bretons,
les Normands.
Les Montréalais, les Trifluviens, les Lavallois, les Parisiens, les Madrilènes.

– La dénomination des habitants d'un lieu (continent, pays, région, ville, village, etc.) est un GENTILÉ.

☙ Les noms de peuples composés et reliés par un trait d'union prennent la majuscule aux deux éléments. *Un Néo-Zélandais, un Sud-Africain, un Nord-Américain.*

☙ Les mots auxquels le préfixe *néo-* est joint s'écrivent avec un trait d'union. *Un Néo-Écossais.* S'il s'agit d'un gentilé, le mot s'écrit avec deux majuscules ; si le préfixe signifie « de souche récente », le préfixe s'écrit avec une minuscule. *Un néo-Québécois.*

▶ Les **adjectifs de peuples,** de races, de langues s'écrivent avec une **MINUSCULE.**

Le drapeau québécois, la langue française, les peintres italiens, la race blanche, le sens de l'humour anglais.

☙ Les noms de peuples composés qui comportent un adjectif s'écrivent avec une majuscule au nom et une minuscule à l'adjectif. *Les Canadiens anglais, les Basques espagnols.*

☙ En fonction d'attribut, on emploie généralement un adjectif pour préciser la nationalité d'une personne, son appartenance à un peuple. Dans ce cas, le mot s'écrit avec une minuscule. *Je suis québécoise.* Cependant, il est également possible d'écrire le mot avec une majuscule initiale puisque l'attribut peut être aussi un nom. *Je suis Québécoise (une Québécoise).*

▶ Les **noms de langues** s'écrivent avec une **MINUSCULE.**

Apprendre le russe, le français, le chinois.

▶ **ÉCRITURE DU MOT *INUIT***

▶ **Nom masculin et féminin**

Membre d'une nation autochtone du Canada qui habite au nord du 55e parallèle.
Au Québec, il y a près de 6 000 Inuits. Un Inuit, une Inuite.

☙ Ce nom a fait l'objet d'une nouvelle recommandation officielle (24 avril 1993) en vue de simplifier la graphie au masculin, au féminin et au pluriel (antérieurement **Inuk** au singulier, **Inuit** au pluriel). L'adjectif est maintenant variable. La langue des Inuits est l'**inuktitut.**

▶ **Adjectif**

Relatif aux Inuits. *La culture inuite, des objets inuits.*

PAYS OU ÉTAT	GENTILÉ MASCULIN	GENTILÉ FÉMININ	PAYS OU ÉTAT	GENTILÉ MASCULIN	GENTILÉ FÉMININ
Afghanistan	un Afghan	une Afghane	**Belgique**	un Belge	une Belge
Albanie	un Albanais	une Albanaise	**Birmanie**	un Birman	une Birmane
Algérie	un Algérien	une Algérienne	**Bolivie**	un Bolivien	une Bolivienne
Allemagne	un Allemand	une Allemande	**Brésil**	un Brésilien	une Brésilienne
Angleterre	un Anglais	une Anglaise	**Bulgarie**	un Bulgare	une Bulgare
Arabie saoudite	un Saoudien	une Saoudienne			
Argentine	un Argentin	une Argentine			
Australie	un Australien	une Australienne	**Cambodge**	un Cambodgien	une Cambodgienne
Autriche	un Autrichien	une Autrichienne	**Cameroun**	un Camerounais	une Camerounaise
			Canada	un Canadien	une Canadienne

NOMS DE PEUPLES – SUITE ▶

▶ NOMS DE PEUPLES – SUITE

PAYS OU ÉTAT	GENTILÉ MASCULIN	GENTILÉ FÉMININ
Chili	un Chilien	une Chilienne
Chine	un Chinois	une Chinoise
Chypre	un Cypriote	une Cypriote
	un Chypriote	une Chypriote
Colombie	un Colombien	une Colombienne
Corée	un Coréen	une Coréenne
Côte-d'Ivoire	un Ivoirien	une Ivoirienne
Cuba	un Cubain	une Cubaine
Danemark	un Danois	une Danoise
Égypte	un Égyptien	une Égyptienne
Espagne	un Espagnol	une Espagnole
États-Unis	un Américain	une Américaine
Éthiopie	un Éthiopien	une Éthiopienne
Finlande	un Finlandais	une Finlandaise
France	un Français	une Française
Gabon	un Gabonais	une Gabonaise
Ghana	un Ghanéen	une Ghanéenne
Grèce	un Grec	une Grecque
Guadeloupe	un Guadeloupéen	une Guadeloupéenne
Guatemala	un Guatémaltèque	une Guatémaltèque
Guinée	un Guinéen	une Guinéenne
Haïti	un Haïtien	une Haïtienne
Hollande	un Hollandais	une Hollandaise
Hongrie	un Hongrois	une Hongroise
Inde	un Indien	une Indienne
Indonésie	un Indonésien	une Indonésienne
Iran	un Iranien	une Iranienne
Iraq	un Irakien	une Irakienne
	un Iraquien	une Iraquienne
Irlande	un Irlandais	une Irlandaise
Islande	un Islandais	une Islandaise
Israël	un Israélien	une Israélienne
Italie	un Italien	une Italienne
Japon	un Japonais	une Japonaise
Jordanie	un Jordanien	une Jordanienne
Kenya	un Kenyan	une Kenyane
Koweït	un Koweïtien	une Koweïtienne
Liban	un Libanais	une Libanaise
Libye	un Libyen	une Libyenne
Luxembourg	un Luxembourgeois	une Luxembourgeoise
Madagascar	un Malgache	une Malgache
Mali	un Malien	une Malienne

PAYS OU ÉTAT	GENTILÉ MASCULIN	GENTILÉ FÉMININ
Maroc	un Marocain	une Marocaine
Mexique	un Mexicain	une Mexicaine
Népal	un Népalais	une Népalaise
Niger	un Nigérien	une Nigérienne
Nigeria	un Nigérian	une Nigériane
Norvège	un Norvégien	une Norvégienne
Nouvelle-Zélande	un Néo-Zélandais	une Néo-Zélandaise
Pakistan	un Pakistanais	une Pakistanaise
Panama	un Panaméen	une Panaméenne
Paraguay	un Paraguayen	une Paraguayenne
Pérou	un Péruvien	une Péruvienne
Philippines	un Philippin	une Philippine
Pologne	un Polonais	une Polonaise
Portugal	un Portugais	une Portugaise
Québec	un Québécois	une Québécoise
République tchèque	un Tchèque	une Tchèque
Roumanie	un Roumain	une Roumaine
Russie	un Russe	une Russe
Rwanda	un Rwandais	une Rwandaise
Sénégal	un Sénégalais	une Sénégalaise
Slovaquie	un Slovaque	une Slovaque
Somalie	un Somali	une Somalie
	un Somalien	une Somalienne
Soudan	un Soudanais	une Soudanaise
Suède	un Suédois	une Suédoise
Suisse	un Suisse	une Suisse
Syrie	un Syrien	une Syrienne
Taïwan	un Taïwanais	une Taïwanaise
Tanzanie	un Tanzanien	une Tanzanienne
Tchad	un Tchadien	une Tchadienne
Thaïlande	un Thaïlandais	une Thaïlandaise
Togo	un Togolais	une Togolaise
Tunisie	un Tunisien	une Tunisienne
Turquie	un Turc	une Turque
Uruguay	un Uruguayen	une Uruguayenne
Venezuela	un Vénézuélien	une Vénézuélienne
Vietnam	un Vietnamien	une Vietnamienne
Yougoslavie	un Yougoslave	une Yougoslave
Zaïre	un Zaïrois	une Zaïroise
Zambie	un Zambien	une Zambienne

PHRASE

Ensemble de mots ou de groupes de mots (propositions) assemblés de façon logique pour exprimer un sens complet.

☞ 1° Le premier mot de la phrase s'écrit avec une majuscule.
2° Le dernier mot de la phrase est suivi : – d'un point (.);
– d'un point d'interrogation (?);
– d'un point d'exclamation (!);
– des points de suspension (...).

▶ STRUCTURE DE LA PHRASE

La phrase peut être constituée :
– D'**un seul mot.** *Regarde!*
– D'**une seule proposition** indépendante. *Le chien joue avec le chat.*
– De **plusieurs propositions** dont l'une exprime le fait principal et les autres, les faits subordonnés. *L'homme qui plantait des arbres avait raison.*
VOIR TABLEAU ▶ PROPOSITION.

▶ TYPES DE PHRASES

1. La **phrase déclarative** transmet une information, énonce un fait.
Les carottes sont cuites. Il ne fait pas froid.
☞ 1° La phrase déclarative peut être **affirmative :** le fait existe. *Le ciel est bleu.*
2° La phrase déclarative peut être **négative :** le fait n'existe pas. *Le ciel n'est pas vert.*

2. La **phrase interrogative** pose une question, demande une information.
Comment vas-tu? Viens-tu jouer avec moi? Est-ce que tu aimes cette musique?
Je me demande s'il viendra ce soir.
– La phrase **interrogative directe** est une proposition indépendante ou principale et elle se termine par un point d'interrogation (?). Elle comprend une question exprimée :
• à l'aide d'un mot interrogatif (pronom, adjectif ou adverbe) tels *qui, que, quoi, quel, quelle, quels, où, quand, comment,*
• par l'inversion du sujet,
• par l'emploi de la locution *est-ce que,*
• par l'intonation montante. *Ça va?*
– La phrase **interrogative indirecte** comprend une question contenue dans une proposition subordonnée commençant par *si* ou par un adverbe, un adjectif ou un pronom interrogatif *(quand, combien, comment, pourquoi, quand, où, qui, lequel...). Je me demande pourquoi tu ne m'as rien dit.* La proposition subordonnée interrogative indirecte est généralement complément d'objet d'un verbe qui pose une question *(interroger, demander, questionner, dire...)* et elle ne se termine pas par un point d'interrogation. *Dis-moi combien coûtent ces patins.*

3. La **phrase exclamative** exprime un sentiment avec force.
Quel plaisir d'être en vacances! Que cette fleur est belle!
☞ La phrase exclamative peut exprimer la joie, l'admiration, l'étonnement, le regret, la tristesse, la peur... Elle se termine par un point d'exclamation.

4. La **phrase impérative** donne un ordre, une défense. Elle peut aussi exprimer un conseil, une demande, un souhait.
Soyez prudents en traversant la rue. Ne jetez pas vos papiers à terre. Donne-moi de tes nouvelles. Prête-moi ta gomme à effacer, s'il te plaît.
☞ Le verbe de la phrase impérative est généralement à l'impératif. Il peut être aussi à l'indicatif ou à l'infinitif. *Tu regarderas bien en traversant la rue. Je vous demande de ne pas jeter vos papiers à terre. Ne pas stationner devant l'école.*
☞ Certaines phrases impératives ne comprennent pas de verbe. *Chut!*

PLURIEL DES NOMS

L e nom se met au pluriel quand il désigne plusieurs êtres ou plusieurs objets. *Trois enfants. Cinq maisons.*

☞ En français, la marque du pluriel ne s'inscrit qu'à compter de deux unités. *La somme s'élève à 1,5 million de dollars, à 2,5 milliers de francs.*

► PLURIEL DES NOMS

► Le pluriel des noms se forme en ajoutant un **s** au singulier. *Un arbre, des arbres.*

► Les noms terminés au singulier par **-s, -x, -z** sont invariables. *Un refus, des refus, un prix, des prix, un nez, des nez.*

► Les noms terminés au singulier par **-al** font **-aux** au pluriel. *Un cheval, des chevaux.*
EXCEPTIONS : **avals, bals, cals, carnavals, chacals, festivals, navals, pals, récitals, régals.**
☞ Certains noms ont les deux pluriels (**-als** et **-aux**) : *étal, idéal, val...*

► Les noms terminés au singulier par **-eau, -au, -eu** font **-eaux, -aux, -eux** au pluriel. *Une eau, des eaux, un tuyau, des tuyaux, un feu, des feux.*
EXCEPTIONS : **landaus, sarraus, bleus, pneus.**

► Les noms terminés au singulier par **-ail** font **ails** au pluriel. *Un détail, des détails.*
EXCEPTIONS : **baux, coraux, émaux, soupiraux, travaux, vitraux.**
☞ Les mots **bercail, bétail** ne s'emploient pas au pluriel.

► Les noms terminés au singulier par **-ou** font **-ous** au pluriel. *Un fou, des fous.*
EXCEPTIONS : **bijoux, cailloux, choux, genoux, hiboux, joujoux, poux.**
☞ Certains mots ont un pluriel double *aïeul, ciel, œil, travail.*

► PLURIEL DES NOMS COMPOSÉS

VOIR TABLEAU – **NOMS COMPOSÉS.**

► PLURIEL DES NOMS PROPRES

► Les noms de peuples, de races, d'habitants de régions, de villes prennent la marque du pluriel. *Les Canadiens, les Noirs, les Beaucerons, les Trifluviens.*

► Les patronymes sont généralement invariables. *Les Fontaine sont invités.*
☞ Certains noms de familles royales, princières, illustres prennent parfois la marque du pluriel. *Les Bourbons, les Tudors.*

► Les noms propres devenus des noms communs prennent la marque du pluriel. *Des dons Juans.*

► Les noms de marques commerciales sont invariables. *Des Peugeot, des Apple.*
☞ Les noms déposés passés dans l'usage sont devenus des noms communs qui prennent la marque du pluriel et s'écrivent avec une minuscule. *Des aspirines, des linoléums, des stencils.*

► PLURIEL DES NOMS D'ORIGINE ÉTRANGÈRE

► Les noms étrangers sont invariables. *Des nota bene, des modus vivendi.*
☞ Certains noms étrangers gardent le pluriel de leur langue d'origine. *Errata, ladies.*

► Les noms d'origine étrangère francisés prennent la marque du pluriel. *Des agendas, des spaghettis.*

PLUS

☞ Le *s* ne se prononce généralement pas [ply] devant une voyelle ou un *h* muet ; toutefois, le *s* se prononce en liaison. *Plus (z) on donne. Il est **plus** (z) honnête que son ami.*

▶ ADVERBE

L'adverbe *plus* marque la supériorité.

1. ***Plus* + qualité.** À un plus haut degré. *Les chênes sont **plus** résistants que les bouleaux. Cet article est luxueux : il est **plus** cher.*

2. ***Plus de* + quantité.** Davantage. *Ils sont **plus de** mille participants. Le film dure **plus de** deux heures.*

3. ***Plus d'un* + verbe.** ***Plus d'un** étudiant a peiné sur ce travail.*
   ↪ Dans cette construction, le verbe se met au singulier, malgré la logique. Par contre, le verbe se met au pluriel après l'expression ***moins de deux**. Moins de deux ans séparent ces accidents.*

▶ COMPARATIF DE L'ADVERBE *BEAUCOUP*

***Plus que* + comparaison.** *Elles sont **plus** grandes **que** leurs cousines. Les parents s'inquiètent **plus que** les enfants.*

▶ SUPERLATIF RELATIF

1. Au plus haut degré. *Il est **le plus** gentil du monde.*

2. ***Le, la, les plus... que* + subjonctif.** *C'est la solution **la plus** intéressante **que** nous puissions imaginer.*
   ↪ Le verbe se met généralement au subjonctif ; cependant, pour marquer davantage la réalité que la possibilité, on peut employer l'indicatif. *C'est la solution **la plus** intéressante **que** nous avons trouvée.*

▶ PRÉPOSITION

☞ En mathématiques, le *s* se prononce toujours. *Deux **plus** [plys] deux.*

En ajoutant une quantité. *Deux tomates **plus** un concombre. Deux **plus** sept égale neuf (2 + 7 = 9).*

▶ NOM MASCULIN

☞ Dans l'emploi comme nom, le *s* se prononce toujours. *Un **plus** [plys] et des moins.*

1. Signe de l'addition. *Remplacer un **plus** par un moins.*

2. La plus grande quantité. *Le **plus** que nous puissions espérer.*

▶ LOCUTIONS

– ***Au plus,*** loc. adv. Pas davantage. *Nous marcherons pendant six kilomètres au plus.*

– ***D'autant plus... que,*** loc. conj. Encore plus. *Il est d'autant plus apprécié qu'il est compétent et juste.*
   ↪ Cette locution se construit avec l'indicatif ou le conditionnel.

– ***De plus,*** loc. adv. En outre. *Leur maison a brûlé et de plus, on a volé leur voiture.*

– ***De plus en plus,*** loc. adv. Toujours davantage. *Nous l'aimons de plus en plus.*

– ***Des plus* + adjectif.** Parmi les plus. *Une personne des plus aimables.*
   ↪ 1° L'adjectif ou le participe qui suit ***des plus*** se met au pluriel et s'accorde en genre avec le sujet qui est déterminé. *Une animatrice des plus compétentes. Un véhicule des plus résistants.* 2° Si le sujet est indéterminé, l'adjectif ou le participe restent invariables. *Parler à des inconnus est des plus risqué.*

– ***En plus,*** loc. adv. En outre. *Il neige à plein ciel et en plus, il vente énormément.*

– ***Le plus que,*** loc. conj. Le maximum que. *Le plus qu'il soit prêt à concéder, c'est une petite augmentation.*
   ↪ Cette locution est suivie du subjonctif.

– ***Ne... plus,*** loc. adv. Avec la négation, l'adverbe marque la cessation d'une action, d'un état. *Nous n'irons plus au bois.*

PLUS – SUITE ▶

▶ PLUS – SUITE

- **Ni plus, ni moins,** loc. adv. Exactement. *Elle lui a donné 20 $, ni plus ni moins.*
- **On ne peut plus,** loc. adv. Extrêmement. *Ces garçons sont on ne peut plus sympathiques.*
- **Plus d'un,** loc. pron. Plusieurs. *Plus d'un fut tenté. Plus d'un candidat est tombé dans le piège.*
  ⌁ Ce collectif est généralement suivi d'un verbe au singulier.
- **Plus ou moins,** loc. adv. À des degrés divers. *Nous avons plus ou moins aimé ce film.*
- **Plus... plus, plus... moins,** loc. adv. Ces adverbes mis en parallèle expriment un rapport d'augmentation ou de diminution. *Plus elle sème, plus elle récolte. Plus ils exigent, moins ils reçoivent.*
- **Qui plus est,** loc. adv. En outre. *Ils étaient en retard et qui plus est, complètement trempés.*
- **Raison de plus,** loc. adv. Encore plus, à plus forte raison. *Tu as congé ? Raison de plus pour sortir avec nous.*
- **Sans plus,** loc. adv. Pas davantage. *Il habite à quelques pas sans plus de son travail.*
- **Tant et plus,** loc. adv. En abondance. *Ils ont reçu des cadeaux tant et plus.*
- **Tout au plus,** loc. adv. Pas davantage que. *J'en ai tout au plus pour quelques minutes.*
- **Un peu plus,** loc. adv. Il aurait suffi de peu de choses pour que. *Un peu plus et la voiture frappait le piéton.*

VOIR TABLEAU ▶ **MOINS.**

Plus et **bon, bien, petit, mauvais**

⌁ Constructions fautives

> *plus bon. L'adverbe ne peut se construire avec **bon**; on emploie plutôt **meilleur**.
> *Une tarte meilleure* (et non *plus bonne) *que celle que je fais.*

> *plus bien. L'adverbe ne peut se construire avec **bien**; on emploie plutôt **mieux**.
> *Il va mieux* (et non *plus bien) *aujourd'hui.*

⌁ Constructions correctes

- **Plus** + petit. *Des profits plus petits* ou *moindres.*
  ☜ Dans un style plus soutenu, on emploie l'adjectif **moindre**.

- **Plus** + mauvais. *Des résultats plus mauvais* ou *pires.*
  ☜ Dans un style plus soutenu, on emploie l'adjectif **pire**.

Ne pas confondre

- **plus tôt,** avant le moment prévu. *Si tu arrives plus tôt, viens me voir.*
  ☜ S'il est possible de remplacer par l'antonyme **plus tard**, il s'agit alors de la locution adverbiale qui s'écrit en deux mots.

- **plutôt,** au lieu de, de préférence. *Choisis plutôt le gâteau au chocolat.*

PONCTUATION

SIGNES DE PONCTUATION	SIGNES TYPOGRAPHIQUES
. .... le point	- .... le trait d'union
, ... la virgule	( ) .. les parenthèses
; .... le point-virgule	– .... le tiret
: .... le deux-points	« » .. les guillemets
? ... le point d'interrogation	[ ] .. les crochets
! .... le point d'exclamation	/ .... la barre oblique
... ... les points de suspension	* .... l'astérisque

FONCTIONS DES SIGNES DE PONCTUATION ET DES SIGNES TYPOGRAPHIQUES

▶ **LE POINT** `.` .... ESPACEMENT : PAS D'ESPACE AVANT / UN ESPACE APRÈS

▶ Le point marque la **fin d'une phrase.** *Les lilas sont en fleur. Rendez-moi ce livre, svp.*

✍– Si l'abréviation est en fin de phrase, le point abréviatif et le point final se confondent.

▶ Le point s'emploie à la **fin d'un mot abrégé** dont on a retranché les lettres finales.
M. est l'abréviation de **Monsieur** et **Mᵐᵉ**, l'abréviation de **Madame.**

✍– L'abréviation **Mᵐᵉ** ne prend pas de point parce que la dernière lettre du mot est conservée.

▶ **LA VIRGULE** `,` .... ESPACEMENT : PAS D'ESPACE AVANT / UN ESPACE APRÈS

▶ 1. **Énumération et juxtaposition**
- La virgule sépare les **noms** et les **adjectifs énumérés** non unis par une conjonction (**et, ou, ni**). *Achète des pommes, des poires, des oranges et des pamplemousses.*
- La virgule sépare aussi les **propositions juxtaposées.** *L'avion se pose, freine, s'immobilise.*

▶ 2. **Explication et apposition**
- La virgule s'emploie devant des **conjonctions exprimant la restriction** (**mais, or, pourtant, cependant, néanmoins, toutefois...**), l'explication (**à savoir, c'est-à-dire, par exemple, car, donc...**) *Martine est malade, mais elle se soigne. Achète des légumes, par exemple des haricots, des carottes et du maïs.*
- La virgule isole une **explication.** *Le béluga, appelé aussi baleine blanche, vit dans les eaux arctiques.*

  ✍– On met une virgule au début et à la fin de l'explication : les virgules jouent ici le même rôle que les parenthèses.
- La virgule encadre également les **mots mis en apposition.** *La directrice, Louise Dubois, accueillera les nouveaux élèves.*
- La virgule signale les **mots mis en apostrophe.** *Laurence, écoute-moi !*
- La virgule met en relief la **relative explicative.** *Ces jeunes sportifs, qui sont aussi de bons musiciens, participeront aux épreuves de tennis.*

  ✍– Pour distinguer la relative explicative de la relative déterminative, on vérifie si elle est essentielle à la compréhension de la phrase. La relative déterminative n'est pas encadrée de virgules. *Les jeunes sportifs qui ont été choisis lors des épreuves participeront aux Jeux du Québec.*
- La virgule isole une **incise.** *Je termine cela, répondit-il, et j'arrive immédiatement.*

▶ 3. **Mise en relief d'éléments placés en tête de phrase**
- La virgule met en évidence un **complément circonstanciel en début de phrase.** *L'an dernier, nos résultats ont été excellents.*
- La virgule souligne une **proposition subordonnée en début de phrase.** *Parce qu'il fait trop froid, nous avons remis notre excursion.*
- La virgule se place **après un marqueur de relation** (**bref, d'abord, d'une part, d'autre part, du reste, en conclusion, en fait, enfin, en outre, en premier lieu, premièrement...**)

PONCTUATION – SUITE ▶

► PONCTUATION – SUITE

► **LE POINT-VIRGULE** ;..ESPACEMENT : PAS D'ESPACE AVANT / UN ESPACE APRÈS.

- Le point-virgule sépare des **propositions de même nature** qui sont assez **longues** et qui ont généralement un **lien logique.** *Ces jeunes filles adorent la lecture; leur vocabulaire est riche et elles écrivent bien.*

- Le point-virgule s'emploie aussi entre chaque **élément des énumérations** introduites par le deux-points.
  La trousse de secours comprend :
  un thermomètre;
  des pansements;
  un onguent antibiotique.

► **LE DEUX-POINTS** :..ESPACEMENT : UN ESPACE AVANT / UN ESPACE APRÈS.

- Le deux-points annonce une **citation.** *Et il répondit : « Ce fut un plaisir. »*

- Le deux-points introduit une **énumération.** *Voici les articles que vous devez vous procurer : un canif, une gourde, un sac de couchage et des bottes de randonnée.*

- Le deux-points annonce un **exemple.** *Ex. : Les blés sont mûrs.*

- Le deux-points exprime une **relation logique de cause** ou **de conséquence** entre deux propositions. *Grand-papa est très savant : il est toujours en train de lire. Grand-maman est enrhumée : elle a pris froid lors d'une randonnée en forêt.*

► **LE POINT D'INTERROGATION** ?..ESPACEMENT : PAS D'ESPACE AVANT / UN ESPACE APRÈS.

- Le point d'interrogation se place à la **fin d'une phrase interrogative.** *Comment ça va ? Auriez-vous de la tarte aux pommes ?*

► **LE POINT D'EXCLAMATION** !..ESPACEMENT : PAS D'ESPACE AVANT / UN ESPACE APRÈS.

- Le point d'exclamation se place à la **fin d'une phrase exclamative.** *Vous êtes là !*
- ☞ Après une interjection, on met un point d'exclamation. *Hé !*

► **LES POINTS DE SUSPENSION** ....ESPACEMENT : PAS D'ESPACE AVANT / UN ESPACE APRÈS.

- Les points de suspension marquent une **énumération non achevée.** *Les prépositions* **à, de, par, pour...** *servent à introduire un complément.*
  ☞ On emploie soit les points de suspension soit l'abréviation *etc.,* mais non les deux à la fois.

- Les points de suspension indiquent que la **phrase** est **inachevée.** *Tu imagines ce que je veux dire...*
  ☞ Les points de suspension se confondent avec le point final et sont toujours au nombre de trois.

- Les points de suspension marquent une **hésitation.** *Il se nomme... euh... Antoine, je crois.*

► **LE TRAIT D'UNION** -..ESPACEMENT : PAS D'ESPACE AVANT / PAS D'ESPACE APRÈS.

- Le trait d'union réunit les **éléments des mots composés.** *Rez-de-chaussée. Jean-Pierre.*

- Le trait d'union s'emploie dans les **adjectifs numéraux composés** quand les éléments sont l'un et l'autre inférieurs à **cent** et quand ils ne sont pas joints par la conjonction **et.** *Quatre-vingts, trente-sept.*

- Le trait d'union unit le **verbe** et le **sujet inversé**, le **verbe à l'impératif** et le **pronom personnel** qui le suit. *Aurai-je le temps de te voir ? Donne-moi un peu de lait.*

- Le trait d'union marque la **coupure d'un mot** en fin de ligne.

VOIR TABLEAU ► **TRAIT D'UNION.**

▶ PONCTUATION – SUITE

▶ **LES PARENTHÈSES** [()] .... ESPACEMENT : **PARENTHÈSE OUVRANTE :** UN ESPACE AVANT / PAS D'ESPACE APRÈS.
PARENTHÈSE FERMANTE : PAS D'ESPACE AVANT / UN ESPACE APRÈS.

- Les parenthèses, composées de deux signes (parenthèse ouvrante et parenthèse fermante), servent à intercaler dans une phrase un **élément explicatif.** *L'expression tenir pour acquis (du verbe **acquérir**) signifie...*
  - ☞ Après la parenthèse fermante, il n'y a pas d'espace avant un signe de ponctuation à l'exception du deux-points. *Il vient de Nicolet (Québec).*
- Les parenthèses encadrent un **commentaire.** *L'école a informé les parents de la mise en vigueur (à compter du mois de mars) du nouveau règlement.*

VOIR TABLEAU ▶ **PARENTHÈSES.**

▶ **LE TIRET** [–] .... ESPACEMENT : UN ESPACE AVANT / UN ESPACE APRÈS.

- Le tiret sert à séparer une **explication,** une **remarque.** *Les joueurs d'échecs – les vrais mordus – s'exercent tous les jours.*
- Le tiret indique le **changement d'interlocuteur** dans un dialogue.
  Le monarque s'avança vers son visiteur.
  « Que voulez-vous insinuer ?
  – Je n'insinue pas, j'affirme ! »
- Le tiret marque également les **éléments d'une énumération.**
  Munissez-vous de bons outils :
  – marteau,
  – scie,
  – tournevis.

▶ **LES GUILLEMETS** [«»] .... ESPACEMENT : **GUILLEMET OUVRANT :** UN ESPACE AVANT / UN ESPACE APRÈS.
GUILLEMET FERMANT : UN ESPACE AVANT / UN ESPACE APRÈS.

- Les guillemets sont de petits chevrons doubles qui se placent au commencement (guillemet ouvrant) et à la fin (guillemet fermant) d'une **citation,** d'un **dialogue,** d'un **mot,** d'une **locution que l'auteur désire isoler.** *Tous les vendredis, elle lit la chronique « Plaisirs ». Le réalisateur cria : « Silence, on tourne ! »*

VOIR TABLEAU ▶ **GUILLEMETS.**

▶ **LES CROCHETS** [[ ] .... ESPACEMENT : **CROCHET OUVRANT :** UN ESPACE AVANT / PAS D'ESPACE APRÈS.
CROCHET FERMANT : PAS D'ESPACE AVANT / UN ESPACE APRÈS.

- Les crochets servent à marquer une **insertion** à l'intérieur d'une parenthèse, la **suppression d'un extrait** [...], une **explication spécifique.** *Dans cet ouvrage, la prononciation (selon l'Alphabet phonétique international) est indiquée entre crochets. Crochet [krɔʃɛ].*

▶ **LA BARRE OBLIQUE** [/] .... ESPACEMENT : PAS D'ESPACE AVANT / PAS D'ESPACE APRÈS.

- La barre oblique est utilisée dans l'inscription des **unités de mesure complexes abrégées,** des **fractions,** des **pourcentages,** de certaines mentions. *Une vitesse de 125 km/h, 2/3, 85 %.*

▶ **L'ASTÉRISQUE** [*] .... ESPACEMENT : PAS D'ESPACE AVANT / UN ESPACE APRÈS.

- L'astérisque indique un **appel de note**; il peut être simple, double ou triple (*, **, ***)
  Le béluga* est un mammifère marin.
  _____
  * Le béluga est aussi appelé baleine blanche.
  - ☞ Pour marquer un appel de note, l'astérisque se place après le mot, en exposant avec ou sans parenthèses. L'astérisque est repris en bas de page pour introduire la note.

VOIR TABLEAU ▶ **ESPACEMENTS.**

ADJECTIF ET PRONOM **POSSESSIF**

▶ ADJECTIF POSSESSIF

– L'adjectif possessif détermine le nom en indiquant le « possesseur » de l'être, de l'objet désigné.
   ↪ On observe que l'adjectif possessif est loin de toujours exprimer la possession réelle.
   En effet, il n'établit souvent qu'une simple relation de chose à personne, qu'un rapport de dépendance, de familiarité, d'affinité, de proximité, etc. **Mon** avion, **ton** hôtel, **sa** ville, **nos** invités, **vos** étudiants, **leurs** amis.
– Il s'accorde en genre et en nombre avec le nom déterminé. **Ta** voiture, **son** ordinateur, **nos** livres.
– Il s'accorde en personne avec le nom désignant le possesseur :

un seul possesseur : *mon, ton, son* fils,
            ma, ta, sa fille
            mes, tes, ses fils ou filles

plusieurs possesseurs : *notre, votre, leur* fils ou fille
            nos, vos, leurs fils ou filles

FORMES DE L'ADJECTIF POSSESSIF

UN SEUL POSSESSEUR	SINGULIER		PLURIEL
	MASCULIN	FÉMININ	
Première personne	mon	ma	mes
Deuxième personne	ton	ta	tes
Troisième personne	son	sa	ses

PLUSIEURS POSSESSEURS	SINGULIER	PLURIEL
Première personne	notre	nos
Deuxième personne	votre	vos
Troisième personne	leur	leurs

Devant un nom féminin commençant par une voyelle ou un *h* muet, c'est la forme masculine de l'adjectif qui est employée pour des raisons d'euphonie. **Mon** amie, **ton** échelle, **son** histoire.
VOIR TABLEAU ▶ **ADJECTIF.**

▶ PRONOM POSSESSIF

– Le pronom possessif représente un nom de personne ou d'animal en précisant le « possesseur ». *Votre chien est bien dressé; **le nôtre** est très turbulent.*
– Comme l'adjectif possessif, le pronom possessif est loin de toujours marquer un rapport de possession; il n'exprime souvent qu'une simple relation, qu'un lien de dépendance, d'affinité, de proximité, etc.
   ↪ 1° Il ne faut pas confondre le pronom personnel et le déterminant possessif. *Notre chatte est blanche; **la vôtre** est noire.*
   2° **Notre** est un déterminant possessif; **la vôtre** est un pronom possessif qui remplace « votre chatte ». Le déterminant s'écrit avec un *o*; le pronom possessif s'écrit avec un *ô* et il est toujours précédé d'un article défini.

FORMES DU PRONOM POSSESSIF

UN SEUL POSSESSEUR	SINGULIER		PLURIEL	
	MASCULIN	FÉMININ	MASCULIN	FÉMININ
Première personne	le mien	la mienne	les miens	les miennes
Deuxième personne	le tien	la tienne	les tiens	les tiennes
Troisième personne	le sien	la sienne	les siens	les siennes

PLUSIEURS POSSESSEURS	SINGULIER		PLURIEL
	MASCULIN	FÉMININ	
Première personne	le nôtre	la nôtre	les nôtres
Deuxième personne	le vôtre	la vôtre	les vôtres
Troisième personne	le leur	la leur	les leurs

PRÉFIXE

Le **préfixe** est un élément qui se place avant un radical pour former un nouveau mot.

Le **suffixe** est un élément qui se joint à la suite d'un radical pour former un dérivé.

Dans la composition des mots nouveaux (néologismes), le français emprunte surtout au **grec** et au **latin** des préfixes ou des éléments qui sont joints à un radical pour former une nouvelle unité lexicale. Ces préfixes présentent l'avantage d'être déjà connus et, ainsi, de favoriser la compréhension immédiate du néologisme.

▶ **Règles d'écriture**

Les préfixes se soudent généralement au radical : on observe une tendance marquée à supprimer les traits d'union pour constituer des unités lexicales simples. Seule la rencontre de deux voyelles impose parfois le trait d'union. *Méga-octet, micro-ordinateur.*

PRÉFIXES D'ORIGINE GRECQUE

PRÉFIXES	SENS	EXEMPLES
aéro-	« air »	*aérogare, aéroport*
agro-	« champ »	*agrochimie, agroalimentaire*
allo-	« autre »	*allophone*
amphi-	« en double »	*amphibie*
anti-	« contre »	*antibruit, antigel*
archéo-	« ancien »	*archéologie*
archi-	« degré extrême »	*archimillionnaire, archi-fou*
auto-	« de soi-même »	*autobiographie*
biblio-	« livre »	*bibliothèque*
bio-	« vie »	*biologie, bio-industrie*
cardi(o)-	« cœur »	*cardiologie*
cata-	« en dessous, en arrière »	*catacombe*
chir(o)-	« main »	*chiromancie*
cosmo-	« monde »	*cosmopolite*
grapho-	« écrire »	*graphologie*
hyper-	« au-dessus, au-delà »	*hypermarché*
kilo-	« mille »	*kilogramme*
meg-, méga-	« grand »	*mégajoule, méga-octet*
micro-	« petit »	*microfilm, micro-ondes*
mono-	« seul »	*monopole*
mytho-	« fable »	*mythologie*
néo-	« nouveau »	*néologisme*
orth(o)-	« droit »	*orthographe*
pan-	« tout »	*panaméricain*
para-, pare-	« à côté de »	*parascolaire*
péd(o)-	« enfant »	*pédiatrie*
penta-	« cinq »	*pentagone*
péri-	« autour »	*périmètre, périphérie*
philo-	« ami »	*philosophie, philologie*
phon-, phono-	« son »	*phonétique*
poly-	« nombreux »	*polytechnique*
pro-	« en faveur de »	*proaméricain*
psych(o)-	« âme »	*psychologie*
thermo-	« chaleur »	*thermomètre*
xén(o)-	« étranger »	*xénophobie*

PRÉFIXE – SUITE ▶

PRÉFIXES D'ORIGINE LATINE

PRÉFIXES	SENS	EXEMPLES
anglo-	« anglais »	*anglophone*
anté-	« avant »	*antérieur, antédiluvien*
aqua-	« eau »	*aquarelle, aquatique*
audio-	« j'entends »	*audiovisuel*
bi(s)-	« deux fois »	*bilingue, bimoteur, bimensuel*
calor-	« chaleur »	*calorifère*
centi-	« cent »	*centimètre*
co-	« avec »	*copropriété, coauteur, coédition*
curvi-	« courbe »	*curviligne*
déci-	« dix »	*décibel*
dis-	« séparation »	*dissocier*
ex-	« antérieurement »	*ex-mari, ex-ministre*
extra-	« en dehors »	*extraterrestre*
franco-	« de langue, d'ascendance française »	*franco-ontarien*
inter-	« entre »	*interurbain, international*
longi-	« long »	*longiligne*
mini-	« moins »	*minijupe*
multi-	« beaucoup, plusieurs »	*multicolore, multiethnique*
oct-, octa-, octi-, octo-	« huit »	*octogone*
omni-	« tout »	*omnipraticien, omnivore*
péd(i)-	« pied »	*pédicure*
pisci-	« poisson »	*pisciculture*
pluri-	« plusieurs »	*pluridisciplinaire*
post-	« après »	*postérieur, postérité*
pré-	« en avant »	*préretraite*
quadr(i)-	« quatre »	*quadrimoteur*
quinqu(a)-	« cinq »	*quinquennal*
quint-	« cinquième »	*quintuple*
radio-	« rayon »	*radiologie*
rect(i)-	« droit »	*rectiligne*
rétro-	« en arrière »	*rétrograder*
semi-	« demi »	*semi-automatique*
sérici-	« soie »	*sériciculture*
sub-	« sous »	*subconscient, subdiviser*
super-	« au-dessus »	*superpuissance, superposer*
sur-	« au-dessus »	*surabondance, surdoué*
sylvi-	« forêt »	*sylviculture*
trans-	« à travers »	*transatlantique*
tri-	« trois »	*triangle, tricycle*
ultra-	« au-delà »	*ultrason, ultrasecret*
uni-	« un »	*unilingue*
vidéo-	« je vois »	*vidéocassette*
viti-	« vigne »	*viticulture*

VOIR TABLEAUX ▶ NÉOLOGISME. ▶ SUFFIXE.

PRÉPOSITION

La préposition est un mot invariable qui sert à introduire un complément, qu'il unit, par un rapport de temps, de lieu, de moyen, de manière, etc., à un mot complété (verbe, nom, adjectif...).

▸ **Quelques prépositions**

À	DE	PAR
Je viendrai **à** midi (temps).	Marcher **de** midi à minuit (temps).	Passer **par** Trois-Rivières (lieu).
Il habite **à** la campagne (lieu).	Se rapprocher **de** la ville (lieu).	Travailler dix heures **par** jour (temps).
Se battre **à** l'épée (moyen).	Une femme **de** tête (manière).	Voyager **par** goût (manière).

DANS	EN	POUR
Il arrivera **dans** une heure (temps).	Elle habite **en** Gaspésie (lieu).	Partir **pour** la campagne (lieu).
Elle travaille **dans** un bureau (lieu).	**En** été comme **en** hiver (temps).	Partir **pour** deux jours (temps).
Boire **dans** un verre (instrument).	Une bague **en** or (matière).	Des bottes **pour** la pluie (destination).

๏⌐ Attention à certains mots qui sont tantôt des prépositions s'ils introduisent un complément, tantôt des adverbes s'ils n'en introduisent pas.

Il y a un chien **derrière** l'arbre. Le mot **derrière** introduit un complément circonstanciel : c'est une **préposition.**

Les chiens sont restés **derrière.** Le mot **derrière** n'introduit pas de complément : c'est un **adverbe.**

▸ **Principales prépositions**

à	contre	dès	envers	par	sauf
après	dans	devant	hors	parmi	selon
avant	de	durant	jusque	pendant	sous
avec	depuis	en	malgré	pour	sur
chez	derrière	entre	outre	sans	vers...

▸ LOCUTION PRÉPOSITIVE

La **locution prépositive** est composée de plusieurs mots et joue le même rôle que la préposition : elle introduit un complément. *Un joli jardin a été aménagé **en arrière de** la maison.*

๏⌐ Les locutions prépositives introduisent toujours un complément. Attention à certaines locutions qui n'introduisent pas de complément et qui sont alors des locutions adverbiales.

Les enfants jouent **en avant de** l'école. La locution **en avant de** introduit un complément circonstanciel : c'est une **locution prépositive.**

Regardez **en avant.** La locution **en avant** n'introduit pas de complément : c'est une **locution adverbiale.**

▸ **Principales locutions prépositives**

à cause de	à l'insu de	auprès de	de delà	en dehors de	par-delà
à condition de	à l'intention de	au prix de	de derrière	en dépit de	par-dessous
à côté de	à moins de	au sujet de	de dessous	en face de	par-dessus
à défaut de	à raison de	autour de	de dessus	en faveur de	par-devant
afin de	au cours de	au travers de	de devant	étant donné	par-devers
à force de	au-dedans de	aux dépens de	de façon à	face à	par rapport à
à l'abri de	au-dehors de	aux environs de	de manière à	faute de	près de
à la façon de	au-dessous de	avant de	d'entre	grâce à	proche de
à la faveur de	au-dessus de	conformément à	de par	hors de	quant à
à la mode de	au-devant de	contrairement à	de peur de	jusqu'à	sauf à
à l'égard de	au lieu de	dans le but de	du côté de	le long de	vis-à-vis de...
à l'encontre de	au milieu de	d'après	en bas de	loin de	
à l'exception de	au moyen de	d'avec	en deçà de	par-dedans	
à l'exclusion de	au pied de	de chez	en dedans de	par-dehors	

PRÉSENT

AXE DU TEMPS

PASSÉ — PRÉSENT — FUTUR

AUTREFOIS, ON S'ÉCRIVAIT. **AUJOURD'HUI,** ON SE TÉLÉPHONE. **DEMAIN,** ON EMPLOIERA L'INFOROUTE.

Le **PRÉSENT** indique qu'un fait, qu'une action a lieu au moment où l'on parle.

▸ **Le PRÉSENT exprime :**

– Un **fait actuel**, une **action présente**.

Il fait soleil aujourd'hui. Elle est à la campagne dans son jardin.

▸ **Le PRÉSENT exprime également :**

– Une **vérité éternelle, générale**.

Le ciel est bleu. Il importe de bien maîtriser sa langue, car elle est le véhicule de la pensée.

☞ Les proverbes, les maximes, les adages sont généralement au présent, car ils expriment des vérités permanentes. «*Rien ne sert de courir, il faut partir à point*» (La Fontaine). *Pierre qui roule n'amasse pas mousse.*

– Un **fait habituel**.

Les enfants partent tous les matins à 7 h 30 et reviennent à 16 h.

– Un **fait scientifique**.

Deux et deux font quatre. «Tout corps plongé dans un liquide subit une poussée verticale, dirigée de bas en haut, égale au poids du fluide déplacé.» (Principe d'Archimède)

– Un **fait historique**.

Samuel de Champlain fonde Québec en 1608.

☞ Ce temps s'appelle aussi le présent narratif, car il raconte l'histoire de façon vivante et la rattache à l'actualité.

▸ **Le PRÉSENT peut aussi traduire :**

– Un **passé récent**.

La partie de hockey se termine tout juste.

– Un **futur proche**.

Attends-moi, j'arrive immédiatement. Nous partons en voyage demain.

☞ Dans ces deux cas, la dimension passée ou future est indiquée à l'aide du verbe au présent accompagné d'une locution adverbiale pour le passé *(tout juste)* ou d'un adverbe pour le futur *(immédiatement)*.

– Une **action future** dans une subordonnée conditionnelle.

Si tu économises un peu, tu pourras t'acheter des patins.

VOIR TABLEAUX ▸ **CONCORDANCE DES TEMPS.** ▸ **FUTUR.** ▸ **PASSÉ (TEMPS DU).**

PRONOM

Le pronom est un mot qui représente généralement un nom ou une proposition. *Je te prête mon livre : prends-en grand soin et rends-le-moi demain.*

☞ Les pronoms personnels *en* et *le* représentent le nom *livre*.

▶ 1. PRONOM PERSONNEL

Le pronom personnel indique la personne du nom ou de l'objet dont il est question.

PERSONNE	GENRE	NOMBRE	PRONOMS PERSONNELS SUJETS	PRONOMS PERSONNELS COMPLÉMENTS		
				COD	COI	COI ↪ PRÉPOSITION
1re	masculin/féminin	singulier	*je*	*me, moi*	*me*	*moi*
2e	masculin/féminin	singulier	*tu*	*te, toi*	*te*	*toi*
3e	masculin	singulier	*il*	*le, se*	*lui, en, y*	*lui*
	féminin	singulier	*elle*	*la, se*	*lui, en, y*	*elle*
	neutre	singulier	*on*	*en, se*	*lui, en, y*	*soi*
1re	masculin/féminin	pluriel	*nous*	*nous*	*nous*	*nous*
2e	masculin/féminin	pluriel	*vous*	*vous*	*vous*	*vous*
3e	masculin	pluriel	*ils*	*les, se*	*leur, en, y*	*eux*
	féminin	pluriel	*elles*	*les, se*	*leur, en, y*	*elles*
	masculin/féminin	pluriel	*ils*	*les, se*	*leur, en, y*	*leur*

La 1re personne est celle qui parle. *Je reviendrai demain. Je me souviens. Regarde-moi. Joue avec moi.*
La 2e personne est celle à qui l'on parle. *Tu reviendras demain ? Tu te rappelles. Regarde-toi. Je viens avec toi.*
La 3e personne est celle dont on parle. *Elles reviendront demain ? Elles se coiffent. Regarde-les ou parle-leur. Viens avec eux. Danse avec elles.*

☞ Devant une voyelle ou un *h* muet, certains pronoms s'élident : *j', m', t', l', s'. J'aime, je m'ennuie, il t'aime, tu ne l'aimes pas, ils s'habituent.*

▶ 2. PRONOM POSSESSIF

– Le pronom possessif représente un nom de personne ou d'animal en précisant le « possesseur ». *Votre chien est bien dressé ; le nôtre est très turbulent.*

– Comme l'adjectif possessif, le pronom possessif est loin de toujours marquer un rapport de possession ; il n'exprime souvent qu'une simple relation, qu'un lien de dépendance, d'affinité, de proximité, etc.

☞ Il ne faut pas confondre le pronom personnel et le déterminant possessif. *Notre chatte est blanche ; la vôtre est noire. Notre* est un déterminant possessif ; *la vôtre* est un pronom possessif qui remplace « votre chatte ». Le déterminant s'écrit avec un *o* ; le pronom possessif, avec un *ô* et il est toujours précédé d'un article défini.

FORMES DU PRONOM POSSESSIF

UN SEUL POSSESSEUR	SINGULIER		PLURIEL	
	MASCULIN	FÉMININ	MASCULIN	FÉMININ
Première personne	*le mien*	*la mienne*	*les miens*	*les miennes*
Deuxième personne	*le tien*	*la tienne*	*les tiens*	*les tiennes*
Troisième personne	*le sien*	*la sienne*	*les siens*	*les siennes*

PLUSIEURS POSSESSEURS	SINGULIER		PLURIEL	
	MASCULIN	FÉMININ	MASCULIN	FÉMININ
Première personne	*le nôtre*	*la nôtre*	*les nôtres*	*les nôtres*
Deuxième personne	*le vôtre*	*la vôtre*	*les vôtres*	*les vôtres*
Troisième personne	*le leur*	*la leur*	*les leurs*	*les leurs*

PRONOM – SUITE ▶

▶ 3. PRONOM DÉMONSTRATIF

Le pronom démonstratif représente un nom dont il prend le genre et le nombre et un déterminant démonstratif ; il sert à montrer la personne ou la chose désignée par ce nom. *Ces fleurs sont plus odorantes que **celles-ci**. **C'**est magnifique.*

FORMES DU PRONOM DÉMONSTRATIF :

GENRE	SINGULIER	PLURIEL
MASCULIN	*celui (celui-ci, celui-là)*	*ceux (ceux-ci, ceux-là)*
FÉMININ	*celle (celle-ci, celle-là)*	*celles (celles-ci, celles-là)*
NEUTRE	*ce (ceci, cela)*	

▶ 4. PRONOM INDÉFINI

Le pronom indéfini représente une personne, une chose qu'il désigne d'une manière indéterminée, vague. ***L'un** dit oui, **l'autre** dit non. Nous n'avons **rien** mangé et nous n'avons vu **personne**.*

▶ **Pronoms indéfinis variables :**

Aucun, certain, chacun, l'un, l'autre, le même, maint, nul, pas un, plus d'un, quelqu'un, tel, tout, un autre, un tel...

▶ **Pronoms indéfinis invariables :**

Autrui, on, personne, plusieurs, quelque chose, quiconque, rien...

▶ 5. PRONOM RELATIF

Le pronom relatif représente un nom ou un pronom et introduit une proposition relative. *La ville **dont** je parle est Montréal. L'enfant **qui** court ressemble à ton frère. Ceux **que** j'ai vus paraissent excellents.*

Le nom ou le pronom représenté par le pronom relatif est l'antécédent.

▶ **Pronoms relatifs définis**

FORMES SIMPLES : ***qui, que, quoi, dont, où.***

FORMES COMPOSÉES :

SINGULIER		PLURIEL	
MASCULIN	FÉMININ	MASCULIN	FÉMININ
lequel	*laquelle*	*lesquels*	*lesquelles*
duquel	*de laquelle*	*desquels*	*desquelles*
auquel	*à laquelle*	*auxquels*	*auxquelles*

☜ La forme du pronom relatif varie selon sa fonction dans la phrase.

▶ **Pronoms relatifs indéfinis.** *Récompensez **quiconque** viendra nous aider.*

Quiconque, qui que ce soit, quoi que ce soit.

▶ 6. PRONOM INTERROGATIF

Le pronom interrogatif représente une personne, une chose que l'on ne connaît pas et sur laquelle porte l'interrogation. ***Qui** sont-ils ? **Quel** est ton nom ? Je me demande **ce que** tu veux.*

Interrogation directe : *qui, que, quoi, où, lequel, laquelle, lesquels, lesquelles.*

Interrogation indirecte : *ce qui, ce que, lequel, laquelle, lesquels, lesquelles.*

☜ Le pronom ***lequel*** représente une personne, une chose dont on parle et avec laquelle il s'accorde en genre et en nombre. ***Lequel** de ces disques préférez-vous ?*

PRONOMINAUX

Les verbes pronominaux sont accompagnés d'un pronom personnel complément (*me, te, se, nous, vous*) qui représente le sujet. Aux temps composés, les verbes pronominaux se conjuguent avec l'auxiliaire *être*.

Elle se regarde. Nous nous parlons. Elle s'est regardée. Nous nous sommes parlé.

À l'infinitif, les verbes pronominaux sont toujours précédés du pronom *se* (*s'* devant un verbe qui commence par une voyelle ou un *h* muet). Certains verbes sont **essentiellement pronominaux,** c'est-à-dire qu'ils n'existent qu'à la forme pronominale (*se souvenir*); d'autres sont **accidentellement pronominaux,** c'est-à-dire qu'ils peuvent exister sous une forme non pronominale, mais ils deviennent pronominaux à l'occasion. Ex. : *Aimer et s'aimer, contempler et se contempler, parfumer et se parfumer.* Le pronom peut être complément d'objet direct (COD) ou indirect (COI). *Ils se (COD) sont consultés, elles se (COI) sont succédé.*

▶ **1. LES VERBES PRONOMINAUX RÉFLÉCHIS**   PARTICIPE PASSÉ : ACCORD AVEC LE COD QUI PRÉCÈDE LE VERBE

Les pronominaux sont réfléchis lorsque l'action qu'ils marquent a pour objet le sujet du verbe.

Elle s'est parfumée. Elle a parfumé **qui**? *s'* mis pour le sujet.

Les pronominaux réfléchis se construisent avec un pronom personnel complément qui renvoie au sujet.

Les pronominaux réfléchis sont appelés **réciproques** lorsqu'ils marquent une action exercée par plusieurs sujets l'un sur l'autre, les uns sur les autres. Les pronominaux réciproques ont donc toujours un sujet au pluriel.

Martin et Jeanne se sont écoutés, ils se sont regardés. Ils ont écouté et regardé **qui**? *se* mis pour Martin et Jeanne respectivement. Martin a écouté et regardé Jeanne et Jeanne a écouté et regardé Martin.

▶ **Accord du participe passé** : le participe passé des verbes pronominaux réfléchis ou réciproques s'accorde avec le COD qui précède le verbe. *Elle s'est habillée. Ils se sont salués. Elles se sont lavées,* mais *elles se sont lavé les mains.*

Attention, le participe passé des pronominaux réfléchis ou réciproques ne s'accorde pas avec le COD qui suit le verbe. *Ils se sont écrit des lettres. Tu t'es acheté des livres.* Si le verbe a un COI, le participe passé ne s'accorde pas. *Elles se sont parlé.*

▶ **2. LES VERBES PRONOMINAUX NON RÉFLÉCHIS**   PARTICIPE PASSÉ : ACCORD AVEC LE SUJET DU VERBE

Les pronominaux non réfléchis sont accompagnés d'un pronom (*me, te, se,* etc.) qui n'est pas un COD, mais qui fait partie de la forme verbale, pour ainsi dire : ce pronom est sans fonction logique.

Exemples de verbes pronominaux non réfléchis :

s'apercevoir de	se défier	se jouer de	se repentir
s'approcher de	se départir	se moquer de	se résoudre à
s'attaquer à	se douter	s'ouvrir	se saisir de
s'attendre à	s'écrier	se plaindre de	se servir de
s'avancer	s'endormir	s'en prendre à	se souvenir de
s'aviser de	s'ennuyer	se prévaloir	se taire...
se battre en	s'évanouir	se railler de	
se connaître en	s'imaginer	se refuser à	

▶ **Accord du participe passé** : le participe passé des verbes pronominaux non réfléchis s'accorde avec le sujet du verbe. *Les enfants se sont moqués du comédien. Ils se sont tus quand le spectacle a commencé.*

PRONOMINAUX – SUITE ▶

► **3. LES VERBES ESSENTIELLEMENT PRONOMINAUX** | PARTICIPE PASSÉ : ACCORD AVEC LE SUJET DU VERBE

Les verbes essentiellement pronominaux n'existent qu'à la forme pronominale.

Exemples de verbes essentiellement pronominaux :

s'absenter	se blottir	s'égosiller	s'éprendre de	s'interpénétrer	se rebiffer
s'abstenir de	se chamailler	s'emparer de	s'esclaffer	se lamenter	se récrier
s'accouder	se contreficher	s'empiffrer	s'escrimer	se marrer	se recroqueviller
s'accroupir	se dédire	s'empresser de	s'évader	se méfier de	se réfugier
s'acharner	se démener	s'enfuir	s'évertuer	se méprendre	se réincarner
s'adonner à	se désendetter	s'enquérir de	s'exclamer	se morfondre	se renfrogner
s'affairer à	se désertifier	s'ensuivre	s'extasier	s'obstiner	se repentir
s'agenouiller	se désister	s'entraider	se formaliser	se parjurer	se ressourcer
s'en aller	s'ébrouer	s'entredéchirer	se gargariser	se prélasser	se soucier de
s'autodétruire	s'écrier	s'entremettre	se gausser	se prosterner	se souvenir de
s'autoproclamer	s'écrouler	s'entretuer	s'immiscer	se ratatiner	se suicider
s'aventurer	s'efforcer de	s'envoler	s'ingénier à	se raviser	se tapir
s'avérer	s'égailler	s'époumoner	s'insurger	se rebeller	se targuer de...

► **Accord du participe passé** : le participe passé des verbes essentiellement pronominaux s'accorde avec le sujet du verbe. *Ils se sont abstenus de voter. Elles se sont absentées.*

☞ Le verbe essentiellement pronominal *s'arroger* est le seul qui est transitif direct. Il s'accorde avec le COD qui précède le verbe. Si le COD suit le verbe, le participe passé est invariable. *Les pouvoirs qu'il s'est arrogés, mais il s'est arrogé des pouvoirs.*

► **4. LES VERBES PRONOMINAUX DE SENS PASSIF** | PARTICIPE PASSÉ : ACCORD AVEC LE SUJET DU VERBE

Les pronominaux de sens passif correspondent à des emplois du verbe à la voix passive où le sujet subit l'action, mais ne la fait pas.
• Voix active. *On mange des pommes à la récréation.*
• Voix passive. *Les pommes sont mangées à la récréation.*
• Forme pronominale passive. *Les pommes se mangent à la récréation.*
Le pronom personnel *se* ne représente pas le sujet, car ce ne sont pas les pommes qui se mangent.

► **Accord du participe passé** : le participe passé des verbes pronominaux de sens passif s'accorde avec le sujet du verbe. *Ces produits se sont bien écoulés.*

► **5. LES VERBES PRONOMINAUX DONT LE PARTICIPE PASSÉ EST INVARIABLE** PARTICIPE PASSÉ : INVARIABLE

Certains verbes pronominaux qui ne sont pas des verbes transitifs directs à la voix active sont **invariables** à la forme pronominale, car ils sont accompagnés d'un pronom qui n'est pas un COD, mais un COI.
   Ils se sont succédé à la direction de l'entreprise. Elles se sont parlé longuement.
Le participe passé de ces verbes pronominaux est invariable.

s'appartenir	se déplaire	se parler	se ressembler	se succéder
se complaire	se mentir	se plaire	se rire de	se suffire
se convenir	se nuire	se rendre compte	se sourire	se survivre

Le participe passé du verbe *se faire* suivi d'un infinitif est invariable.
   Ils se sont fait construire une petite maison dans les Laurentides.
☞ Suivi d'un nom ou d'un adjectif attribut du COD, le participe passé du verbe *se faire* s'accorde en genre et en nombre avec l'attribut. *Au fil des ans, elles se sont faites vieilles.*

PROPOSITION

La proposition est une phrase qui comprend un verbe conjugué (à l'indicatif, au conditionnel, au subjonctif ou à l'impératif). Il y a autant de propositions dans une phrase qu'il y a de verbes conjugués.

*L'avion **se prépare** à toucher le sol.* (Une proposition)
*L'avion **touche** le sol et **freine** brusquement.* (Deux propositions)

▶ LA PROPOSITION INDÉPENDANTE

La **proposition indépendante** possède un sens complet par elle-même. *Il part dans quelques minutes.*

☞ Une phrase peut comprendre plusieurs propositions indépendantes coordonnées ou juxtaposées :

Le chien jappe et le cheval hennit. Les deux propositions indépendantes sont coordonnées par la conjonction de coordination ***et**.*

La voiture roule à vive allure, ralentit et s'immobilise. Les deux premières propositions sont des indépendantes juxtaposées reliées par une virgule, tandis que la troisième proposition est une indépendante coordonnée à la deuxième par ***et.***

▶ LA PROPOSITION PRINCIPALE

La proposition qui ne dépend d'aucune autre, mais qui est accompagnée d'une ou de plusieurs propositions subordonnées, est une **proposition principale**. *Le facteur livre le colis* (proposition principale) *que nous attendions* (proposition subordonnée).

☞ Sans subordonnée, la proposition principale serait une proposition indépendante.

▶ LA PROPOSITION SUBORDONNÉE

La proposition qui complète le sens de la principale est une **proposition subordonnée**.

Elle est reliée à la proposition principale par un pronom relatif (***qui, que, quoi, dont, où...***) ou par une conjonction, une locution conjonctive de subordination (***que, quand, si, lorsque, parce que...***).

▶ Proposition subordonnée relative

La **proposition subordonnée relative** est introduite par un pronom relatif. *La pomme [que j'ai mangée] était délicieuse.* La proposition relative détermine le nom ***pomme.***

▶ Proposition subordonnée conjonctive

La **proposition subordonnée conjonctive** est introduite par une conjonction ou une locution conjonctive de subordination.

VOIR TABLEAU ▶ CONJONCTION.

FONCTIONS DE LA SUBORDONNÉE

- Complément déterminatif de l'antécédent. *Le train [qui part à l'instant] est à destination de Rome.*
- Complément d'objet direct. *Je pense [que cet avion n'ira pas loin].*
- Complément d'objet indirect. *Je vous préviens [que je pars demain].*
- Complément circonstanciel :
  - de temps. *[Quand le soleil brille,] il fait plus chaud.*
  - de cause. *L'avion n'a pu décoller [parce qu'il y avait du brouillard].*
  - de but. *Couchons-nous tôt ce soir [pour que nous soyons en forme demain].*
  - de conséquence. *Tu as tellement couru [que tu es essoufflé].*
  - de concession. *[Quoiqu'il soit déjà tard,] je viendrai.*
  - de comparaison. *[Comme on fait son lit,] on se couche.*
  - de condition. *[S'il fait beau,] nous irons nous promener.*

☞ Une phrase peut comprendre plusieurs propositions principales et subordonnées tant coordonnées que juxtaposées les unes aux autres.

QUE, CONJONCTION

La conjonction de subordination *que* sert à introduire une proposition subordonnée complétive sujet, attribut, complément d'objet ou complément circonstanciel ; elle marque, notamment, le souhait, le commandement et accompagne le subjonctif. *Je pense que nous y arriverons. Elles souhaitent que nous puissions venir.* La conjonction sert également de corrélatif aux comparatifs.

🔊 Devant une voyelle ou un *h* muet, la conjonction s'élide. *Qu'il, qu'une.*

Il importe de ne pas confondre la conjonction *que* avec le pronom relatif *que* qui relie une proposition subordonnée relative à un nom ou à un pronom (l'antécédent). *La personne* (antécédent) *que je vois. Les villes* (antécédent) *que j'ai visitées. C'est elle* (antécédent) *que j'ai rencontrée.*

VOIR TABLEAU ► **QUE,** PRONOM.

► La conjonction introduit une **proposition complétive.** *Il importe que tu réfléchisses. Calmez-vous un peu que je vous explique.*

► La conjonction introduit une **proposition circonstancielle.** *Il faisait si froid que le ski était impossible.*

► La conjonction accompagne le **subjonctif.** *Qu'il pleuve ou qu'il vente, nous serons là.*

► La conjonction introduit le **second terme d'une comparaison.** *Il est plus grand que toi.*

► La conjonction est en corrélation avec *ne...* pour **marquer la restriction.** *Il ne fait que critiquer.*

Locutions conjonctives avec *que.*

à ce que	de même que	plutôt que
afin que	de peur que	pour autant que
ainsi que	depuis que	pour peu que
alors que	de sorte que	pour que
à mesure que	dès que	pourvu que
à présent que	de telle façon que	puisque
après que	de (telle) sorte que	quoique
à supposer que	du moment que	sans que
à tel point que	en admettant que	sauf que
attendu que	en attendant que	si bien que
au lieu que	encore que	si tant est que
à un point tel que	en même temps que	soit que... soit que
au point que	en tant que	sous (le) prétexte que
aussi bien que	étant donné que	supposé que
aussitôt que	excepté que	tandis que
avant que	il est entendu que	tant que
bien que	jusqu'à ce que	tant... que
c'est-à-dire que	le fait que	tellement que
d'abord que	malgré que	toutes les fois que
d'autant moins que	moins que	trop... pour que
d'autant plus que	parce que	une fois que
de crainte que	pendant que	vu que...
de façon que	peut-être que	
de manière que	plus que	

VOIR TABLEAU ► **CONJONCTION.**

QUE, PRONOM

▶ PRONOM RELATIF MASCULIN ET FÉMININ

Le pronom relatif *que* relie une proposition subordonnée relative à un nom ou à un pronom (l'antécédent). L'antécédent du pronom *que* peut être une personne ou une chose. *La personne* [antécédent] *que j'ai rencontrée. C'est toi* [antécédent] *que j'ai remarqué. Les multiples villes* [antécédent] *que vous avez visitées; celles* [antécédent] *que vous n'avez pas encore vues.*

> ☜ Devant une voyelle ou un *h* muet, le pronom s'élide. *La montagne qu'il a escaladée. La promenade qu'Hélène fera.*

Il importe de ne pas confondre le pronom relatif *que* avec la conjonction *que* qui n'est pas liée à un antécédent et qui introduit une proposition complétive, une proposition circonstancielle, le second terme d'une comparaison, ou qui accompagne le subjonctif.

VOIR TABLEAU ▶ QUE, CONJONCTION.

▶ Fonctions du pronom

- **Complément d'objet direct.** *Les paysages que vous avez vus.*
- **Attribut.** *Le scientifique qu'il est.*
- **Sujet.** *La pluie que je vois tomber.*
  > ☜ Le pronom relatif est sujet de l'infinitif.
- **Complément circonstanciel.** *Les années que nous avons vécu à la campagne.*
  > ☜ Le pronom relatif est complément circonstanciel quand il a la valeur de *où, dont, pendant lequel, durant lequel,* etc.

▶ PRONOM INTERROGATIF NEUTRE

Le pronom interrogatif *que* introduit une proposition interrogative.

▶ Fonctions du pronom

1. Interrogation directe
   - **Complément d'objet direct.** *Que dis-tu ?*
     > ☜ La construction *qu'est-ce que* s'emploie également, mais elle est plus lourde.
   - **Attribut.** *Qu'est ce parfum ?*
   - **Sujet d'un verbe impersonnel.** *Que va-t-il arriver ?*
2. Interrogation indirecte
   - **Complément d'objet direct.** *Je ne sais que décider.*
   - **Attribut.** *Il ne sait que devenir.*
     > ☜ En interrogation directe, la phrase est suivie d'un point d'interrogation. *Que veut-elle ?* Par contre, en interrogation indirecte, la phrase se termine par un point. *Il se demande ce qu'elle veut.*

▶ Locutions pronominales interrogatives

Qu'est-ce qui. Que. *Qu'est-ce qui vous prend ?*
Qu'est-ce que. Que. *Qu'est-ce que vous dites ?*

VOIR TABLEAU ▶ PRONOM.

QUEL

▶ QUEL, QUELLE, ADJECTIF INTERROGATIF

L'adjectif interrogatif *quel, quelle* questionne sur la qualité, la nature, l'identité d'une personne ou d'une chose et ne s'emploie que dans une phrase interrogative.

Quel bon vent vous amène ? Quelle amie as-tu rencontrée ? Quels fruits préférez-vous ? Quelles couleurs aimez-vous ?

– **Interrogation directe.** *Quelle heure est-il ?*

– **Interrogation indirecte.** *Expliquez-moi quels problèmes vous avez.*

☞– Dans l'interrogation directe, la phrase se termine par un point d'interrogation ; dans l'interrogation indirecte, elle se termine par un point.

▶ QUEL, QUELLE, ADJECTIF EXCLAMATIF

L'adjectif exclamatif *quel, quelle* marque l'admiration, l'étonnement, la tristesse, etc., et ne s'emploie que dans une phrase exclamative.

Quelle surprise et quel plaisir de vous retrouver tous !

☞– La phrase exclamative se termine par un point d'exclamation.

▶ QUEL QUE, QUELLE QUE, ADJECTIF RELATIF

L'adjectif relatif en deux mots *quel que, quelle que* qui est placé immédiatement devant le verbe *être au subjonctif* exprime une idée de concession, d'opposition.

Quelles que soient vos qualités, il vous faut travailler pour réussir.

☞– L'adjectif relatif s'accorde en genre et en nombre avec le sujet du verbe. *Quels qu'ils soient, quelle que soit votre joie.*

☞– L'adjectif relatif s'écrit en deux mots.

Il importe de ne pas confondre l'adjectif relatif *quel que* avec l'adjectif indéfini *quelque* ou l'adverbe *quelque*.

• Adjectif relatif
  Quelles que soient les directives, il les suivra. Quels que puissent être les commentaires, elle en tiendra compte.

• Adjectif indéfini
  J'ai invité quelques personnes et nous lirons quelques poèmes.

• Adverbe
  Quelque gentil que tu sois, laisse-moi, car je dois travailler.

VOIR TABLEAUX ▶ **ADJECTIF.** ▶ **QUELQUE.**

QUELQUE

▶ **ADJECTIF INDÉFINI** Abréviation *qq.* (s'écrit avec un point).

1. *Quelque* + nom au pluriel. Un petit nombre de. *Nous avons apporté **quelques** fruits. **Quelques** centaines de personnes.*

2. *Quelque* + nom au singulier. (LITT.) Un certain. *Son compagnon avait **quelque** peine à le suivre. Ce poème est de **quelque** troubadour du Moyen Âge.*

3. *Quelque* + nom ou groupe nominal + *que* + subjonctif. (LITT.) Quel que soit le... que, quelle que soit la... que. ***Quelques** paroles apaisantes **que** vous prononciez, vous n'arriverez pas à le consoler. **Quelque** chagrin **que** j'aie, jamais je n'en parlerai.*

    ☞– La locution, qui s'emploie dans un registre soutenu, marque la concession, l'opposition.

    ☞– L'adjectif indéfini s'accorde avec le nom qu'il détermine et ne s'élide que devant *un, une* pour former le pronom indéfini *quelqu'un, quelqu'une.*

▶ **ADVERBE**

1. *Quelque* + adjectif numéral. Environ, à peu près. ***Quelque** cent personnes ont assisté au spectacle.*

2. *Quelque* + adjectif + *que* + subjonctif. (LITT.) Si, aussi. ***Quelque** prudent **qu'**il soit, il ne pourra l'emporter sur son adversaire qui est un fin stratège.*

3. *Quelque* + participe passé + *que* + subjonctif. (LITT.). Si, aussi. ***Quelque** effrayés **qu'**ils soient, ils n'avoueront rien. **Quelque** endormies **qu'**elles aient été, elles ont tout entendu.*

4. *Quelque* + adverbe + *que* + subjonctif. (LITT.). Si, aussi. ***Quelque** doucement **que** vous retiriez son pansement, il a horriblement mal.*

    ☞– L'adverbe *quelque* est invariable et ne s'élide pas.

Locutions

– *En quelque sorte,* loc. adv. Pour ainsi dire, d'une certaine manière. *Ils mangent très peu : ils jeûnent en quelque sorte.*

– *Et quelques,* loc. adv. Et un peu plus. *Cent étudiants et quelques ont réussi.*

    ↬ La locution s'emploie après une quantité numérique.

– *Quelque chose,* loc. pronom. indéfinie. Une chose quelconque. *Donnez-moi quelque chose à manger.*

    ↬ Malgré le genre féminin du nom *chose,* la locution se construit avec un participe ou un adjectif au masculin singulier. *Je n'ai jamais vu quelque chose d'aussi joli.*

– *Quelque part,* loc. adv. En quelque lieu. *Est-ce que je vous ai déjà vu quelque part ?*

– *Quelque peu,* loc. adv. (LITT.) Assez. *Cette idée est quelque peu dépassée.*

– *Quelque temps,* loc. adv. Un certain temps. *Dans quelque temps, le printemps reviendra.*

VOIR TABLEAU ▶ **QUEL.**

RÉSUMÉ						
ADJECTIF INDÉFINI			**ADVERBE**			
quelque + nom au pluriel	*quelque* + nom au singulier	*quelque* + nom, groupe nominal + *que* + subjonctif	*quelque* + adjectif numéral	*quelque* + adjectif + *que* + subjonctif	*quelque* + participe passé + *que* + subjonctif	*quelque* + adverbe + *que* + subjonctif
« un petit nombre de »	« un certain »	« quel que soit le... que, quelle que soit la... que »	« environ, à peu près »	« si, aussi »	« si, aussi »	« si, aussi »
accord au pluriel	accord au singulier	accord	invariabilité	invariabilité	invariabilité	invariabilité
Quelques pommes sont mûres.	*Ils se cachent dans **quelque** endroit.*	***Quelques** remarques **que** vous fassiez...*	***Quelque** cent participants étaient là.*	***Quelque** aimables **que** soient ces personnes...*	***Quelque** fatigués **que** nous soyons...*	***Quelque** rapidement **qu'**ils courent...*

QUI

▶ PRONOM RELATIF MASCULIN ET FÉMININ

Le pronom relatif *qui* relie une proposition subordonnée à un nom ou à un pronom (l'antécédent). L'antécédent du pronom *qui* peut être une personne ou une chose. *L'amie* [antécédent] *qui m'a aidé est gentille. Ceux* [antécédent] *qui sont d'accord doivent lever la main. Un coucher de soleil* [antécédent] *qui nous a éblouis.*

> Le pronom relatif est du même genre et du même nombre que le nom ou le pronom qu'il représente (l'antécédent); le verbe, le participe passé, l'attribut s'accordent avec l'antécédent. *C'est elle* **qui** *est venue. Vous* **qui** *êtes partis, revenez.*

▶ Fonctions du pronom

- **Sujet.** *La colombe* **qui** *vole. Elle apprécie* **qui** *la comprend.*
  > Sans antécédent, le pronom relatif a le sens de « quiconque ». **Qui** *vivra verra.*
- **Complément d'objet direct.** *Regarde* **qui** *tu voudras. Je ne sais pas* **qui** *ils choisiront.*
- **Complément d'objet indirect.** *La personne à* **qui** *j'ai rêvé. L'amie à* **qui** *tu parleras.*
  > Lorsque le pronom *qui* est employé avec une préposition, son antécédent ne peut être qu'une personne. Pour les animaux et les êtres inanimés, on emploie le pronom *dont* qui convient également aux personnes ou les pronoms relatifs composés, selon le cas. *Le chien auquel je rêve et dont je parle constamment. La maison dont je rêve.*
- **Complément circonstanciel.** *L'ami avec* **qui** *je joue. Celui pour* **qui** *il travaille.*

▶ Locutions

- *Qui que ce soit,* loc. pronom. indéfinie. Une personne quelconque, n'importe qui. *Je ne parlerai pas à qui que ce soit.*
  > Cette locution exprime une idée d'indétermination.
- *Qui que ce soit qui,* loc. pronom. indéfinie. *Qui que ce soit qui vienne, je l'accueillerai.*
  > Avec cette locution qui marque la concession, le verbe se construit au subjonctif.
- *Qui que,* loc. pronom. indéfinie. *Qui que vous soyez, entrez je vous en prie.*
  > Cette construction qui exprime une concession se construit avec le subjonctif.
- *Ce qui* et *ce qu'il.*
  > Avec certains verbes qui admettent à la fois la construction personnelle et impersonnelle, les deux locutions s'emploient indifféremment. *Ce qui, ce qu'il importe. Il avait prévu ce qui arrive, ce qu'il arrive.*

▶ PRONOM INTERROGATIF MASCULIN ET FÉMININ

Le pronom interrogatif *qui* introduit une proposition interrogative et a le sens de *quelle personne ?* *Qui vient prendre la relève ?*

> Le verbe, le participe, le participe passé, l'attribut s'accordent généralement au masculin singulier.

▶ Fonctions du pronom

1. Interrogation directe
   - **Sujet.** *Qui chante ainsi ?*
   - **Attribut.** *Qui es-tu ?*
   - **Complément d'objet direct.** *Qui a-t-il rencontré ?*
   - **Complément d'objet indirect.** *À* **qui** *parlez-vous ?*
2. Interrogation indirecte
   - **Complément d'objet direct.** *Je ne sais* **qui** *tu rencontres.*
   - **Attribut.** *Rappelez-vous* **qui** *elle est.*
   > En interrogation directe, la phrase est suivie d'un point d'interrogation. Par contre, en interrogation indirecte, la phrase se termine par un point. *Je me demande* **qui** *a prononcé ces mots.*

▶ Locutions pronominales interrogatives

- *Qui est-ce qui.* Qui. *Qui est-ce qui vient ?*
- *Qui est-ce que.* Qui. *Qui est-ce que j'entends ?*

VOIR TABLEAU ▶ **PRONOM.**

QUOI

▶ PRONOM RELATIF

Le pronom relatif neutre *quoi* relie une proposition subordonnée relative à un pronom de sens indéterminé (*ce, cela, rien, chose...*), à une proposition déjà énoncée. L'antécédent du pronom relatif *quoi* ne peut être qu'une chose. *Vous avez étudié l'histoire, ce* [antécédent] *en **quoi** vous avez eu raison.*

ℒ⋐ Le pronom *quoi* est précédé d'une préposition.

1. Avec un antécédent, il a le sens de ***lequel, laquelle, laquelle chose.***

   • **Complément d'objet indirect.** *Ce **à quoi** j'ai rêvé, c'est de partir en voyage.*

   • **Complément circonstanciel.** *Voilà **en quoi** cette thèse est intéressante.*

   ↪ L'antécédent est un pronom ou une locution neutre : ***ce, rien, quelque chose.*** Attention à l'emploi du pronom avec un verbe dont le complément est introduit par la préposition ***de*** (de quoi). *Le livre **dont** on a parlé* (et non **qu'on a parlé*).

2. Sans antécédent, il a le sens de « ce qui est nécessaire ». *Apportons-nous **de quoi** manger.*

3. ***Quoi que*** + subjonctif. Quelle que soit la chose que. ***Quoi que** vous fassiez, il sera d'accord.*

   ↪ Cette locution à valeur concessive se construit avec le subjonctif. Ne pas confondre avec la conjonction ***quoique*** qui signifie « bien que » et qui se construit aussi avec le subjonctif. *Quoique nous ayons leur accord.*

Locutions

– ***À quoi bon ?*** Pourquoi ? *À quoi bon tout transcrire à la main ? C'est bien plus rapide à l'ordinateur.*

– ***Faute de quoi,*** loc. conj. Autrement, sinon. *Nous partirons tôt : faute de quoi, nous serons en retard.*

– ***Il n'y a pas de quoi.*** Formule de politesse employée à la suite de remerciements. *Merci beaucoup. Il n'y a pas de quoi* (et non **bienvenue*).

– ***Il n'y a pas de quoi fouetter un chat.*** Ce n'est pas grave, c'est sans importance.

– ***Moyennant quoi,*** loc. conj. Grâce à quoi. *Prenons nos précautions, moyennant quoi, nous parviendrons à nos fins.*

– ***N'importe quoi,*** loc. pronom. Une chose quelconque. *N'achète pas n'importe quoi.*

– ***Quoi que ce soit,*** loc. pronom. Quelque chose. *Si vous désirez quoi que ce soit, prévenez-moi.*

– ***Quoi qu'il en soit,*** loc. pronom. En tout état de cause. *Quoi qu'il en soit, il faut tout reprendre à zéro.*

– ***Sans quoi,*** loc. conj. Autrement, sinon. *Prends des vêtements chauds, sans quoi tu gèleras.*

▶ PRONOM INTERROGATIF

1. **Interrogation directe**

   • **Complément d'objet direct.** Quelle chose ? *Devinez **quoi**?*

   • **Complément d'objet indirect.** À quelle chose ? *À **quoi** rêves-tu ?*

   ↪ Suivi d'un adjectif qualificatif, le pronom se construit avec la préposition ***de***. ***Quoi de** plus joli qu'un bouquet de roses ? **Quoi de** nouveau?*

2. **Interrogation indirecte**

   *Il ne sait pas **de quoi** elle parle. Elle ne sait pas **quoi** conclure.*

   ℒ⋐ En interrogation directe, la phrase est suivie d'un point d'interrogation. Par contre, en interrogation indirecte, la phrase se termine par un point.

▶ PRONOM EXCLAMATIF

Il marque la surprise, l'admiration, l'indignation. ***Quoi!** vous avez osé ! **Hé quoi!** admettrez-vous que vous avez tort ?*

VOIR TABLEAU ▶ **PRONOM.**

RÉFÉRENCES BIBLIOGRAPHIQUES

Ensemble des renseignements relatifs à un texte publié sous la forme d'un livre ou d'un article et qui comprennent principalement le nom de l'auteur, le titre du document, l'éditeur et la date de publication.

▶ UNIFORMITÉ ET PRÉCISION

– Selon le contexte, les références bibliographiques seront plus ou moins concises, le nombre d'éléments d'information fournis pourra varier.

– Ainsi, à l'intérieur d'un texte, on citera parfois uniquement le nom de l'auteur et l'année de la publication ou le titre de l'ouvrage et la page de la citation. Cependant, les références complètes seront données dans la bibliographie finale.

– Il importe de présenter de façon uniforme les divers renseignements d'un même ouvrage, d'adopter des caractères identiques et de conserver une ponctuation uniforme.

La référence du livre est légèrement différente de la référence de l'article. Voici, dans l'ordre, les renseignements que ces références comprennent :

▶ RÉFÉRENCE D'UN LIVRE

1. Le nom de l'auteur ou des auteurs.
2. Le titre du livre.
3. Le lieu de publication.
4. L'éditeur.
5. La date de publication.
6. Le nombre de pages.

DUCHARME, Réjean. *Va savoir*, Paris, Gallimard, 1994, 267 p.

1. Nom et prénom de l'auteur. 2. Titre. 3. Lieu de publication. 4. Éditeur. 5. Date de publication. 6. Nombre de pages.

▶ Le nom de l'auteur

– **Un seul auteur.** Le nom de l'auteur est noté en majuscules, il est séparé par une virgule du prénom écrit en minuscules avec une majuscule initiale et il est suivi d'un point.

LECLERC, Félix.   HÉBERT, Anne.   VIGNY, Alfred de

☞ Dans la mesure du possible, le prénom sera écrit au long.

– **Deux ou trois auteurs.** S'il y a deux ou trois auteurs, le nom et le prénom des autres auteurs sont écrits à la suite, dans l'ordre de la lecture cependant, et sont séparés par une virgule ou par la conjonction **et.**

BOILEAU, Pierre, Thomas NARCEJAC   ou   BOILEAU, Pierre et Thomas NARCEJAC

– **Plusieurs auteurs.** S'il y a plus de trois auteurs, on utilisera l'abréviation de l'expression latine *et alii,* signifiant «et les autres», *et al.* ou l'abréviation de l'expression *et collaborateurs, et collab.*

– **Collectif.** S'il s'agit d'un ouvrage collectif ou d'un document dont l'auteur n'est pas mentionné, la référence commencera alors par le titre du document.

Code typographique : Choix de règles à l'usage des auteurs et des professionnels du livre, 1989, 16e éd., Paris, Fédération C.G.C. de la communication, 121 p.

▶ Le titre du livre

Le titre est en italique ou, si l'on ne dispose pas de caractères italiques, il est souligné et suivi d'une virgule. Les titres d'ouvrages prennent une majuscule au premier nom et éventuellement à l'adjectif et à l'article qui le précèdent.

La Bergère de chevaux de Christiane Duchesne. *Le Guide de la communication écrite* de Marie Malo.

☞ S'il y a un sous-titre, la règle des majuscules et des minuscules du titre s'applique de la même façon.

VOIR TABLEAU ▶ **MAJUSCULES ET MINUSCULES.**

▶ **Le numéro de l'édition**
S'il y a lieu, on inscrira le numéro de l'édition après le titre du livre.
   Le Bon Usage, 13ᵉ édition.

▶ **La collection**
S'il y a lieu, la mention de la collection s'inscrit à la suite du titre et elle est suivie d'une virgule.
   TREMBLAY, Miville. *Le Pays en otage,* coll. Presses HEC, Montréal, Québec/Amérique, 1995, 345 p.
   ☞ Le nom *collection* s'abrège *coll.*

▶ **Le lieu, l'éditeur et la date de publication**
Le lieu de la publication, noté en minuscules et suivi d'une virgule, précède le nom de l'éditeur et la date de publication.
   Montréal, Québec/Amérique, 1997.

▶ **Le nombre de pages du livre**
   345 p.
   ☞ On utilise l'abréviation de *page (p.)*. Quand l'ouvrage comprend plusieurs volumes, on écrit le nombre avant l'indication du nombre de pages à l'aide de l'abréviation *vol.* 2 vol., 345 p.

▶ **RÉFÉRENCE D'UN ARTICLE**
   1. Le nom de l'auteur ou des auteurs.
   2. Le titre de l'article.
   3. Le nom du périodique.
   4. Le numéro de l'édition, du volume ou du périodique.
   5. La date de publication.
   6. L'indication des pages de l'article.

   ARSENAULT, Michel. « L'Énigme de la chouette d'or », *L'actualité*, vol. 21, n° 20, 15 décembre 1996, p. 39-41.

   1. Nom et prénom de l'auteur.   2. Titre de l'article.   3. Nom du journal ou de la revue.   4. Volume et numéro de l'édition.   5. Date de publication.   6. Pages.

▶ **Le nom de l'auteur**
Le nom de l'auteur ou des auteurs d'un article se note comme celui d'un livre et il est suivi d'un point.

▶ **Le titre de l'article**
Le titre d'un article est généralement placé entre guillemets après le nom de l'auteur. Il est suivi d'une virgule et on écrit ensuite le nom du périodique (journal, revue) qui est souligné ou, mieux encore, mis en italique.
   TREMBLAY, Miville. « Baisse d'impôt de 15 % en Ontario », *La Presse*, 9 mai 1996, p. A1.

▶ **Le nom du périodique**
Le nom du périodique est en italique et il est suivi d'une virgule. Si l'on ne dispose pas de caractères italiques, le nom du périodique est souligné.

▶ **Le numéro du périodique et la date de publication**
On note le numéro du volume, s'il y a lieu, le numéro du périodique et la date de la parution.
   Le Petit Rigolo, vol. 3, n° 5, mai 1996,

▶ **L'indication des pages d'un article**
La notation des pages d'un article est faite à l'aide de l'abréviation *p.* (et non plus *pp.) suivie des numéros des première et dernière pages de l'article séparés par un trait d'union ou par la préposition *à.*
   p. 15-20 ou p. 15 à 20.

SI, ADVERBE ET CONJONCTION

► **ADVERBE**

► **Adverbe de quantité et d'intensité** (suivi d'un adjectif ou d'un adverbe)

1. Aussi. *Elle n'est pas si naïve qu'on l'imagine. Il est rare de voir un garçon si gentil. Tu m'as demandé cette faveur si gentiment que j'ai dit oui.*
   ↝ L'adverbe s'emploie en corrélation avec *que* ou seul.

2. Tellement. *Il travaille si fort et il se repose si peu : des vacances lui feraient le plus grand bien. Elle chante si bien : c'est une merveilleuse cantatrice.*

► **Adverbe d'affirmation**

L'adverbe s'emploie en réponse à une question négative au sens de «oui». *Ne participeront-ils pas à la fête ? Si, ils viendront.*
   ↜ Après une question affirmative, on emploie plutôt *oui.*

► **CONJONCTION**

1. La conjonction introduit une **condition** (verbe de la principale au **futur**). À condition que. *Si tu viens jouer avec nous, nous aurons du plaisir. S'il fait beau, nous irons nous promener.*
   ↜ La conjonction *si* ne perd son *i* (élision) que devant le pronom personnel masculin de la troisième personne au singulier ou au pluriel. *S'il venait, s'ils mangeaient,* mais *si elle venait.*

2. La conjonction introduit une **hypothèse** (verbe de la principale au présent ou au passé). S'il est vrai que. *Si l'informatique est un merveilleux outil, elle n'est pas encore tout à fait apprivoisée.*

3. La conjonction introduit une **hypothèse** (verbe de la principale au conditionnel). Dans le cas où, à supposer que. *Si j'avais su* (et non *si j'aurais su*), *je ne serais pas venu.*
   ↜ Attention, le verbe de la subordonnée est à l'**imparfait** et non au conditionnel.
   (Petit truc : les scies chassent les raies.)

4. La conjonction introduit une **concession**, une **restriction**.
   – Même si. *Si les élèves ont fait des progrès, ils ne maîtrisent pas encore totalement cette matière.*
   – Quelque... que. *Si compétente que soit cette personne, elle peut se tromper.*

5. La conjonction introduit une **interrogation indirecte.** *Elle se demandait s'il viendrait. Il se demande s'il ira.*
   ↜ On peut employer le conditionnel ou le futur après la conjonction *si* dans le style indirect.

6. La conjonction introduit une **proposition de conséquence.** De telle sorte que, tellement que, si bien que.
   Elle est si sérieuse qu'on ne peut jamais la faire rire. Les neiges ont fondu si rapidement que les terres ont été inondées.
   ↝ La locution conjonctive *si... que* se construit avec un adjectif ou un adverbe.

Locutions

– ***Avec des si, on mettrait Paris dans une bouteille.*** On peut supposer n'importe quoi, mais ce n'est pas nécessairement la réalité.

– ***On n'est jamais si bien servi que par soi-même.*** Il vaut mieux se charger soi-même de quelque chose plutôt que de s'en remettre aux autres.

– ***S'il vous plaît.*** Formule de politesse qui s'abrège ***s.v.p.*** ou ***S.V.P.*** (avec ou sans points). *Deux croissants, s'il vous plaît ou s.v.p.*
   ↜ La locution s'écrit sans traits d'union.

– ***Si on peut dire.*** Pour ainsi dire. *Ces hommes d'affaires sont en réunion, si on peut dire. En fait, ils jouent aux cartes !*

SIGLE

Le sigle est une abréviation constituée par les initiales de plusieurs mots et qui s'épelle lettre par lettre.

SRC (Société Radio-Canada), PME (petite et moyenne entreprise), FTQ (Fédération des travailleurs du Québec).

▸ L'acronyme est un sigle composé des initiales ou des premières lettres d'une désignation, et qui, à la différence du sigle, se prononce comme un mot.

ONU (Organisation des Nations Unies), cégep (collège d'enseignement général et professionnel) et OVNI (objet volant non identifié) sont des acronymes.

▸ **Points abréviatifs**
La tendance actuelle est d'omettre les points abréviatifs. Dans cet ouvrage, les sigles et les acronymes sont notés sans points ; cependant, la forme avec points est généralement correcte.

▸ **Genre et nombre des sigles**
Les sigles sont du genre et du nombre du mot principal de la désignation abrégée.

Le FMI (Fonds [masculin singulier] monétaire international), la CSN (Confédération [féminin singulier] des syndicats nationaux).

☞ À son premier emploi dans un texte, le sigle doit être précédé de la désignation au long.

ADN . . . . Acide désoxyribonucléique
AFP . . . . Agence France-Presse
AI . . . . Amnesty International
AID . . . . Agence internationale de développement
AIÉA . . . . . . Agence internationale de l'énergie atomique
BBC . . . . British Broadcasting Corporation
BCG . . . . Vaccin bilié de Calmette et Guérin
BDC . . . . Banque de développement du Canada
BIRD . . . . . . Banque internationale pour la reconstruction et le développement
BIT . . . . Bureau international du travail
BNQ . . . . Bureau de normalisation du Québec
CAC . . . . Conseil des Arts de Canada
CAO . . . . Conception assistée par ordinateur
CCCI . . . . Conseil canadien de la coopération internationale
CCDP . . . . . . Commission canadienne des droits de la personne
CÉC . . . . Conseil économique du Canada
CE . . . . Communauté européenne
CÉI . . . . Communauté d'États indépendants
CIA . . . . Central Intelligence Agency
CLF . . . . Conseil de la langue française
CLSC . . . . . . Centre local de services communautaires
CNA . . . . Centre national des arts
CPV . . . . Chlorure de polyvinyle
CRTC . . . . . . Conseil de la radiodiffusion et des télécommunications canadiennes
CSDM . . . . . Commission scolaire de Montréal
CSST . . . . . . Commission de la santé et de la sécurité du travail
CTF . . . . Commission de terminologie française
CUP . . . . Code universel des produits
DDT . . . . Dichloro-diphényl-trichloréthane
DSC . . . . Département de santé communautaire
ÉCG . . . . Électrocardiogramme
ÉEG . . . . Électroencéphalogramme
FMI . . . . Fonds monétaire international

GMT . . . . Greenwich Mean Time (Temps moyen de Greenwich)
GRC . . . . Gendarmerie royale du Canada
HAE . . . . Heure avancée de l'Est
HEC . . . . École des Hautes Études Commerciales
HLM . . . . Habitation à loyer modique (Canada)
HLM . . . . Habitation à loyer modéré (France)
HNE . . . . Heure normale de l'Est
INRS . . . . Institut national de la recherche scientifique
IVG . . . . Interruption volontaire de grossesse
MIT . . . . Massachusetts Institute of Technology
MST . . . . Maladie sexuellement transmissible (France)
MTS . . . . Maladie transmise sexuellement (Canada)
NAS . . . . Numéro d'assurance sociale
OCDÉ . . . . . Organisation de coopération et de développement économique
OIT . . . . Organisation internationale du travail
OLF . . . . Office de la langue française
OMC . . . . Organisation mondiale du commerce
OMM . . . . . Organisation météorologique mondiale
OMS . . . . . . Organisation mondiale de la santé
ONF . . . . Office national du film
ONG . . . . Organisation non gouvernementale
OPQ . . . . Office des professions du Québec
OUA . . . . Organisation de l'unité africaine
PDG . . . . Président-directeur général
PIB . . . . Produit intérieur brut
PME . . . . Petite et moyenne entreprise
PNB . . . . Produit national brut
PVC . . . . Polyvinyle chloride
RAAQ . . . . . Régie de l'assurance automobile du Québec
RAMQ . . . . . Régie de l'assurance-maladie du Québec
RRQ . . . . Régie des rentes du Québec
SRC . . . . Société Radio-Canada
STCUM . . . . Société de transport de la Communauté urbaine de Montréal
TGV . . . . Train à grande vitesse
TPS . . . . Taxe sur les produits et services

VOIR TABLEAUX ▸ **ABRÉVIATION (RÈGLES DE L').** ▸ **ACRONYME.**

SUBJONCTIF

Le subjonctif exprime une action considérée **dans la pensée** plutôt que dans la réalité, une **hypothèse**. Mode par excellence de la proposition subordonnée, il marque :

- le **doute**. *Je doute qu'il **puisse** venir.*
- l'**incertitude**. *Je ne crois pas qu'elle **finisse** son travail à temps.*
- la **crainte**. *Mes parents craignent qu'il n'y **ait** pas assez de provisions.*
- la **supposition**. *Il ne suppose pas qu'on **bâtisse** une maison dans un marécage.*
- le **souhait**. *Tu souhaites qu'ils **réussissent**.*
- la **prière**. *Sa marraine prie pour que Lorraine **guérisse**.*
- la **volonté**. *Elle exigera que les messages **soient** bien **transmis**.*
- l'**interdiction**. *La direction interdit qu'on **fasse** du bruit après 22 heures.*

► PRÉSENT DU SUBJONCTIF

On emploie le présent du subjonctif dans la proposition subjonctive lorsque l'action a lieu en même temps que l'action de la principale (PENDANT) ou postérieurement (APRÈS).

> *Je ne crois pas qu'il **pleuve** en ce moment (simultanéité : PENDANT).*
> *Tu souhaiterais que tes amis **soient** présents (postériorité : APRÈS).*

► PASSÉ DU SUBJONCTIF

On emploie le passé du subjonctif dans la proposition subjonctive lorsque l'action a eu lieu AVANT celle de la principale.

> *La direction a déploré que les élèves **soient arrivés** en retard pour l'examen (antériorité : AVANT).*
> *Les enfants regrettent que la neige **ait fondu** : ils ne peuvent aller skier (antériorité : AVANT).*
> *Elle souhaiterait qu'on l'**ait informée** personnellement (antériorité : AVANT).*

► IMPARFAIT ET PLUS-QUE-PARFAIT DU SUBJONCTIF

Ces temps du subjonctif s'emploient dans un registre littéraire lorsque le verbe de la proposition principale est à un des temps du passé de l'indicatif ou du conditionnel. *Il aurait aimé qu'elle **vînt** le voir.* De façon courante, on emploie plutôt le présent ou le passé du subjonctif. *Il aurait aimé qu'elle **vienne** le voir.*

► VERBES DE LA PRINCIPALE IMPOSANT LE SUBJONCTIF

Certains verbes de la proposition principale imposent le mode subjonctif dans la proposition subjonctive.

- Les verbes qui expriment le **doute**, la **crainte**, l'**incertitude**.
  *Tu doutes qu'il **finisse** son travail à temps. Elle craint que les enfants **aient pris** froid.*
- Les verbes qui traduisent un **ordre**, une **défense**.
  *Le colonel ordonne que les soldats **soient** au garde-à-vous. Le gardien du musée interdit que l'on **s'assoie** sur ces socles.*
- Les verbes qui marquent l'**amour**, la **haine**, la **surprise**.
  *Nous sommes vraiment surpris que tes amis **aient décidé** de partir. Tu adorerais qu'il **coure** avec toi.*
- Certains **verbes impersonnels** tels *arriver, convenir, importer...*
  *Il arrive que nous **soyons** en avance.*

► LOCUTIONS CONJONCTIVES IMPOSANT LE SUBJONCTIF

- Certaines locutions conjonctives sont toujours suivies du subjonctif.
  *Rentre avant qu'il ne **pleuve**. De peur qu'on ne **t'aperçoive**. Quoi que tu **dises**. Qui que tu **sois**.*

☞ La locution conjonctive **avant que** se construit avec le subjonctif, mais la locution conjonctive **après que** se construit avec l'indicatif. *Après que vous aurez dormi un peu, vous vous sentirez mieux.*

VOIR TABLEAUX ► **CONCORDANCE DES TEMPS**. ► **IMPÉRATIF**. ► **INDICATIF**. ► **INFINITIF**.

SUFFIXE

Le **suffixe** est un élément qui se joint à la suite d'un radical pour former un dérivé.

☞ Le **préfixe** est un élément qui se place avant un radical pour former un nouveau mot.

Dans la composition des mots nouveaux (néologismes), le français emprunte surtout au **grec** et au **latin** des suffixes ou des éléments qui sont joints à un radical pour former une nouvelle unité lexicale. Ces suffixes présentent l'avantage d'être déjà connus et, ainsi, de favoriser la compréhension immédiate du néologisme.

	SUFFIXES	SENS	EXEMPLES
SUFFIXES D'ORIGINE GRECQUE	-cratie	« puissance »	aristocratie, démocratie
	-graphie	« écriture »	radiographie, télégraphie
	-logie	« science »	biologie, philologie
	-onyme	« nom »	toponyme, odonyme
	-phile	« aimer »	francophile, bibliophile
	-phobe	« haïr »	agoraphobe, claustrophobe
	-scope	« examiner »	microscope, télescope
	-thérapie	« traitement »	physiothérapie, chimiothérapie
SUFFIXES D'ORIGINE LATINE	-cide	« tuer »	homicide, régicide
	-culture	« cultiver »	apiculture, horticulture
	-duc	« conduire »	gazoduc, oléoduc
	-fère	« qui porte »	ombellifère, mammifère
	-lingue	« langue »	bilingue, multilingue
	-vore	« manger »	herbivore, omnivore
SUFFIXES DE NOMS	-age	action	défrichage, affichage
	-ateur	agent	dessinateur, accélérateur
	-erie	spécialité	animalerie, bijouterie
	-ette	diminutif	maisonnette, fillette
	-isme	doctrine	automatisme, socialisme
	-ite	maladie	appendicite, bronchite
	-ité	qualité	rapidité, vélocité
	-on	diminutif	chaton, ourson
	-ure	ensemble	toiture, voilure
SUFFIXES D'ADJECTIFS	-able	possibilité	aimable, capable
	-ais, aise	origine	français, montréalaise
	-âtre	péjoratif	rougeâtre, douceâtre
	-el, elle	caractère	spirituel, temporelle
	-ible	possibilité	indestructible, risible
	-ien, ienne	origine	gaspésien, trifluvienne
	-ier, ière	métier	épicier, jardinière
	-if, ive	caractère	actif, vive
	-ois, oise	origine	chinois, québécoise
SUFFIXES DE VERBES	-er	action	planter, couper
	-ir	action	finir, polir
	-asser	péjoratif	rêvasser, finasser
	-iser	action	informatiser, automatiser
SUFFIXES D'ADVERBES	-ment	manière	rapidement, calmement

VOIR TABLEAUX ▸ NÉOLOGISME. ▸ PRÉFIXE.

SUJET

▶ **FONCTIONS**

- Le sujet désigne l'être ou l'objet qui **fait l'action du verbe** (verbe d'action).
  Maman a planté des fleurs. Qui a planté des fleurs? *Maman.*

- Le sujet désigne l'être ou l'objet qui se trouve dans **l'état exprimé par le verbe** (verbe d'état).
  Le chien Filou est gourmand. Qui est-ce qui est gourmand? *Le chien Filou.*

- Le sujet désigne l'être ou l'objet qui **subit l'action du verbe** (voix passive).
  La pomme est mangée par Julien. Qu'est-ce qui est mangé? *La pomme.*

- ✍ Pour trouver le sujet d'un verbe, on pose la question *qui est-ce qui?* (pour un être vivant), *qu'est-ce qui?* (pour une chose). Attention : dans une question, l'ordre des mots est inversé.
  Plante-t-elle des fleurs?

▶ **NATURE DU SUJET**

Le sujet peut être :

- un **nom** commun ou propre ou un **groupe nominal.** *La table* est ronde. *Jacques* joue du piano.

- un **pronom.** *Nous* sommes d'accord. *Qui* est là ? *Celle-ci* est adorable.

- un **infinitif.** *Nager* est bon pour la santé.

- une **proposition.** *Pierre qui roule* n'amasse pas mousse.

▶ **ACCORD DU VERBE, DE L'ATTRIBUT, DU PARTICIPE PASSÉ**

Il est important de connaître le sujet du verbe dans une phrase parce que c'est avec lui qu'on accorde le verbe, l'attribut ou le participe passé, s'il y a lieu.

Tu as dormi pendant deux heures. (Le verbe est à la deuxième personne du singulier parce que le sujet est *tu.*) *Elle est adroite.* (L'attribut est au féminin singulier parce que le sujet du verbe est *elle.*) *Les chats sont affamés.* (Le participe passé est au masculin pluriel parce que le sujet du verbe est *les chats.*)

▶ **NOM COLLECTIF SUJET**

- Nom collectif **employé seul.**
  Si le sujet est un collectif sans complément, le verbe se met **au singulier.**
  L'équipe gagna la partie.

- Nom collectif **suivi d'un complément au singulier.**
  Si le sujet est un collectif suivi d'un complément au singulier, le verbe se met **au singulier.**
  La plupart du temps se passa à jouer dehors.

- Nom collectif **suivi d'un complément au pluriel.**
  Si le sujet est un collectif suivi d'un complément au pluriel, le verbe se met **au singulier** lorsque l'auteur veut insister sur l'ensemble, **au pluriel** lorsqu'il veut insister sur le complément au pluriel (la pluralité).
  Une majorité des élèves a réussi l'examen ou *une majorité des élèves ont réussi l'examen.*

- Nom collectif **précédé d'un article défini, d'un adjectif possessif ou d'un adjectif démonstratif et suivi d'un complément au pluriel.**
  Si le sujet est un collectif précédé d'un article défini (*le, la*), d'un adjectif possessif (*mon, ma*) ou d'un adjectif démonstratif (*ce*) et suivi d'un complément au pluriel, le verbe se met **au singulier.**
  La bande de copains est en excursion. Mon groupe d'amis raffole de cette musique.

VOIR TABLEAU ▶ **COLLECTIF.**

SUPERLATIF

▶ SUPERLATIF RELATIF

- Le superlatif relatif exprime la qualité d'un être ou d'un objet **au degré le plus élevé** (supériorité relative) ou **au degré le moins élevé** (infériorité relative), en comparaison avec d'autres êtres ou objets.

  La rose est la plus belle de toutes les fleurs **(supériorité relative)**.
  Le pissenlit est la moins appréciée des fleurs **(infériorité relative)**.

▸ Formation du superlatif relatif

- Le superlatif relatif est formé à l'aide de l'article défini et de certains adverbes : *le plus, le moins, le mieux, le meilleur, le moindre, des plus, des mieux, des moins.*

  La meilleure des amies, le moindre de tes soucis.

▸ Article qui précède un superlatif relatif

- L'article reste neutre (masculin singulier) devant l'adjectif féminin ou pluriel si la comparaison porte sur **les différents états d'un seul être ou d'un seul objet.**

  C'est le matin qu'elle est le plus attentive (au plus haut degré).

- Si la comparaison porte sur **plusieurs êtres ou objets,** l'article s'accorde avec le nom auquel il se rapporte.

  Cette personne est la plus compétente des candidates.

▸ Accord de l'adjectif qui suit un superlatif relatif

- L'adjectif ou le participe qui suit le superlatif relatif *des plus, des mieux, des moins* se met au pluriel et s'accorde en genre avec le sujet déterminé.

  Cette animatrice est des plus compétentes. Un véhicule des plus résistants.

▶ SUPERLATIF ABSOLU

- Le superlatif absolu exprime la qualité d'un être ou d'un objet **à un très haut degré** (supériorité ou infériorité absolue), **sans comparaison avec** d'autres êtres ou objets.

  La pivoine est très odorante (supériorité absolue).
  La marguerite est très peu odorante (infériorité absolue).

▸ Formation du superlatif absolu

- Le superlatif absolu est formé à l'aide des adverbes *très, fort, bien...* ou des adverbes en *-ment : infiniment, extrêmement, joliment...*

  Un édifice très haut, un avion extrêmement rapide.

- Dans la langue familière, le superlatif absolu est formé des éléments *archi, extra, hyper, super, ultra...*

  Elle est super-gentille, ce copain est hyper-sympathique.

VOIR TABLEAU ▶ ADJECTIF.

SYMBOLE

Signe conventionnel constitué par :
- une lettre ....h ....(heure)
- un groupe de lettres...........................km ......(kilomètre)
- un groupe de lettres et de chiffres ....H_2O ......(symbole chimique)
- un signe ....$ ....(dollar)
- un pictogramme.............................🕮- ......(note, dans cet ouvrage)

Le symbole, indépendamment des frontières linguistiques, sert à désigner de façon très concise :
- un être
- une chose
- une grandeur
- une réalité

Les symboles s'emploient principalement dans les domaines scientifiques et techniques : symboles chimiques, mathématiques, symboles des unités monétaires, des unités de mesure.

▸ **Symboles chimiques**

Ag (argent)   *C* (carbone)   *N* (azote)   *Na* (sodium)

▸ **Symboles mathématiques**

+ (addition)   – (soustraction)   *x* (multiplication)   ÷ (division)

▸ **Symboles d'unités de mesure**

m (mètre)   *h* (heure)   *t* (tome)   *V* (volt)

▸ **Symboles d'unités monétaires**

$ (dollar)   *F* (franc)   £ (livre sterling)   Y (yen)

🕮- Les symboles sont invariables et s'écrivent sans point abréviatif.

VOIR TABLEAU ▸ ABRÉVIATION (RÈGLES DE L').

▸ RÈGLES D'ÉCRITURE DES SYMBOLES DES UNITÉS DE MESURE

Les symboles des unités de mesure, qui sont les mêmes dans toutes les langues, sont invariables et s'écrivent sans point abréviatif.

35 kg   *20 cm*   *12 s*

🕮- Les symboles des unités de mesure sont normalisés et doivent être écrits sans être modifiés.

▸ **Place du symbole**

Le symbole se place après le nombre entier ou décimal et il en est séparé par un espacement simple.

0,35 m   *23,8 °C*

Les sous-multiples d'unités non décimales s'écrivent à la suite sans ponctuation.

11 h 35 min 40 s

▸ RÈGLES D'ÉCRITURE DES SYMBOLES DES UNITÉS MONÉTAIRES

Signes conventionnels qui désignent les monnaies internationales.

$ est le symbole de ***dollar***, *F* est le symbole de ***franc***, *£* est le symbole de ***livre sterling***.

🕮- Les symboles des unités monétaires s'écrivent en majuscules, sans points abréviatifs et sont invariables.

▸ **Place du symbole**

En français, le symbole de l'unité monétaire se place à la suite du nombre après un espace, selon l'ordre de la lecture.

39,95 $ *25 ¢*

VOIR TABLEAU ▸ SYMBOLES DES UNITÉS MONÉTAIRES.

SYMBOLES DES UNITÉS MONÉTAIRES

Signes conventionnels qui désignent les monnaies internationales, les symboles des unités monétaires s'écrivent en majuscules, sans points et sont invariables.

▸ **Place du symbole**

En français, le symbole de l'unité monétaire se place après l'expression numérale, selon l'ordre de la lecture ; il est séparé du nombre par un espacement simple. *100 $.*

☜ Si l'expression numérale comporte une fraction décimale, le symbole de l'unité monétaire se place à la suite de cette fraction décimale, après un espacement simple. *39,95 $.* Attention, le signe décimal est la virgule et non plus le point ; il se note sans espacement avant ni après.

▸ **Écriture des sommes d'argent**

La notation peut se faire à l'aide de chiffres suivis du symbole de l'unité monétaire (*15 000 $*) ou en toutes lettres (*quinze mille dollars*). Pour les sommes supérieures à six chiffres – qui comprennent donc les noms **million** et **milliard** –, il est également possible de noter le nombre en chiffres suivi du nom **million** ou **milliard** et du nom de l'unité monétaire (*15 millions de dollars, 20 milliards de francs*).

VOIR TABLEAU ▸ MILLE, MILLION, MILLIARD.

▸ **Tableaux et statistiques**

Dans les documents techniques, les tableaux, les statistiques, les états financiers, etc., on indique généralement en tête de colonne la mention **en milliers de** (dollars, francs, etc.) ou **en millions de** (dollars, francs, etc.), selon le cas. On recourt parfois aux symboles **k** de *kilo* signifiant « mille » et **M** de *méga* signifiant « un million » accolés au symbole de l'unité monétaire, **k$** symbole de *kilodollar* (1000 $), **kF** symbole de *kilofranc,* **M$** symbole de *mégadollar* (1 000 000 $).

☜ Cette notation doit être réservée aux documents de nature technique où la place est très restreinte (tableaux, statistiques, etc.).

▸ **Symboles courants d'unités monétaires**

NOM DU PAYS	DÉSIGNATION DE LA MONNAIE	SYMBOLE
Allemagne	deutsche mark	DM
Belgique	franc belge	FB
Canada	dollar canadien	$ CA
Espagne	peseta	PTA
États-Unis	dollar américain	$ US
France	franc français	FF
Grande-Bretagne	livre sterling	£
Italie	lire	LIT
Japon	yen	Y
Mexique	peso mexicain	$ MEX
Russie	rouble	RBL
Suisse	franc suisse	FS

▸ **Code alphabétique des unités monétaires**

Pour les échanges internationaux et les transferts électroniques de fonds, on recourt à un code alphabétique défini par la norme de l'International Organization for Standardization (ISO). Le code alphabétique du dollar canadien est **CAD**, celui du dollar américain est **USD**.

SYMBOLES DES UNITÉS MONÉTAIRES – SUITE ▸

▶ Liste des unités monétaires

NOM DU PAYS	DÉSIGNATION DE LA MONNAIE	NOM DU PAYS	DÉSIGNATION DE LA MONNAIE
Afghanistan	afghani	Japon	yen
Afrique du Sud	rand	Jordanie	dinar jordanien
Albanie	lek	Kenya	shilling kényan
Algérie	dinar algérien	Koweït	dinar kowéïtien
Allemagne	deutsche mark	Laos	kip
Arabie saoudite	riyal saoudien	Liban	livre libanaise
Argentine	austral	Liberia	dollar libérien
Australie	dollar australien	Libye	dinar libyen
Autriche	schilling	Luxembourg	franc luxembourgeois
Belgique	franc belge	Madagascar	franc malgache
Bénin	franc CFA	Mali	franc CFA
Birmanie	kyat	Maroc	dirham marocain
Bolivie	boliviano	Mauritanie	ouguiya
Brésil	real brésilien	Mexique	peso mexicain
Bulgarie	lev	Népal	roupie népalaise
Burkina Faso	franc CFA	Nicaragua	cordoba d'or
Burundi	franc du Burundi	Niger	franc CFA
Cambodge	riel	Nigeria	naïra
Cameroun	franc CFA	Norvège	couronne norvégienne
Canada	dollar canadien	Nouvelle-Zélande	dollar néo-zélandais
Centrafricaine (République)	franc CFA	Pakistan	roupie pakistanaise
Chili	peso chilien	Panama	balboa
Chine	yuan	Paraguay	guarani
Chypre	livre chypriote	Pays-Bas	florin néerlandais
Colombie	peso colombien	Pérou	sol
Corée	won	Philippines	peso philippin
Costa Rica	colon costarica	Pologne	zloty
Côte d'Ivoire	franc CFA	Portugal	escudo portugais
Cuba	peso cubain	Qatar	riyal qatarien
Danemark	couronne danoise	Roumanie	leu
Dominicaine (République)	peso dominicain	Russie	rouble
Égypte	livre égyptienne	Rwanda	franc rwandais
Émirats arabes unis	dirham	Salvador	colon
Équateur	sucre	Sénégal	franc CFA
Espagne	peseta	Somalie	shilling somalien
États-Unis	dollar des États-Unis	Soudan	livre soudanaise
Éthiopie	birr éthiopien	Suède	couronne suédoise
Finlande	mark finlandais	Suisse	franc suisse
France	franc français	Syrie	livre syrienne
Gabon	franc CFA	Tanzanie	shilling tanzanien
Ghana	cedi	Tchad	franc CFA
Grande-Bretagne	livre sterling	Thaïlande	baht
Grèce	drachme	Togo	franc CFA
Guatemala	quetzal	Tunisie	dinar tunisien
Guinée	franc guinéen	Turquie	livre turque
Haïti	gourde	Uruguay	peso uruguayen
Honduras	lempira	Venezuela	bolivar
Hongrie	forint	Vietnam	dông
Inde	roupie indienne	Yémen	rial yéménite
Indonésie	rupiah	Yougoslavie	dinar yougoslave
Iran	rial iranien	Zaïre	nouveau zaïre
Iraq	dinar iraquien	Zambie	kwacha
Irlande	livre irlandaise	Zimbabwe	dollar zimbabwéen
Islande	couronne islandaise		
Israël	shekel		
Italie	lire italienne		

SYNONYMES

Les synonymes sont des mots qui ont la même signification ou des sens très voisins.

▶ **VERBES SYNONYMES**

Les verbes qui suivent expriment tous l'idée de « faire connaître », mais selon diverses nuances :

citer ....faire connaître en nommant une personne, une chose ;

désigner ....faire connaître par une expression, un signe, un symbole ;

indiquer ....faire connaître une personne, une chose, en donnant un indice (détail caractéristique) qui permet de la trouver ;

montrer ....faire connaître en mettant sous les yeux ;

nommer ....faire connaître par son nom ;

révéler ....faire connaître ce qui était inconnu ;

signaler ....faire connaître en attirant l'attention sur un aspect particulier.

▶ **ADJECTIFS SYNONYMES**

Les adjectifs qui suivent expriment tous l'idée de « ce qui est beau » à divers degrés :

admirable ....beau à la perfection ;

joli ....d'une beauté gracieuse et plaisante ;

magnifique ....beau par sa grandeur et son éclat ;

merveilleux ....d'une beauté surprenante, féerique ;

splendide ....d'une beauté éclatante, rayonnante.

▶ **NOMS SYNONYMES**

Les noms qui suivent désignent tous « un vêtement porté par-dessus les autres vêtements pour se protéger des intempéries » :

anorak ....manteau à capuchon qui protège du vent et du froid ;

cape ....manteau avec ou sans capuchon, ample et sans manches ;

imperméable ....manteau qui protège de la pluie ;

pelisse ....manteau doublé de fourrure ;

paletot ....manteau d'homme, généralement en lainage chaud.

🖝 Ne pas confondre avec les noms suivants :

– *antonymes,* mots qui ont une signification contraire :

    devant ....*derrière*

    en avant ......*en arrière*

    provisoire ....*permanent*

    définitif ....*passager*

– *homonymes,* mots qui s'écrivent ou se prononcent de façon identique sans avoir la même signification :

    air ....*mélange gazeux*

    air ....*mélodie*

    air ....*expression*

    aire ......*surface*

    ère ....*époque*

    hère .....*malheureux*

    hère .....*jeune cerf*

– *paronymes,* mots qui présentent une ressemblance d'orthographe ou de prononciation sans avoir la même signification :

    acception ....*sens d'un mot*

    acceptation ....*accord*

VOIR TABLEAUX ▶ **ANTONYMES.** ▶ **HOMONYMES.** ▶ **PARONYMES.**

TEL

▶ TEL, TELLE, ADJECTIF INDÉFINI

1. **Pareil, semblable.**
   *Je n'ai jamais entendu de **telles** bêtises. Un **tel** talent lui permettra de progresser rapidement.*
   ☜ Placé en début de proposition comme attribut, l'adjectif entraîne l'inversion du sujet.
   *Nous nous retrouvions tous autour de la table, car **telle** était sa volonté.*

2. **Si grand.**
   *Il se battit avec un **tel** courage qu'il l'emporta. Une émotion **telle** qu'il en perdit la raison.*

▶ ACCORD DE L'ADJECTIF

- **Tel** (non suivi de **que**). Ainsi que.
  *Elle était **tel** un tigre. À vol d'oiseau, les lacs sont **telles** des gouttes d'eau.*
  ☜ L'adjectif s'accorde **avec le nom qui suit** et qui exprime la comparaison.
  ☜ L'adjectif indéfini peut aussi introduire une énumération ; il s'accorde alors avec les éléments de l'énumération. *Le projet a été évalué selon de nombreux critères **telles** la rentabilité, la qualité de la recherche, la pertinence des objectifs.*

- **Tel que.** Ainsi que.
  *Une amazone **telle qu'**un fauve. Les cavaliers surgirent tout à coup **tels que** des bêtes féroces. **Tels que** des libellules, les danseurs se mirent à voltiger.*
  ☜ L'adjectif s'accorde **avec le nom auquel il se rapporte** et qui le précède généralement, mais non obligatoirement.
  ☜ La locution **tel que** peut aussi introduire une énumération. Dans ce cas, l'adjectif indéfini s'accorde avec le nom auquel il se rapporte. *Le projet a été évalué selon de nombreux critères **tels que** la rentabilité, la qualité de la recherche, la pertinence des objectifs.*

- **Tel quel.** Sans changement, dans l'état où il ou elle se trouve.
  *Cette maison, je l'ai retrouvée **telle quelle**, pareille à ce qu'elle était il y a de cela 30 ans.*
  ☜ La locution s'accorde en genre et en nombre **avec le nom auquel elle se rapporte.**

- **Comme tel.** En cette qualité.
  *La langue officielle du Québec est le français et doit être reconnue **comme telle** par tous.*
  ☜ Dans les expressions **comme tel, en tant que tel,** l'adjectif s'accorde avec le nom auquel il se rapporte.

- **Tel** + nom (sans article). Se dit de personnes, de choses qu'on ne peut désigner de façon déterminée.
  *Ils viendront à **telle** heure, à **tel** moment. Je vous donnerai **telle** ou **telle** information.*

- **Tel que** + participe passé. *La loi a été adoptée **telle qu'**elle avait été proposée* (et non **telle que proposée).*
  ☞ L'ellipse du verbe conjugué est à éviter, on préférera la construction avec le verbe conjugué dans la langue soutenue.

- **De telle sorte que,** loc. conj. De telle manière que, à tel point que.
  Il a travaillé de telle sorte qu'il peut récolter aujourd'hui les fruits de ses efforts.
  ☞ La locution se construit avec l'indicatif.

▶ TEL, TELLE, PRONOM INDÉFINI SINGULIER

- (LITT.) Celui, quelqu'un.
  Tel est pris qui croyait prendre.
  ☜ Le pronom ne s'emploie qu'au singulier.

- **Tel... tel.** Celui-ci et celui-là.
  Tel aime la lecture, tel préfère le sport.

- **Un tel, une telle, untel, unetelle.** La locution remplace un nom propre qui n'est pas précisé.
  Madame Unetelle.

TITRES DE FONCTIONS

▶ **Titres de fonctions, de grades, de noblesse**

De façon générale, ces titres sont des noms communs qui s'écrivent avec une minuscule.
Le pape, la présidente-directrice générale, le duc, la juge, le premier ministre.

Si le titre désigne une personne à qui l'on s'adresse, il s'écrit avec une majuscule.
Veuillez agréer, Madame la Présidente, ...

TITRES ET FONCTIONS AU FÉMININ

académicienne	ambulancière	assureuse	blanchisseuse	bruiteuse
acheteuse	animatrice	astrophysicienne	bottière	bûcheronne
administratrice	annonceure	auteure	bouchère	cadreuse
agente	ou annonceuse	aviatrice	boulangère	caissière
agente de bord	apicultrice	avicultrice	boulangère-	camionneuse
agente de	arboricultrice	avocate	pâtissière	caporale
voyages	arpenteuse	balayeuse	boxeuse	cartomancienne
agricultrice	artificière	banquière	brasseuse	cascadeuse
ajusteuse	artisane	bergère	brigadière	cavalière
ambassadrice	assistante	bijoutière	brodeuse	chapelière...

VOIR TABLEAU ▶ FÉMINISATION DES TITRES.

▶ **Titres honorifiques**

Le titre honorifique ainsi que l'adjectif et l'adverbe qui le précèdent s'écrivent avec une majuscule.
Sa Sainteté, Sa Très Gracieuse Majesté.

Suivis du nom propre, les titres honorifiques s'abrègent.
S. S. le pape Jean-Paul II, S. M. la reine Élisabeth II.

▶ **Titres de civilité**

Les titres de civilité s'écrivent avec une majuscule et ne s'abrègent pas dans l'adresse.
Monsieur Jacques Valbois.

☞ Dans les formules d'appel ou de salutation, le titre de civilité n'est pas suivi du patronyme.
Madame (et non *Madame Valbois).

Le titre s'abrège généralement lorsqu'il est suivi du patronyme ou d'un autre titre et qu'on ne s'adresse pas directement à la personne.
M. Roberge est absent, M. le juge est là.

Le titre s'écrit avec une minuscule initiale et ne s'abrège pas lorsqu'il est employé seul, sans être accompagné d'un nom propre, d'un titre ou d'une fonction, dans certaines constructions de déférence.
Oui, monsieur, madame est sortie. Je ne crois pas avoir déjà rencontré monsieur.

Exemples de formules de salutation (appels) selon les titres :

avocat	*Maître,*
cardinal	*Éminence* ou *Monsieur le Cardinal,*
curé	*Mon Père* ou *Monsieur le Curé,*
ministre	*Madame la Ministre,*
	Monsieur le Ministre,
religieuse	*Révérende Mère* ou *Ma Mère* ou *Ma Sœur,*

VOIR TABLEAU ▶ CORRESPONDANCE.

TITRES D'ŒUVRES

Les titres d'œuvres littéraires (poème, essai, roman, etc.) ou artistiques (peinture, sculpture, ballet, composition musicale), les noms de journaux, de périodiques s'écrivent avec une majuscule au nom initial et éventuellement à l'adjectif, l'adverbe, l'article qui le précèdent.

Le Dictionnaire visuel, le Déjeuner sur l'herbe, les Concertos brandebourgeois, Le Devoir, Les Très Riches Heures du duc de Berry.

☞ Les titres sont composés en italique dans un texte en romain. Dans un texte déjà en italique, la notation se fait en romain. Dans un manuscrit, on utilisera les guillemets ou le soulignement si le texte est destiné à l'impression.

▸ **Article défini**

L'article défini ne prend la majuscule que s'il fait partie du titre.

Il a lu L'Art d'aimer *d'Ovide ainsi que* L'Homme rapaillé *de Gaston Miron.*

▸ **Adjectif**

Si l'adjectif précède le substantif, tous deux prennent la majuscule.

La Divine Comédie, le Grand Larousse de la langue française, Le Nouveau Petit Robert, Prochain Épisode.

Si l'adjectif suit le substantif, il s'écrit avec une minuscule.

Le Code typographique, Le Plaisir chaste, Les Noces barbares, Refus global.

▸ **Plusieurs substantifs**

Si le titre est constitué de plusieurs mots mis en parallèle, chacun s'écrit avec une majuscule.

Guerre et Paix, La Belle et la Bête, Artistes, Artisans et Technocrates.

▸ **Phrase ou membre de phrase**

Lorsqu'un titre est constitué d'une phrase, seul le premier mot s'écrit avec une majuscule.

À la recherche du temps perdu, Attendez que je me rappelle, Et tout le reste n'est rien.

▸ **Sous-titre**

Le sous-titre s'écrit à la suite d'un deux-points et suit les mêmes règles que le titre pour l'emploi des majuscules.

Des mots à la pensée : Essai de grammaire de la langue française.

▸ **Contraction de la préposition *à* ou *de* et de l'article initial du titre**

En général, la contraction de la préposition et de l'article initial se fait.

La lecture du Devoir. *Le visionnement des* Quatre Cents Coups *de Truffaut.*

▸ **Accord du verbe, de l'adjectif et du participe**

Le verbe, l'adjectif et le participe s'accordent avec le titre si celui-ci débute par un nom précédé d'un article ou si le titre est un nom propre féminin.

Les Champs magnétiques sont une œuvre surréaliste. *La Joconde* fut peinte par Léonard de Vinci.

▸ **Élision**

Il est préférable d'élider l'article qui précède un titre commençant par une voyelle ou un *h* muet.

*L'auteure d'*Émilie, Émilie *est Élisabeth Badinter.*

☞ Cependant l'absence d'élision est courante. *L'auteure de* Une saison dans la vie d'Emmanuel *est Marie-Claire Blais.*

TOUT

▶ TOUT, TOUTE, ADJECTIF QUALIFICATIF

1. Complet, entier. *Ils ont joué dehors* **toute** *la journée. Le cultivateur labourera* **tout** *ce champ et fauchera* **toute** *cette prairie. Les enfants ont mangé* **toute** *ma tarte. Je vous le dis en* **toute** *franchise.*
   - ☞ L'adjectif détermine un nom au singulier précédé d'un article, d'un adjectif démonstratif, d'un adjectif possessif ou un nom sans article.

2. Seul, unique. *Pour* **tout** *repas, pour* **toute** *nourriture, ils n'avaient qu'un peu de pain.*

3. Tout entier. *Elle était* **toute** *à sa recherche.*

4. Au plus haut point. *Ce paysage est de* **toute** *beauté.*

▶ TOUT, TOUTE, TOUS, TOUTES, ADJECTIF INDÉFINI

   - ☞ Le *s* final de l'adjectif masculin pluriel **tous** ne se prononce pas [tu].

1. **Tous, toutes.** Sans exception. ***Tous*** *les murs de cette maison sont blancs,* ***toutes*** *les portes sont rouges.*

2. **Tous, toutes.** Chaque. *Ce médecin opère* **tous** *les vendredis,* **toutes** *les semaines (et non *à toutes les semaines).*
   - ☞ La construction avec la préposition *à* est vieillie.

3. **Tout, toute** + nom sans article. N'importe quel. ***Tout*** *chien errant sera capturé.* ***Toute*** *faute sera corrigée.*
   - ☞ En ce sens, le nom et l'adjectif indéfini sont au singulier.

4. **Tout autre, toute autre.** N'importe quel. ***Toute autre*** *personne (n'importe quelle autre personne) aurait agi ainsi.*
   - ☞ En ce sens, le mot **tout** est adjectif et donc variable. Par contre, au sens de « complètement différent », il est adverbe et donc invariable.

5. **Tout** + titre d'œuvre. L'adjectif ne s'accorde que devant un titre féminin qui commence par un article défini. *Elle lira* **toute** *L'Illiade, mais il a lu* **tout** *Phèdre. Elle a lu* **toutes** *Les Fleurs du mal, mais ils connaissent* **tout** *Petits Poèmes en prose de Baudelaire.*

▶ TOUT, ADVERBE

1. Entièrement, tout à fait. *Il est* **tout** *content.*
   - Tout + adjectif ou participe passé masculin. *Ils sont* **tout** *fiers d'avoir gagné.*
     - ☞ L'adverbe est invariable.
   - Tout + adjectif ou participe passé féminin commençant par une voyelle ou un *h* muet. *Elles sont tout amoureuses et tout heureuses (h muet).*
     - ☞ L'adverbe est invariable.
   - Tout + adjectif ou participe passé féminin commençant par une consonne ou un *h* aspiré. *Elles sont* **toutes** *confuses et* **toutes** *honteuses (h aspiré).*
     - ☞ Devant un adjectif ou un participe passé, le mot **tout** pris adverbialement est normalement **invariable.** Cependant pour des raisons d'**euphonie,** le mot **s'accorde en genre et en nombre** devant un adjectif au féminin ou un participe passé féminin qui commence par une consonne ou un *h* aspiré.

2. **Tout** + gérondif. En même temps que. ***Tout*** *en lisant, elle écoutait de la musique.*

3. **Tout** + adverbe. Tout à fait. *Elle lui répondit* **tout** *net.*

4. **Tout autre.** Complètement différent. *C'est une* **tout** *autre musique (une musique entièrement autre).*
   - ☞ En ce sens, le mot **tout** est adverbe et donc invariable. Par contre, au sens de « n'importe quel », il est adjectif et donc variable.

TOUT – SUITE ▶

▶ TOUS, TOUTES, TOUT, PRONOM INDÉFINI

☞ Le *s* final du pronom masculin pluriel se prononce [tus].

1. *Tous, toutes.* L'ensemble des personnes. *Toutes étaient présentes. Je les prends **tous**.*
2. *Tout.* Toutes les choses. *C'est **tout** ou rien. L'inondation a **tout** détruit, mais il va **tout** reconstruire.*
3. *Tout.* N'importe quoi. *Elle est préparée à **tout**. Prenez un peu de **tout**.*

▶ TOUT, NOM MASCULIN

1. La totalité. *Risquer le **tout** pour le **tout**.*
2. Ensemble formé de plusieurs éléments. *Mon premier est un métal précieux; mon second est une créature spirituelle ailée; mon **tout** est un fruit sucré. [Réponse : orange]*
3. Le principal, l'essentiel. *En cas d'incendie, le **tout** est de garder son sang-froid.*

Locutions

- *Après tout,* loc. adv. En définitive.
- *À tous coups,* loc. adv. Chaque fois, constamment.
- *À tous égards,* loc. adv. Sous tous les rapports.
- *À tout bout de champ,* loc. adv. Constamment.
- *À toute allure,* loc. adv. Très vite.
- *À toute épreuve,* loc. adj. Très solide, très robuste.
- *À toute force* loc. adv. Coûte que coûte.
- *À toute heure,* loc. adv. N'importe quand.
- *À toutes fins utiles.* loc. adv. Pour servir le cas échéant.
- *À toutes jambes,* loc. adv. Le plus vite possible.
- *À toute vitesse,* loc. adv. Très rapidement.
- *À tout hasard,* loc. adv. Au cas où.
- *À tout moment,* loc. adv. À n'importe quel moment.
- *À tous moments,* loc. adv. Toujours.
- *À tout point de vue,* loc. adv. À n'importe quel point de vue.
- *À tous point de vue,* loc. adv. À tous égards.
- *À tout propos,* loc. adv. Constamment.
- *Comme tout,* loc. adv. Extrêmement.
- *De tout cœur,* loc. adv. Volontiers.
- *De tout côté,* loc. adv. De n'importe quel côté.
- *De tous côtés,* loc. adv. De toutes les directions.
- *De toute éternité,* loc. adv. Depuis toujours.
- *De toute façon,* loc. adv. De n'importe quelle façon.
- *De toutes façons,* loc. adv. Quoi qu'il arrive.
- *De toute manière,* loc. adv. De n'importe quelle manière.
- *De toutes manières,* loc. adv. En tout cas.
- *De toute part,* loc. adv. De n'importe quel côté.
- *De toutes parts,* loc. adv. De tous les côtés.
- *De toute sorte,* loc. adv. De n'importe quel type.
- *De toutes sortes,* loc. adv. De tous les types.
- *De tout temps,* loc. adv. Depuis toujours.
- *Du tout au tout,* loc. adv. Complètement.
- *En tout,* loc. adv. Sans rien omettre.
- *En tout cas,* loc. adv. Quoi qu'il arrive.
- *En toute amitié,* loc. adv. Très amicalement.
- *En toute franchise,* loc. adv. Très franchement.
- *En toute liberté,* loc. adv. Très librement.
- *En toute saison,* loc. adv. À l'année.
- *En toute simplicité,* loc. adv. De façon très modeste.
- *En toutes lettres,* loc. adv. Au long.
- *En tout genre,* loc. adj. De n'importe quel genre.
- *En tous genres,* loc. adj. De tous les types.
- *En tout lieu,* loc. adv. Partout.
- *En tout sens,* loc. adv. Dans n'importe quel sens.
- *En tous sens,* loc. adv. Dans toutes les directions.
- *En tout temps,* loc. adv. Toujours.
- *Pas du tout,* loc. adv. Nullement.
- *Selon toute apparence,* loc. adv. Très probablement.
- *Tous azimuts,* loc. adv. Dans toutes les directions.
- *Tous feux éteints,* loc. adv. Sans phares.
- *Tout à coup,* loc. adv. Brusquement.
- *Tout à fait,* loc. adv. Entièrement.
- *Tout à l'heure,* loc. adv. Dans quelques instants.
- *Tout compte fait,* loc. Réflexion faite.
- *Tout de même,* loc. adv. Néanmoins.
- *Tout de suite,* loc. adv. Immédiatement.
- *Tout d'un coup,* loc. adv. Subitement.
- *Tout entier,* loc. adv. Entièrement.
- *Toutes proportions gardées,* loc. adv. Proportionnellement.
- *Tout le monde,* loc. nom. L'ensemble des personnes.
  - ☞ Attention, le verbe est au singulier avec cette locution pour sujet.
- *Tout le temps,* loc. adv. Constamment.
- *Tout un chacun,* loc. pronom. Chaque personne.
  - ☞ Attention, le verbe est au singulier avec cette locution pour sujet. *Tout un chacun aspire au bonheur.*
- *Une fois pour toutes,* loc. adv. Pour la dernière fois, d'une manière définitive.

Formes fautives

*à toutes fins pratiques. Calque de « *for all practical purposes* » pour **en pratique, en réalité, pour ainsi dire, pratiquement.***

*au tout début. Construction fautive pour **dès le début, tout au début, initialement.***

　☞ Cette construction est admise par certains auteurs, mais elle demeure critiquée par la plupart des spécialistes.

*tous et chacun. Impropriété pour **tout un chacun.***

*les tout débuts. Construction fautive pour **les tout premiers débuts.***

RÉSUMÉ

▶ ADJECTIF

▶ **Adjectif qualificatif** « complet, entier », « unique », « au plus haut point »

- *Tout, toute* + article + nom .... variable ..... *Il travaille **tout** l'été,*
  ***toute** la journée.*

- *Tout, toute* + adjectif démonstratif + nom .... variable ..... *Elle repeint **tout** ce garage,*
  ***toute** cette maison.*

- *Tout, toute* + adjectif possessif + nom .... variable ..... *Le chien a mangé **tout** son os,*
  ***toute** sa viande.*

- *Tout, toute* + nom .... variable ..... *De **tout** cœur, en **toute** amitié,*
  *de **toute** beauté.*

   ✏— En ces sens, le nom et l'adjectif sont au singulier.

▶ **Adjectif indéfini** « sans exception », « chaque », « n'importe lequel »

- *Tous, toutes* + article + nom ou pronom .... variable ..... *Vois **tous** les glands et*
  ***toutes** les feuilles. **Tous** les miens.*

- *Tous, toutes* + adjectif démonstratif + nom .... variable .... *J'ai lu **tous** ces livres,*
  ***toutes** ces histoires.*

- *Tous, toutes* + adjectif possessif + nom .... variable ..... *Elle a écouté **tous** mes disques,*
  ***toutes** mes chansons.*

- *Tout, toute* + nom ou pronom .... variable ..... *Ils viennent de **tous** côtés, de **toutes***
  *parts. Bonjour à **toutes** deux !*

- *Tout autre, toute autre* + nom .... variable ..... ***Toute autre** personne viendrait.*

▶ ADVERBE « ENTIÈREMENT, TOUT À FAIT »

- *Tout* + adjectif ou participe passé masculin .... invariable ... *Ils sont **tout** joyeux.*
- *Tout* + adjectif ou participe passé féminin .... invariable ... *Tu as bu la coupe **tout** entière.*
  (commençant par une voyelle ou un *h* muet) *Elles sont **tout** hésitantes*
  *(**h** muet).*

- *Toute, toutes* + adjectif ou participe passé féminin ... variable ..... *Elles sont **toutes** gracieuses et*
  (commençant par une consonne ou un *h* aspiré) ***toutes** hâlées (**h** aspiré).*
   ✏— L'adverbe s'accorde pour des raisons d'harmonie de la phrase.
- *Tout* + adverbe .... invariable ... *Ils roulaient **tout** doucement.*
- *Tout autre* « entièrement autre » .... invariable ... *Une **tout** autre signification.*

▶ PRONOM MASCULIN ET FÉMININ

- *Tous, toutes.* Le pronom est au pluriel et il prend
  la marque du genre... ***Tous** et **toutes** étaient*
  intéressés.

- *Tout.* Le pronom neutre est au singulier............................ *Ils comprirent **tout**.*

▶ NOM MASCULIN

- *Tout, touts.* Le nom masculin prend la marque du pluriel.......... *Réunir des **touts** complets.*

TRAIT D'UNION

Signe en forme de trait horizontal qui se place à mi-hauteur de l'écriture, sans espace avant ni après, et qui sert principalement à unir les éléments de certains mots composés et les syllabes d'un mot divisé en fin de ligne.

▶ **EMPLOIS**

▸ Liaison des **éléments de certains mots composés.**

Des sous-marins, un presse-citron, un garde-côte, le bien-être, un arc-en-ciel, un en-tête, des va-et-vient, des qu'en-dira-t-on.

꙳– Dans les mots composés avec un préfixe, on a de plus en plus tendance à supprimer le trait d'union et à souder les éléments en vue de simplifier l'orthographe. Lors de sa création, le néologisme *motoneige* s'écrivait avec un trait d'union ; aujourd'hui les deux éléments qui le composent sont soudés.

VOIR TABLEAU ▸ NOMS COMPOSÉS.

▸ Liaison des **formes verbales inversées.**

« C'est ainsi », lui dit-il. Le savait-il ? Prend-on ce train ? Répondent-ils à vos demandes ? Où vais-je ?

꙳– Le verbe se joint par un trait d'union au pronom sujet inversé. Le *trait d'union* s'emploie avant et après le *t* euphonique qui sépare le verbe du pronom sujet. *Mesure-t-elle les conséquences de ce geste ?*

▸ Liaison des **verbes à l'impératif aux pronoms** complément d'objet direct (COD) et complément d'objet indirect (COI).

꙳– Le verbe à l'impératif se joint par un trait d'union au pronom personnel complément d'objet direct ou indirect qui le suit. *Raconte-moi ce qu'il t'a dit.* Si le verbe à l'impératif est suivi de deux pronoms, le pronom COD s'écrit avant le pronom COI et deux traits d'union sont alors nécessaires. *Dis-le-moi.*

VOIR TABLEAU ▸ IMPÉRATIF.

▸ Liaison du **pronom personnel** et de l'adjectif *même.*

Moi-même, toi-même, lui-même, elle-même, nous-même(s), vous-même(s), eux-même(s).

▸ Liaison de certains **préfixes** (*demi-, grand-, néo-, sous-,* etc.) à un nom.

Une politique de non-ingérence. Un grand-père. Des néo-Québécois. Une demi-mesure. La sous-ministre.

▸ Liaison des **nombres inférieurs à cent** qui ne sont pas reliés par la conjonction *et.*

Quatre-vingt-deux.

VOIR TABLEAU ▸ NOMBRES.

▸ Liaison des **éléments spécifiques des noms de lieux** composés de plusieurs mots.

Le boulevard René-Lévesque, Port-au-Persil, Cap-à-l'Aigle, la Nouvelle-Angleterre.

VOIR TABLEAU ▸ GÉOGRAPHIQUES (NOMS).

▸ Liaison des **prénoms,** des **patronymes.**

Marie-Ève. Philippe Dubois-Lalande.

▸ **Coupure d'un mot** en fin de ligne.

Ce dictionnaire comporte des tableaux relatifs aux difficultés ortho-graphiques.

VOIR TABLEAU ▸ DIVISION DES MOTS.

UN

▶ **UN, UNE,** ADJECTIF NUMÉRAL CARDINAL

Une unité. *Cette table mesure un mètre sur deux mètres. Elle a pris un café et deux croissants.*

   1° L'adjectif *un* est le seul numéral à prendre la marque du féminin. *Vingt et une étudiantes.*

   2° L'adjectif *un* se joint aux dizaines à l'aide de la conjonction *et* sans traits d'union. *Trente et un, vingt et un.* Une seule exception : *quatre-vingt-un.*

   3° L'adjectif *un* se joint aux centaines, aux milliers sans trait d'union et sans conjonction. *Cent un, mille un.*

   4° La préposition *de* ne s'élide pas devant l'adjectif numéral dans les textes de nature scientifique, technique ou commerciale. *Une distance de un kilomètre, le total de un million de dollars.*

Locutions

– *Un par un, un à un*, loc. adv. Un seul à la fois. *Elles passeront une par une.*

▶ **UN, UNE,** ADJECTIF NUMÉRAL ORDINAL

Premier. *Chapitre un, acte un, page un. L'an deux mille un (2001).*

   L'adjectif numéral ordinal s'écrit généralement en chiffres romains ou en chiffres arabes. *Chapitre I, page 1.*

VOIR TABLEAU ▶ **NOMBRES.**

▶ **UN, UNE,** ADJECTIF QUALIFICATIF

Simple, unique. *La vérité est une et indivisible.*

▶ **UN,** NOM MASCULIN INVARIABLE

Nombre qui exprime l'unité. *Le nombre 111 s'écrit avec trois un.*

   Devant le nom *un,* l'article *le* ne s'élide pas. *Ils habitent le un de la rue des Érables.*

▶ **UNE,** NOM FÉMININ

Première page d'un quotidien. *Cet article figure à la une du journal du soir.*

   Devant le nom féminin *une,* l'article *la* ne s'élide pas.

▶ **UN, UNE,** ARTICLE INDÉFINI

• L'article indéfini se rapporte à une personne, à une chose indéterminée ou non dénommée. C'est un déterminant qui fait partie du groupe nominal.

• L'article indéfini indique le nombre (un et non plusieurs), mais ne précise pas l'identité de l'être ou de la chose.

   Il a rencontré un ami. Elle a vu un cheval et une jolie maison.

   L'article s'accorde en genre et en nombre avec le nom auquel il se rapporte. Le pluriel de l'article est *des.*

VOIR TABLEAU ▶ **ARTICLE.**

▶ **UN, UNE, UNS, UNES,** PRONOM INDÉFINI

• Quelqu'un, une certaine personne. *L'un de vous peut-il m'aider ?*

UN – SUITE ▶

Locutions

– *L'un et l'autre.* Tous deux.

 L'un et l'autre viendra ou *viendront.*

 ☞ Le verbe se met au singulier ou au pluriel.

– *L'un, l'une..., l'autre.* Celui-là, celle-là par opposition à *l'autre.*

 L'une chante, l'autre danse. L'un accepte, tandis que l'autre refuse.

– *L'un, l'une l'autre, les uns, les unes les autres.* Réciproquement.

 Ils s'aiment l'un l'autre. Elles s'aident les unes les autres. Les enfants se sont confiés aux uns et aux autres.

– *L'un ou l'autre.* Un seul des deux.

 ☞ Le verbe se met au singulier. *L'une ou l'autre sera présente.*

– *Ni l'un, ni l'une ni l'autre.* Aucun des deux.

 Ni l'un ni l'autre n'a accepté ou *n'ont accepté.*

 ☞ Le verbe se met au singulier ou au pluriel.

– *Pas un.* Aucun.

 Pas un ne réussira.

 ☞ Le pronom se construit avec *ne.*

– *Plus d'un, d'une* + complément au pluriel.

 Plus d'un des candidats était déçu ou *étaient déçus.*

 ☞ Le verbe se met au singulier ou au pluriel.

– *Plus d'un, plus d'une.*

 Plus d'une étudiante était satisfaite.

 ☞ Le verbe s'accorde au singulier avec le pronom indéfini, malgré la logique.

– *Tout un chacun,* loc. pronom. Tout le monde.

 Tout un chacun (et non *tous et chacun*) *aspire au bonheur.*

 ☞ Cette locution pronominale sujet est au singulier : le verbe est donc à la troisième personne du singulier.

– *Un de ceux, une de celles qui, que.*

 Cette jeune étudiante est une de celles qui ont le plus travaillé.

 ☞ Le verbe se met au pluriel.

– *Un, une des...* Quelqu'un parmi.

 L'une des participantes a appuyé la proposition. Les juges ont désigné un des champions.

 ☞ En tête de phrase, on emploie généralement *l'* devant le pronom pour des raisons d'harmonie des sons.

– *Un, une des* + verbe au pluriel. Quelqu'un parmi.

 Un des auteurs qui se sont attachés à décrire cette situation.

 ☞ Le participe passé ou l'attribut s'accorde avec le complément du pronom.

– *Un, une des* + verbe au singulier. Celui ou celle qui.

 Une des athlètes qui a été sélectionnée.

 ☞ Le participe passé ou l'attribut s'accorde avec le pronom indéfini.

VERBE

Élément essentiel de la phrase, le verbe en est le mot moteur ; il exprime l'**action,** l'**état,** le **devenir** d'un sujet.

▶ GROUPE DES VERBES

Les verbes se répartissent en trois groupes :

▶ Premier groupe
Les verbes qui se terminent à l'infinitif par **-er.**
Aimer, appeler, avancer, changer, congeler, créer, employer, envoyer, étudier, lever, payer, posséder, piéger...

▶ Deuxième groupe
Les verbes qui se terminent à l'infinitif par **-ir** et au participe présent par **-issant.**
Aboutir, abrutir, affermir, agir, bannir, blêmir, bondir, choisir, divertir, éblouir, finir, investir...

▶ Troisième groupe
– Tous les autres verbes qui se terminent à l'infinitif par **-ir** et au participe présent par **-ant.**
  Acquérir, bouillir, courir, cueillir, dormir, faillir, fuir, ouvrir, sortir, servir, tressaillir, venir, vêtir...
– Les verbes qui se terminent à l'infinitif par **-oir.**
  Apercevoir, devoir, émouvoir, falloir, pleuvoir, pouvoir, recevoir, savoir, valoir, voir, vouloir...
– Les verbes qui se terminent à l'infinitif par **-re.**
  Apprendre, combattre, craindre, éteindre, faire, fendre, joindre, plaire, remettre, soustraire, vaincre...

VOIR TABLEAU ▶ AUXILIAIRE.

▶ CONJUGAISON DU VERBE

Le verbe prend des formes variables pour marquer :
- la **personne,** le **nombre,** le **genre** du sujet (1re, 2e, 3e personne, singulier et pluriel, masculin et féminin) ;
- le **temps** auquel l'action se passe (présent, passé, futur) ;
- le **mode,** la **manière** dont il exprime l'état ou l'action (indicatif, conditionnel, subjonctif, impératif, infinitif, participe) ;
- la **voix,** selon que l'action est faite ou subie par le sujet (voix active et voix passive).

VOIR TABLEAUX ▶ CONDITIONNEL. ▶ FUTUR. ▶ IMPÉRATIF. ▶ INDICATIF. ▶ INFINITIF. ▶ PARTICIPE PASSÉ. ▶ PARTICIPE PRÉSENT. ▶ PASSÉ (TEMPS DU). ▶ PRÉSENT. ▶ SUBJONCTIF.

▶ VOIX DU VERBE

Alors que la **forme active** présente l'action par rapport au sujet qui la fait, la **forme passive** présente l'action par rapport à l'objet qui la subit.
L'enfant mange la pomme (voix active). *La pomme est mangée par l'enfant* (voix passive).

👉 Seuls les verbes transitifs directs peuvent se construire au passif.

FORME ACTIVE	FORME PASSIVE
SINGULIER	**SINGULIER**
1re pers. . . . .*j'aime*	1re pers. . . . .*je suis aimé, aimée*
2e pers. . . . .*tu aimes*	2e pers. . . . .*tu es aimé, aimée*
3e pers. du fém. . . . . . .*elle aime*	3e pers. du fém. . . . . . .*elle est aimée*
3e pers. du masc. . . . . .*il aime*	3e pers. du masc. . . . . .*il est aimé*
PLURIEL	**PLURIEL**
1re pers. . . . .*nous aimons*	1re pers. . . . .*nous sommes aimés, aimées*
2e pers. . . . .*vous aimez*	2e pers. . . . .*vous êtes aimés, aimées*
3e pers. du fém. . . . . . .*elles aiment*	3e pers. du fém. . . . . . .*elles sont aimées*
3e pers. du masc. . . . . .*ils aiment*	3e pers. du masc. . . . . .*ils sont aimés*

VERBE – SUITE ▶

▶ VERBES TRANSITIFS ET INTRANSITIFS

- Les **verbes transitifs directs** ont un complément d'objet **joint directement au verbe, sans préposition.**

  L'enfant mange la pomme.

  L'enfant mange quoi ? La pomme.

- Les **verbes transitifs indirects** ont un complément de même nature **relié indirectement au verbe par une préposition** (*à, de,* etc.).

  *Il parle **à** sa sœur.*

  *Vous souvenez-vous **de** lui ?*

  Il parle à qui ? À sa sœur. Vous vous souvenez de qui ? De lui.

- Les **verbes intransitifs** sont construits **sans complément d'objet direct ou indirect.**

  Le soleil plombe. L'herbe pousse.

- Les **verbes impersonnels** expriment un état qui ne comporte pas de sujet logique ; ils ne se construisent qu'**à la troisième personne du singulier.**

  Il neige à plein ciel et il vente.

▶ VERBES PRONOMINAUX

- Le **verbe pronominal** est accompagné d'un pronom réfléchi de la même personne que le sujet parce qu'il désigne le même être, le même objet que le sujet.

  Tu te laves. Elles se sont parlé.

- Le **verbe pronominal** est **réfléchi** lorsque l'action porte sur le sujet.

  Bruno s'est coupé. Brigitte s'est blessée.

- Le **verbe pronominal** est **réciproque** lorsque deux ou plusieurs sujets agissent l'un sur l'autre ou les uns sur les autres.

  Ils se sont aimés.

  ☞ Le verbe pronominal réciproque ne s'emploie qu'au pluriel.

- Le **verbe pronominal** est **non réfléchi** lorsque le verbe exprime par lui-même un sens complet et que le pronom n'a pas de valeur particulière.

  S'en aller, s'évanouir, se douter, se taire, se moquer, s'enfuir...

FORME PRONOMINALE

SINGULIER

1re pers.	*je me parfume*	*je m'enfuis*
2e pers.	*tu te parfumes*	*tu t'enfuis*
3e pers. du fém.	⌈ *elle se parfume*	⌈ *elle s'enfuit*
3e pers. du masc.	⌊ *il se parfume*	⌊ *il s'enfuit*

PLURIEL

1re pers.	*nous nous parfumons*	*nous nous enfuyons*
2e pers.	*vous vous parfumez*	*vous vous enfuyez*
3e pers. du fém.	⌈ *elles se parfument*	⌈ *elles s'enfuient*
3e pers. du masc.	⌊ *ils se parfument*	⌊ *ils s'enfuient*

VOIR TABLEAU ▶ PRONOMINAUX.

MODÈLES DE CONJUGAISON

CONJUGAISON DU VERBE **ACCROÎTRE**

INDICATIF

PRÉSENT		PASSÉ COMPOSÉ		
j'	accr**ois**	j'	ai	accru
tu	accr**ois**	tu	as	accru
elle	accr**oît**	elle	a	accru
il	accr**oît**	il	a	accru
nous accr**oissons**		nous	avons	accru
vous accr**oissez**		vous	avez	accru
elles accr**oissent**		elles	ont	accru
ils accr**oissent**		ils	ont	accru

IMPARFAIT		PLUS-QUE-PARFAIT		
j'	accr**oissais**	j'	avais	accru
tu	accr**oissais**	tu	avais	accru
elle	accr**oissait**	elle	avait	accru
il	accr**oissait**	il	avait	accru
nous accr**oissions**		nous	avions	accru
vous accr**oissiez**		vous	aviez	accru
elles accr**oissaient**		elles	avaient	accru
ils accr**oissaient**		ils	avaient	accru

PASSÉ SIMPLE		PASSÉ ANTÉRIEUR		
j'	accr**us**	j'	eus	accru
tu	accr**us**	tu	eus	accru
elle	accr**ut**	elle	eut	accru
il	accr**ut**	il	eut	accru
nous accr**ûmes**		nous	eûmes	accru
vous accr**ûtes**		vous	eûtes	accru
elles accr**urent**		elles	eurent	accru
ils accr**urent**		ils	eurent	accru

FUTUR SIMPLE		FUTUR ANTÉRIEUR		
j'	accr**oîtrai**	j'	aurai	accru
tu	accr**oîtras**	tu	auras	accru
elle	accr**oîtra**	elle	aura	accru
il	accr**oîtra**	il	aura	accru
nous accr**oîtrons**		nous	aurons	accru
vous accr**oîtrez**		vous	aurez	accru
elles accr**oîtront**		elles	auront	accru
ils accr**oîtront**		ils	auront	accru

SUBJONCTIF

PRÉSENT			PASSÉ		
que	j'	accr**oisse**	que	j'	aie accru
que	tu	accr**oisses**	que	tu	aies accru
qu'	elle	accr**oisse**	qu'	elle	ait accru
qu'	il	accr**oisse**	qu'	il	ait accru
que	nous	accr**oissions**	que	nous	ayons accru
que	vous	accr**oissiez**	que	vous	ayez accru
qu'	elles	accr**oissent**	qu'	elles	aient accru
qu'	ils	accr**oissent**	qu'	ils	aient accru

IMPARFAIT			PLUS-QUE-PARFAIT		
que	j'	accr**usse**	que	j'	eusse accru
que	tu	accr**usses**	que	tu	eusses accru
qu'	elle	accr**ût**	qu'	elle	eût accru
qu'	il	accr**ût**	qu'	il	eût accru
que	nous	accr**ussions**	que	nous	eussions accru
que	vous	accr**ussiez**	que	vous	eussiez accru
qu'	elles	accr**ussent**	qu'	elles	eussent accru
qu'	ils	accr**ussent**	qu'	ils	eussent accru

CONDITIONNEL

PRÉSENT		PASSÉ		
j'	accr**oîtrais**	j'	aurais	accru
tu	accr**oîtrais**	tu	aurais	accru
elle	accr**oîtrait**	elle	aurait	accru
il	accr**oîtrait**	il	aurait	accru
nous	accr**oîtrions**	nous	aurions	accru
vous	accr**oîtriez**	vous	auriez	accru
elles	accr**oîtraient**	elles	auraient	accru
ils	accr**oîtraient**	ils	auraient	accru

IMPÉRATIF

PRÉSENT	PASSÉ	
accr**ois**	aie	accru
accr**oissons**	ayons	accru
accr**oissez**	ayez	accru

INFINITIF

PRÉSENT	PASSÉ
accr**oître**	avoir accru

PARTICIPE

PRÉSENT	PASSÉ
accr**oissant**	accru, ue ayant accru

Le verbe *croître* se conjugue sur le modèle de *accroître*, mais à la différence de ce verbe, il s'écrit avec un accent circonflexe lorsque ses formes sont semblables à celles du verbe *croire*. Indicatif présent (*je croîs, tu croîs*), passé simple (*je crûs, tu crûs, elle/il crût*). Impératif présent (*croîs*). Subjonctif imparfait (*que je crûsse, que tu crûsses, qu'il/elle crût, que nous crûssions, que vous crûssiez, qu'elles/ils crûssent*). Participe passé (*crû, crue*). Tous les temps composés (*j'ai crû, j'aurai crû, …*).

CONJUGAISON DU VERBE **ACQUÉRIR**

INDICATIF

PRÉSENT
j'   acqu**iers**
tu   acqu**iers**
elle   acqu**iert**
il   acqu**iert**

nous acqu**érons**
vous acqu**érez**
elles acqu**ièrent**
ils   acqu**ièrent**

PASSÉ COMPOSÉ
j'   ai   acquis
tu   as   acquis
elle   a   acquis
il   a   acquis

nous avons acquis
vous avez acquis
elles ont acquis
ils   ont   acquis

IMPARFAIT
j'   acqu**érais**
tu   acqu**érais**
elle   acqu**érait**
il   acqu**érait**

nous acqu**érions**
vous acqu**ériez**
elles acqu**éraient**
ils   acqu**éraient**

PLUS-QUE-PARFAIT
j'   avais acquis
tu   avais acquis
elle   avait acquis
il   avait acquis

nous avions acquis
vous aviez acquis
elles avaient acquis
ils   avaient acquis

PASSÉ SIMPLE
j'   acqu**is**
tu   acqu**is**
elle   acqu**it**
il   acqu**it**

nous acqu**îmes**
vous acqu**îtes**
elles acqu**irent**
ils   acqu**irent**

PASSÉ ANTÉRIEUR
j'   eus   acquis
tu   eus   acquis
elle   eut   acquis
il   eut   acquis

nous eûmes acquis
vous eûtes acquis
elles eurent acquis
ils   eurent acquis

FUTUR SIMPLE
j'   acqu**errai**
tu   acqu**erras**
elle   acqu**erra**
il   acqu**erra**

nous acqu**errons**
vous acqu**errez**
elles acqu**erront**
ils   acqu**erront**

FUTUR ANTÉRIEUR
j'   aurai acquis
tu   auras acquis
elle   aura acquis
il   aura acquis

nous aurons acquis
vous aurez acquis
elles auront acquis
ils   auront acquis

SUBJONCTIF

PRÉSENT
que j'   acqu**ière**
que tu   acqu**ières**
qu' elle   acqu**ière**
qu' il   acqu**ière**

que nous acqu**érions**
que vous acqu**ériez**
qu' elles acqu**ièrent**
qu' ils   acqu**ièrent**

PASSÉ
que j'   aie   acquis
que tu   aies acquis
qu' elle   ait   acquis
qu' il   ait   acquis

que nous ayons acquis
que vous ayez acquis
qu' elles aient acquis
qu' ils   aient acquis

IMPARFAIT
que j'   acqu**isse**
que tu   acqu**isses**
qu' elle   acq**uît**
qu' il   acq**uît**

que nous acqu**issions**
que vous acqu**issiez**
qu' elles acqu**issent**
qu' ils   acqu**issent**

PLUS-QUE-PARFAIT
que j'   eusse acquis
que tu   eusses acquis
qu' elle   eût   acquis
qu' il   eût   acquis

que nous eussions acquis
que vous eussiez acquis
qu' elles eussent acquis
qu' ils   eussent acquis

CONDITIONNEL

PRÉSENT
j'   acqu**errais**
tu   acqu**errais**
elle   acqu**errait**
il   acqu**errait**

nous acqu**errions**
vous acqu**erriez**
elles acqu**erraient**
ils   acqu**erraient**

PASSÉ
j'   aurais acquis
tu   aurais acquis
elle   aurait acquis
il   aurait acquis

nous aurions acquis
vous auriez acquis
elles auraient acquis
ils   auraient acquis

IMPÉRATIF

PRÉSENT
acqu**iers**
acqu**érons**
acqu**érez**

PASSÉ
aie acquis
ayons acquis
ayez acquis

INFINITIF

PRÉSENT
acqu**érir**

PASSÉ
avoir acquis

PARTICIPE

PRÉSENT
acqu**érant**

PASSÉ
acquis, ise
ayant acquis

CONJUGAISON DU VERBE **AIMER**

INDICATIF

PRÉSENT

j'	aime
tu	aimes
elle	aime
il	aime
nous	aimons
vous	aimez
elles	aiment
ils	aiment

PASSÉ COMPOSÉ

j'	ai	aimé
tu	as	aimé
elle	a	aimé
il	a	aimé
nous	avons	aimé
vous	avez	aimé
elles	ont	aimé
ils	ont	aimé

IMPARFAIT

j'	aimais
tu	aimais
elle	aimait
il	aimait
nous	aimions
vous	aimiez
elles	aimaient
ils	aimaient

PLUS-QUE-PARFAIT

j'	avais	aimé
tu	avais	aimé
elle	avait	aimé
il	avait	aimé
nous	avions	aimé
vous	aviez	aimé
elles	avaient	aimé
ils	avaient	aimé

PASSÉ SIMPLE

j'	aimai
tu	aimas
elle	aima
il	aima
nous	aimâmes
vous	aimâtes
elles	aimèrent
ils	aimèrent

PASSÉ ANTÉRIEUR

j'	eus	aimé
tu	eus	aimé
elle	eut	aimé
il	eut	aimé
nous	eûmes	aimé
vous	eûtes	aimé
elles	eurent	aimé
ils	eurent	aimé

FUTUR SIMPLE

j'	aimerai
tu	aimeras
elle	aimera
il	aimera
nous	aimerons
vous	aimerez
elles	aimeront
ils	aimeront

FUTUR ANTÉRIEUR

j'	aurai	aimé
tu	auras	aimé
elle	aura	aimé
il	aura	aimé
nous	aurons	aimé
vous	aurez	aimé
elles	auront	aimé
ils	auront	aimé

SUBJONCTIF

PRÉSENT

que	j'	aime
que	tu	aimes
qu'	elle	aime
qu'	il	aime
que	nous	aimions
que	vous	aimiez
qu'	elles	aiment
qu'	ils	aiment

PASSÉ

que	j'	aie	aimé
que	tu	aies	aimé
qu'	elle	ait	aimé
qu'	il	ait	aimé
que	nous	ayons	aimé
que	vous	ayez	aimé
qu'	elles	aient	aimé
qu'	ils	aient	aimé

IMPARFAIT

que	j'	aimasse
que	tu	aimasses
qu'	elle	aimât
qu'	il	aimât
que	nous	aimassions
que	vous	aimassiez
qu'	elles	aimassent
qu'	ils	aimassent

PLUS-QUE-PARFAIT

que	j'	eusse	aimé
que	tu	eusses	aimé
qu'	elle	eût	aimé
qu'	il	eût	aimé
que	nous	eussions	aimé
que	vous	eussiez	aimé
qu'	elles	eussent	aimé
qu'	ils	eussent	aimé

CONDITIONNEL

PRÉSENT

j'	aimerais
tu	aimerais
elle	aimerait
il	aimerait
nous	aimerions
vous	aimeriez
elles	aimeraient
ils	aimeraient

PASSÉ

j'	aurais	aimé
tu	aurais	aimé
elle	aurait	aimé
il	aurait	aimé
nous	aurions	aimé
vous	auriez	aimé
elles	auraient	aimé
ils	auraient	aimé

IMPÉRATIF

PRÉSENT

aime
aimons
aimez

PASSÉ

aie	aimé
ayons	aimé
ayez	aimé

INFINITIF

PRÉSENT

aimer

PASSÉ

avoir aimé

PARTICIPE

PRÉSENT

aimant

PASSÉ

aimé, ée
ayant aimé

CONJUGAISON DU VERBE **ALLER**

INDICATIF

PRÉSENT / PASSÉ COMPOSÉ

je	vais	je	suis	allé, ée
tu	vas	tu	es	allé, ée
elle	va	elle	est	allée
il	va	il	est	allé
nous	allons	nous	sommes	allés, ées
vous	allez	vous	êtes	allés, ées
elles	vont	elles	sont	allées
ils	vont	ils	sont	allés

IMPARFAIT / PLUS-QUE-PARFAIT

j'	allais	j'	étais	allé, ée
tu	allais	tu	étais	allé, ée
elle	allait	elle	était	allée
il	allait	il	était	allé
nous	allions	nous	étions	allés, ées
vous	alliez	vous	étiez	allés, ées
elles	allaient	elles	étaient	allées
ils	allaient	ils	étaient	allés

PASSÉ SIMPLE / PASSÉ ANTÉRIEUR

j'	allai	je	fus	allé, ée
tu	allas	tu	fus	allé, ée
elle	alla	elle	fut	allée
il	alla	il	fut	allé
nous	allâmes	nous	fûmes	allés, ées
vous	allâtes	vous	fûtes	allés, ées
elles	allèrent	elles	furent	allées
ils	allèrent	ils	furent	allés

FUTUR SIMPLE / FUTUR ANTÉRIEUR

j'	irai	je	serai	allé, ée
tu	iras	tu	seras	allé, ée
elle	ira	elle	sera	allée
il	ira	il	sera	allé
nous	irons	nous	serons	allés, ées
vous	irez	vous	serez	allés, ées
elles	iront	elles	seront	allées
ils	iront	ils	seront	allés

SUBJONCTIF

PRÉSENT / PASSÉ

que	j'	aille	que	je	sois	allé, ée
que	tu	ailles	que	tu	sois	allé, ée
qu'	elle	aille	qu'	elle	soit	allée
qu'	il	aille	qu'	il	soit	allé
que	nous	allions	que	nous	soyons	allés, ées
que	vous	alliez	que	vous	soyez	allés, ées
qu'	elles	aillent	qu'	elles	soient	allées
qu'	ils	aillent	qu'	ils	soient	allés

IMPARFAIT / PLUS-QUE-PARFAIT

que	j'	allasse	que	je	fusse	allé, ée
que	tu	allasses	que	tu	fusses	allé, ée
qu'	elle	allât	qu'	elle	fût	allée
qu'	il	allât	qu'	il	fût	allé
que	nous	allassions	que	nous	fussions	allés, ées
que	vous	allassiez	que	vous	fussiez	allés, ées
qu'	elles	allassent	qu'	elles	fussent	allées
qu'	ils	allassent	qu'	ils	fussent	allés

CONDITIONNEL

PRÉSENT / PASSÉ

j'	irais	je	serais	allé, ée
tu	irais	tu	serais	allé, ée
elle	irait	elle	serait	allée
il	irait	il	serait	allé
nous	irions	nous	serions	allés, ées
vous	iriez	vous	seriez	allés, ées
elles	iraient	elles	seraient	allées
ils	iraient	ils	seraient	allés

IMPÉRATIF

PRÉSENT / PASSÉ

va		sois	allé, ée
allons		soyons	allés, ées
allez		soyez	allés, ées

INFINITIF

PRÉSENT / PASSÉ

aller	être allé, ée

PARTICIPE

PRÉSENT / PASSÉ

allant	allé, ée
	étant allé, ée

CONJUGAISON DU VERBE S'EN **ALLER**

INDICATIF

PRÉSENT
je	m'en	va**is**
tu	t'en	va**s**
elle	s'en	va
il	s'en	va

ns ns en	all**ons**
vs vs en	all**ez**
elles s'en	**vont**
ils s'en	**vont**

PASSÉ COMPOSÉ
je	m'en	suis	allé, ée
tu	t'en	es	allé, ée
elle	s'en	est	allée
il	s'en	est	allé

ns ns en	sommes	allés, ées
vs vs en	êtes	allés, ées
elles s'en	sont	allées
ils s'en	sont	allés

IMPARFAIT
je	m'en	all**ais**
tu	t'en	all**ais**
elle	s'en	all**ait**
il	s'en	all**ait**

ns ns en	all**ions**
vs vs en	all**iez**
elles s'en	all**aient**
ils s'en	all**aient**

PLUS-QUE-PARFAIT
je	m'en	étais	allé, ée
tu	t'en	étais	allé, ée
elle	s'en	était	allée
il	s'en	était	allé

ns ns en	étions	allés, ées
vs vs en	étiez	allés, ées
elles s'en	étaient	allées
ils s'en	étaient	allés

PASSÉ SIMPLE
je	m'en	all**ai**
tu	t'en	all**as**
elle	s'en	all**a**
il	s'en	all**a**

ns ns en	all**âmes**
vs vs en	all**âtes**
elles s'en	all**èrent**
ils s'en	all**èrent**

PASSÉ ANTÉRIEUR
je	m'en	fus	allé, ée
tu	t'en	fus	allé, ée
elle	s'en	fut	allée
il	s'en	fut	allé

ns ns en	fûmes	allés, ées
vs vs en	fûtes	allés, ées
elles s'en	furent	allées
ils s'en	furent	allés

FUTUR SIMPLE
je	m'en	ir**ai**
tu	t'en	ir**as**
elle	s'en	ir**a**
il	s'en	ir**a**

ns ns en	ir**ons**
vs vs en	ir**ez**
elles s'en	ir**ont**
ils s'en	ir**ont**

FUTUR ANTÉRIEUR
je	m'en	serai	allé, ée
tu	t'en	seras	allé, ée
elle	s'en	sera	allée
il	s'en	sera	allé

ns ns en	serons	allés, ées
vs vs en	serez	allés, ées
elles s'en	seront	allées
ils s'en	seront	allés

SUBJONCTIF

PRÉSENT
que	je	m'en	aill**e**
que	tu	t'en	aill**es**
qu'	elle	s'en	aill**e**
qu'	il	s'en	aill**e**

que	ns ns en	all**ions**
que	vs vs en	all**iez**
qu'	elles s'en	aill**ent**
qu'	ils s'en	aill**ent**

PASSÉ
que	je	m'en	sois	allé, ée
que	tu	t'en	sois	allé, ée
qu'	elle	s'en	soit	allée
qu'	il	s'en	soit	allé

que	ns ns en	soyons	allés, ées
que	vs vs en	soyez	allés, ées
qu'	elles s'en	soient	allées
qu'	ils s'en	soient	allés

IMPARFAIT
que	je	m'en	all**asse**
que	tu	t'en	all**asses**
qu'	elle	s'en	all**ât**
qu'	il	s'en	all**ât**

que	ns ns en	all**assions**
que	vs vs en	all**assiez**
qu'	elles s'en	all**assent**
qu'	ils s'en	all**assent**

PLUS-QUE-PARFAIT
que	je	m'en	fusse	allé, ée
que	tu	t'en	fusses	allé, ée
qu'	elle	s'en	fût	allée
qu'	il	s'en	fût	allé

que	ns ns en	fussions	allés, ées
que	vs vs en	fussiez	allés, ées
qu'	elles s'en	fussent	allées
qu'	ils s'en	fussent	allés

CONDITIONNEL

PRÉSENT
je	m'en	ir**ais**
tu	t'en	ir**ais**
elle	s'en	ir**ait**
il	s'en	ir**ait**

ns ns en	ir**ions**
vs vs en	ir**iez**
elles s'en	ir**aient**
ils s'en	ir**aient**

PASSÉ
je	m'en	serais	allé, ée
tu	t'en	serais	allé, ée
elle	s'en	serait	allée
il	s'en	serait	allé

ns ns en	serions	allés, ées
vs vs en	seriez	allés, ées
elles s'en	seraient	allées
ils s'en	seraient	allés

IMPÉRATIF

PRÉSENT
va-t'en
allons-nous-en
allez-vous-en

PASSÉ
(n'existe pas)

INFINITIF

PRÉSENT
s'en all**er**

PASSÉ
s'en être allé, ée

PARTICIPE

PRÉSENT
s'en all**ant**

PASSÉ
en allé, ée
s'en étant allé, ée

CONJUGAISON DU VERBE **APERCEVOIR**

INDICATIF

PRÉSENT
j' aper**ç**ois
tu aper**ç**ois
elle aper**ç**oit
il aper**ç**oit

nous aper**cevons**
vous aper**cevez**
elles aper**ç**oivent
ils aper**ç**oivent

PASSÉ COMPOSÉ
j' ai aperçu
tu as aperçu
elle a aperçu
il a aperçu

nous avons aperçu
vous avez aperçu
elles ont aperçu
ils ont aperçu

IMPARFAIT
j' aper**cevais**
tu aper**cevais**
elle aper**cevait**
il aper**cevait**

nous aper**cevions**
vous aper**ceviez**
elles aper**cevaient**
ils aper**cevaient**

PLUS-QUE-PARFAIT
j' avais aperçu
tu avais aperçu
elle avait aperçu
il avait aperçu

nous avions aperçu
vous aviez aperçu
elles avaient aperçu
ils avaient aperçu

PASSÉ SIMPLE
j' aper**ç**us
tu aper**ç**us
elle aper**ç**ut
il aper**ç**ut

nous aper**ç**ûmes
vous aper**ç**ûtes
elles aper**ç**urent
ils aper**ç**urent

PASSÉ ANTÉRIEUR
j' eus aperçu
tu eus aperçu
elle eut aperçu
il eut aperçu

nous eûmes aperçu
vous eûtes aperçu
elles eurent aperçu
ils eurent aperçu

FUTUR SIMPLE
j' aper**cevrai**
tu aper**cevras**
elle aper**cevra**
il aper**cevra**

nous aper**cevrons**
vous aper**cevrez**
elles aper**cevront**
ils aper**cevront**

FUTUR ANTÉRIEUR
j' aurai aperçu
tu auras aperçu
elle aura aperçu
il aura aperçu

nous aurons aperçu
vous aurez aperçu
elles auront aperçu
ils auront aperçu

SUBJONCTIF

PRÉSENT
que j' aper**ç**oive
que tu aper**ç**oives
qu' elle aper**ç**oive
qu' il aper**ç**oive

que nous aper**cevions**
que vous aper**ceviez**
qu' elles aper**ç**oivent
qu' ils aper**ç**oivent

PASSÉ
que j' aie aperçu
que tu aies aperçu
qu' elle ait aperçu
qu' il ait aperçu

que nous ayons aperçu
que vous ayez aperçu
qu' elles aient aperçu
qu' ils aient aperçu

IMPARFAIT
que j' aper**ç**usse
que tu aper**ç**usses
qu' elle aper**ç**ût
qu' il aper**ç**ût

que nous aper**ç**ussions
que vous aper**ç**ussiez
qu' elles aper**ç**ussent
qu' ils aper**ç**ussent

PLUS-QUE-PARFAIT
que j' eusse aperçu
que tu eusses aperçu
qu' elle eût aperçu
qu' il eût aperçu

que nous eussions aperçu
que vous eussiez aperçu
qu' elles eussent aperçu
qu' ils eussent aperçu

CONDITIONNEL

PRÉSENT
j' aper**cevrais**
tu aper**cevrais**
elle aper**cevrait**
il aper**cevrait**

nous aper**cevrions**
vous aper**cevriez**
elles aper**cevraient**
ils aper**cevraient**

PASSÉ
j' aurais aperçu
tu aurais aperçu
elle aurait aperçu
il aurait aperçu

nous aurions aperçu
vous auriez aperçu
elles auraient aperçu
ils auraient aperçu

IMPÉRATIF

PRÉSENT
aper**ç**ois
aper**cevons**
aper**cevez**

PASSÉ
aie aperçu
ayons aperçu
ayez aperçu

INFINITIF

PRÉSENT
aper**cevoir**

PASSÉ
avoir aperçu

PARTICIPE

PRÉSENT
aper**cevant**

PASSÉ
aperçu, ue
ayant aperçu

CONJUGAISON DU VERBE **APPELER**

INDICATIF

PRÉSENT

j'	appelle
tu	appelles
elle	appelle
il	appelle
nous	appelons
vous	appelez
elles	appellent
ils	appellent

PASSÉ COMPOSÉ

j'	ai	appelé
tu	as	appelé
elle	a	appelé
il	a	appelé
nous	avons	appelé
vous	avez	appelé
elles	ont	appelé
ils	ont	appelé

IMPARFAIT

j'	appelais
tu	appelais
elle	appelait
il	appelait
nous	appelions
vous	appeliez
elles	appelaient
ils	appelaient

PLUS-QUE-PARFAIT

j'	avais	appelé
tu	avais	appelé
elle	avait	appelé
il	avait	appelé
nous	avions	appelé
vous	aviez	appelé
elles	avaient	appelé
ils	avaient	appelé

PASSÉ SIMPLE

j'	appelai
tu	appelas
elle	appela
il	appela
nous	appelâmes
vous	appelâtes
elles	appelèrent
ils	appelèrent

PASSÉ ANTÉRIEUR

j'	eus	appelé
tu	eus	appelé
elle	eut	appelé
il	eut	appelé
nous	eûmes	appelé
vous	eûtes	appelé
elles	eurent	appelé
ils	eurent	appelé

FUTUR SIMPLE

j'	appellerai
tu	appelleras
elle	appellera
il	appellera
nous	appellerons
vous	appellerez
elles	appelleront
ils	appelleront

FUTUR ANTÉRIEUR

j'	aurai	appelé
tu	auras	appelé
elle	aura	appelé
il	aura	appelé
nous	aurons	appelé
vous	aurez	appelé
elles	auront	appelé
ils	auront	appelé

SUBJONCTIF

PRÉSENT

que	j'	appelle
que	tu	appelles
qu'	elle	appelle
qu'	il	appelle
que	nous	appelions
que	vous	appeliez
qu'	elles	appellent
qu'	ils	appellent

PASSÉ

que	j'	aie	appelé
que	tu	aies	appelé
qu'	elle	ait	appelé
qu'	il	ait	appelé
que	nous	ayons	appelé
que	vous	ayez	appelé
qu'	elles	aient	appelé
qu'	ils	aient	appelé

IMPARFAIT

que	j'	appelasse
que	tu	appelasses
qu'	elle	appelât
qu'	il	appelât
que	nous	appelassions
que	vous	appelassiez
qu'	elles	appelassent
qu'	ils	appelassent

PLUS-QUE-PARFAIT

que	j'	eusse	appelé
que	tu	eusses	appelé
qu'	elle	eût	appelé
qu'	il	eût	appelé
que	nous	eussions	appelé
que	vous	eussiez	appelé
qu'	elles	eussent	appelé
qu'	ils	eussent	appelé

CONDITIONNEL

PRÉSENT

j'	appellerais
tu	appellerais
elle	appellerait
il	appellerait
nous	appellerions
vous	appelleriez
elles	appelleraient
ils	appelleraient

PASSÉ

j'	aurais	appelé
tu	aurais	appelé
elle	aurait	appelé
il	aurait	appelé
nous	aurions	appelé
vous	auriez	appelé
elles	auraient	appelé
ils	auraient	appelé

IMPÉRATIF

PRÉSENT

appelle
appelons
appelez

PASSÉ

aie	appelé
ayons	appelé
ayez	appelé

INFINITIF

PRÉSENT

appeler

PASSÉ

avoir appelé

PARTICIPE

PRÉSENT

appelant

PASSÉ

appelé, ée
ayant appelé

CONJUGAISON DU VERBE **APPRENDRE**

INDICATIF

PRÉSENT		PASSÉ COMPOSÉ		
j'	apprends	j'	ai	appris
tu	apprends	tu	as	appris
elle	apprend	elle	a	appris
il	apprend	il	a	appris
nous	apprenons	nous	avons	appris
vous	apprenez	vous	avez	appris
elles	apprennent	elles	ont	appris
ils	apprennent	ils	ont	appris

IMPARFAIT		PLUS-QUE-PARFAIT		
j'	apprenais	j'	avais	appris
tu	apprenais	tu	avais	appris
elle	apprenait	elle	avait	appris
il	apprenait	il	avait	appris
nous	apprenions	nous	avions	appris
vous	appreniez	vous	aviez	appris
elles	apprenaient	elles	avaient	appris
ils	apprenaient	ils	avaient	appris

PASSÉ SIMPLE		PASSÉ ANTÉRIEUR		
j'	appris	j'	eus	appris
tu	appris	tu	eus	appris
elle	apprit	elle	eut	appris
il	apprit	il	eut	appris
nous	apprîmes	nous	eûmes	appris
vous	apprîtes	vous	eûtes	appris
elles	apprirent	elles	eurent	appris
ils	apprirent	ils	eurent	appris

FUTUR SIMPLE		FUTUR ANTÉRIEUR		
j'	apprendrai	j'	aurai	appris
tu	apprendras	tu	auras	appris
elle	apprendra	elle	aura	appris
il	apprendra	il	aura	appris
nous	apprendrons	nous	aurons	appris
vous	apprendrez	vous	aurez	appris
elles	apprendront	elles	auront	appris
ils	apprendront	ils	auront	appris

SUBJONCTIF

PRÉSENT			PASSÉ		
que	j'	apprenne	que	j'	aie	appris
que	tu	apprennes	que	tu	aies	appris
qu'	elle	apprenne	qu'	elle	ait	appris
qu'	il	apprenne	qu'	il	ait	appris
que	nous	apprenions	que	nous	ayons	appris
que	vous	appreniez	que	vous	ayez	appris
qu'	elles	apprennent	qu'	elles	aient	appris
qu'	ils	apprennent	qu'	ils	aient	appris

IMPARFAIT			PLUS-QUE-PARFAIT		
que	j'	apprisse	que	j'	eusse	appris
que	tu	apprisses	que	tu	eusses	appris
qu'	elle	apprît	qu'	elle	eût	appris
qu'	il	apprît	qu'	il	eût	appris
que	nous	apprissions	que	nous	eussions	appris
que	vous	apprissiez	que	vous	eussiez	appris
qu'	elles	apprissent	qu'	elles	eussent	appris
qu'	ils	apprissent	qu'	ils	eussent	appris

CONDITIONNEL

PRÉSENT		PASSÉ		
j'	apprendrais	j'	aurais	appris
tu	apprendrais	tu	aurais	appris
elle	apprendrait	elle	aurait	appris
il	apprendrait	il	aurait	appris
nous	apprendrions	nous	aurions	appris
vous	apprendriez	vous	auriez	appris
elles	apprendraient	elles	auraient	appris
ils	apprendraient	ils	auraient	appris

IMPÉRATIF

PRÉSENT	PASSÉ	
apprends	aie	appris
apprenons	ayons	appris
apprenez	ayez	appris

INFINITIF

PRÉSENT	PASSÉ
apprendre	avoir appris

PARTICIPE

PRÉSENT	PASSÉ
apprenant	appris, se
	ayant appris

CONJUGAISON DU VERBE **ASSEOIR**

INDICATIF

PRÉSENT		PASSÉ COMPOSÉ		
j'	assois	j'	ai	assis
tu	assois	tu	as	assis
elle	assoit	elle	a	assis
il	assoit	il	a	assis
nous	assoyons	nous	avons	assis
vous	assoyez	vous	avez	assis
elles	assoient	elles	ont	assis
ils	assoient	ils	ont	assis

IMPARFAIT		PLUS-QUE-PARFAIT		
j'	assoyais	j'	avais	assis
tu	assoyais	tu	avais	assis
elle	assoyait	elle	avait	assis
il	assoyait	il	avait	assis
nous	assoyions	nous	avions	assis
vous	assoyiez	vous	aviez	assis
elles	assoyaient	elles	avaient	assis
ils	assoyaient	ils	avaient	assis

PASSÉ SIMPLE		PASSÉ ANTÉRIEUR		
j'	assis	j'	eus	assis
tu	assis	tu	eus	assis
elle	assit	elle	eut	assis
il	assit	il	eut	assis
nous	assîmes	nous	eûmes	assis
vous	assîtes	vous	eûtes	assis
elles	assirent	elles	eurent	assis
ils	assirent	ils	eurent	assis

FUTUR SIMPLE		FUTUR ANTÉRIEUR		
j'	assoirai	j'	aurai	assis
tu	assoiras	tu	auras	assis
elle	assoira	elle	aura	assis
il	assoira	il	aura	assis
nous	assoirons	nous	aurons	assis
vous	assoirez	vous	aurez	assis
elles	assoiront	elles	auront	assis
ils	assoiront	ils	auront	assis

SUBJONCTIF

PRÉSENT			PASSÉ		
que	j'	assoie	que	j'	aie	assis
que	tu	assoies	que	tu	aies	assis
qu'	elle	assoie	qu'	elle	ait	assis
qu'	il	assoie	qu'	il	ait	assis
que	nous	assoyions	que	nous	ayons	assis
que	vous	assoyiez	que	vous	ayez	assis
qu'	elles	assoient	qu'	elles	aient	assis
qu'	ils	assoient	qu'	ils	aient	assis

IMPARFAIT			PLUS-QUE-PARFAIT		
que	j'	assisse	que	j'	eusse	assis
que	tu	assisses	que	tu	eusses	assis
qu'	elle	assît	qu'	elle	eût	assis
qu'	il	assît	qu'	il	eût	assis
que	nous	assissions	que	nous	eussions	assis
que	vous	assissiez	que	vous	eussiez	assis
qu'	elles	assissent	qu'	elles	eussent	assis
qu'	ils	assissent	qu'	ils	eussent	assis

CONDITIONNEL

PRÉSENT		PASSÉ		
j'	assoirais	j'	aurais	assis
tu	assoirais	tu	aurais	assis
elle	assoirait	elle	aurait	assis
il	assoirait	il	aurait	assis
nous	assoirions	nous	aurions	assis
vous	assoiriez	vous	auriez	assis
elles	assoiraient	elles	auraient	assis
ils	assoiraient	ils	auraient	assis

IMPÉRATIF

PRÉSENT	PASSÉ	
assois	aie	assis
assoyons	ayons	assis
assoyez	ayez	assis

INFINITIF

PRÉSENT	PASSÉ
asseoir	avoir assis

PARTICIPE

PRÉSENT	PASSÉ
assoyant	assis, se
	ayant assis

CONJUGAISON DU VERBE **AVANCER**

INDICATIF

PRÉSENT		PASSÉ COMPOSÉ		
j'	avance	j'	ai	avancé
tu	avances	tu	as	avancé
elle	avance	elle	a	avancé
il	avance	il	a	avancé
nous	avançons	nous	avons	avancé
vous	avancez	vous	avez	avancé
elles	avancent	elles	ont	avancé
ils	avancent	ils	ont	avancé

IMPARFAIT		PLUS-QUE-PARFAIT		
j'	avançais	j'	avais	avancé
tu	avançais	tu	avais	avancé
elle	avançait	elle	avait	avancé
il	avançait	il	avait	avancé
nous	avancions	nous	avions	avancé
vous	avanciez	vous	aviez	avancé
elles	avançaient	elles	avaient	avancé
ils	avançaient	ils	avaient	avancé

PASSÉ SIMPLE		PASSÉ ANTÉRIEUR		
j'	avançai	j'	eus	avancé
tu	avanças	tu	eus	avancé
elle	avança	elle	eut	avancé
il	avança	il	eut	avancé
nous	avançâmes	nous	eûmes	avancé
vous	avançâtes	vous	eûtes	avancé
elles	avancèrent	elles	eurent	avancé
ils	avancèrent	ils	eurent	avancé

FUTUR SIMPLE		FUTUR ANTÉRIEUR		
j'	avancerai	j'	aurai	avancé
tu	avanceras	tu	auras	avancé
elle	avancera	elle	aura	avancé
il	avancera	il	aura	avancé
nous	avancerons	nous	aurons	avancé
vous	avancerez	vous	aurez	avancé
elles	avanceront	elles	auront	avancé
ils	avanceront	ils	auront	avancé

SUBJONCTIF

PRÉSENT			PASSÉ		
que	j'	avance	que	j'	aie	avancé
que	tu	avances	que	tu	aies	avancé
qu'	elle	avance	qu'	elle	ait	avancé
qu'	il	avance	qu'	il	ait	avancé
que	nous	avancions	que	nous	ayons	avancé
que	vous	avanciez	que	vous	ayez	avancé
qu'	elles	avancent	qu'	elles	aient	avancé
qu'	ils	avancent	qu'	ils	aient	avancé

IMPARFAIT			PLUS-QUE-PARFAIT		
que	j'	avançasse	que	j'	eusse	avancé
que	tu	avançasses	que	tu	eusses	avancé
qu'	elle	avançât	qu'	elle	eût	avancé
qu'	il	avançât	qu'	il	eût	avancé
que	nous	avançassions	que	nous	eussions	avancé
que	vous	avançassiez	que	vous	eussiez	avancé
qu'	elles	avançassent	qu'	elles	eussent	avancé
qu'	ils	avançassent	qu'	ils	eussent	avancé

CONDITIONNEL

PRÉSENT		PASSÉ		
j'	avancerais	j'	aurais	avancé
tu	avancerais	tu	aurais	avancé
elle	avancerait	elle	aurait	avancé
il	avancerait	il	aurait	avancé
nous	avancerions	nous	aurions	avancé
vous	avanceriez	vous	auriez	avancé
elles	avanceraient	elles	auraient	avancé
ils	avanceraient	ils	auraient	avancé

IMPÉRATIF

PRÉSENT	PASSÉ	
avance	aie	avancé
avançons	ayons	avancé
avancez	ayez	avancé

INFINITIF

PRÉSENT	PASSÉ
avancer	avoir avancé

PARTICIPE

PRÉSENT	PASSÉ
avançant	avancé, ée
	ayant avancé

CONJUGAISON DU VERBE AVOIR

INDICATIF

PRÉSENT		PASSÉ COMPOSÉ		
j'	ai	j'	ai	eu
tu	as	tu	as	eu
elle	a	elle	a	eu
il	a	il	a	eu
nous	avons	nous	avons	eu
vous	avez	vous	avez	eu
elles	ont	elles	ont	eu
ils	ont	ils	ont	eu

IMPARFAIT		PLUS-QUE-PARFAIT		
j'	avais	j'	avais	eu
tu	avais	tu	avais	eu
elle	avait	elle	avait	eu
il	avait	il	avait	eu
nous	avions	nous	avions	eu
vous	aviez	vous	aviez	eu
elles	avaient	elles	avaient	eu
ils	avaient	ils	avaient	eu

PASSÉ SIMPLE		PASSÉ ANTÉRIEUR		
j'	eus	j'	eus	eu
tu	eus	tu	eus	eu
elle	eut	elle	eut	eu
il	eut	il	eut	eu
nous	eûmes	nous	eûmes	eu
vous	eûtes	vous	eûtes	eu
elles	eurent	elles	eurent	eu
ils	eurent	ils	eurent	eu

FUTUR SIMPLE		FUTUR ANTÉRIEUR		
j'	aurai	j'	aurai	eu
tu	auras	tu	auras	eu
elle	aura	elle	aura	eu
il	aura	il	aura	eu
nous	aurons	nous	aurons	eu
vous	aurez	vous	aurez	eu
elles	auront	elles	auront	eu
ils	auront	ils	auront	eu

SUBJONCTIF

PRÉSENT		PASSÉ		
que j'	aie	que j'	aie	eu
que tu	aies	que tu	aies	eu
qu' elle	ait	qu' elle	ait	eu
qu' il	ait	qu' il	ait	eu
que nous	ayons	que nous	ayons	eu
que vous	ayez	que vous	ayez	eu
qu' elles	aient	qu' elles	aient	eu
qu' ils	aient	qu' ils	aient	eu

IMPARFAIT		PLUS-QUE-PARFAIT		
que j'	eusse	que j'	eusse	eu
que tu	eusses	que tu	eusses	eu
qu' elle	eût	qu' elle	eût	eu
qu' il	eût	qu' il	eût	eu
que nous	eussions	que nous	eussions	eu
que vous	eussiez	que vous	eussiez	eu
qu' elles	eussent	qu' elles	eussent	eu
qu' ils	eussent	qu' ils	eussent	eu

CONDITIONNEL

PRÉSENT		PASSÉ		
j'	aurais	j'	aurais	eu
tu	aurais	tu	aurais	eu
elle	aurait	elle	aurait	eu
il	aurait	il	aurait	eu
nous	aurions	nous	aurions	eu
vous	auriez	vous	auriez	eu
elles	auraient	elles	auraient	eu
ils	auraient	ils	auraient	eu

IMPÉRATIF

PRÉSENT	PASSÉ	
aie	aie	eu
ayons	ayons	eu
ayez	ayez	eu

INFINITIF

PRÉSENT	PASSÉ
avoir	avoir eu

PARTICIPE

PRÉSENT	PASSÉ
ayant	eu, eue
	ayant eu

CONJUGAISON DU VERBE **BOIRE**

INDICATIF

PRÉSENT		PASSÉ COMPOSE		
je	**bois**	j'	ai	bu
tu	**bois**	tu	as	bu
elle	**boit**	elle	a	bu
il	**boit**	il	a	bu
nous	**buvons**	nous	avons	bu
vous	**buvez**	vous	avez	bu
elles	**boivent**	elles	ont	bu
ils	**boivent**	ils	ont	bu

IMPARFAIT		PLUS-QUE-PARFAIT		
je	**buvais**	j'	avais	bu
tu	**buvais**	tu	avais	bu
elle	**buvait**	elle	avait	bu
il	**buvait**	il	avait	bu
nous	**buvions**	nous	avions	bu
vous	**buviez**	vous	aviez	bu
elles	**buvaient**	elles	avaient	bu
ils	**buvaient**	ils	avaient	bu

PASSÉ SIMPLE		PASSÉ ANTÉRIEUR		
je	**bus**	j'	eus	bu
tu	**bus**	tu	eus	bu
elle	**but**	elle	eut	bu
il	**but**	il	eut	bu
nous	**bûmes**	nous	eûmes	bu
vous	**bûtes**	vous	eûtes	bu
elles	**burent**	elles	eurent	bu
ils	**burent**	ils	eurent	bu

FUTUR SIMPLE		FUTUR ANTÉRIEUR		
je	**boirai**	j'	aurai	bu
tu	**boiras**	tu	auras	bu
elle	**boira**	elle	aura	bu
il	**boira**	il	aura	bu
nous	**boirons**	nous	aurons	bu
vous	**boirez**	vous	aurez	bu
elles	**boiront**	elles	auront	bu
ils	**boiront**	ils	auront	bu

INFINITIF

PRÉSENT	PASSÉ
boire	avoir bu

SUBJONCTIF

	PRÉSENT			PASSÉ	
que	je	**boive**	que	j'	aie	bu
que	tu	**boives**	que	tu	aies	bu
qu'	elle	**boive**	qu'	elle	ait	bu
qu'	il	**boive**	qu'	il	ait	bu
que	nous	**buvions**	que	nous	ayons	bu
que	vous	**buviez**	que	vous	ayez	bu
qu'	elles	**boivent**	qu'	elles	aient	bu
qu'	ils	**boivent**	qu'	ils	aient	bu

	IMPARFAIT			PLUS-QUE-PARFAIT	
que	je	**busse**	que	j'	eusse	bu
que	tu	**busses**	que	tu	eusses	bu
qu'	elle	**bût**	qu'	elle	eût	bu
qu'	il	**bût**	qu'	il	eût	bu
que	nous	**bussions**	que	nous	eussions	bu
que	vous	**bussiez**	que	vous	eussiez	bu
qu'	elles	**bussent**	qu'	elles	eussent	bu
qu'	ils	**bussent**	qu'	ils	eussent	bu

CONDITIONNEL

PRÉSENT		PASSÉ		
je	**boirais**	j'	aurais	bu
tu	**boirais**	tu	aurais	bu
elle	**boirait**	elle	aurait	bu
il	**boirait**	il	aurait	bu
nous	**boirions**	nous	aurions	bu
vous	**boiriez**	vous	auriez	bu
elles	**boiraient**	elles	auraient	bu
ils	**boiraient**	ils	auraient	bu

IMPÉRATIF

PRÉSENT	PASSÉ	
bois	aie	bu
buvons	ayons	bu
buvez	ayez	bu

PARTICIPE

PRÉSENT	PASSÉ
buvant	bu, ue
	ayant bu

CONJUGAISON DU VERBE **BOUILLIR**

INDICATIF

PRÉSENT / PASSÉ COMPOSÉ

	PRÉSENT			PASSÉ COMPOSÉ
je	bous	j'	ai	bouilli
tu	bous	tu	as	bouilli
elle	bout	elle	a	bouilli
il	bout	il	a	bouilli
nous	bouillons	nous	avons	bouilli
vous	bouillez	vous	avez	bouilli
elles	bouillent	elles	ont	bouilli
ils	bouillent	ils	ont	bouilli

IMPARFAIT / PLUS-QUE-PARFAIT

	IMPARFAIT			PLUS-QUE-PARFAIT
je	bouillais	j'	avais	bouilli
tu	bouillais	tu	avais	bouilli
elle	bouillait	elle	avait	bouilli
il	bouillait	il	avait	bouilli
nous	bouillions	nous	avions	bouilli
vous	bouilliez	vous	aviez	bouilli
elles	bouillaient	elles	avaient	bouilli
ils	bouillaient	ils	avaient	bouilli

PASSÉ SIMPLE / PASSÉ ANTÉRIEUR

	PASSÉ SIMPLE			PASSÉ ANTÉRIEUR
je	bouillis	j'	eus	bouilli
tu	bouillis	tu	eus	bouilli
elle	bouillit	elle	eut	bouilli
il	bouillit	il	eut	bouilli
nous	bouillîmes	nous	eûmes	bouilli
vous	bouillîtes	vous	eûtes	bouilli
elles	bouillirent	elles	eurent	bouilli
ils	bouillirent	ils	eurent	bouilli

FUTUR SIMPLE / FUTUR ANTÉRIEUR

	FUTUR SIMPLE			FUTUR ANTÉRIEUR
je	bouillirai	j'	aurai	bouilli
tu	bouilliras	tu	auras	bouilli
elle	bouillira	elle	aura	bouilli
il	bouillira	il	aura	bouilli
nous	bouillirons	nous	aurons	bouilli
vous	bouillirez	vous	aurez	bouilli
elles	bouilliront	elles	auront	bouilli
ils	bouilliront	ils	auront	bouilli

SUBJONCTIF

PRÉSENT / PASSÉ

		PRÉSENT				PASSÉ
que	je	bouille	que	j'	aie	bouilli
que	tu	bouilles	que	tu	aies	bouilli
qu'	elle	bouille	qu'	elle	ait	bouilli
qu'	il	bouille	qu'	il	ait	bouilli
que	nous	bouillions	que	nous	ayons	bouilli
que	vous	bouilliez	que	vous	ayez	bouilli
qu'	elles	bouillent	qu'	elles	aient	bouilli
qu'	ils	bouillent	qu'	ils	aient	bouilli

IMPARFAIT / PLUS-QUE-PARFAIT

		IMPARFAIT				PLUS-QUE-PARFAIT
que	je	bouillisse	que	j'	eusse	bouilli
que	tu	bouillisses	que	tu	eusses	bouilli
qu'	elle	bouillît	qu'	elle	eût	bouilli
qu'	il	bouillît	qu'	il	eût	bouilli
que	nous	bouillissions	que	nous	eussions	bouilli
que	vous	bouillissiez	que	vous	eussiez	bouilli
qu'	elles	bouillissent	qu'	elles	eussent	bouilli
qu'	ils	bouillissent	qu'	ils	eussent	bouilli

CONDITIONNEL

PRÉSENT / PASSÉ

	PRÉSENT			PASSÉ
je	bouillirais	j'	aurais	bouilli
tu	bouillirais	tu	aurais	bouilli
elle	bouillirait	elle	aurait	bouilli
il	bouillirait	il	aurait	bouilli
nous	bouillirions	nous	aurions	bouilli
vous	bouilliriez	vous	auriez	bouilli
elles	bouilliraient	elles	auraient	bouilli
ils	bouilliraient	ils	auraient	bouilli

IMPÉRATIF

PRÉSENT / PASSÉ

PRÉSENT		PASSÉ
bous	aie	bouilli
bouillons	ayons	bouilli
bouillez	ayez	bouilli

INFINITIF

PRÉSENT	PASSÉ
bouillir	avoir bouilli

PARTICIPE

PRÉSENT	PASSÉ
bouillant	bouilli, ie
	ayant bouilli

CONJUGAISON DU VERBE **CHANGER**

INDICATIF

PRÉSENT
je	change			
tu	changes			
elle	change			
il	change			
nous	changeons			
vous	changez			
elles	changent			
ils	changent			

PASSÉ COMPOSÉ
j'	ai	changé
tu	as	changé
elle	a	changé
il	a	changé
nous	avons	changé
vous	avez	changé
elles	ont	changé
ils	ont	changé

IMPARFAIT
je	changeais
tu	changeais
elle	changeait
il	changeait
nous	changions
vous	changiez
elles	changeaient
ils	changeaient

PLUS-QUE-PARFAIT
j'	avais	changé
tu	avais	changé
elle	avait	changé
il	avait	changé
nous	avions	changé
vous	aviez	changé
elles	avaient	changé
ils	avaient	changé

PASSÉ SIMPLE
je	changeai
tu	changeas
elle	changea
il	changea
nous	changeâmes
vous	changeâtes
elles	changèrent
ils	changèrent

PASSÉ ANTÉRIEUR
j'	eus	changé
tu	eus	changé
elle	eut	changé
il	eut	changé
nous	eûmes	changé
vous	eûtes	changé
elles	eurent	changé
ils	eurent	changé

FUTUR SIMPLE
je	changerai
tu	changeras
elle	changera
il	changera
nous	changerons
vous	changerez
elles	changeront
ils	changeront

FUTUR ANTÉRIEUR
j'	aurai	changé
tu	auras	changé
elle	aura	changé
il	aura	changé
nous	aurons	changé
vous	aurez	changé
elles	auront	changé
ils	auront	changé

SUBJONCTIF

PRÉSENT
que	je	change
que	tu	changes
qu'	elle	change
qu'	il	change
que	nous	changions
que	vous	changiez
qu'	elles	changent
qu'	ils	changent

PASSÉ
que	j'	aie	changé
que	tu	aies	changé
qu'	elle	ait	changé
qu'	il	ait	changé
que	nous	ayons	changé
que	vous	ayez	changé
qu'	elles	aient	changé
qu'	ils	aient	changé

IMPARFAIT
que	je	changeasse
que	tu	changeasses
qu'	elle	changeât
qu'	il	changeât
que	nous	changeassions
que	vous	changeassiez
qu'	elles	changeassent
qu'	ils	changeassent

PLUS-QUE-PARFAIT
que	j'	eusse	changé
que	tu	eusses	changé
qu'	elle	eût	changé
qu'	il	eût	changé
que	nous	eussions	changé
que	vous	eussiez	changé
qu'	elles	eussent	changé
qu'	ils	eussent	changé

CONDITIONNEL

PRÉSENT
je	changerais
tu	changerais
elle	changerait
il	changerait
nous	changerions
vous	changeriez
elles	changeraient
ils	changeraient

PASSÉ
j'	aurais	changé
tu	aurais	changé
elle	aurait	changé
il	aurait	changé
nous	aurions	changé
vous	auriez	changé
elles	auraient	changé
ils	auraient	changé

IMPÉRATIF

PRÉSENT
change
changeons
changez

PASSÉ
aie	changé
ayons	changé
ayez	changé

INFINITIF

PRÉSENT
changer

PASSÉ
avoir changé

PARTICIPE

PRÉSENT
changeant

PASSÉ
changé, ée
ayant changé

CONJUGAISON DU VERBE **CLORE**

INDICATIF

PRÉSENT
je clos
tu clos
elle clôt
il clôt

elles clo**sent**
ils clo**sent**

PASSÉ COMPOSÉ
j' ai clos
tu as clos
elle a clos
il a clos

nous avons clos
vous avez clos
elles ont clos
ils ont clos

IMPARFAIT
(n'existe pas)

PLUS-QUE-PARFAIT
j' avais clos
tu avais clos
elle avait clos
il avait clos

nous avions clos
vous aviez clos
elles avaient clos
ils avaient clos

PASSÉ SIMPLE
(n'existe pas)

PASSÉ ANTÉRIEUR
j' eus clos
tu eus clos
elle eut clos
il eut clos

nous eûmes clos
vous eûtes clos
elles eurent clos
ils eurent clos

FUTUR SIMPLE
je clo**rai**
tu clo**ras**
elle clo**ra**
il clo**ra**

nous clo**rons**
vous clo**rez**
elles clo**ront**
ils clo**ront**

FUTUR ANTÉRIEUR
j' aurai clos
tu auras clos
elle aura clos
il aura clos

nous aurons clos
vous aurez clos
elles auront clos
ils auront clos

SUBJONCTIF

PRÉSENT
que je clo**se**
que tu clo**ses**
qu' elle clo**se**
qu' il clo**se**

que nous clo**sions**
que vous clo**siez**
qu' elles clo**sent**
qu' ils clo**sent**

PASSÉ
que j' aie clos
que tu aies clos
qu' elle ait clos
qu' il ait clos

que nous ayons clos
que vous ayez clos
qu' elles aient clos
qu' ils aient clos

IMPARFAIT
(n'existe pas)

PLUS-QUE-PARFAIT
que j' eusse clos
que tu eusses clos
qu' elle eût clos
qu' il eût clos

que nous eussions clos
que vous eussiez clos
qu' elles eussent clos
qu' ils eussent clos

CONDITIONNEL

PRÉSENT
je clo**rais**
tu clo**rais**
elle clo**rait**
il clo**rait**

nous clo**rions**
vous clo**riez**
elles clo**raient**
ils clo**raient**

PASSÉ
j' aurais clos
tu aurais clos
elle aurait clos
il aurait clos

nous aurions clos
vous auriez clos
elles auraient clos
ils auraient clos

IMPÉRATIF

PRÉSENT
clo**s**

PASSÉ
aie clos
ayons clos
ayez clos

INFINITIF

PRÉSENT
clore

PASSÉ
avoir clos

PARTICIPE

PRÉSENT
clo**sant**

PASSÉ
clos, ose
ayant clos

Le verbe *éclore* se conjugue sur le modèle de *clore*, à l'exception de la 3e personne du singulier du présent de l'indicatif où l'accent circonflexe est facultatif (*il éclôt* ou *il éclot*). Ce verbe est d'un emploi rare, sauf au présent de l'indicatif, à l'infinitif et au participe passé (*éclos, éclose*).

CONJUGAISON DU VERBE **COMBATTRE**

INDICATIF

PRÉSENT

je	combat**s**
tu	combat**s**
elle	combat
il	combat
nous	combat**tons**
vous	combat**tez**
elles	combat**tent**
ils	combat**tent**

PASSÉ COMPOSÉ

j'	ai	combattu
tu	as	combattu
elle	a	combattu
il	a	combattu
nous	avons	combattu
vous	avez	combattu
elles	ont	combattu
ils	ont	combattu

IMPARFAIT

je	combat**tais**
tu	combat**tais**
elle	combat**tait**
il	combat**tait**
nous	combat**tions**
vous	combat**tiez**
elles	combat**taient**
ils	combat**taient**

PLUS-QUE-PARFAIT

j'	avais	combattu
tu	avais	combattu
elle	avait	combattu
il	avait	combattu
nous	avions	combattu
vous	aviez	combattu
elles	avaient	combattu
ils	avaient	combattu

PASSÉ SIMPLE

je	combat**tis**
tu	combat**tis**
elle	combat**tit**
il	combat**tit**
nous	combat**tîmes**
vous	combat**tîtes**
elles	combat**tirent**
ils	combat**tirent**

PASSÉ ANTÉRIEUR

j'	eus	combattu
tu	eus	combattu
elle	eut	combattu
il	eut	combattu
nous	eûmes	combattu
vous	eûtes	combattu
elles	eurent	combattu
ils	eurent	combattu

FUTUR SIMPLE

je	combat**trai**
tu	combat**tras**
elle	combat**tra**
il	combat**tra**
nous	combat**trons**
vous	combat**trez**
elles	combat**tront**
ils	combat**tront**

FUTUR ANTÉRIEUR

j'	aurai	combattu
tu	auras	combattu
elle	aura	combattu
il	aura	combattu
nous	aurons	combattu
vous	aurez	combattu
elles	auront	combattu
ils	auront	combattu

SUBJONCTIF

PRÉSENT

que	je	combat**te**
que	tu	combat**tes**
qu'	elle	combat**te**
qu'	il	combat**te**
que	nous	combat**tions**
que	vous	combat**tiez**
qu'	elles	combat**tent**
qu'	ils	combat**tent**

PASSÉ

que	j'	aie	combattu
que	tu	aies	combattu
qu'	elle	ait	combattu
qu'	il	ait	combattu
que	nous	ayons	combattu
que	vous	ayez	combattu
qu'	elles	aient	combattu
qu'	ils	aient	combattu

IMPARFAIT

que	je	combat**tisse**
que	tu	combat**tisses**
qu'	elle	combat**tît**
qu'	il	combat**tît**
que	nous	combat**tissions**
que	vous	combat**tissiez**
qu'	elles	combat**tissent**
qu'	ils	combat**tissent**

PLUS-QUE-PARFAIT

que	j'	eusse	combattu
que	tu	eusses	combattu
qu'	elle	eût	combattu
qu'	il	eût	combattu
que	nous	eussions	combattu
que	vous	eussiez	combattu
qu'	elles	eussent	combattu
qu'	ils	eussent	combattu

CONDITIONNEL

PRÉSENT

je	combat**trais**
tu	combat**trais**
elle	combat**trait**
il	combat**trait**
nous	combat**trions**
vous	combat**triez**
elles	combat**traient**
ils	combat**traient**

PASSÉ

j'	aurais	combattu
tu	aurais	combattu
elle	aurait	combattu
il	aurait	combattu
nous	aurions	combattu
vous	auriez	combattu
elles	auraient	combattu
ils	auraient	combattu

IMPÉRATIF

PRÉSENT

combat**s**
combat**tons**
combat**tez**

PASSÉ

aie	combattu
ayons	combattu
ayez	combattu

INFINITIF

PRÉSENT	PASSÉ
combat**tre**	avoir combattu

PARTICIPE

PRÉSENT	PASSÉ
combat**tant**	combattu, ue
	ayant combattu

CONJUGAISON DU VERBE **CONDUIRE**

INDICATIF

PRÉSENT		PASSÉ COMPOSÉ		
je	conduis	j'	ai	conduit
tu	conduis	tu	as	conduit
elle	conduit	elle	a	conduit
il	conduit	il	a	conduit
nous	conduisons	nous	avons	conduit
vous	conduisez	vous	avez	conduit
elles	conduisent	elles	ont	conduit
ils	conduisent	ils	ont	conduit

IMPARFAIT		PLUS-QUE-PARFAIT		
je	conduisais	j'	avais	conduit
tu	conduisais	tu	avais	conduit
elle	conduisait	elle	avait	conduit
il	conduisait	il	avait	conduit
nous	conduisions	nous	avions	conduit
vous	conduisiez	vous	aviez	conduit
elles	conduisaient	elles	avaient	conduit
ils	conduisaient	ils	avaient	conduit

PASSÉ SIMPLE		PASSÉ ANTÉRIEUR		
je	conduisis	j'	eus	conduit
tu	conduisis	tu	eus	conduit
elle	conduisit	elle	eut	conduit
il	conduisit	il	eut	conduit
nous	conduisîmes	nous	eûmes	conduit
vous	conduisîtes	vous	eûtes	conduit
elles	conduisirent	elles	eurent	conduit
ils	conduisirent	ils	eurent	conduit

FUTUR SIMPLE		FUTUR ANTÉRIEUR		
je	conduirai	j'	aurai	conduit
tu	conduiras	tu	auras	conduit
elle	conduira	elle	aura	conduit
il	conduira	il	aura	conduit
nous	conduirons	nous	aurons	conduit
vous	conduirez	vous	aurez	conduit
elles	conduiront	elles	auront	conduit
ils	conduiront	ils	auront	conduit

SUBJONCTIF

PRÉSENT			PASSÉ		
que	je	conduise	que	j'	aie conduit
que	tu	conduises	que	tu	aies conduit
qu'	elle	conduise	qu'	elle	ait conduit
qu'	il	conduise	qu'	il	ait conduit
que	nous	conduisions	que	nous	ayons conduit
que	vous	conduisiez	que	vous	ayez conduit
qu'	elles	conduisent	qu'	elles	aient conduit
qu'	ils	conduisent	qu'	ils	aient conduit

IMPARFAIT			PLUS-QUE-PARFAIT		
que	je	conduisisse	que	j'	eusse conduit
que	tu	conduisisses	que	tu	eusses conduit
qu'	elle	conduisît	qu'	elle	eût conduit
qu'	il	conduisît	qu'	il	eût conduit
que	nous	conduisissions	que	nous	eussions conduit
que	vous	conduisissiez	que	vous	eussiez conduit
qu'	elles	conduisissent	qu'	elles	eussent conduit
qu'	ils	conduisissent	qu'	ils	eussent conduit

CONDITIONNEL

PRÉSENT		PASSÉ		
je	conduirais	j'	aurais	conduit
tu	conduirais	tu	aurais	conduit
elle	conduirait	elle	aurait	conduit
il	conduirait	il	aurait	conduit
nous	conduirions	nous	aurions	conduit
vous	conduiriez	vous	auriez	conduit
elles	conduiraient	elles	auraient	conduit
ils	conduiraient	ils	auraient	conduit

IMPÉRATIF

PRÉSENT	PASSÉ	
conduis	aie	conduit
conduisons	ayons	conduit
conduisez	ayez	conduit

INFINITIF

PRÉSENT	PASSÉ
conduire	avoir conduit

PARTICIPE

PRÉSENT	PASSÉ
conduisant	conduit, uite
	ayant conduit

CONJUGAISON DU VERBE **CONGELER**

INDICATIF

PRÉSENT		PASSÉ COMPOSÉ		
je	congèle	j'	ai	congelé
tu	congèles	tu	as	congelé
elle	congèle	elle	a	congelé
il	congèle	il	a	congelé
nous	congelons	nous	avons	congelé
vous	congelez	vous	avez	congelé
elles	congèlent	elles	ont	congelé
ils	congèlent	ils	ont	congelé

IMPARFAIT		PLUS-QUE-PARFAIT		
je	congelais	j'	avais	congelé
tu	congelais	tu	avais	congelé
elle	congelait	elle	avait	congelé
il	congelait	il	avait	congelé
nous	congelions	nous	avions	congelé
vous	congeliez	vous	aviez	congelé
elles	congelaient	elles	avaient	congelé
ils	congelaient	ils	avaient	congelé

PASSÉ SIMPLE		PASSÉ ANTÉRIEUR		
je	congelai	j'	eus	congelé
tu	congelas	tu	eus	congelé
elle	congela	elle	eut	congelé
il	congela	il	eut	congelé
nous	congelâmes	nous	eûmes	congelé
vous	congelâtes	vous	eûtes	congelé
elles	congelèrent	elles	eurent	congelé
ils	congelèrent	ils	eurent	congelé

FUTUR SIMPLE		FUTUR ANTÉRIEUR		
je	congèlerai	j'	aurai	congelé
tu	congèleras	tu	auras	congelé
elle	congèlera	elle	aura	congelé
il	congèlera	il	aura	congelé
nous	congèlerons	nous	aurons	congelé
vous	congèlerez	vous	aurez	congelé
elles	congèleront	elles	auront	congelé
ils	congèleront	ils	auront	congelé

SUBJONCTIF

PRÉSENT			PASSÉ		
que je	congèle	que	j'	aie	congelé
que tu	congèles	que	tu	aies	congelé
qu' elle	congèle	qu'	elle	ait	congelé
qu' il	congèle	qu'	il	ait	congelé
que nous	congelions	que	nous	ayons	congelé
que vous	congeliez	que	vous	ayez	congelé
qu' elles	congèlent	qu'	elles	aient	congelé
qu' ils	congèlent	qu'	ils	aient	congelé

IMPARFAIT			PLUS-QUE-PARFAIT		
que je	congelasse	que	j'	eusse	congelé
que tu	congelasses	que	tu	eusses	congelé
qu' elle	congelât	qu'	elle	eût	congelé
qu' il	congelât	qu'	il	eût	congelé
que nous	congelassions	que	nous	eussions	congelé
que vous	congelassiez	que	vous	eussiez	congelé
qu' elles	congelassent	qu'	elles	eussent	congelé
qu' ils	congelassent	qu'	ils	eussent	congelé

CONDITIONNEL

PRÉSENT		PASSÉ		
je	congèlerais	j'	aurais	congelé
tu	congèlerais	tu	aurais	congelé
elle	congèlerait	elle	aurait	congelé
il	congèlerait	il	aurait	congelé
nous	congèlerions	nous	aurions	congelé
vous	congèleriez	vous	auriez	congelé
elles	congèleraient	elles	auraient	congelé
ils	congèleraient	ils	auraient	congelé

IMPÉRATIF

PRÉSENT	PASSÉ	
congèle	aie	congelé
congelons	ayons	congelé
congelez	ayez	congelé

INFINITIF

PRÉSENT	PASSÉ
congeler	avoir congelé

PARTICIPE

PRÉSENT	PASSÉ
congelant	congelé, ée
	ayant congelé

CONJUGAISON DU VERBE **COUDRE**

INDICATIF

PRÉSENT	PASSÉ COMPOSÉ
je couds	j' ai cousu
tu couds	tu as cousu
elle coud	elle a cousu
il coud	il a cousu
nous cousons	nous avons cousu
vous cousez	vous avez cousu
elles cousent	elles ont cousu
ils cousent	ils ont cousu

IMPARFAIT	PLUS-QUE-PARFAIT
je cousais	j' avais cousu
tu cousais	tu avais cousu
elle cousait	elle avait cousu
il cousait	il avait cousu
nous cousions	nous avions cousu
vous cousiez	vous aviez cousu
elles cousaient	elles avaient cousu
ils cousaient	ils avaient cousu

PASSÉ SIMPLE	PASSÉ ANTÉRIEUR
je cousis	j' eus cousu
tu cousis	tu eus cousu
elle cousit	elle eut cousu
il cousit	il eut cousu
nous cousîmes	nous eûmes cousu
vous cousîtes	vous eûtes cousu
elles cousirent	elles eurent cousu
ils cousirent	ils eurent cousu

FUTUR SIMPLE	FUTUR ANTÉRIEUR
je coudrai	j' aurai cousu
tu coudras	tu auras cousu
elle coudra	elle aura cousu
il coudra	il aura cousu
nous coudrons	nous aurons cousu
vous coudrez	vous aurez cousu
elles coudront	elles auront cousu
ils coudront	ils auront cousu

SUBJONCTIF

PRÉSENT	PASSÉ
que je couse	que j' aie cousu
que tu couses	que tu aies cousu
qu' elle couse	qu' elle ait cousu
qu' il couse	qu' il ait cousu
que nous cousions	que nous ayons cousu
que vous cousiez	que vous ayez cousu
qu' elles cousent	qu' elles aient cousu
qu' ils cousent	qu' ils aient cousu

IMPARFAIT	PLUS-QUE-PARFAIT
que je cousisse	que j' eusse cousu
que tu cousisses	que tu eusses cousu
qu' elle cousît	qu' elle eût cousu
qu' il cousît	qu' il eût cousu
que nous cousissions	que nous eussions cousu
que vous cousissiez	que vous eussiez cousu
qu' elles cousissent	qu' elles eussent cousu
qu' ils cousissent	qu' ils eussent cousu

CONDITIONNEL

PRÉSENT	PASSÉ
je coudrais	j' aurais cousu
tu coudrais	tu aurais cousu
elle coudrait	elle aurait cousu
il coudrait	il aurait cousu
nous coudrions	nous aurions cousu
vous coudriez	vous auriez cousu
elles coudraient	elles auraient cousu
ils coudraient	ils auraient cousu

IMPÉRATIF

PRÉSENT	PASSÉ
couds	aie cousu
cousons	ayons cousu
cousez	ayez cousu

INFINITIF

PRÉSENT	PASSÉ
coudre	avoir cousu

PARTICIPE

PRÉSENT	PASSÉ
cousant	cousu, ue
	ayant cousu

CONJUGAISON DU VERBE **COURIR**

INDICATIF

PRÉSENT · PASSÉ COMPOSÉ

je	cours	j'	ai	couru
tu	cours	tu	as	couru
elle	court	elle	a	couru
il	court	il	a	couru
nous	courons	nous	avons	couru
vous	courez	vous	avez	couru
elles	courent	elles	ont	couru
ils	courent	ils	ont	couru

IMPARFAIT · PLUS-QUE-PARFAIT

je	courais	j'	avais	couru
tu	courais	tu	avais	couru
elle	courait	elle	avait	couru
il	courait	il	avait	couru
nous	courions	nous	avions	couru
vous	couriez	vous	aviez	couru
elles	couraient	elles	avaient	couru
ils	couraient	ils	avaient	couru

PASSÉ SIMPLE · PASSÉ ANTÉRIEUR

je	courus	j'	eus	couru
tu	courus	tu	eus	couru
elle	courut	elle	eut	couru
il	courut	il	eut	couru
nous	courûmes	nous	eûmes	couru
vous	courûtes	vous	eûtes	couru
elles	coururent	elles	eurent	couru
ils	coururent	ils	eurent	couru

FUTUR SIMPLE · FUTUR ANTÉRIEUR

je	courrai	j'	aurai	couru
tu	courras	tu	auras	couru
elle	courra	elle	aura	couru
il	courra	il	aura	couru
nous	courrons	nous	aurons	couru
vous	courrez	vous	aurez	couru
elles	courront	elles	auront	couru
ils	courront	ils	auront	couru

SUBJONCTIF

PRÉSENT · PASSÉ

que	je	coure	que	j'	aie	couru
que	tu	coures	que	tu	aies	couru
qu'	elle	coure	qu'	elle	ait	couru
qu'	il	coure	qu'	il	ait	couru
que	nous	courions	que	nous	ayons	couru
que	vous	couriez	que	vous	ayez	couru
qu'	elles	courent	qu'	elles	aient	couru
qu'	ils	courent	qu'	ils	aient	couru

IMPARFAIT · PLUS-QUE-PARFAIT

que	je	courusse	que	j'	eusse	couru
que	tu	courusses	que	tu	eusses	couru
qu'	elle	courût	qu'	elle	eût	couru
qu'	il	courût	qu'	il	eût	couru
que	nous	courussions	que	nous	eussions	couru
que	vous	courussiez	que	vous	eussiez	couru
qu'	elles	courussent	qu'	elles	eussent	couru
qu'	ils	courussent	qu'	ils	eussent	couru

CONDITIONNEL

PRÉSENT · PASSÉ

je	courrais	j'	aurais	couru
tu	courrais	tu	aurais	couru
elle	courrait	elle	aurait	couru
il	courrait	il	aurait	couru
nous	courrions	nous	aurions	couru
vous	courriez	vous	auriez	couru
elles	courraient	elles	auraient	couru
ils	courraient	ils	auraient	couru

IMPÉRATIF

PRÉSENT · PASSÉ

cours	aie	couru
courons	ayons	couru
courez	ayez	couru

INFINITIF

PRÉSENT · PASSÉ

courir	avoir couru

PARTICIPE

PRÉSENT · PASSÉ

courant	couru, ue
	ayant couru

CONJUGAISON DU VERBE **CRAINDRE**

INDICATIF

PRÉSENT / PASSÉ COMPOSÉ

	PRÉSENT		PASSÉ COMPOSÉ	
je	crains	j'	ai	craint
tu	crains	tu	as	craint
elle	craint	elle	a	craint
il	craint	il	a	craint
nous	craignons	nous	avons	craint
vous	craignez	vous	avez	craint
elles	craignent	elles	ont	craint
ils	craignent	ils	ont	craint

IMPARFAIT / PLUS-QUE-PARFAIT

	IMPARFAIT		PLUS-QUE-PARFAIT	
je	craignais	j'	avais	craint
tu	craignais	tu	avais	craint
elle	craignait	elle	avait	craint
il	craignait	il	avait	craint
nous	craignions	nous	avions	craint
vous	craigniez	vous	aviez	craint
elles	craignaient	elles	avaient	craint
ils	craignaient	ils	avaient	craint

PASSÉ SIMPLE / PASSÉ ANTÉRIEUR

	PASSÉ SIMPLE		PASSÉ ANTÉRIEUR	
je	craignis	j'	eus	craint
tu	craignis	tu	eus	craint
elle	craignit	elle	eut	craint
il	craignit	il	eut	craint
nous	craignîmes	nous	eûmes	craint
vous	craignîtes	vous	eûtes	craint
elles	craignirent	elles	eurent	craint
ils	craignirent	ils	eurent	craint

FUTUR SIMPLE / FUTUR ANTÉRIEUR

	FUTUR SIMPLE		FUTUR ANTÉRIEUR	
je	craindrai	j'	aurai	craint
tu	craindras	tu	auras	craint
elle	craindra	elle	aura	craint
il	craindra	il	aura	craint
nous	craindrons	nous	aurons	craint
vous	craindrez	vous	aurez	craint
elles	craindront	elles	auront	craint
ils	craindront	ils	auront	craint

SUBJONCTIF

PRÉSENT / PASSÉ

		PRÉSENT			PASSÉ	
que	je	craigne	que	j'	aie	craint
que	tu	craignes	que	tu	aies	craint
qu'	elle	craigne	qu'	elle	ait	craint
qu'	il	craigne	qu'	il	ait	craint
que	nous	craignions	que	nous	ayons	craint
que	vous	craigniez	que	vous	ayez	craint
qu'	elles	craignent	qu'	elles	aient	craint
qu'	ils	craignent	qu'	ils	aient	craint

IMPARFAIT / PLUS-QUE-PARFAIT

		IMPARFAIT			PLUS-QUE-PARFAIT	
que	je	craignisse	que	j'	eusse	craint
que	tu	craignisses	que	tu	eusses	craint
qu'	elle	craignît	qu'	elle	eût	craint
qu'	il	craignît	qu'	il	eût	craint
que	nous	craignissions	que	nous	eussions	craint
que	vous	craignissiez	que	vous	eussiez	craint
qu'	elles	craignissent	qu'	elles	eussent	craint
qu'	ils	craignissent	qu'	ils	eussent	craint

CONDITIONNEL

PRÉSENT / PASSÉ

	PRÉSENT		PASSÉ	
je	craindrais	j'	aurais	craint
tu	craindrais	tu	aurais	craint
elle	craindrait	elle	aurait	craint
il	craindrait	il	aurait	craint
nous	craindrions	nous	aurions	craint
vous	craindriez	vous	auriez	craint
elles	craindraient	elles	auraient	craint
ils	craindraient	ils	auraient	craint

IMPÉRATIF

PRÉSENT / PASSÉ

PRÉSENT	PASSÉ	
crains	aie	craint
craignons	ayons	craint
craignez	ayez	craint

INFINITIF

PRÉSENT	PASSÉ
craindre	avoir craint

PARTICIPE

PRÉSENT	PASSÉ
craignant	craint, ainte
	ayant craint

CONJUGAISON DU VERBE **CRÉER**

INDICATIF

PRÉSENT
je	crée
tu	crées
elle	crée
il	crée
nous	créons
vous	créez
elles	créent
ils	créent

PASSÉ COMPOSÉ
j'	ai	créé
tu	as	créé
elle	a	créé
il	a	créé
nous	avons	créé
vous	avez	créé
elles	ont	créé
ils	ont	créé

IMPARFAIT
je	créais
tu	créais
elle	créait
il	créait
nous	créions
vous	créiez
elles	créaient
ils	créaient

PLUS-QUE-PARFAIT
j'	avais	créé
tu	avais	créé
elle	avait	créé
il	avait	créé
nous	avions	créé
vous	aviez	créé
elles	avaient	créé
ils	avaient	créé

PASSÉ SIMPLE
je	créai
tu	créas
elle	créa
il	créa
nous	créâmes
vous	créâtes
elles	créèrent
ils	créèrent

PASSÉ ANTÉRIEUR
j'	eus	créé
tu	eus	créé
elle	eut	créé
il	eut	créé
nous	eûmes	créé
vous	eûtes	créé
elles	eurent	créé
ils	eurent	créé

FUTUR SIMPLE
je	créerai
tu	créeras
elle	créera
il	créera
nous	créerons
vous	créerez
elles	créeront
ils	créeront

FUTUR ANTÉRIEUR
j'	aurai	créé
tu	auras	créé
elle	aura	créé
il	aura	créé
nous	aurons	créé
vous	aurez	créé
elles	auront	créé
ils	auront	créé

SUBJONCTIF

PRÉSENT
que	je	crée
que	tu	crées
qu'	elle	crée
qu'	il	crée
que	nous	créions
que	vous	créiez
qu'	elles	créent
qu'	ils	créent

PASSÉ
que	j'	aie	créé
que	tu	aies	créé
qu'	elle	ait	créé
qu'	il	ait	créé
que	nous	ayons	créé
que	vous	ayez	créé
qu'	elles	aient	créé
qu'	ils	aient	créé

IMPARFAIT
que	je	créasse
que	tu	créasses
qu'	elle	créât
qu'	il	créât
que	nous	créassions
que	vous	créassiez
qu'	elles	créassent
qu'	ils	créassent

PLUS-QUE-PARFAIT
que	j'	eusse	créé
que	tu	eusses	créé
qu'	elle	eût	créé
qu'	il	eût	créé
que	nous	eussions	créé
que	vous	eussiez	créé
qu'	elles	eussent	créé
qu'	ils	eussent	créé

CONDITIONNEL

PRÉSENT
je	créerais
tu	créerais
elle	créerait
il	créerait
nous	créerions
vous	créeriez
elles	créeraient
ils	créeraient

PASSÉ
j'	aurais	créé
tu	aurais	créé
elle	aurait	créé
il	aurait	créé
nous	aurions	créé
vous	auriez	créé
elles	auraient	créé
ils	auraient	créé

IMPÉRATIF

PRÉSENT
crée
créons
créez

PASSÉ
aie	créé
ayons	créé
ayez	créé

INFINITIF

PRÉSENT
créer

PASSÉ
avoir créé

PARTICIPE

PRÉSENT
créant

PASSÉ
créé, ée
ayant créé

CONJUGAISON DU VERBE **CROIRE**

INDICATIF

PRÉSENT		PASSÉ COMPOSÉ		
je	crois	j'	ai	cru
tu	crois	tu	as	cru
elle	croit	elle	a	cru
il	croit	il	a	cru
nous	croyons	nous	avons	cru
vous	croyez	vous	avez	cru
elles	croient	elles	ont	cru
ils	croient	ils	ont	cru

IMPARFAIT		PLUS-QUE-PARFAIT		
je	croyais	j'	avais	cru
tu	croyais	tu	avais	cru
elle	croyait	elle	avait	cru
il	croyait	il	avait	cru
nous	croyions	nous	avions	cru
vous	croyiez	vous	aviez	cru
elles	croyaient	elles	avaient	cru
ils	croyaient	ils	avaient	cru

PASSÉ SIMPLE		PASSÉ ANTÉRIEUR		
je	crus	j'	eus	cru
tu	crus	tu	eus	cru
elle	crut	elle	eut	cru
il	crut	il	eut	cru
nous	crûmes	nous	eûmes	cru
vous	crûtes	vous	eûtes	cru
elles	crurent	elles	eurent	cru
ils	crurent	ils	eurent	cru

FUTUR SIMPLE		FUTUR ANTÉRIEUR		
je	croirai	j'	aurai	cru
tu	croiras	tu	auras	cru
elle	croira	elle	aura	cru
il	croira	il	aura	cru
nous	croirons	nous	aurons	cru
vous	croirez	vous	aurez	cru
elles	croiront	elles	auront	cru
ils	croiront	ils	auront	cru

SUBJONCTIF

PRÉSENT			PASSÉ		
que	je	croie	que	j'	aie	cru
que	tu	croies	que	tu	aies	cru
qu'	elle	croie	qu'	elle	ait	cru
qu'	il	croie	qu'	il	ait	cru
que	nous	croyions	que	nous	ayons	cru
que	vous	croyiez	que	vous	ayez	cru
qu'	elles	croient	qu'	elles	aient	cru
qu'	ils	croient	qu'	ils	aient	cru

IMPARFAIT			PLUS-QUE-PARFAIT		
que	je	crusse	que	j'	eusse	cru
que	tu	crusses	que	tu	eusses	cru
qu'	elle	crût	qu'	elle	eût	cru
qu'	il	crût	qu'	il	eût	cru
que	nous	crussions	que	nous	eussions	cru
que	vous	crussiez	que	vous	eussiez	cru
qu'	elles	crussent	qu'	elles	eussent	cru
qu'	ils	crussent	qu'	ils	eussent	cru

CONDITIONNEL

PRÉSENT		PASSÉ		
je	croirais	j'	aurais	cru
tu	croirais	tu	aurais	cru
elle	croirait	elle	aurait	cru
il	croirait	il	aurait	cru
nous	croirions	nous	aurions	cru
vous	croiriez	vous	auriez	cru
elles	croiraient	elles	auraient	cru
ils	croiraient	ils	auraient	cru

IMPÉRATIF

PRÉSENT	PASSÉ	
crois	aie	cru
croyons	ayons	cru
croyez	ayez	cru

INFINITIF

PRÉSENT	PASSÉ
croire	avoir cru

PARTICIPE

PRÉSENT	PASSÉ
croyant	cru, ue
	ayant cru

CONJUGAISON DU VERBE **CUEILLIR**

INDICATIF

PRÉSENT — PASSÉ COMPOSÉ

PRÉSENT		PASSÉ COMPOSÉ		
je	cueille	j'	ai	cueilli
tu	cueilles	tu	as	cueilli
elle	cueille	elle	a	cueilli
il	cueille	il	a	cueilli
nous	cueillons	nous	avons	cueilli
vous	cueillez	vous	avez	cueilli
elles	cueillent	elles	ont	cueilli
ils	cueillent	ils	ont	cueilli

IMPARFAIT — PLUS-QUE-PARFAIT

IMPARFAIT		PLUS-QUE-PARFAIT		
je	cueillais	j'	avais	cueilli
tu	cueillais	tu	avais	cueilli
elle	cueillait	elle	avait	cueilli
il	cueillait	il	avait	cueilli
nous	cueillions	nous	avions	cueilli
vous	cueilliez	vous	aviez	cueilli
elles	cueillaient	elles	avaient	cueilli
ils	cueillaient	ils	avaient	cueilli

PASSÉ SIMPLE — PASSÉ ANTÉRIEUR

PASSÉ SIMPLE		PASSÉ ANTÉRIEUR		
je	cueillis	j'	eus	cueilli
tu	cueillis	tu	eus	cueilli
elle	cueillit	elle	eut	cueilli
il	cueillit	il	eut	cueilli
nous	cueillîmes	nous	eûmes	cueilli
vous	cueillîtes	vous	eûtes	cueilli
elles	cueillirent	elles	eurent	cueilli
ils	cueillirent	ils	eurent	cueilli

FUTUR SIMPLE — FUTUR ANTÉRIEUR

FUTUR SIMPLE		FUTUR ANTÉRIEUR		
je	cueillerai	j'	aurai	cueilli
tu	cueilleras	tu	auras	cueilli
elle	cueillera	elle	aura	cueilli
il	cueillera	il	aura	cueilli
nous	cueillerons	nous	aurons	cueilli
vous	cueillerez	vous	aurez	cueilli
elles	cueilleront	elles	auront	cueilli
ils	cueilleront	ils	auront	cueilli

SUBJONCTIF

PRÉSENT — PASSÉ

PRÉSENT			PASSÉ		
que je	cueille	que j'	aie	cueilli
que tu	cueilles	que tu	aies	cueilli
qu' elle	cueille	qu' elle	ait	cueilli
qu' il	cueille	qu' il	ait	cueilli
que nous	cueillions	que nous	ayons	cueilli
que vous	cueilliez	que vous	ayez	cueilli
qu' elles	cueillent	qu' elles	aient	cueilli
qu' ils	cueillent	qu' ils	aient	cueilli

IMPARFAIT — PLUS-QUE-PARFAIT

IMPARFAIT		PLUS-QUE-PARFAIT		
que je	cueillisse	que j'	eusse	cueilli
que tu	cueillisses	que tu	eusses	cueilli
qu' elle	cueillît	qu' elle	eût	cueilli
qu' il	cueillît	qu' il	eût	cueilli
que nous	cueillissions	que nous	eussions	cueilli
que vous	cueillissiez	que vous	eussiez	cueilli
qu' elles	cueillissent	qu' elles	eussent	cueilli
qu' ils	cueillissent	qu' ils	eussent	cueilli

CONDITIONNEL

PRÉSENT — PASSÉ

PRÉSENT		PASSÉ		
je	cueillerais	j'	aurais	cueilli
tu	cueillerais	tu	aurais	cueilli
elle	cueillerait	elle	aurait	cueilli
il	cueillerait	il	aurait	cueilli
nous	cueillerions	nous	aurions	cueilli
vous	cueilleriez	vous	auriez	cueilli
elles	cueilleraient	elles	auraient	cueilli
ils	cueilleraient	ils	auraient	cueilli

IMPÉRATIF

PRÉSENT — PASSÉ

PRÉSENT	PASSÉ	
cueille	aie	cueilli
cueillons	ayons	cueilli
cueillez	ayez	cueilli

INFINITIF

PRÉSENT	PASSÉ
cueillir	avoir cueilli

PARTICIPE

PRÉSENT	PASSÉ
cueillant	cueilli, ie
	ayant cueilli

CONJUGAISON DU VERBE **DEVOIR**

INDICATIF

PRÉSENT / PASSÉ COMPOSÉ

je	dois	j'	ai	dû	
tu	dois	tu	as	dû	
elle	doit	elle	a	dû	
il	doit	il	a	dû	
nous	devons	nous	avons	dû	
vous	devez	vous	avez	dû	
elles	doivent	elles	ont	dû	
ils	doivent	ils	ont	dû	

IMPARFAIT / PLUS-QUE-PARFAIT

je	devais	j'	avais	dû	
tu	devais	tu	avais	dû	
elle	devait	elle	avait	dû	
il	devait	il	avait	dû	
nous	devions	nous	avions	dû	
vous	deviez	vous	aviez	dû	
elles	devaient	elles	avaient	dû	
ils	devaient	ils	avaient	dû	

PASSÉ SIMPLE / PASSÉ ANTÉRIEUR

je	dus	j'	eus	dû	
tu	dus	tu	eus	dû	
elle	dut	elle	eut	dû	
il	dut	il	eut	dû	
nous	dûmes	nous	eûmes	dû	
vous	dûtes	vous	eûtes	dû	
elles	durent	elles	eurent	dû	
ils	durent	ils	eurent	dû	

FUTUR SIMPLE / FUTUR ANTÉRIEUR

je	devrai	j'	aurai	dû	
tu	devras	tu	auras	dû	
elle	devra	elle	aura	dû	
il	devra	il	aura	dû	
nous	devrons	nous	aurons	dû	
vous	devrez	vous	aurez	dû	
elles	devront	elles	auront	dû	
ils	devront	ils	auront	dû	

SUBJONCTIF

PRÉSENT / PASSÉ

que	je	doive	que	j'	aie	dû
que	tu	doives	que	tu	aies	dû
qu'	elle	doive	qu'	elle	ait	dû
qu'	il	doive	qu'	il	ait	dû
que	nous	devions	que	nous	ayons	dû
que	vous	deviez	que	vous	ayez	dû
qu'	elles	doivent	qu'	elles	aient	dû
qu'	ils	doivent	qu'	ils	aient	dû

IMPARFAIT / PLUS-QUE-PARFAIT

que	je	dusse	que	j'	eusse	dû
que	tu	dusses	que	tu	eusses	dû
qu'	elle	dût	qu'	elle	eût	dû
qu'	il	dût	qu'	il	eût	dû
que	nous	dussions	que	nous	eussions	dû
que	vous	dussiez	que	vous	eussiez	dû
qu'	elles	dussent	qu'	elles	eussent	dû
qu'	ils	dussent	qu'	ils	eussent	dû

CONDITIONNEL

PRÉSENT / PASSÉ

je	devrais	j'	aurais	dû	
tu	devrais	tu	aurais	dû	
elle	devrait	elle	aurait	dû	
il	devrait	il	aurait	dû	
nous	devrions	nous	aurions	dû	
vous	devriez	vous	auriez	dû	
elles	devraient	elles	auraient	dû	
ils	devraient	ils	auraient	dû	

IMPÉRATIF

PRÉSENT / PASSÉ

dois		aie	dû
devons		ayons	dû
devez		ayez	dû

INFINITIF

PRÉSENT / PASSÉ

devoir	avoir dû

PARTICIPE

PRÉSENT / PASSÉ

devant	dû, ue
	ayant dû

CONJUGAISON DU VERBE **DIRE**

INDICATIF

PRÉSENT | PASSÉ COMPOSÉ

je	dis	j'	ai	dit
tu	dis	tu	as	dit
elle	dit	elle	a	dit
il	dit	il	a	dit
nous	disons	nous	avons	dit
vous	dites	vous	avez	dit
elles	disent	elles	ont	dit
ils	disent	ils	ont	dit

IMPARFAIT | PLUS-QUE-PARFAIT

je	disais	j'	avais	dit
tu	disais	tu	avais	dit
elle	disait	elle	avait	dit
il	disait	il	avait	dit
nous	disions	nous	avions	dit
vous	disiez	vous	aviez	dit
elles	disaient	elles	avaient	dit
ils	disaient	ils	avaient	dit

PASSÉ SIMPLE | PASSÉ ANTÉRIEUR

je	dis	j'	eus	dit
tu	dis	tu	eus	dit
elle	dit	elle	eut	dit
il	dit	il	eut	dit
nous	dîmes	nous	eûmes	dit
vous	dîtes	vous	eûtes	dit
elles	dirent	elles	eurent	dit
ils	dirent	ils	eurent	dit

FUTUR SIMPLE | FUTUR ANTÉRIEUR

je	dirai	j'	aurai	dit
tu	diras	tu	auras	dit
elle	dira	elle	aura	dit
il	dira	il	aura	dit
nous	dirons	nous	aurons	dit
vous	direz	vous	aurez	dit
elles	diront	elles	auront	dit
ils	diront	ils	auront	dit

INFINITIF

PRÉSENT | PASSÉ

dire	avoir dit

SUBJONCTIF

PRÉSENT | PASSÉ

que	je	dise	que	j'	aie	dit
que	tu	dises	que	tu	aies	dit
qu'	elle	dise	qu'	elle	ait	dit
qu'	il	dise	qu'	il	ait	dit
que	nous	disions	que	nous	ayons	dit
que	vous	disiez	que	vous	ayez	dit
qu'	elles	disent	qu'	elles	aient	dit
qu'	ils	disent	qu'	ils	aient	dit

IMPARFAIT | PLUS-QUE-PARFAIT

que	je	disse	que	j'	eusse	dit
que	tu	disses	que	tu	eusses	dit
qu'	elle	dît	qu'	elle	eût	dit
qu'	il	dît	qu'	il	eût	dit
que	nous	dissions	que	nous	eussions	dit
que	vous	dissiez	que	vous	eussiez	dit
qu'	elles	dissent	qu'	elles	eussent	dit
qu'	ils	dissent	qu'	ils	eussent	dit

CONDITIONNEL

PRÉSENT | PASSÉ

je	dirais	j'	aurais	dit
tu	dirais	tu	aurais	dit
elle	dirait	elle	aurait	dit
il	dirait	il	aurait	dit
nous	dirions	nous	aurions	dit
vous	diriez	vous	auriez	dit
elles	diraient	elles	auraient	dit
ils	diraient	ils	auraient	dit

IMPÉRATIF

PRÉSENT | PASSÉ

dis	aie	dit
disons	ayons	dit
dites	ayez	dit

PARTICIPE

PRÉSENT | PASSÉ

disant	dit, ite
	ayant dit

Les verbes *contredire*, *se dédire*, *interdire*, *médire* et *prédire* se conjuguent sur le modèle de *dire*, sauf à la 2e personne du pluriel du présent de l'indicatif et de l'impératif (*contredisez, dédisez, interdisez, médisez* et *prédisez*).

CONJUGAISON DU VERBE **DORMIR**

INDICATIF

PRÉSENT		PASSÉ COMPOSÉ		
je	dors	j'	ai	dormi
tu	dors	tu	as	dormi
elle	dort	elle	a	dormi
il	dort	il	a	dormi
nous	dormons	nous	avons	dormi
vous	dormez	vous	avez	dormi
elles	dorment	elles	ont	dormi
ils	dorment	ils	ont	dormi

IMPARFAIT		PLUS-QUE-PARFAIT		
je	dormais	j'	avais	dormi
tu	dormais	tu	avais	dormi
elle	dormait	elle	avait	dormi
il	dormait	il	avait	dormi
nous	dormions	nous	avions	dormi
vous	dormiez	vous	aviez	dormi
elles	dormaient	elles	avaient	dormi
ils	dormaient	ils	avaient	dormi

PASSÉ SIMPLE		PASSÉ ANTÉRIEUR		
je	dormis	j'	eus	dormi
tu	dormis	tu	eus	dormi
elle	dormit	elle	eut	dormi
il	dormit	il	eut	dormi
nous	dormîmes	nous	eûmes	dormi
vous	dormîtes	vous	eûtes	dormi
elles	dormirent	elles	eurent	dormi
ils	dormirent	ils	eurent	dormi

FUTUR SIMPLE		FUTUR ANTÉRIEUR		
je	dormirai	j'	aurai	dormi
tu	dormiras	tu	auras	dormi
elle	dormira	elle	aura	dormi
il	dormira	il	aura	dormi
nous	dormirons	nous	aurons	dormi
vous	dormirez	vous	aurez	dormi
elles	dormiront	elles	auront	dormi
ils	dormiront	ils	auront	dormi

SUBJONCTIF

PRÉSENT			PASSÉ		
que	je	dorme	que	j'	aie	dormi
que	tu	dormes	que	tu	aies	dormi
qu'	elle	dorme	qu'	elle	ait	dormi
qu'	il	dorme	qu'	il	ait	dormi
que	nous	dormions	que	nous	ayons	dormi
que	vous	dormiez	que	vous	ayez	dormi
qu'	elles	dorment	qu'	elles	aient	dormi
qu'	ils	dorment	qu'	ils	aient	dormi

IMPARFAIT			PLUS-QUE-PARFAIT		
que	je	dormisse	que	j'	eusse	dormi
que	tu	dormisses	que	tu	eusses	dormi
qu'	elle	dormît	qu'	elle	eût	dormi
qu'	il	dormît	qu'	il	eût	dormi
que	nous	dormissions	que	nous	eussions	dormi
que	vous	dormissiez	que	vous	eussiez	dormi
qu'	elles	dormissent	qu'	elles	eussent	dormi
qu'	ils	dormissent	qu'	ils	eussent	dormi

CONDITIONNEL

PRÉSENT		PASSÉ		
je	dormirais	j'	aurais	dormi
tu	dormirais	tu	aurais	dormi
elle	dormirait	elle	aurait	dormi
il	dormirait	il	aurait	dormi
nous	dormirions	nous	aurions	dormi
vous	dormiriez	vous	auriez	dormi
elles	dormiraient	elles	auraient	dormi
ils	dormiraient	ils	auraient	dormi

IMPÉRATIF

PRÉSENT	PASSÉ	
dors	aie	dormi
dormons	ayons	dormi
dormez	ayez	dormi

INFINITIF

PRÉSENT	PASSÉ
dormir	avoir dormi

PARTICIPE

PRÉSENT	PASSÉ
dormant	dormi, ayant dormi

CONJUGAISON DU VERBE **ÉCRIRE**

INDICATIF

PRÉSENT

j'	écris
tu	écris
elle	écrit
il	écrit
nous	écrivons
vous	écrivez
elles	écrivent
ils	écrivent

PASSÉ COMPOSÉ

j'	ai	écrit
tu	as	écrit
elle	a	écrit
il	a	écrit
nous	avons	écrit
vous	avez	écrit
elles	ont	écrit
ils	ont	écrit

IMPARFAIT

j'	écrivais
tu	écrivais
elle	écrivait
il	écrivait
nous	écrivions
vous	écriviez
elles	écrivaient
ils	écrivaient

PLUS-QUE-PARFAIT

j'	avais	écrit
tu	avais	écrit
elle	avait	écrit
il	avait	écrit
nous	avions	écrit
vous	aviez	écrit
elles	avaient	écrit
ils	avaient	écrit

PASSÉ SIMPLE

j'	écrivis
tu	écrivis
elle	écrivit
il	écrivit
nous	écrivîmes
vous	écrivîtes
elles	écrivirent
ils	écrivirent

PASSÉ ANTÉRIEUR

j'	eus	écrit
tu	eus	écrit
elle	eut	écrit
il	eut	écrit
nous	eûmes	écrit
vous	eûtes	écrit
elles	eurent	écrit
ils	eurent	écrit

FUTUR SIMPLE

j'	écrirai
tu	écriras
elle	écrira
il	écrira
nous	écrirons
vous	écrirez
elles	écriront
ils	écriront

FUTUR ANTÉRIEUR

j'	aurai	écrit
tu	auras	écrit
elle	aura	écrit
il	aura	écrit
nous	aurons	écrit
vous	aurez	écrit
elles	auront	écrit
ils	auront	écrit

SUBJONCTIF

PRÉSENT

que	j'	écrive
que	tu	écrives
qu'	elle	écrive
qu'	il	écrive
que	nous	écrivions
que	vous	écriviez
qu'	elles	écrivent
qu'	ils	écrivent

PASSÉ

que	j'	aie	écrit
que	tu	aies	écrit
qu'	elle	ait	écrit
qu'	il	ait	écrit
que	nous	ayons	écrit
que	vous	ayez	écrit
qu'	elles	aient	écrit
qu'	ils	aient	écrit

IMPARFAIT

que	j'	écrivisse
que	tu	écrivisses
qu'	elle	écrivît
qu'	il	écrivît
que	nous	écrivissions
que	vous	écrivissiez
qu'	elles	écrivissent
qu'	ils	écrivissent

PLUS-QUE-PARFAIT

que	j'	eusse	écrit
que	tu	eusses	écrit
qu'	elle	eût	écrit
qu'	il	eût	écrit
que	nous	eussions	écrit
que	vous	eussiez	écrit
qu'	elles	eussent	écrit
qu'	ils	eussent	écrit

CONDITIONNEL

PRÉSENT

j'	écrirais
tu	écrirais
elle	écrirait
il	écrirait
nous	écririons
vous	écririez
elles	écriraient
ils	écriraient

PASSÉ

j'	aurais	écrit
tu	aurais	écrit
elle	aurait	écrit
il	aurait	écrit
nous	aurions	écrit
vous	auriez	écrit
elles	auraient	écrit
ils	auraient	écrit

IMPÉRATIF

PRÉSENT

écris
écrivons
écrivez

PASSÉ

aie	écrit
ayons	écrit
ayez	écrit

INFINITIF

PRÉSENT

écrire

PASSÉ

avoir écrit

PARTICIPE

PRÉSENT

écrivant

PASSÉ

écrit, ite
ayant écrit

CONJUGAISON DU VERBE **ÉMOUVOIR**

INDICATIF

PRÉSENT

j'	ém**eus**
tu	ém**eus**
elle	ém**eut**
il	ém**eut**
nous	ém**ouvons**
vous	ém**ouvez**
elles	ém**euvent**
ils	ém**euvent**

PASSÉ COMPOSÉ

j'	ai	ému
tu	as	ému
elle	a	ému
il	a	ému
nous	avons	ému
vous	avez	ému
elles	ont	ému
ils	ont	ému

IMPARFAIT

j'	ém**ouvais**
tu	ém**ouvais**
elle	ém**ouvait**
il	ém**ouvait**
nous	ém**ouvions**
vous	ém**ouviez**
elles	ém**ouvaient**
ils	ém**ouvaient**

PLUS-QUE-PARFAIT

j'	avais	ému
tu	avais	ému
elle	avait	ému
il	avait	ému
nous	avions	ému
vous	aviez	ému
elles	avaient	ému
ils	avaient	ému

PASSÉ SIMPLE

j'	ém**us**
tu	ém**us**
elle	ém**ut**
il	ém**ut**
nous	ém**ûmes**
vous	ém**ûtes**
elles	ém**urent**
ils	ém**urent**

PASSÉ ANTÉRIEUR

j'	eus	ému
tu	eus	ému
elle	eut	ému
il	eut	ému
nous	eûmes	ému
vous	eûtes	ému
elles	eurent	ému
ils	eurent	ému

FUTUR SIMPLE

j'	ém**ouvrai**
tu	ém**ouvras**
elle	ém**ouvra**
il	ém**ouvra**
nous	ém**ouvrons**
vous	ém**ouvrez**
elles	ém**ouvront**
ils	ém**ouvront**

FUTUR ANTÉRIEUR

j'	aurai	ému
tu	auras	ému
elle	aura	ému
il	aura	ému
nous	aurons	ému
vous	aurez	ému
elles	auront	ému
ils	auront	ému

SUBJONCTIF

PRÉSENT

que	j'	ém**euve**
que	tu	ém**euves**
qu'	elle	ém**euve**
qu'	il	ém**euve**
que	nous	ém**ouvions**
que	vous	ém**ouviez**
qu'	elles	ém**euvent**
qu'	ils	ém**euvent**

PASSÉ

que	j'	aie	ému
que	tu	aies	ému
qu'	elle	ait	ému
qu'	il	ait	ému
que	nous	ayons	ému
que	vous	ayez	ému
qu'	elles	aient	ému
qu'	ils	aient	ému

IMPARFAIT

que	j'	ém**usse**
que	tu	ém**usses**
qu'	elle	ém**ût**
qu'	il	ém**ût**
que	nous	ém**ussions**
que	vous	ém**ussiez**
qu'	elles	ém**ussent**
qu'	ils	ém**ussent**

PLUS-QUE-PARFAIT

que	j'	eusse	ému
que	tu	eusses	ému
qu'	elle	eût	ému
qu'	il	eût	ému
que	nous	eussions	ému
que	vous	eussiez	ému
qu'	elles	eussent	ému
qu'	ils	eussent	ému

CONDITIONNEL

PRÉSENT

j'	ém**ouvrais**
tu	ém**ouvrais**
elle	ém**ouvrait**
il	ém**ouvrait**
nous	ém**ouvrions**
vous	ém**ouvriez**
elles	ém**ouvraient**
ils	ém**ouvraient**

PASSÉ

j'	aurais	ému
tu	aurais	ému
elle	aurait	ému
il	aurait	ému
nous	aurions	ému
vous	auriez	ému
elles	auraient	ému
ils	auraient	ému

IMPÉRATIF

PRÉSENT

ém**eus**
ém**ouvons**
ém**ouvez**

PASSÉ

aie	ému
ayons	ému
ayez	ému

INFINITIF

PRÉSENT

ém**ouvoir**

PASSÉ

avoir ému

PARTICIPE

PRÉSENT

ém**ouvant**

PASSÉ

ému, ue
ayant ému

Le verbe *mouvoir* se conjugue comme *émouvoir*, à l'exception de son participe passé masculin singulier qui s'écrit avec un accent circonflexe (*mû, mue*).
Le verbe *promouvoir* se conjugue comme *émouvoir*, mais il n'est généralement usité qu'au passé simple (*je promus*), à l'infinitif (*promouvoir*), au participe présent (*promouvant*), au participe passé (*promu, promue*) et aux temps composés (*j'ai promu, …*) ainsi qu'à la forme passive (*je suis promu, …*).

CONJUGAISON DU VERBE **EMPLOYER**

INDICATIF

PRÉSENT

j'	emploie	j'	ai	employé
tu	emploies	tu	as	employé
elle	emploie	elle	a	employé
il	emploie	il	a	employé
nous	employons	nous	avons	employé
vous	employez	vous	avez	employé
elles	emploient	elles	ont	employé
ils	emploient	ils	ont	employé

PASSÉ COMPOSÉ (j' ai employé...)

IMPARFAIT / **PLUS-QUE-PARFAIT**

j'	employais	j'	avais	employé
tu	employais	tu	avais	employé
elle	employait	elle	avait	employé
il	employait	il	avait	employé
nous	employions	nous	avions	employé
vous	employiez	vous	aviez	employé
elles	employaient	elles	avaient	employé
ils	employaient	ils	avaient	employé

PASSÉ SIMPLE / **PASSÉ ANTÉRIEUR**

j'	employai	j'	eus	employé
tu	employas	tu	eus	employé
elle	employa	elle	eut	employé
il	employa	il	eut	employé
nous	employâmes	nous	eûmes	employé
vous	employâtes	vous	eûtes	employé
elles	employèrent	elles	eurent	employé
ils	employèrent	ils	eurent	employé

FUTUR SIMPLE / **FUTUR ANTÉRIEUR**

j'	emploierai	j'	aurai	employé
tu	emploieras	tu	auras	employé
elle	emploiera	elle	aura	employé
il	emploiera	il	aura	employé
nous	emploierons	nous	aurons	employé
vous	emploierez	vous	aurez	employé
elles	emploieront	elles	auront	employé
ils	emploieront	ils	auront	employé

SUBJONCTIF

PRÉSENT / **PASSÉ**

que	j'	emploie	que	j'	aie	employé
que	tu	emploies	que	tu	aies	employé
qu'	elle	emploie	qu'	elle	ait	employé
qu'	il	emploie	qu'	il	ait	employé
que	nous	employions	que	nous	ayons	employé
que	vous	employiez	que	vous	ayez	employé
qu'	elles	emploient	qu'	elles	aient	employé
qu'	ils	emploient	qu'	ils	aient	employé

IMPARFAIT / **PLUS-QUE-PARFAIT**

que	j'	employasse	que	j'	eusse	employé
que	tu	employasses	que	tu	eusses	employé
qu'	elle	employât	qu'	elle	eût	employé
qu'	il	employât	qu'	il	eût	employé
que	nous	employassions	que	nous	eussions	employé
que	vous	employassiez	que	vous	eussiez	employé
qu'	elles	employassent	qu'	elles	eussent	employé
qu'	ils	employassent	qu'	ils	eussent	employé

CONDITIONNEL

PRÉSENT / **PASSÉ**

j'	emploierais	j'	aurais	employé
tu	emploierais	tu	aurais	employé
elle	emploierait	elle	aurait	employé
il	emploierait	il	aurait	employé
nous	emploierions	nous	aurions	employé
vous	emploieriez	vous	auriez	employé
elles	emploieraient	elles	auraient	employé
ils	emploieraient	ils	auraient	employé

IMPÉRATIF

PRÉSENT / **PASSÉ**

emploie	aie	employé
employons	ayons	employé
employez	ayez	employé

INFINITIF

PRÉSENT / **PASSÉ**

employer	avoir employé

PARTICIPE

PRÉSENT / **PASSÉ**

employant	employé, ée
	ayant employé

CONJUGAISON DU VERBE **ENVOYER**

INDICATIF

PRÉSENT / PASSÉ COMPOSÉ

	PRÉSENT		PASSÉ COMPOSÉ	
j'	envoie	j'	ai	envoyé
tu	envoies	tu	as	envoyé
elle	envoie	elle	a	envoyé
il	envoie	il	a	envoyé
nous	envoyons	nous	avons	envoyé
vous	envoyez	vous	avez	envoyé
elles	envoient	elles	ont	envoyé
ils	envoient	ils	ont	envoyé

IMPARFAIT / PLUS-QUE-PARFAIT

	IMPARFAIT		PLUS-QUE-PARFAIT	
j'	envoyais	j'	avais	envoyé
tu	envoyais	tu	avais	envoyé
elle	envoyait	elle	avait	envoyé
il	envoyait	il	avait	envoyé
nous	envoyions	nous	avions	envoyé
vous	envoyiez	vous	aviez	envoyé
elles	envoyaient	elles	avaient	envoyé
ils	envoyaient	ils	avaient	envoyé

PASSÉ SIMPLE / PASSÉ ANTÉRIEUR

	PASSÉ SIMPLE		PASSÉ ANTÉRIEUR	
j'	envoyai	j'	eus	envoyé
tu	envoyas	tu	eus	envoyé
elle	envoya	elle	eut	envoyé
il	envoya	il	eut	envoyé
nous	envoyâmes	nous	eûmes	envoyé
vous	envoyâtes	vous	eûtes	envoyé
elles	envoyèrent	elles	eurent	envoyé
ils	envoyèrent	ils	eurent	envoyé

FUTUR SIMPLE / FUTUR ANTÉRIEUR

	FUTUR SIMPLE		FUTUR ANTÉRIEUR	
j'	enverrai	j'	aurai	envoyé
tu	enverras	tu	auras	envoyé
elle	enverra	elle	aura	envoyé
il	enverra	il	aura	envoyé
nous	enverrons	nous	aurons	envoyé
vous	enverrez	vous	aurez	envoyé
elles	enverront	elles	auront	envoyé
ils	enverront	ils	auront	envoyé

SUBJONCTIF

PRÉSENT / PASSÉ

		PRÉSENT			PASSÉ	
que	j'	envoie	que	j'	aie	envoyé
que	tu	envoies	que	tu	aies	envoyé
qu'	elle	envoie	qu'	elle	ait	envoyé
qu'	il	envoie	qu'	il	ait	envoyé
que	nous	envoyions	que	nous	ayons	envoyé
que	vous	envoyiez	que	vous	ayez	envoyé
qu'	elles	envoient	qu'	elles	aient	envoyé
qu'	ils	envoient	qu'	ils	aient	envoyé

IMPARFAIT / PLUS-QUE-PARFAIT

		IMPARFAIT			PLUS-QUE-PARFAIT	
que	j'	envoyasse	que	j'	eusse	envoyé
que	tu	envoyasses	que	tu	eusses	envoyé
qu'	elle	envoyât	qu'	elle	eût	envoyé
qu'	il	envoyât	qu'	il	eût	envoyé
que	nous	envoyassions	que	nous	eussions	envoyé
que	vous	envoyassiez	que	vous	eussiez	envoyé
qu'	elles	envoyassent	qu'	elles	eussent	envoyé
qu'	ils	envoyassent	qu'	ils	eussent	envoyé

CONDITIONNEL

PRÉSENT / PASSÉ

	PRÉSENT		PASSÉ	
j'	enverrais	j'	aurais	envoyé
tu	enverrais	tu	aurais	envoyé
elle	enverrait	elle	aurait	envoyé
il	enverrait	il	aurait	envoyé
nous	enverrions	nous	aurions	envoyé
vous	enverriez	vous	auriez	envoyé
elles	enverraient	elles	auraient	envoyé
ils	enverraient	ils	auraient	envoyé

IMPÉRATIF

PRÉSENT / PASSÉ

PRÉSENT	PASSÉ	
envoie	aie	envoyé
envoyons	ayons	envoyé
envoyez	ayez	envoyé

INFINITIF

PRÉSENT	PASSÉ
envoyer	avoir envoyé

PARTICIPE

PRÉSENT	PASSÉ
envoyant	envoyé, ée
	ayant envoyé

CONJUGAISON DU VERBE **ÉTEINDRE**

INDICATIF

PRÉSENT		PASSÉ COMPOSÉ		
j'	étei**ns**	j'	ai	éteint
tu	étei**ns**	tu	as	éteint
elle	étei**nt**	elle	a	éteint
il	étei**nt**	il	a	éteint
nous	étei**gnons**	nous	avons	éteint
vous	étei**gnez**	vous	avez	éteint
elles	étei**gnent**	elles	ont	éteint
ils	étei**gnent**	ils	ont	éteint

IMPARFAIT		PLUS-QUE-PARFAIT		
j'	étei**gnais**	j'	avais	éteint
tu	étei**gnais**	tu	avais	éteint
elle	étei**gnait**	elle	avait	éteint
il	étei**gnait**	il	avait	éteint
nous	étei**gnions**	nous	avions	éteint
vous	étei**gniez**	vous	aviez	éteint
elles	étei**gnaient**	elles	avaient	éteint
ils	étei**gnaient**	ils	avaient	éteint

PASSÉ SIMPLE		PASSÉ ANTÉRIEUR		
j'	étei**gnis**	j'	eus	éteint
tu	étei**gnis**	tu	eus	éteint
elle	étei**gnit**	elle	eut	éteint
il	étei**gnit**	il	eut	éteint
nous	étei**gnîmes**	nous	eûmes	éteint
vous	étei**gnîtes**	vous	eûtes	éteint
elles	étei**gnirent**	elles	eurent	éteint
ils	étei**gnirent**	ils	eurent	éteint

FUTUR SIMPLE		FUTUR ANTÉRIEUR		
j'	étei**ndrai**	j'	aurai	éteint
tu	étei**ndras**	tu	auras	éteint
elle	étei**ndra**	elle	aura	éteint
il	étei**ndra**	il	aura	éteint
nous	étei**ndrons**	nous	aurons	éteint
vous	étei**ndrez**	vous	aurez	éteint
elles	étei**ndront**	elles	auront	éteint
ils	étei**ndront**	ils	auront	éteint

SUBJONCTIF

PRÉSENT			PASSÉ		
que	j'	étei**gne**	que	j'	aie	éteint
que	tu	étei**gnes**	que	tu	aies	éteint
qu'	elle	étei**gne**	qu'	elle	ait	éteint
qu'	il	étei**gne**	qu'	il	ait	éteint
que	nous	étei**gnions**	que	nous	ayons	éteint
que	vous	étei**gniez**	que	vous	ayez	éteint
qu'	elles	étei**gnent**	qu'	elles	aient	éteint
qu'	ils	étei**gnent**	qu'	ils	aient	éteint

IMPARFAIT			PLUS-QUE-PARFAIT		
que	j'	étei**gnisse**	que	j'	eusse	éteint
que	tu	étei**gnisses**	que	tu	eusses	éteint
qu'	elle	étei**gnît**	qu'	elle	eût	éteint
qu'	il	étei**gnît**	qu'	il	eût	éteint
que	nous	étei**gnissions**	que	nous	eussions	éteint
que	vous	étei**gnissiez**	que	vous	eussiez	éteint
qu'	elles	étei**gnissent**	qu'	elles	eussent	éteint
qu'	ils	étei**gnissent**	qu'	ils	eussent	éteint

CONDITIONNEL

PRÉSENT		PASSÉ		
j'	étei**ndrais**	j'	aurais	éteint
tu	étei**ndrais**	tu	aurais	éteint
elle	étei**ndrait**	elle	aurait	éteint
il	étei**ndrait**	il	aurait	éteint
nous	étei**ndrions**	nous	aurions	éteint
vous	étei**ndriez**	vous	auriez	éteint
elles	étei**ndraient**	elles	auraient	éteint
ils	étei**ndraient**	ils	auraient	éteint

IMPÉRATIF

PRÉSENT	PASSÉ	
étei**ns**	aie	éteint
étei**gnons**	ayons	éteint
étei**gnez**	ayez	éteint

INFINITIF

PRÉSENT	PASSÉ
étei**ndre**	avoir éteint

PARTICIPE

PRÉSENT	PASSÉ
étei**gnant**	éteint, einte
	ayant éteint

CONJUGAISON DU VERBE **ÊTRE**

INDICATIF

PRÉSENT | PASSÉ COMPOSÉ

je	suis	j'	ai	été	
tu	es	tu	as	été	
elle	est	elle	a	été	
il	est	il	a	été	
nous	sommes	nous	avons	été	
vous	êtes	vous	avez	été	
elles	sont	elles	ont	été	
ils	sont	ils	ont	été	

IMPARFAIT | PLUS-QUE-PARFAIT

j'	étais	j'	avais	été	
tu	étais	tu	avais	été	
elle	était	elle	avait	été	
il	était	il	avait	été	
nous	étions	nous	avions	été	
vous	étiez	vous	aviez	été	
elles	étaient	elles	avaient	été	
ils	étaient	ils	avaient	été	

PASSÉ SIMPLE | PASSÉ ANTÉRIEUR

je	fus	j'	eus	été	
tu	fus	tu	eus	été	
elle	fut	elle	eut	été	
il	fut	il	eut	été	
nous	fûmes	nous	eûmes	été	
vous	fûtes	vous	eûtes	été	
elles	furent	elles	eurent	été	
ils	furent	ils	eurent	été	

FUTUR SIMPLE | FUTUR ANTÉRIEUR

je	serai	j'	aurai	été	
tu	seras	tu	auras	été	
elle	sera	elle	aura	été	
il	sera	il	aura	été	
nous	serons	nous	aurons	été	
vous	serez	vous	aurez	été	
elles	seront	elles	auront	été	
ils	seront	ils	auront	été	

SUBJONCTIF

PRÉSENT | PASSÉ

que	je	sois	que	j'	aie	été
que	tu	sois	que	tu	aies	été
qu'	elle	soit	qu'	elle	ait	été
qu'	il	soit	qu'	il	ait	été
que	nous	soyons	que	nous	ayons	été
que	vous	soyez	que	vous	ayez	été
qu'	elles	soient	qu'	elles	aient	été
qu'	ils	soient	qu'	ils	aient	été

IMPARFAIT | PLUS-QUE-PARFAIT

que	je	fusse	que	j'	eusse	été
que	tu	fusses	que	tu	eusses	été
qu'	elle	fût	qu'	elle	eût	été
qu'	il	fût	qu'	il	eût	été
que	nous	fussions	que	nous	eussions	été
que	vous	fussiez	que	vous	eussiez	été
qu'	elles	fussent	qu'	elles	eussent	été
qu'	ils	fussent	qu'	ils	eussent	été

CONDITIONNEL

PRÉSENT | PASSÉ

je	serais	j'	aurais	été	
tu	serais	tu	aurais	été	
elle	serait	elle	aurait	été	
il	serait	il	aurait	été	
nous	serions	nous	aurions	été	
vous	seriez	vous	auriez	été	
elles	seraient	elles	auraient	été	
ils	seraient	ils	auraient	été	

IMPÉRATIF

PRÉSENT | PASSÉ

sois		aie	été
soyons		ayons	été
soyez		ayez	été

INFINITIF

PRÉSENT | PASSÉ

être	avoir été

PARTICIPE

PRÉSENT | PASSÉ

étant	été
	ayant été

CONJUGAISON DU VERBE **ÉTUDIER**

INDICATIF

PRÉSENT		PASSÉ COMPOSÉ		
j'	étudie	j'	ai	étudié
tu	étudies	tu	as	étudié
elle	étudie	elle	a	étudié
il	étudie	il	a	étudié
nous	étudions	nous	avons	étudié
vous	étudiez	vous	avez	étudié
elles	étudient	elles	ont	étudié
ils	étudient	ils	ont	étudié

IMPARFAIT		PLUS-QUE-PARFAIT		
j'	étudiais	j'	avais	étudié
tu	étudiais	tu	avais	étudié
elle	étudiait	elle	avait	étudié
il	étudiait	il	avait	étudié
nous	étudiions	nous	avions	étudié
vous	étudiiez	vous	aviez	étudié
elles	étudiaient	elles	avaient	étudié
ils	étudiaient	ils	avaient	étudié

PASSÉ SIMPLE		PASSÉ ANTÉRIEUR		
j'	étudiai	j'	eus	étudié
tu	étudias	tu	eus	étudié
elle	étudia	elle	eut	étudié
il	étudia	il	eut	étudié
nous	étudiâmes	nous	eûmes	étudié
vous	étudiâtes	vous	eûtes	étudié
elles	étudièrent	elles	eurent	étudié
ils	étudièrent	ils	eurent	étudié

FUTUR SIMPLE		FUTUR ANTÉRIEUR		
j'	étudierai	j'	aurai	étudié
tu	étudieras	tu	auras	étudié
elle	étudiera	elle	aura	étudié
il	étudiera	il	aura	étudié
nous	étudierons	nous	aurons	étudié
vous	étudierez	vous	aurez	étudié
elles	étudieront	elles	auront	étudié
ils	étudieront	ils	auront	étudié

SUBJONCTIF

PRÉSENT			PASSÉ		
que	j'	étudie	que	j'	aie	étudié
que	tu	étudies	que	tu	aies	étudié
qu'	elle	étudie	qu'	elle	ait	étudié
qu'	il	étudie	qu'	il	ait	étudié
que	nous	étudiions	que	nous	ayons	étudié
que	vous	étudiiez	que	vous	ayez	étudié
qu'	elles	étudient	qu'	elles	aient	étudié
qu'	ils	étudient	qu'	ils	aient	étudié

IMPARFAIT			PLUS-QUE-PARFAIT		
que	j'	étudiasse	que	j'	eusse	étudié
que	tu	étudiasses	que	tu	eusses	étudié
qu'	elle	étudiât	qu'	elle	eût	étudié
qu'	il	étudiât	qu'	il	eût	étudié
que	nous	étudiassions	que	nous	eussions	étudié
que	vous	étudiassiez	que	vous	eussiez	étudié
qu'	elles	étudiassent	qu'	elles	eussent	étudié
qu'	ils	étudiassent	qu'	ils	eussent	étudié

CONDITIONNEL

PRÉSENT		PASSÉ		
j'	étudierais	j'	aurais	étudié
tu	étudierais	tu	aurais	étudié
elle	étudierait	elle	aurait	étudié
il	étudierait	il	aurait	étudié
nous	étudierions	nous	aurions	étudié
vous	étudieriez	vous	auriez	étudié
elles	étudieraient	elles	auraient	étudié
ils	étudieraient	ils	auraient	étudié

IMPÉRATIF

PRÉSENT	PASSÉ	
étudie	aie	étudié
étudions	ayons	étudié
étudiez	ayez	étudié

INFINITIF

PRÉSENT	PASSÉ
étudier	avoir étudié

PARTICIPE

PRÉSENT	PASSÉ
étudiant	étudié, ée
	ayant étudié

CONJUGAISON DU VERBE **FAILLIR**

INDICATIF

PRÉSENT

je	faux
tu	faux
elle	faut
il	faut
nous	faillons
vous	faillez
elles	faillent
ils	faillent

PASSÉ COMPOSÉ

j'	ai	failli
tu	as	failli
elle	a	failli
il	a	failli
nous	avons	failli
vous	avez	failli
elles	ont	failli
ils	ont	failli

IMPARFAIT

je	faillais
tu	faillais
elle	faillait
il	faillait
nous	faillions
vous	failliez
elles	faillaient
ils	faillaient

PLUS-QUE-PARFAIT

j'	avais	failli
tu	avais	failli
elle	avait	failli
il	avait	failli
nous	avions	failli
vous	aviez	failli
elles	avaient	failli
ils	avaient	failli

PASSÉ SIMPLE

je	faillis
tu	faillis
elle	faillit
il	faillit
nous	faillîmes
vous	faillîtes
elles	faillirent
ils	faillirent

PASSÉ ANTÉRIEUR

j'	eus	failli
tu	eus	failli
elle	eut	failli
il	eut	failli
nous	eûmes	failli
vous	eûtes	failli
elles	eurent	failli
ils	eurent	failli

FUTUR SIMPLE

je	faillirai
tu	failliras
elle	faillira
il	faillira
nous	faillirons
vous	faillirez
elles	failliront
ils	failliront

FUTUR ANTÉRIEUR

j'	aurai	failli
tu	auras	failli
elle	aura	failli
il	aura	failli
nous	aurons	failli
vous	aurez	failli
elles	auront	failli
ils	auront	failli

SUBJONCTIF

PRÉSENT

que	je	faille
que	tu	failles
qu'	elle	faille
qu'	il	faille
que	nous	faillions
que	vous	failliez
qu'	elles	faillent
qu'	ils	faillent

PASSÉ

que	j'	aie	failli
que	tu	aies	failli
qu'	elle	ait	failli
qu'	il	ait	failli
que	nous	ayons	failli
que	vous	ayez	failli
qu'	elles	aient	failli
qu'	ils	aient	failli

IMPARFAIT

que	je	faillisse
que	tu	faillisses
qu'	elle	faillît
qu'	il	faillît
que	nous	faillissions
que	vous	faillissiez
qu'	elles	faillissent
qu'	ils	faillissent

PLUS-QUE-PARFAIT

que	j'	eusse	failli
que	tu	eusses	failli
qu'	elle	eût	failli
qu'	il	eût	failli
que	nous	eussions	failli
que	vous	eussiez	failli
qu'	elles	eussent	failli
qu'	ils	eussent	failli

CONDITIONNEL

PRÉSENT

je	faillirais
tu	faillirais
elle	faillirait
il	faillirait
nous	faillirions
vous	failliriez
elles	failliraient
ils	failliraient

PASSÉ

j'	aurais	failli
tu	aurais	failli
elle	aurait	failli
il	aurait	failli
nous	aurions	failli
vous	auriez	failli
elles	auraient	failli
ils	auraient	failli

IMPÉRATIF

PRÉSENT

(n'existe pas)

PASSÉ

(n'existe pas)

INFINITIF

PRÉSENT

faillir

PASSÉ

avoir failli

PARTICIPE

PRÉSENT

faillant

PASSÉ

failli,
ayant failli

CONJUGAISON DU VERBE **FAIRE**

INDICATIF

PRÉSENT		PASSÉ COMPOSÉ		
je	**fais**	j'	ai	fait
tu	**fais**	tu	as	fait
elle	**fait**	elle	a	fait
il	**fait**	il	a	fait
nous	**faisons**	nous	avons	fait
vous	**faites**	vous	avez	fait
elles	**font**	elles	ont	fait
ils	**font**	ils	ont	fait

IMPARFAIT		PLUS-QUE-PARFAIT		
je	**faisais**	j'	avais	fait
tu	**faisais**	tu	avais	fait
elle	**faisait**	elle	avait	fait
il	**faisait**	il	avait	fait
nous	**faisions**	nous	avions	fait
vous	**faisiez**	vous	aviez	fait
elles	**faisaient**	elles	avaient	fait
ils	**faisaient**	ils	avaient	fait

PASSÉ SIMPLE		PASSÉ ANTÉRIEUR		
je	**fis**	j'	eus	fait
tu	**fis**	tu	eus	fait
elle	**fit**	elle	eut	fait
il	**fit**	il	eut	fait
nous	**fîmes**	nous	eûmes	fait
vous	**fîtes**	vous	eûtes	fait
elles	**firent**	elles	eurent	fait
ils	**firent**	ils	eurent	fait

FUTUR SIMPLE		FUTUR ANTÉRIEUR		
je	**ferai**	j'	aurai	fait
tu	**feras**	tu	auras	fait
elle	**fera**	elle	aura	fait
il	**fera**	il	aura	fait
nous	**ferons**	nous	aurons	fait
vous	**ferez**	vous	aurez	fait
elles	**feront**	elles	auront	fait
ils	**feront**	ils	auront	fait

SUBJONCTIF

PRÉSENT			PASSÉ		
que je	**fasse**	que	j'	aie	fait
que tu	**fasses**	que	tu	aies	fait
qu' elle	**fasse**	qu'	elle	ait	fait
qu' il	**fasse**	qu'	il	ait	fait
que nous	**fassions**	que	nous	ayons	fait
que vous	**fassiez**	que	vous	ayez	fait
qu' elles	**fassent**	qu'	elles	aient	fait
qu' ils	**fassent**	qu'	ils	aient	fait

IMPARFAIT			PLUS-QUE-PARFAIT		
que je	**fisse**	que	j'	eusse	fait
que tu	**fisses**	que	tu	eusses	fait
qu' elle	**fît**	qu'	elle	eût	fait
qu' il	**fît**	qu'	il	eût	fait
que nous	**fissions**	que	nous	eussions	fait
que vous	**fissiez**	que	vous	eussiez	fait
qu' elles	**fissent**	qu'	elles	eussent	fait
qu' ils	**fissent**	qu'	ils	eussent	fait

CONDITIONNEL

PRÉSENT		PASSÉ		
je	**ferais**	j'	aurais	fait
tu	**ferais**	tu	aurais	fait
elle	**ferait**	elle	aurait	fait
il	**ferait**	il	aurait	fait
nous	**ferions**	nous	aurions	fait
vous	**feriez**	vous	auriez	fait
elles	**feraient**	elles	auraient	fait
ils	**feraient**	ils	auraient	fait

IMPÉRATIF

PRÉSENT	PASSÉ	
fais	aie	fait
faisons	ayons	fait
faites	ayez	fait

INFINITIF

PRÉSENT	PASSÉ
faire	avoir fait

PARTICIPE

PRÉSENT	PASSÉ
faisant	fait, faite
	ayant fait

Le verbe *parfaire* se conjugue comme *faire*, mais il s'emploie seulement à l'infinitif, au participe passé (*parfait, parfaite*) et aux temps composés (*j'ai parfait*, …).

CONJUGAISON DU VERBE **FALLOIR**

INDICATIF

PRÉSENT		PASSÉ COMPOSÉ	
il	faut	il a	fallu

IMPARFAIT		PLUS-QUE-PARFAIT	
il	fallait	il avait	fallu

PASSÉ SIMPLE		PASSÉ ANTÉRIEUR	
il	fallut	il eut	fallu

FUTUR SIMPLE		FUTUR ANTÉRIEUR	
il	faudra	il aura	fallu

INFINITIF

PRÉSENT	PASSÉ
falloir	*(n'existe pas)*

SUBJONCTIF

PRÉSENT		PASSÉ	
qu' il	faille	qu' il ait	fallu

IMPARFAIT		PLUS-QUE-PARFAIT	
qu' il	fallût	qu' il eût	fallu

CONDITIONNEL

PRÉSENT		PASSÉ	
il	faudrait	il aurait	fallu

IMPÉRATIF

PRÉSENT	PASSÉ
(n'existe pas)	*(n'existe pas)*

PARTICIPE

PRÉSENT	PASSÉ
(n'existe pas)	fallu

CONCORDANCE DES TEMPS

▸ PRÉSENT

Il faut que tu nous préviennes. (subjonctif présent)

▸ PASSÉ

Il fallut qu'elle fût présente. (subjonctif imparfait)

▸ FUTUR

Il faudra qu'il vienne nous retrouver. (subjonctif présent)

🙚 Ce verbe ne s'utilise qu'à la troisième personne du singulier et son participe passé, *fallu*, est toujours invariable.

🙚 Le verbe se construit avec la conjonction *que* suivie du subjonctif.

CONJUGAISON DU VERBE **FENDRE**

INDICATIF

	PRÉSENT			PASSÉ COMPOSÉ
je	fend**s**	j'	ai	fendu
tu	fend**s**	tu	as	fendu
elle	fend	elle	a	fendu
il	fend	il	a	fendu
nous	fend**ons**	nous	avons	fendu
vous	fend**ez**	vous	avez	fendu
elles	fend**ent**	elles	ont	fendu
ils	fend**ent**	ils	ont	fendu

	IMPARFAIT			PLUS-QUE-PARFAIT
je	fend**ais**	j'	avais	fendu
tu	fend**ais**	tu	avais	fendu
elle	fend**ait**	elle	avait	fendu
il	fend**ait**	il	avait	fendu
nous	fend**ions**	nous	avions	fendu
vous	fend**iez**	vous	aviez	fendu
elles	fend**aient**	elles	avaient	fendu
ils	fend**aient**	ils	avaient	fendu

	PASSÉ SIMPLE			PASSÉ ANTÉRIEUR
je	fend**is**	j'	eus	fendu
tu	fend**is**	tu	eus	fendu
elle	fend**it**	elle	eut	fendu
il	fend**it**	il	eut	fendu
nous	fend**îmes**	nous	eûmes	fendu
vous	fend**îtes**	vous	eûtes	fendu
elles	fend**irent**	elles	eurent	fendu
ils	fend**irent**	ils	eurent	fendu

	FUTUR SIMPLE			FUTUR ANTÉRIEUR
je	fend**rai**	j'	aurai	fendu
tu	fend**ras**	tu	auras	fendu
elle	fend**ra**	elle	aura	fendu
il	fend**ra**	il	aura	fendu
nous	fend**rons**	nous	aurons	fendu
vous	fend**rez**	vous	aurez	fendu
elles	fend**ront**	elles	auront	fendu
ils	fend**ront**	ils	auront	fendu

SUBJONCTIF

		PRÉSENT				PASSÉ
que	je	fend**e**	que	j'	aie	fendu
que	tu	fend**es**	que	tu	aies	fendu
qu'	elle	fend**e**	qu'	elle	ait	fendu
qu'	il	fend**e**	qu'	il	ait	fendu
que	nous	fend**ions**	que	nous	ayons	fendu
que	vous	fend**iez**	que	vous	ayez	fendu
qu'	elles	fend**ent**	qu'	elles	aient	fendu
qu'	ils	fend**ent**	qu'	ils	aient	fendu

		IMPARFAIT				PLUS-QUE-PARFAIT
que	je	fend**isse**	que	j'	eusse	fendu
que	tu	fend**isses**	que	tu	eusses	fendu
qu'	elle	fend**ît**	qu'	elle	eût	fendu
qu'	il	fend**ît**	qu'	il	eût	fendu
que	nous	fend**issions**	que	nous	eussions	fendu
que	vous	fend**issiez**	que	vous	eussiez	fendu
qu'	elles	fend**issent**	qu'	elles	eussent	fendu
qu'	ils	fend**issent**	qu'	ils	eussent	fendu

CONDITIONNEL

	PRÉSENT			PASSÉ
je	fend**rais**	j'	aurais	fendu
tu	fend**rais**	tu	aurais	fendu
elle	fend**rait**	elle	aurait	fendu
il	fend**rait**	il	aurait	fendu
nous	fend**rions**	nous	aurions	fendu
vous	fend**riez**	vous	auriez	fendu
elles	fend**raient**	elles	auraient	fendu
ils	fend**raient**	ils	auraient	fendu

IMPÉRATIF

PRÉSENT	PASSÉ	
fend**s**	aie	fendu
fend**ons**	ayons	fendu
fend**ez**	ayez	fendu

INFINITIF

PRÉSENT	PASSÉ
fend**re**	avoir fendu

PARTICIPE

PRÉSENT	PASSÉ
fend**ant**	fendu, ue
	ayant fendu

Les verbes *corrompre*, *interrompre* et *rompre* se conjuguent sur le modèle de *fendre*. Comme *rendre* conserve le *d* dans toute sa conjugaison, *corrompre*, *interrompre* et *rompre* conservent le *p* (*je corromps, interromps, romps*). À la 3e personne du singulier du présent de l'indicatif, le *p* est suivi d'un *t* (*il corrompt, interrompt, rompt*).

Les verbes *foutre* et *se contrefoutre* se conjuguent comme *fendre*, à l'exception des 1re et 2e personnes du singulier du présent de l'indicatif et de l'impératif (*fous, contrefous*). Ces verbes ne s'emploient ni au passé simple ni à l'imparfait du subjonctif.

CONJUGAISON DU VERBE **FINIR**

INDICATIF

PRÉSENT

je	fin**is**
tu	fin**is**
elle	fin**it**
il	fin**it**
nous	fin**issons**
vous	fin**issez**
elles	fin**issent**
ils	fin**issent**

PASSÉ COMPOSÉ

j'	ai	fini
tu	as	fini
elle	a	fini
il	a	fini
nous	avons	fini
vous	avez	fini
elles	ont	fini
ils	ont	fini

IMPARFAIT

je	fin**issais**
tu	fin**issais**
elle	fin**issait**
il	fin**issait**
nous	fin**issions**
vous	fin**issiez**
elles	fin**issaient**
ils	fin**issaient**

PLUS-QUE-PARFAIT

j'	avais	fini
tu	avais	fini
elle	avait	fini
il	avait	fini
nous	avions	fini
vous	aviez	fini
elles	avaient	fini
ils	avaient	fini

PASSÉ SIMPLE

je	fin**is**
tu	fin**is**
elle	fin**it**
il	fin**it**
nous	fin**îmes**
vous	fin**îtes**
elles	fin**irent**
ils	fin**irent**

PASSÉ ANTÉRIEUR

j'	eus	fini
tu	eus	fini
elle	eut	fini
il	eut	fini
nous	eûmes	fini
vous	eûtes	fini
elles	eurent	fini
ils	eurent	fini

FUTUR SIMPLE

je	fin**irai**
tu	fin**iras**
elle	fin**ira**
il	fin**ira**
nous	fin**irons**
vous	fin**irez**
elles	fin**iront**
ils	fin**iront**

FUTUR ANTÉRIEUR

j'	aurai	fini
tu	auras	fini
elle	aura	fini
il	aura	fini
nous	aurons	fini
vous	aurez	fini
elles	auront	fini
ils	auront	fini

SUBJONCTIF

PRÉSENT

que	je	fin**isse**
que	tu	fin**isses**
qu'	elle	fin**isse**
qu'	il	fin**isse**
que	nous	fin**issions**
que	vous	fin**issiez**
qu'	elles	fin**issent**
qu'	ils	fin**issent**

PASSÉ

que	j'	aie	fini
que	tu	aies	fini
qu'	elle	ait	fini
qu'	il	ait	fini
que	nous	ayons	fini
que	vous	ayez	fini
qu'	elles	aient	fini
qu'	ils	aient	fini

IMPARFAIT

que	je	fin**isse**
que	tu	fin**isses**
qu'	elle	fin**ît**
qu'	il	fin**ît**
que	nous	fin**issions**
que	vous	fin**issiez**
qu'	elles	fin**issent**
qu'	ils	fin**issent**

PLUS-QUE-PARFAIT

que	j'	eusse	fini
que	tu	eusses	fini
qu'	elle	eût	fini
qu'	il	eût	fini
que	nous	eussions	fini
que	vous	eussiez	fini
qu'	elles	eussent	fini
qu'	ils	eussent	fini

CONDITIONNEL

PRÉSENT

je	fin**irais**
tu	fin**irais**
elle	fin**irait**
il	fin**irait**
nous	fin**irions**
vous	fin**iriez**
elles	fin**iraient**
ils	fin**iraient**

PASSÉ

j'	aurais	fini
tu	aurais	fini
elle	aurait	fini
il	aurait	fini
nous	aurions	fini
vous	auriez	fini
elles	auraient	fini
ils	auraient	fini

IMPÉRATIF

PRÉSENT

fin**is**
fin**issons**
fin**issez**

PASSÉ

aie	fini
ayons	fini
ayez	fini

INFINITIF

PRÉSENT

finir

PASSÉ

avoir fini

PARTICIPE

PRÉSENT

fin**issant**

PASSÉ

fini, ie
ayant fini

CONJUGAISON DU VERBE **FUIR**

INDICATIF

PRÉSENT		PASSÉ COMPOSÉ		
je	**fuis**	j'	ai	fui
tu	**fuis**	tu	as	fui
elle	**fuit**	elle	a	fui
il	**fuit**	il	a	fui
nous	**fuyons**	nous	avons	fui
vous	**fuyez**	vous	avez	fui
elles	**fuient**	elles	ont	fui
ils	**fuient**	ils	ont	fui

IMPARFAIT		PLUS-QUE-PARFAIT		
je	**fuyais**	j'	avais	fui
tu	**fuyais**	tu	avais	fui
elle	**fuyait**	elle	avait	fui
il	**fuyait**	il	avait	fui
nous	**fuyions**	nous	avions	fui
vous	**fuyiez**	vous	aviez	fui
elles	**fuyaient**	elles	avaient	fui
ils	**fuyaient**	ils	avaient	fui

PASSÉ SIMPLE		PASSÉ ANTÉRIEUR		
je	**fuis**	j'	eus	fui
tu	**fuis**	tu	eus	fui
elle	**fuit**	elle	eut	fui
il	**fuit**	il	eut	fui
nous	**fuîmes**	nous	eûmes	fui
vous	**fuîtes**	vous	eûtes	fui
elles	**fuirent**	elles	eurent	fui
ils	**fuirent**	ils	eurent	fui

FUTUR SIMPLE		FUTUR ANTÉRIEUR		
je	**fuirai**	j'	aurai	fui
tu	**fuiras**	tu	auras	fui
elle	**fuira**	elle	aura	fui
il	**fuira**	il	aura	fui
nous	**fuirons**	nous	aurons	fui
vous	**fuirez**	vous	aurez	fui
elles	**fuiront**	elles	auront	fui
ils	**fuiront**	ils	auront	fui

SUBJONCTIF

PRÉSENT			PASSÉ			
que	je	**fuie**	que	j'	aie	fui
que	tu	**fuies**	que	tu	aies	fui
qu'	elle	**fuie**	qu'	elle	ait	fui
qu'	il	**fuie**	qu'	il	ait	fui
que	nous	**fuyions**	que	nous	ayons	fui
que	vous	**fuyiez**	que	vous	ayez	fui
qu'	elles	**fuient**	qu'	elles	aient	fui
qu'	ils	**fuient**	qu'	ils	aient	fui

IMPARFAIT			PLUS-QUE-PARFAIT			
que	je	**fuisse**	que	j'	eusse	fui
que	tu	**fuisses**	que	tu	eusses	fui
qu'	elle	**fuît**	qu'	elle	eût	fui
qu'	il	**fuît**	qu'	il	eût	fui
que	nous	**fuissions**	que	nous	eussions	fui
que	vous	**fuissiez**	que	vous	eussiez	fui
qu'	elles	**fuissent**	qu'	elles	eussent	fui
qu'	ils	**fuissent**	qu'	ils	eussent	fui

CONDITIONNEL

PRÉSENT		PASSÉ		
je	**fuirais**	j'	aurais	fui
tu	**fuirais**	tu	aurais	fui
elle	**fuirait**	elle	aurait	fui
il	**fuirait**	il	aurait	fui
nous	**fuirions**	nous	aurions	fui
vous	**fuiriez**	vous	auriez	fui
elles	**fuiraient**	elles	auraient	fui
ils	**fuiraient**	ils	auraient	fui

IMPÉRATIF

PRÉSENT	PASSÉ	
fuis	aie	fui
fuyons	ayons	fui
fuyez	ayez	fui

INFINITIF

PRÉSENT	PASSÉ
fuir	avoir fui

PARTICIPE

PRÉSENT	PASSÉ
fuyant	fui, ie
	ayant fui

CONJUGAISON DU VERBE **HAÏR**

INDICATIF

PRÉSENT   PASSÉ COMPOSÉ

je	hais	j'	ai	haï
tu	hais	tu	as	haï
elle	hait	elle	a	haï
il	hait	il	a	haï
nous	haïssons	nous	avons	haï
vous	haïssez	vous	avez	haï
elles	haïssent	elles	ont	haï
ils	haïssent	ils	ont	haï

IMPARFAIT   PLUS-QUE-PARFAIT

je	haïssais	j'	avais	haï
tu	haïssais	tu	avais	haï
elle	haïssait	elle	avait	haï
il	haïssait	il	avait	haï
nous	haïssions	nous	avions	haï
vous	haïssiez	vous	aviez	haï
elles	haïssaient	elles	avaient	haï
ils	haïssaient	ils	avaient	haï

PASSÉ SIMPLE   PASSÉ ANTÉRIEUR

je	haïs	j'	eus	haï
tu	haïs	tu	eus	haï
elle	haït	elle	eut	haï
il	haït	il	eut	haï
nous	haïmes	nous	eûmes	haï
vous	haïtes	vous	eûtes	haï
elles	haïrent	elles	eurent	haï
ils	haïrent	ils	eurent	haï

FUTUR SIMPLE   FUTUR ANTÉRIEUR

je	haïrai	j'	aurai	haï
tu	haïras	tu	auras	haï
elle	haïra	elle	aura	haï
il	haïra	il	aura	haï
nous	haïrons	nous	aurons	haï
vous	haïrez	vous	aurez	haï
elles	haïront	elles	auront	haï
ils	haïront	ils	auront	haï

SUBJONCTIF

PRÉSENT   PASSÉ

que	je	haïsse	que	j'	aie	haï
que	tu	haïsses	que	tu	aies	haï
qu'	elle	haïsse	qu'	elle	ait	haï
qu'	il	haïsse	qu'	il	ait	haï
que	nous	haïssions	que	nous	ayons	haï
que	vous	haïssiez	que	vous	ayez	haï
qu'	elles	haïssent	qu'	elles	aient	haï
qu'	ils	haïssent	qu'	ils	aient	haï

IMPARFAIT   PLUS-QUE-PARFAIT

que	je	haïsse	que	j'	eusse	haï
que	tu	haïsses	que	tu	eusses	haï
qu'	elle	haït	qu'	elle	eût	haï
qu'	il	haït	qu'	il	eût	haï
que	nous	haïssions	que	nous	eussions	haï
que	vous	haïssiez	que	vous	eussiez	haï
qu'	elles	haïssent	qu'	elles	eussent	haï
qu'	ils	haïssent	qu'	ils	eussent	haï

CONDITIONNEL

PRÉSENT   PASSÉ

je	haïrais	j'	aurais	haï
tu	haïrais	tu	aurais	haï
elle	haïrait	elle	aurait	haï
il	haïrait	il	aurait	haï
nous	haïrions	nous	aurions	haï
vous	haïriez	vous	auriez	haï
elles	haïraient	elles	auraient	haï
ils	haïraient	ils	auraient	haï

IMPÉRATIF

PRÉSENT   PASSÉ

hais		aie	haï
haïssons		ayons	haï
haïssez		ayez	haï

INFINITIF

PRÉSENT   PASSÉ

haïr	avoir haï

PARTICIPE

PRÉSENT   PASSÉ

haïssant	haï, ïe
	ayant haï

CONJUGAISON DU VERBE **INCLURE**

INDICATIF

PRÉSENT | PASSÉ COMPOSÉ

j'	inclus	j'	ai	inclus
tu	inclus	tu	as	inclus
elle	inclut	elle	a	inclus
il	inclut	il	a	inclus
nous	incluons	nous	avons	inclus
vous	incluez	vous	avez	inclus
elles	incluent	elles	ont	inclus
ils	incluent	ils	ont	inclus

IMPARFAIT | PLUS-QUE-PARFAIT

j'	incluais	j'	avais	inclus
tu	incluais	tu	avais	inclus
elle	incluait	elle	avait	inclus
il	incluait	il	avait	inclus
nous	incluions	nous	avions	inclus
vous	incluiez	vous	aviez	inclus
elles	incluaient	elles	avaient	inclus
ils	incluaient	ils	avaient	inclus

PASSÉ SIMPLE | PASSÉ ANTÉRIEUR

j'	inclus	j'	eus	inclus
tu	inclus	tu	eus	inclus
elle	inclut	elle	eut	inclus
il	inclut	il	eut	inclus
nous	inclûmes	nous	eûmes	inclus
vous	inclûtes	vous	eûtes	inclus
elles	inclurent	elles	eurent	inclus
ils	inclurent	ils	eurent	inclus

FUTUR SIMPLE | FUTUR ANTÉRIEUR

j'	inclurai	j'	aurai	inclus
tu	incluras	tu	auras	inclus
elle	inclura	elle	aura	inclus
il	inclura	il	aura	inclus
nous	inclurons	nous	aurons	inclus
vous	inclurez	vous	aurez	inclus
elles	incluront	elles	auront	inclus
ils	incluront	ils	auront	inclus

SUBJONCTIF

PRÉSENT | PASSÉ

que	j'	inclue	que	j'	aie	inclus
que	tu	inclues	que	tu	aies	inclus
qu'	elle	inclue	qu'	elle	ait	inclus
qu'	il	inclue	qu'	il	ait	inclus
que	nous	incluions	que	nous	ayons	inclus
que	vous	incluiez	que	vous	ayez	inclus
qu'	elles	incluent	qu'	elles	aient	inclus
qu'	ils	incluent	qu'	ils	aient	inclus

IMPARFAIT | PLUS-QUE-PARFAIT

que	j'	inclusse	que	j'	eusse	inclus
que	tu	inclusses	que	tu	eusses	inclus
qu'	elle	inclût	qu'	elle	eût	inclus
qu'	il	inclût	qu'	il	eût	inclus
que	nous	inclussions	que	nous	eussions	inclus
que	vous	inclussiez	que	vous	eussiez	inclus
qu'	elles	inclussent	qu'	elles	eussent	inclus
qu'	ils	inclussent	qu'	ils	eussent	inclus

CONDITIONNEL

PRÉSENT | PASSÉ

j'	inclurais	j'	aurais	inclus
tu	inclurais	tu	aurais	inclus
elle	inclurait	elle	aurait	inclus
il	inclurait	il	aurait	inclus
nous	inclurions	nous	aurions	inclus
vous	incluriez	vous	auriez	inclus
elles	incluraient	elles	auraient	inclus
ils	incluraient	ils	auraient	inclus

IMPÉRATIF

PRÉSENT | PASSÉ

inclus	aie	inclus
incluons	ayons	inclus
incluez	ayez	inclus

INFINITIF

PRÉSENT | PASSÉ

inclure	avoir inclus

PARTICIPE

PRÉSENT | PASSÉ

incluant	inclus, se
	ayant inclus

Les verbes *conclure* et *exclure* se conjuguent comme *inclure*, mais les participes passés de ces verbes s'écrivent au singulier *conclu, conclue, exclu, exclue* et, au pluriel, *conclus, conclues, exclus, exclues*; contrairement au participe passé du verbe *inclure* qui fait au singulier *inclus, incluse* et, au pluriel, *inclus, incluses*.

CONJUGAISON DU VERBE **JOINDRE**

INDICATIF

PRÉSENT / PASSÉ COMPOSÉ

je	joins	j'	ai	joint
tu	joins	tu	as	joint
elle	joint	elle	a	joint
il	joint	il	a	joint
nous	joignons	nous	avons	joint
vous	joignez	vous	avez	joint
elles	joignent	elles	ont	joint
ils	joignent	ils	ont	joint

IMPARFAIT / PLUS-QUE-PARFAIT

je	joignais	j'	avais	joint
tu	joignais	tu	avais	joint
elle	joignait	elle	avait	joint
il	joignait	il	avait	joint
nous	joignions	nous	avions	joint
vous	joigniez	vous	aviez	joint
elles	joignaient	elles	avaient	joint
ils	joignaient	ils	avaient	joint

PASSÉ SIMPLE / PASSÉ ANTÉRIEUR

je	joignis	j'	eus	joint
tu	joignis	tu	eus	joint
elle	joignit	elle	eut	joint
il	joignit	il	eut	joint
nous	joignîmes	nous	eûmes	joint
vous	joignîtes	vous	eûtes	joint
elles	joignirent	elles	eurent	joint
ils	joignirent	ils	eurent	joint

FUTUR SIMPLE / FUTUR ANTÉRIEUR

je	joindrai	j'	aurai	joint
tu	joindras	tu	auras	joint
elle	joindra	elle	aura	joint
il	joindra	il	aura	joint
nous	joindrons	nous	aurons	joint
vous	joindrez	vous	aurez	joint
elles	joindront	elles	auront	joint
ils	joindront	ils	auront	joint

SUBJONCTIF

PRÉSENT / PASSÉ

que	je	joigne	que	j'	aie	joint
que	tu	joignes	que	tu	aies	joint
qu'	elle	joigne	qu'	elle	ait	joint
qu'	il	joigne	qu'	il	ait	joint
que	nous	joignions	que	nous	ayons	joint
que	vous	joigniez	que	vous	ayez	joint
qu'	elles	joignent	qu'	elles	aient	joint
qu'	ils	joignent	qu'	ils	aient	joint

IMPARFAIT / PLUS-QUE-PARFAIT

que	je	joignisse	que	j'	eusse	joint
que	tu	joignisses	que	tu	eusses	joint
qu'	elle	joignît	qu'	elle	eût	joint
qu'	il	joignît	qu'	il	eût	joint
que	nous	joignissions	que	nous	eussions	joint
que	vous	joignissiez	que	vous	eussiez	joint
qu'	elles	joignissent	qu'	elles	eussent	joint
qu'	ils	joignissent	qu'	ils	eussent	joint

CONDITIONNEL

PRÉSENT / PASSÉ

je	joindrais	j'	aurais	joint
tu	joindrais	tu	aurais	joint
elle	joindrait	elle	aurait	joint
il	joindrait	il	aurait	joint
nous	joindrions	nous	aurions	joint
vous	joindriez	vous	auriez	joint
elles	joindraient	elles	auraient	joint
ils	joindraient	ils	auraient	joint

IMPÉRATIF

PRÉSENT / PASSÉ

joins	aie	joint
joignons	ayons	joint
joignez	ayez	joint

INFINITIF

PRÉSENT / PASSÉ

joindre	avoir joint

PARTICIPE

PRÉSENT / PASSÉ

joignant	joint, te
	ayant joint

CONJUGAISON DU VERBE **LEVER**

INDICATIF

PRÉSENT		PASSÉ COMPOSÉ		
je	lève	j'	ai	levé
tu	lèves	tu	as	levé
elle	lève	elle	a	levé
il	lève	il	a	levé
nous	levons	nous	avons	levé
vous	levez	vous	avez	levé
elles	lèvent	elles	ont	levé
ils	lèvent	ils	ont	levé

IMPARFAIT		PLUS-QUE-PARFAIT		
je	levais	j'	avais	levé
tu	levais	tu	avais	levé
elle	levait	elle	avait	levé
il	levait	il	avait	levé
nous	levions	nous	avions	levé
vous	leviez	vous	aviez	levé
elles	levaient	elles	avaient	levé
ils	levaient	ils	avaient	levé

PASSÉ SIMPLE		PASSÉ ANTÉRIEUR		
je	levai	j'	eus	levé
tu	levas	tu	eus	levé
elle	leva	elle	eut	levé
il	leva	il	eut	levé
nous	levâmes	nous	eûmes	levé
vous	levâtes	vous	eûtes	levé
elles	levèrent	elles	eurent	levé
Ils	levèrent	ils	eurent	levé

FUTUR SIMPLE		FUTUR ANTÉRIEUR		
je	lèverai	j'	aurai	levé
tu	lèveras	tu	auras	levé
elle	lèvera	elle	aura	levé
il	lèvera	il	aura	levé
nous	lèverons	nous	aurons	levé
vous	lèverez	vous	aurez	levé
elles	lèveront	elles	auront	levé
ils	lèveront	ils	auront	levé

SUBJONCTIF

PRÉSENT			PASSÉ		
que je	lève	que	j'	aie	levé
que tu	lèves	que	tu	aies	levé
qu' elle	lève	qu'	elle	ait	levé
qu' il	lève	qu'	il	ait	levé
que nous	levions	que	nous	ayons	levé
que vous	leviez	que	vous	ayez	levé
qu' elles	lèvent	qu'	elles	aient	levé
qu' ils	lèvent	qu'	ils	aient	levé

IMPARFAIT			PLUS-QUE-PARFAIT		
que je	levasse	que	j'	eusse	levé
que tu	levasses	que	tu	eusses	levé
qu' elle	levât	qu'	elle	eût	levé
qu' il	levât	qu'	il	eût	levé
que nous	levassions	que	nous	eussions	levé
que vous	levassiez	que	vous	eussiez	levé
qu' elles	levassent	qu'	elles	eussent	levé
qu' ils	levassent	qu'	ils	eussent	levé

CONDITIONNEL

PRÉSENT		PASSÉ		
je	lèverais	j'	aurais	levé
tu	lèverais	tu	aurais	levé
elle	lèverait	elle	aurait	levé
il	lèverait	il	aurait	levé
nous	lèverions	nous	aurions	levé
vous	lèveriez	vous	auriez	levé
elles	lèveraient	elles	auraient	levé
ils	lèveraient	ils	auraient	levé

IMPÉRATIF

PRÉSENT	PASSÉ	
lève	aie	levé
levons	ayons	levé
levez	ayez	levé

INFINITIF

PRÉSENT	PASSÉ
lever	avoir levé

PARTICIPE

PRÉSENT	PASSÉ
levant	levé, ée
	ayant levé

CONJUGAISON DU VERBE **LIRE**

INDICATIF

PRÉSENT		PASSÉ COMPOSÉ		
je	lis	j'	ai	lu
tu	lis	tu	as	lu
elle	lit	elle	a	lu
il	lit	il	a	lu
nous	lisons	nous	avons	lu
vous	lisez	vous	avez	lu
elles	lisent	elles	ont	lu
ils	lisent	ils	ont	lu

IMPARFAIT		PLUS-QUE-PARFAIT		
je	lisais	j'	avais	lu
tu	lisais	tu	avais	lu
elle	lisait	elle	avait	lu
il	lisait	il	avait	lu
nous	lisions	nous	avions	lu
vous	lisiez	vous	aviez	lu
elles	lisaient	elles	avaient	lu
ils	lisaient	ils	avaient	lu

PASSÉ SIMPLE		PASSÉ ANTÉRIEUR		
je	lus	j'	eus	lu
tu	lus	tu	eus	lu
elle	lut	elle	eut	lu
il	lut	il	eut	lu
nous	lûmes	nous	eûmes	lu
vous	lûtes	vous	eûtes	lu
elles	lurent	elles	eurent	lu
ils	lurent	ils	eurent	lu

FUTUR SIMPLE		FUTUR ANTÉRIEUR		
je	lirai	j'	aurai	lu
tu	liras	tu	auras	lu
elle	lira	elle	aura	lu
il	lira	il	aura	lu
nous	lirons	nous	aurons	lu
vous	lirez	vous	aurez	lu
elles	liront	elles	auront	lu
ils	liront	ils	auront	lu

SUBJONCTIF

PRÉSENT			PASSÉ		
que	je	lise	que	j'	aie	lu
que	tu	lises	que	tu	aies	lu
qu'	elle	lise	qu'	elle	ait	lu
qu'	il	lise	qu'	il	ait	lu
que	nous	lisions	que	nous	ayons	lu
que	vous	lisiez	que	vous	ayez	lu
qu'	elles	lisent	qu'	elles	aient	lu
qu'	ils	lisent	qu'	ils	aient	lu

IMPARFAIT			PLUS-QUE-PARFAIT		
que	je	lusse	que	j'	eusse	lu
que	tu	lusses	que	tu	eusses	lu
qu'	elle	lût	qu'	elle	eût	lu
qu'	il	lût	qu'	il	eût	lu
que	nous	lussions	que	nous	eussions	lu
que	vous	lussiez	que	vous	eussiez	lu
qu'	elles	lussent	qu'	elles	eussent	lu
qu'	ils	lussent	qu'	ils	eussent	lu

CONDITIONNEL

PRÉSENT		PASSÉ		
je	lirais	j'	aurais	lu
tu	lirais	tu	aurais	lu
elle	lirait	elle	aurait	lu
il	lirait	il	aurait	lu
nous	lirions	nous	aurions	lu
vous	liriez	vous	auriez	lu
elles	liraient	elles	auraient	lu
ils	liraient	ils	auraient	lu

IMPÉRATIF

PRÉSENT	PASSÉ	
lis	aie	lu
lisons	ayons	lu
lisez	ayez	lu

INFINITIF

PRÉSENT	PASSÉ
lire	avoir lu

PARTICIPE

PRÉSENT	PASSÉ
lisant	lu, ue
	ayant lu

CONJUGAISON DU VERBE **MOUDRE**

INDICATIF

PRÉSENT		PASSÉ COMPOSÉ		
je	mou**ds**	j'	ai	moulu
tu	mou**ds**	tu	as	moulu
elle	mou**d**	elle	a	moulu
il	mou**d**	il	a	moulu
nous	moul**ons**	nous	avons	moulu
vous	moul**ez**	vous	avez	moulu
elles	moul**ent**	elles	ont	moulu
ils	moul**ent**	ils	ont	moulu

IMPARFAIT		PLUS-QUE-PARFAIT		
je	moul**ais**	j'	avais	moulu
tu	moul**ais**	tu	avais	moulu
elle	moul**ait**	elle	avait	moulu
il	moul**ait**	il	avait	moulu
nous	moul**ions**	nous	avions	moulu
vous	moul**iez**	vous	aviez	moulu
elles	moul**aient**	elles	avaient	moulu
ils	moul**aient**	ils	avaient	moulu

PASSÉ SIMPLE		PASSÉ ANTÉRIEUR		
je	moul**us**	j'	eus	moulu
tu	moul**us**	tu	eus	moulu
elle	moul**ut**	elle	eut	moulu
il	moul**ut**	il	eut	moulu
nous	moul**ûmes**	nous	eûmes	moulu
vous	moul**ûtes**	vous	eûtes	moulu
elles	moul**urent**	elles	eurent	moulu
ils	moul**urent**	ils	eurent	moulu

FUTUR SIMPLE		FUTUR ANTÉRIEUR		
je	mou**drai**	j'	aurai	moulu
tu	mou**dras**	tu	auras	moulu
elle	mou**dra**	elle	aura	moulu
il	mou**dra**	il	aura	moulu
nous	mou**drons**	nous	aurons	moulu
vous	mou**drez**	vous	aurez	moulu
elles	mou**dront**	elles	auront	moulu
ils	mou**dront**	ils	auront	moulu

SUBJONCTIF

PRÉSENT			PASSÉ		
que je	mou**le**	que j'	aie	moulu
que tu	mou**les**	que tu	aies	moulu
qu' elle	mou**le**	qu' elle	ait	moulu
qu' il	mou**le**	qu' il	ait	moulu
que nous	moul**ions**	que nous	ayons	moulu
que vous	moul**iez**	que vous	ayez	moulu
qu' elles	moul**ent**	qu' elles	aient	moulu
qu' ils	moul**ent**	qu' ils	aient	moulu

IMPARFAIT			PLUS-QUE-PARFAIT		
que je	moul**usse**	que j'	eusse	moulu
que tu	moul**usses**	que tu	eusses	moulu
qu' elle	moul**ût**	qu' elle	eût	moulu
qu' il	moul**ût**	qu' il	eût	moulu
que nous	moul**ussions**	que nous	eussions	moulu
que vous	moul**ussiez**	que vous	eussiez	moulu
qu' elles	moul**ussent**	qu' elles	eussent	moulu
qu' ils	moul**ussent**	qu' ils	eussent	moulu

CONDITIONNEL

PRÉSENT		PASSÉ		
je	mou**drais**	j'	aurais	moulu
tu	mou**drais**	tu	aurais	moulu
elle	mou**drait**	elle	aurait	moulu
il	mou**drait**	il	aurait	moulu
nous	mou**drions**	nous	aurions	moulu
vous	mou**driez**	vous	auriez	moulu
elles	mou**draient**	elles	auraient	moulu
ils	mou**draient**	ils	auraient	moulu

IMPÉRATIF

PRÉSENT	PASSÉ	
mou**ds**	aie	moulu
moul**ons**	ayons	moulu
moul**ez**	ayez	moulu

INFINITIF

PRÉSENT	PASSÉ
mou**dre**	avoir moulu

PARTICIPE

PRÉSENT	PASSÉ
moul**ant**	moulu, ue
	ayant moulu

CONJUGAISON DU VERBE **MOURIR**

INDICATIF

PRÉSENT

je	**meurs**
tu	**meurs**
elle	**meurt**
il	**meurt**
nous	**mourons**
vous	**mourez**
elles	**meurent**
ils	**meurent**

PASSÉ COMPOSÉ

je	suis	mort, te
tu	es	mort, te
elle	est	morte
il	est	mort
nous	sommes	morts, tes
vous	êtes	morts, tes
elles	sont	mortes
ils	sont	morts

IMPARFAIT

je	**mourais**
tu	**mourais**
elle	**mourait**
il	**mourait**
nous	**mourions**
vous	**mouriez**
elles	**mouraient**
ils	**mouraient**

PLUS-QUE-PARFAIT

j'	étais	mort, te
tu	étais	mort, te
elle	était	morte
il	était	mort
nous	étions	morts, tes
vous	étiez	morts, tes
elles	étaient	mortes
ils	étaient	morts

PASSÉ SIMPLE

je	**mourus**
tu	**mourus**
elle	**mourut**
il	**mourut**
nous	**mourûmes**
vous	**mourûtes**
elles	**moururent**
ils	**moururent**

PASSÉ ANTÉRIEUR

je	fus	mort, te
tu	fus	mort, te
elle	fut	morte
il	fut	mort
nous	fûmes	morts, tes
vous	fûtes	morts, tes
elles	furent	mortes
ils	furent	morts

FUTUR SIMPLE

je	**mourrai**
tu	**mourras**
elle	**mourra**
il	**mourra**
nous	**mourrons**
vous	**mourrez**
elles	**mourront**
ils	**mourront**

FUTUR ANTÉRIEUR

je	serai	mort, te
tu	seras	mort, te
elle	sera	morte
il	sera	mort
nous	serons	morts, tes
vous	serez	morts, tes
elles	seront	mortes
ils	seront	morts

SUBJONCTIF

PRÉSENT

que	je	**meure**
que	tu	**meures**
qu'	elle	**meure**
qu'	il	**meure**
que	nous	**mourions**
que	vous	**mouriez**
qu'	elles	**meurent**
qu'	ils	**meurent**

PASSÉ

que	je	sois	mort, te
que	tu	sois	mort, te
qu'	elle	soit	morte
qu'	il	soit	mort
que	nous	soyons	morts, tes
que	vous	soyez	morts, tes
qu'	elles	soient	mortes
qu'	ils	soient	morts

IMPARFAIT

que	je	**mourusse**
que	tu	**mourusses**
qu'	elle	**mourût**
qu'	il	**mourût**
que	nous	**mourussions**
que	vous	**mourussiez**
qu'	elles	**mourussent**
qu'	ils	**mourussent**

PLUS-QUE-PARFAIT

que	je	fusse	mort, te
que	tu	fusses	mort, te
qu'	elle	fût	morte
qu'	il	fût	mort
que	nous	fussions	morts, tes
que	vous	fussiez	morts, tes
qu'	elles	fussent	mortes
qu'	ils	fussent	morts

CONDITIONNEL

PRÉSENT

je	**mourrais**
tu	**mourrais**
elle	**mourrait**
il	**mourrait**
nous	**mourrions**
vous	**mourriez**
elles	**mourraient**
ils	**mourraient**

PASSÉ

je	serais	mort, te
tu	serais	mort, te
elle	serait	morte
il	serait	mort
nous	serions	morts, tes
vous	seriez	morts, tes
elles	seraient	mortes
ils	seraient	morts

IMPÉRATIF

PRÉSENT

| **meurs** |
| **mourons** |
| **mourez** |

PASSÉ

sois	mort, te
soyons	morts, tes
soyez	morts, tes

INFINITIF

PRÉSENT

mourir

PASSÉ

être mort, te

PARTICIPE

PRÉSENT

mourant

PASSÉ

mort, te
étant mort, te

CONJUGAISON DU VERBE **NAÎTRE**

INDICATIF

PRÉSENT		PASSÉ COMPOSÉ		
je	**nais**	je	suis	né, ée
tu	**nais**	tu	es	né, ée
elle	**naît**	elle	est	née
il	**naît**	il	est	né
nous	**naissons**	nous	sommes	nés, ées
vous	**naissez**	vous	êtes	nés, ées
elles	**naissent**	elles	sont	nées
ils	**naissent**	ils	sont	nés

IMPARFAIT		PLUS-QUE-PARFAIT		
je	**naissais**	j'	étais	né, ée
tu	**naissais**	tu	étais	né, ée
elle	**naissait**	elle	était	née
il	**naissait**	il	était	né
nous	**naissions**	nous	étions	nés, ées
vous	**naissiez**	vous	étiez	nés, ées
elles	**naissaient**	elles	étaient	nées
ils	**naissaient**	ils	étaient	nés

PASSÉ SIMPLE		PASSÉ ANTÉRIEUR		
je	**naquis**	je	fus	né, ée
tu	**naquis**	tu	fus	né, ée
elle	**naquit**	elle	fut	née
il	**naquit**	il	fut	né
nous	**naquîmes**	nous	fûmes	nés, ées
vous	**naquîtes**	vous	fûtes	nés, ées
elles	**naquirent**	elles	furent	nées
ils	**naquirent**	ils	furent	nés

FUTUR SIMPLE		FUTUR ANTÉRIEUR		
je	**naîtrai**	je	serai	né, ée
tu	**naîtras**	tu	seras	né, ée
elle	**naîtra**	elle	sera	née
il	**naîtra**	il	sera	né
nous	**naîtrons**	nous	serons	nés, ées
vous	**naîtrez**	vous	serez	nés, ées
elles	**naîtront**	elles	seront	nées
ils	**naîtront**	ils	seront	nés

SUBJONCTIF

PRÉSENT			PASSÉ		
que	je	**naisse**	que	je	sois	né, ée
que	tu	**naisses**	que	tu	sois	né, ée
qu'	elle	**naisse**	qu'	elle	soit	née
qu'	il	**naisse**	qu'	il	soit	né
que	nous	**naissions**	que	nous	soyons	nés, ées
que	vous	**naissiez**	que	vous	soyez	nés, ées
qu'	elles	**naissent**	qu'	elles	soient	nées
qu'	ils	**naissent**	qu'	ils	soient	nés

IMPARFAIT			PLUS-QUE-PARFAIT		
que	je	**naquisse**	que	je	fusse	né, ée
que	tu	**naquisses**	que	tu	fusses	né, ée
qu'	elle	**naquît**	qu'	elle	fût	née
qu'	il	**naquît**	qu'	il	fût	né
que	nous	**naquissions**	que	nous	fussions	nés, ées
que	vous	**naquissiez**	que	vous	fussiez	nés, ées
qu'	elles	**naquissent**	qu'	elles	fussent	nées
qu'	ils	**naquissent**	qu'	ils	fussent	nés

CONDITIONNEL

PRÉSENT		PASSÉ		
je	**naîtrais**	je	serais	né, ée
tu	**naîtrais**	tu	serais	né, ée
elle	**naîtrait**	elle	serait	née
il	**naîtrait**	il	serait	né
nous	**naîtrions**	nous	serions	nés, ées
vous	**naîtriez**	vous	seriez	nés, ées
elles	**naîtraient**	elles	seraient	nées
ils	**naîtraient**	ils	seraient	nés

IMPÉRATIF

PRÉSENT	PASSÉ	
nais	sois	né, ée
naissons	soyons	nés, ées
naissez	soyez	nés, ées

INFINITIF

PRÉSENT	PASSÉ
naître	être né, ée

PARTICIPE

PRÉSENT	PASSÉ
naissant	né, née
	étant né, ée

Le verbe *renaître* se conjugue sur le modèle de *naître*, mais il n'a pas de participe passé et ne s'emploie qu'aux temps simples.

CONJUGAISON DU VERBE **OUVRIR**

INDICATIF

PRÉSENT / PASSÉ COMPOSÉ

PRÉSENT		PASSÉ COMPOSÉ		
j'	ouvre	j'	ai	ouvert
tu	ouvres	tu	as	ouvert
elle	ouvre	elle	a	ouvert
il	ouvre	il	a	ouvert
nous	ouvrons	nous	avons	ouvert
vous	ouvrez	vous	avez	ouvert
elles	ouvrent	elles	ont	ouvert
ils	ouvrent	ils	ont	ouvert

IMPARFAIT / PLUS-QUE-PARFAIT

IMPARFAIT		PLUS-QUE-PARFAIT		
j'	ouvrais	j'	avais	ouvert
tu	ouvrais	tu	avais	ouvert
elle	ouvrait	elle	avait	ouvert
il	ouvrait	il	avait	ouvert
nous	ouvrions	nous	avions	ouvert
vous	ouvriez	vous	aviez	ouvert
elles	ouvraient	elles	avaient	ouvert
ils	ouvraient	ils	avaient	ouvert

PASSÉ SIMPLE / PASSÉ ANTÉRIEUR

PASSÉ SIMPLE		PASSÉ ANTÉRIEUR		
j'	ouvris	j'	eus	ouvert
tu	ouvris	tu	eus	ouvert
elle	ouvrit	elle	eut	ouvert
il	ouvrit	il	eut	ouvert
nous	ouvrîmes	nous	eûmes	ouvert
vous	ouvrîtes	vous	eûtes	ouvert
elles	ouvrirent	elles	eurent	ouvert
ils	ouvrirent	ils	eurent	ouvert

FUTUR SIMPLE / FUTUR ANTÉRIEUR

FUTUR SIMPLE		FUTUR ANTÉRIEUR		
j'	ouvrirai	j'	aurai	ouvert
tu	ouvriras	tu	auras	ouvert
elle	ouvrira	elle	aura	ouvert
il	ouvrira	il	aura	ouvert
nous	ouvrirons	nous	aurons	ouvert
vous	ouvrirez	vous	aurez	ouvert
elles	ouvriront	elles	auront	ouvert
ils	ouvriront	ils	auront	ouvert

SUBJONCTIF

PRÉSENT / PASSÉ

PRÉSENT			PASSÉ		
que	j'	ouvre	que	j'	aie ouvert
que	tu	ouvres	que	tu	aies ouvert
qu'	elle	ouvre	qu'	elle	ait ouvert
qu'	il	ouvre	qu'	il	ait ouvert
que	nous	ouvrions	que	nous	ayons ouvert
que	vous	ouvriez	que	vous	ayez ouvert
qu'	elles	ouvrent	qu'	elles	aient ouvert
qu'	ils	ouvrent	qu'	ils	aient ouvert

IMPARFAIT / PLUS-QUE-PARFAIT

IMPARFAIT			PLUS-QUE-PARFAIT		
que	j'	ouvrisse	que	j'	eusse ouvert
que	tu	ouvrisses	que	tu	eusses ouvert
qu'	elle	ouvrît	qu'	elle	eût ouvert
qu'	il	ouvrît	qu'	il	eût ouvert
que	nous	ouvrissions	que	nous	eussions ouvert
que	vous	ouvrissiez	que	vous	eussiez ouvert
qu'	elles	ouvrissent	qu'	elles	eussent ouvert
qu'	ils	ouvrissent	qu'	ils	eussent ouvert

CONDITIONNEL

PRÉSENT / PASSÉ

PRÉSENT		PASSÉ		
j'	ouvrirais	j'	aurais	ouvert
tu	ouvrirais	tu	aurais	ouvert
elle	ouvrirait	elle	aurait	ouvert
il	ouvrirait	il	aurait	ouvert
nous	ouvririons	nous	aurions	ouvert
vous	ouvririez	vous	auriez	ouvert
elles	ouvriraient	elles	auraient	ouvert
ils	ouvriraient	ils	auraient	ouvert

IMPÉRATIF

PRÉSENT / PASSÉ

PRÉSENT	PASSÉ	
ouvre	aie	ouvert
ouvrons	ayons	ouvert
ouvrez	ayez	ouvert

INFINITIF

PRÉSENT	PASSÉ
ouvrir	avoir ouvert

PARTICIPE

PRÉSENT	PASSÉ
ouvrant	ouvert, te / ayant ouvert

CONJUGAISON DU VERBE **PAÎTRE**

INDICATIF

PRÉSENT	PASSÉ COMPOSÉ
je pais	*(n'existe pas)*
tu pais	
elle paît	
il paît	
nous paissons	
vous paissez	
elles paissent	
ils paissent	

IMPARFAIT	PLUS-QUE-PARFAIT
je paissais	*(n'existe pas)*
tu paissais	
elle paissait	
il paissait	
nous paissions	
vous paissiez	
elles paissaient	
ils paissaient	

PASSÉ SIMPLE	PASSÉ ANTÉRIEUR
(n'existe pas)	*(n'existe pas)*

FUTUR SIMPLE	FUTUR ANTÉRIEUR
je paîtrai	*(n'existe pas)*
tu paîtras	
elle paîtra	
il paîtra	
nous paîtrons	
vous paîtrez	
elles paîtront	
ils paîtront	

SUBJONCTIF

PRÉSENT	PASSÉ
que je paisse	*(n'existe pas)*
que tu paisses	
qu' elle paisse	
qu' il paisse	
que nous paissions	
que vous paissiez	
qu' elles paissent	
qu' ils paissent	

IMPARFAIT	PLUS-QUE-PARFAIT
(n'existe pas)	*(n'existe pas)*

CONDITIONNEL

PRÉSENT	PASSÉ
je paîtrais	*(n'existe pas)*
tu paîtrais	
elle paîtrait	
il paîtrait	
nous paîtrions	
vous paîtriez	
elles paîtraient	
ils paîtraient	

IMPÉRATIF

PRÉSENT	PASSÉ
pais	*(n'existe pas)*
paissons	
paissez	

INFINITIF

PRÉSENT	PASSÉ
paître	*(n'existe pas)*

PARTICIPE

PRÉSENT	PASSÉ
paissant	*(n'existe pas)*

Le verbe *repaître* se conjugue comme *paître*, mais il a en plus les temps suivants : le passé simple (*je repus*), l'imparfait du subjonctif (*que je repusse*), le participe passé (*repu*) et tous les temps composés (*j'ai repu, j'aurai repu, ...*).

CONJUGAISON DU VERBE **PARAÎTRE**

INDICATIF

PRÉSENT / PASSÉ COMPOSÉ

je	parais	j'	ai	paru
tu	parais	tu	as	paru
elle	paraît	elle	a	paru
il	paraît	il	a	paru
nous	paraissons	nous	avons	paru
vous	paraissez	vous	avez	paru
elles	paraissent	elles	ont	paru
ils	paraissent	ils	ont	paru

IMPARFAIT / PLUS-QUE-PARFAIT

je	paraissais	j'	avais	paru
tu	paraissais	tu	avais	paru
elle	paraissait	elle	avait	paru
il	paraissait	il	avait	paru
nous	paraissions	nous	avions	paru
vous	paraissiez	vous	aviez	paru
elles	paraissaient	elles	avaient	paru
ils	paraissaient	ils	avaient	paru

PASSÉ SIMPLE / PASSÉ ANTÉRIEUR

je	parus	j'	eus	paru
tu	parus	tu	eus	paru
elle	parut	elle	eut	paru
il	parut	il	eut	paru
nous	parûmes	nous	eûmes	paru
vous	parûtes	vous	eûtes	paru
elles	parurent	elles	eurent	paru
ils	parurent	ils	eurent	paru

FUTUR SIMPLE / FUTUR ANTÉRIEUR

je	paraîtrai	j'	aurai	paru
tu	paraîtras	tu	auras	paru
elle	paraîtra	elle	aura	paru
il	paraîtra	il	aura	paru
nous	paraîtrons	nous	aurons	paru
vous	paraîtrez	vous	aurez	paru
elles	paraîtront	elles	auront	paru
ils	paraîtront	ils	auront	paru

SUBJONCTIF

PRÉSENT / PASSÉ

que	je	paraisse	que	j'	aie	paru
que	tu	paraisses	que	tu	aies	paru
qu'	elle	paraisse	qu'	elle	ait	paru
qu'	il	paraisse	qu'	il	ait	paru
que	nous	paraissions	que	nous	ayons	paru
que	vous	paraissiez	que	vous	ayez	paru
qu'	elles	paraissent	qu'	elles	aient	paru
qu'	ils	paraissent	qu'	ils	aient	paru

IMPARFAIT / PLUS-QUE-PARFAIT

que	je	parusse	que	j'	eusse	paru
que	tu	parusses	que	tu	eusses	paru
qu'	elle	parût	qu'	elle	eût	paru
qu'	il	parût	qu'	il	eût	paru
que	nous	parussions	que	nous	eussions	paru
que	vous	parussiez	que	vous	eussiez	paru
qu'	elles	parussent	qu'	elles	eussent	paru
qu'	ils	parussent	qu'	ils	eussent	paru

CONDITIONNEL

PRÉSENT / PASSÉ

je	paraîtrais	j'	aurais	paru
tu	paraîtrais	tu	aurais	paru
elle	paraîtrait	elle	aurait	paru
il	paraîtrait	il	aurait	paru
nous	paraîtrions	nous	aurions	paru
vous	paraîtriez	vous	auriez	paru
elles	paraîtraient	elles	auraient	paru
ils	paraîtraient	ils	auraient	paru

IMPÉRATIF

PRÉSENT / PASSÉ

parais	aie	paru
paraissons	ayons	paru
paraissez	ayez	paru

INFINITIF

PRÉSENT / PASSÉ

paraître	avoir paru

PARTICIPE

PRÉSENT / PASSÉ

paraissant	paru, ue
	ayant paru

CONJUGAISON DU VERBE **PAYER**

INDICATIF

PRÉSENT		PASSÉ COMPOSÉ		
je	paie / paye	j'	ai	payé
tu	paies / payes	tu	as	payé
elle	paie / paye	elle	a	payé
il	paie / paye	il	a	payé
nous	payons	nous	avons	payé
vous	payez	vous	avez	payé
elles	paient / payent	elles	ont	payé
ils	paient / payent	ils	ont	payé

IMPARFAIT		PLUS-QUE-PARFAIT		
je	payais	j'	avais	payé
tu	payais	tu	avais	payé
elle	payait	elle	avait	payé
il	payait	il	avait	payé
nous	payions	nous	avions	payé
vous	payiez	vous	aviez	payé
elles	payaient	elles	avaient payé
ils	payaient	ils	avaient payé

PASSÉ SIMPLE		PASSÉ ANTÉRIEUR		
je	payai	j'	eus	payé
tu	payas	tu	eus	payé
elle	paya	elle	eut	payé
il	paya	il	eut	payé
nous	payâmes	nous	eûmes	payé
vous	payâtes	vous	eûtes	payé
elles	payèrent	elles	eurent payé
ils	payèrent	ils	eurent payé

FUTUR SIMPLE		FUTUR ANTÉRIEUR		
je	paierai / payerai	j'	aurai	payé
tu	paieras / payeras	tu	auras	payé
elle	paiera / payera	elle	aura	payé
il	paiera / payera	il	aura	payé
ns	paierons / payerons	nous	aurons payé
vs	paierez / payerez	vous	aurez	payé
elles	paieront / payeront	elles	auront payé
ils	paieront / payeront	ils	auront payé

SUBJONCTIF

PRÉSENT			PASSÉ		
que je	paie / paye	que j'	aie	payé
que tu	paies / payes	que tu	aies	payé
qu' elle	paie / paye	qu' elle	ait	payé
qu' il	paie / paye	qu' il	ait	payé
que nous	payions	que nous	ayons payé
que vous	payiez	que vous	ayez	payé
qu' elles	paient / payent	qu' elles	aient	payé
qu' ils	paient / payent	qu' ils	aient	payé

IMPARFAIT			PLUS-QUE-PARFAIT		
que je	payasse	que j'	eusse	payé
que tu	payasses	que tu	eusses payé
qu' elle	payât	qu' elle	eût	payé
qu' il	payât	qu' il	eût	payé
que nous	payassions	que nous	eussions payé
que vous	payassiez	que vous	eussiez payé
qu' elles	payassent	qu' elles	eussent payé
qu' ils	payassent	qu' ils	eussent payé

CONDITIONNEL

PRÉSENT		PASSÉ		
je	paierais / payerais	j'	aurais	payé
tu	paierais / payerais	tu	aurais	payé
elle	paierait / payerait	elle	aurait	payé
il	paierait / payerait	il	aurait	payé
nous	paierions / payerions	nous	aurions payé
vous	paieriez / payeriez	vous	auriez	payé
elles	paieraient / payeraient	elles	auraient payé
ils	paieraient / payeraient	ils	auraient payé

IMPÉRATIF

PRÉSENT	PASSÉ	
paie / paye	aie	payé
payons	ayons	payé
payez	ayez	payé

INFINITIF

PRÉSENT	PASSÉ
payer	avoir payé

PARTICIPE

PRÉSENT	PASSÉ
payant	payé, ée
	ayant payé

CONJUGAISON DU VERBE **PLAIRE**

INDICATIF

PRÉSENT | PASSÉ COMPOSÉ

je	plais	j'	ai	plu
tu	plais	tu	as	plu
elle	plaît	elle	a	plu
il	plaît	il	a	plu
nous	plaisons	nous	avons	plu
vous	plaisez	vous	avez	plu
elles	plaisent	elles	ont	plu
ils	plaisent	ils	ont	plu

IMPARFAIT | PLUS-QUE-PARFAIT

je	plaisais	j'	avais	plu
tu	plaisais	tu	avais	plu
elle	plaisait	elle	avait	plu
il	plaisait	il	avait	plu
nous	plaisions	nous	avions	plu
vous	plaisiez	vous	aviez	plu
elles	plaisaient	elles	avaient	plu
ils	plaisaient	ils	avaient	plu

PASSÉ SIMPLE | PASSÉ ANTÉRIEUR

je	plus	j'	eus	plu
tu	plus	tu	eus	plu
elle	plut	elle	eut	plu
il	plut	il	eut	plu
nous	plûmes	nous	eûmes	plu
vous	plûtes	vous	eûtes	plu
elles	plurent	elles	eurent	plu
ils	plurent	ils	eurent	plu

FUTUR SIMPLE | FUTUR ANTÉRIEUR

je	plairai	j'	aurai	plu
tu	plairas	tu	auras	plu
elle	plaira	elle	aura	plu
il	plaira	il	aura	plu
nous	plairons	nous	aurons	plu
vous	plairez	vous	aurez	plu
elles	plairont	elles	auront	plu
ils	plairont	ils	auront	plu

SUBJONCTIF

PRÉSENT | PASSÉ

que	je	plaise	que	j'	aie	plu
que	tu	plaises	que	tu	aies	plu
qu'	elle	plaise	qu'	elle	ait	plu
qu'	il	plaise	qu'	il	ait	plu
que	nous	plaisions	que	nous	ayons	plu
que	vous	plaisiez	que	vous	ayez	plu
qu'	elles	plaisent	qu'	elles	aient	plu
qu'	ils	plaisent	qu'	ils	aient	plu

IMPARFAIT | PLUS-QUE-PARFAIT

que	je	plusse	que	j'	eusse	plu
que	tu	plusses	que	tu	eusses	plu
qu'	elle	plût	qu'	elle	eût	plu
qu'	il	plût	qu'	il	eût	plu
que	nous	plussions	que	nous	eussions	plu
que	vous	plussiez	que	vous	eussiez	plu
qu'	elles	plussent	qu'	elles	eussent	plu
qu'	ils	plussent	qu'	ils	eussent	plu

CONDITIONNEL

PRÉSENT | PASSÉ

je	plairais	j'	aurais	plu
tu	plairais	tu	aurais	plu
elle	plairait	elle	aurait	plu
il	plairait	il	aurait	plu
nous	plairions	nous	aurions	plu
vous	plairiez	vous	auriez	plu
elles	plairaient	elles	auraient	plu
ils	plairaient	ils	auraient	plu

IMPÉRATIF

PRÉSENT | PASSÉ

plais	aie	plu
plaisons	ayons	plu
plaisez	ayez	plu

INFINITIF

PRÉSENT | PASSÉ

plaire	avoir plu

PARTICIPE

PRÉSENT | PASSÉ

plaisant	plu
	ayant plu

Le verbe *taire* se conjugue sur le modèle de *plaire*, mais à la différence de celui-ci, il s'écrit sans accent circonflexe à la 3e personne du présent de l'indicatif (*il tait*).

CONJUGAISON DU VERBE **PLEUVOIR**

INDICATIF

PRÉSENT	PASSÉ COMPOSÉ
il pleut	il a plu

IMPARFAIT	PLUS-QUE-PARFAIT
il pleuvait	il avait plu

PASSÉ SIMPLE	PASSÉ ANTÉRIEUR
il plut	il eut plu

FUTUR SIMPLE	FUTUR ANTÉRIEUR
il pleuvra	il aura plu

INFINITIF

PRÉSENT	PASSÉ
pleuvoir	avoir plu

SUBJONCTIF

PRÉSENT	PASSÉ
qu' il pleuve	qu' il ait plu

IMPARFAIT	PLUS-QUE-PARFAIT
qu' il plût	qu' il eût plu

CONDITIONNEL

PRÉSENT	PASSÉ
il pleuvrait	il aurait plu

IMPÉRATIF

PRÉSENT	PASSÉ
(n'existe pas)	(n'existe pas)

PARTICIPE

PRÉSENT	PASSÉ
pleuvant	plu ayant plu

VERBES IMPERSONNELS

Les verbes exprimant des phénomènes météorologiques sont impersonnels. *Il pleut à torrents, à verse, à boire debout.*

> *Il bruine.*
> *Il neige.*
> *Il pleut.*
> *Il tonne.*
> *Il vente.*

🔊 La forme impérative de ces verbes n'existe pas.

CONJUGAISON DU VERBE **POSSÉDER**

INDICATIF

PRÉSENT		PASSÉ COMPOSÉ		
je	possède	j'	ai	possédé
tu	possèdes	tu	as	possédé
elle	possède	elle	a	possédé
il	possède	il	a	possédé
nous	possédons	nous	avons	possédé
vous	possédez	vous	avez	possédé
elles	possèdent	elles	ont	possédé
ils	possèdent	ils	ont	possédé

IMPARFAIT		PLUS-QUE-PARFAIT		
je	possédais	j'	avais	possédé
tu	possédais	tu	avais	possédé
elle	possédait	elle	avait	possédé
il	possédait	il	avait	possédé
nous	possédions	ns	avions	possédé
vous	possédiez	vs	aviez	possédé
elles	possédaient	elles	avaient	possédé
ils	possédaient	ils	avaient	possédé

PASSÉ SIMPLE		PASSÉ ANTÉRIEUR		
je	possédai	j'	eus	possédé
tu	possédas	tu	eus	possédé
elle	posséda	elle	eut	possédé
il	posséda	il	eut	possédé
nous	possédâmes	ns	eûmes	possédé
vous	possédâtes	vs	eûtes	possédé
elles	possédèrent	elles	eurent	possédé
ils	possédèrent	ils	eurent	possédé

FUTUR SIMPLE		FUTUR ANTÉRIEUR		
je	posséderai	j'	aurai	possédé
tu	posséderas	tu	auras	possédé
elle	possédera	elle	aura	possédé
il	possédera	il	aura	possédé
ns	posséderons	ns	aurons	possédé
vs	posséderez	vs	aurez	possédé
elles	posséderont	elles	auront	possédé
ils	posséderont	ils	auront	possédé

SUBJONCTIF

PRÉSENT			PASSÉ		
que	je	possède	que	j'	aie possédé
que	tu	possèdes	que	tu	aies possédé
qu'	elle	possède	qu'	elle	ait possédé
qu'	il	possède	qu'	il	ait possédé
que	nous	possédions	que	nous	ayons possédé
que	vous	possédiez	que	vous	ayez possédé
qu'	elles	possèdent	qu'	elles	aient possédé
qu'	ils	possèdent	qu'	ils	aient possédé

IMPARFAIT			PLUS-QUE-PARFAIT		
que	je	possédasse	que	j'	eusse possédé
que	tu	possédasses	que	tu	eusses possédé
qu'	elle	possédât	qu'	elle	eût possédé
qu'	il	possédât	qu'	il	eût possédé
que	nous	possédassions	que	nous	eussions possédé
que	vous	possédassiez	que	vous	eussiez possédé
qu'	elles	possédassent	qu'	elles	eussent possédé
qu'	ils	possédassent	qu'	ils	eussent possédé

CONDITIONNEL

PRÉSENT		PASSÉ		
je	posséderais	j'	aurais	possédé
tu	posséderais	tu	aurais	possédé
elle	posséderait	elle	aurait	possédé
il	posséderait	il	aurait	possédé
nous	posséderions	nous	aurions	possédé
vous	posséderiez	vous	auriez	possédé
elles	posséderaient	elles	auraient	possédé
ils	posséderaient	ils	auraient	possédé

IMPÉRATIF

PRÉSENT	PASSÉ	
possède	aie	possédé
possédons	ayons	possédé
possédez	ayez	possédé

INFINITIF

PRÉSENT	PASSÉ
posséder	avoir possédé

PARTICIPE

PRÉSENT	PASSÉ
possédant	possédé, ée ayant possédé

CONJUGAISON DU VERBE **POURVOIR**

INDICATIF

PRÉSENT / PASSÉ COMPOSÉ

je	pourvois	j'	ai	pourvu
tu	pourvois	tu	as	pourvu
elle	pourvoit	elle	a	pourvu
il	pourvoit	il	a	pourvu
nous	pourvoyons	nous	avons	pourvu
vous	pourvoyez	vous	avez	pourvu
elles	pourvoient	elles	ont	pourvu
ils	pourvoient	ils	ont	pourvu

IMPARFAIT / PLUS-QUE-PARFAIT

je	pourvoyais	j'	avais	pourvu
tu	pourvoyais	tu	avais	pourvu
elle	pourvoyait	elle	avait	pourvu
il	pourvoyait	il	avait	pourvu
nous	pourvoyions	nous	avions	pourvu
vous	pourvoyiez	vous	aviez	pourvu
elles	pourvoyaient	elles	avaient	pourvu
ils	pourvoyaient	ils	avaient	pourvu

PASSÉ SIMPLE / PASSÉ ANTÉRIEUR

je	pourvus	j'	eus	pourvu
tu	pourvus	tu	eus	pourvu
elle	pourvut	elle	eut	pourvu
il	pourvut	il	eut	pourvu
nous	pourvûmes	nous	eûmes	pourvu
vous	pourvûtes	vous	eûtes	pourvu
elles	pourvurent	elles	eurent	pourvu
ils	pourvurent	ils	eurent	pourvu

FUTUR SIMPLE / FUTUR ANTÉRIEUR

je	pourvoirai	j'	aurai	pourvu
tu	pourvoiras	tu	auras	pourvu
elle	pourvoira	elle	aura	pourvu
il	pourvoira	il	aura	pourvu
nous	pourvoirons	nous	aurons	pourvu
vous	pourvoirez	vous	aurez	pourvu
elles	pourvoiront	elles	auront	pourvu
ils	pourvoiront	ils	auront	pourvu

SUBJONCTIF

PRÉSENT / PASSÉ

que	je	pourvoie	que	j'	aie	pourvu
que	tu	pourvoies	que	tu	aies	pourvu
qu'	elle	pourvoie	qu'	elle	ait	pourvu
qu'	il	pourvoie	qu'	il	ait	pourvu
que	nous	pourvoyions	que	nous	ayons	pourvu
que	vous	pourvoyiez	que	vous	ayez	pourvu
qu'	elles	pourvoient	qu'	elles	aient	pourvu
qu'	ils	pourvoient	qu'	ils	aient	pourvu

IMPARFAIT / PLUS-QUE-PARFAIT

que	je	pourvusse	que	j'	eusse	pourvu
que	tu	pourvusses	que	tu	eusses	pourvu
qu'	elle	pourvût	qu'	elle	eût	pourvu
qu'	il	pourvût	qu'	il	eût	pourvu
que	nous	pourvussions	que	nous	eussions	pourvu
que	vous	pourvussiez	que	vous	eussiez	pourvu
qu'	elles	pourvussent	qu'	elles	eussent	pourvu
qu'	ils	pourvussent	qu'	ils	eussent	pourvu

CONDITIONNEL

PRÉSENT / PASSÉ

je	pourvoirais	j'	aurais	pourvu
tu	pourvoirais	tu	aurais	pourvu
elle	pourvoirait	elle	aurait	pourvu
il	pourvoirait	il	aurait	pourvu
nous	pourvoirions	nous	aurions	pourvu
vous	pourvoiriez	vous	auriez	pourvu
elles	pourvoiraient	elles	auraient	pourvu
ils	pourvoiraient	ils	auraient	pourvu

IMPÉRATIF

PRÉSENT / PASSÉ

pourvois	aie	pourvu
pourvoyons	ayons	pourvu
pourvoyez	ayez	pourvu

INFINITIF

PRÉSENT / PASSÉ

pourvoir	avoir pourvu

PARTICIPE

PRÉSENT / PASSÉ

pourvoyant	pourvu, ue
	ayant pourvu

CONJUGAISON DU VERBE **POUVOIR**

INDICATIF

PRÉSENT		PASSÉ COMPOSÉ		
je	**peux**	j'	ai	pu
tu	**peux**	tu	as	pu
elle	**peut**	elle	a	pu
il	**peut**	il	a	pu
nous	**pouvons**	nous	avons	pu
vous	**pouvez**	vous	avez	pu
elles	**peuvent**	elles	ont	pu
ils	**peuvent**	ils	ont	pu

IMPARFAIT		PLUS-QUE-PARFAIT		
je	**pouvais**	j'	avais	pu
tu	**pouvais**	tu	avais	pu
elle	**pouvait**	elle	avait	pu
il	**pouvait**	il	avait	pu
nous	**pouvions**	nous	avions	pu
vous	**pouviez**	vous	aviez	pu
elles	**pouvaient**	elles	avaient	pu
ils	**pouvaient**	ils	avaient	pu

PASSÉ SIMPLE		PASSÉ ANTÉRIEUR		
je	**pus**	j'	eus	pu
tu	**pus**	tu	eus	pu
elle	**put**	elle	eut	pu
il	**put**	il	eut	pu
nous	**pûmes**	nous	eûmes	pu
vous	**pûtes**	vous	eûtes	pu
elles	**purent**	elles	eurent	pu
ils	**purent**	ils	eurent	pu

FUTUR SIMPLE		FUTUR ANTÉRIEUR		
je	**pourrai**	j'	aurai	pu
tu	**pourras**	tu	auras	pu
elle	**pourra**	elle	aura	pu
il	**pourra**	il	aura	pu
nous	**pourrons**	nous	aurons	pu
vous	**pourrez**	vous	aurez	pu
elles	**pourront**	elles	auront	pu
ils	**pourront**	ils	auront	pu

SUBJONCTIF

PRÉSENT			PASSÉ		
que	je	**puisse**	que	j'	aie	pu
que	tu	**puisses**	que	tu	aies	pu
qu'	elle	**puisse**	qu'	elle	ait	pu
qu'	il	**puisse**	qu'	il	ait	pu
que	nous	**puissions**	que	nous	ayons	pu
que	vous	**puissiez**	que	vous	ayez	pu
qu'	elles	**puissent**	qu'	elles	aient	pu
qu'	ils	**puissent**	qu'	ils	aient	pu

IMPARFAIT			PLUS-QUE-PARFAIT		
que	je	**pusse**	que	j'	eusse	pu
que	tu	**pusses**	que	tu	eusses	pu
qu'	elle	**pût**	qu'	elle	eût	pu
qu'	il	**pût**	qu'	il	eût	pu
que	nous	**pussions**	que	nous	eussions	pu
que	vous	**pussiez**	que	vous	eussiez	pu
qu'	elles	**pussent**	qu'	elles	eussent	pu
qu'	ils	**pussent**	qu'	ils	eussent	pu

CONDITIONNEL

PRÉSENT		PASSÉ		
je	**pourrais**	j'	aurais	pu
tu	**pourrais**	tu	aurais	pu
elle	**pourrait**	elle	aurait	pu
il	**pourrait**	il	aurait	pu
nous	**pourrions**	nous	aurions	pu
vous	**pourriez**	vous	auriez	pu
elles	**pourraient**	elles	auraient	pu
ils	**pourraient**	ils	auraient	pu

IMPÉRATIF

PRÉSENT	PASSÉ
(n'existe pas)	*(n'existe pas)*

INFINITIF

PRÉSENT	PASSÉ
pouvoir	avoir pu

PARTICIPE

PRÉSENT	PASSÉ
pouvant	pu
	ayant pu

CONJUGAISON DU VERBE **PROTÉGER**

INDICATIF

PRÉSENT / PASSÉ COMPOSÉ

je	protège	j'	ai	protégé
tu	protèges	tu	as	protégé
elle	protège	elle	a	protégé
il	protège	il	a	protégé
nous	protégeons	nous	avons	protégé
vous	protégez	vous	avez	protégé
elles	protègent	elles	ont	protégé
ils	protègent	ils	ont	protégé

IMPARFAIT / PLUS-QUE-PARFAIT

je	protégeais	j'	avais	protégé
tu	protégeais	tu	avais	protégé
elle	protégeait	elle	avait	protégé
il	protégeait	il	avait	protégé
nous	protégions	nous	avions	protégé
vous	protégiez	vous	aviez	protégé
elles	protégeaient	elles	avaient	protégé
ils	protégeaient	ils	avaient	protégé

PASSÉ SIMPLE / PASSÉ ANTÉRIEUR

je	protégeai	j'	eus	protégé
tu	protégeas	tu	eus	protégé
elle	protégea	elle	eut	protégé
il	protégea	il	eut	protégé
ns	protégeâmes	nous	eûmes	protégé
vs	protégeâtes	vous	eûtes	protégé
elles	protégèrent	elles	eurent	protégé
ils	protégèrent	ils	eurent	protégé

FUTUR SIMPLE / FUTUR ANTÉRIEUR

je	protégerai	j'	aurai	protégé
tu	protégeras	tu	auras	protégé
elle	protégera	elle	aura	protégé
il	protégera	il	aura	protégé
ns	protégerons	nous	aurons	protégé
vs	protégerez	vous	aurez	protégé
elles	protégeront	elles	auront	protégé
ils	protégeront	ils	auront	protégé

SUBJONCTIF

PRÉSENT / PASSÉ

que	je	protège	que	j'	aie protégé
que	tu	protèges	que	tu	aies protégé
qu'	elle	protège	qu'	elle	ait protégé
qu'	il	protège	qu'	il	ait protégé
que	nous	protégions	que	nous	ayons protégé
que	vous	protégiez	que	vous	ayez protégé
qu'	elles	protègent	qu'	elles	aient protégé
qu'	ils	protègent	qu'	ils	aient protégé

IMPARFAIT / PLUS-QUE-PARFAIT

que	je	protégeasse	que	j'	eusse protégé
que	tu	protégeasses	que	tu	eusses protégé
qu'	elle	protégeât	qu'	elle	eût protégé
qu'	il	protégeât	qu'	il	eût protégé
que	nous	protégeassions	que	nous	eussions protégé
que	vous	protégeassiez	que	vous	eussiez protégé
qu'	elles	protégeassent	qu'	elles	eussent protégé
qu'	ils	protégeassent	qu'	ils	eussent protégé

CONDITIONNEL

PRÉSENT / PASSÉ

je	protégerais	j'	aurais	protégé
tu	protégerais	tu	aurais	protégé
elle	protégerait	elle	aurait	protégé
il	protégerait	il	aurait	protégé
nous	protégerions	nous	aurions	protégé
vous	protégeriez	vous	auriez	protégé
elles	protégeraient	elles	auraient	protégé
ils	protégeraient	ils	auraient	protégé

IMPÉRATIF

PRÉSENT / PASSÉ

protège	aie protégé
protégeons	ayons protégé
protégez	ayez protégé

INFINITIF

PRÉSENT / PASSÉ

protéger	avoir protégé

PARTICIPE

PRÉSENT / PASSÉ

protégeant	protégé, ée
	ayant protégé

CONJUGAISON DU VERBE **REMETTRE**

INDICATIF

PRÉSENT		PASSÉ COMPOSÉ		
je	remets	j'	ai	remis
tu	remets	tu	as	remis
elle	remet	elle	a	remis
il	remet	il	a	remis
nous	remettons	nous	avons	remis
vous	remettez	vous	avez	remis
elles	remettent	elles	ont	remis
ils	remettent	ils	ont	remis

IMPARFAIT		PLUS-QUE-PARFAIT		
je	remettais	j'	avais	remis
tu	remettais	tu	avais	remis
elle	remettait	elle	avait	remis
il	remettait	il	avait	remis
nous	remettions	nous	avions	remis
vous	remettiez	vous	aviez	remis
elles	remettaient	elles	avaient	remis
ils	remettaient	ils	avaient	remis

PASSÉ SIMPLE		PASSÉ ANTÉRIEUR		
je	remis	j'	eus	remis
tu	remis	tu	eus	remis
elle	remit	elle	eut	remis
il	remit	il	eut	remis
nous	remîmes	nous	eûmes	remis
vous	remîtes	vous	eûtes	remis
elles	remirent	elles	eurent	remis
ils	remirent	ils	eurent	remis

FUTUR SIMPLE		FUTUR ANTÉRIEUR		
je	remettrai	j'	aurai	remis
tu	remettras	tu	auras	remis
elle	remettra	elle	aura	remis
il	remettra	il	aura	remis
nous	remettrons	nous	aurons	remis
vous	remettrez	vous	aurez	remis
elles	remettront	elles	auront	remis
ils	remettront	ils	auront	remis

SUBJONCTIF

PRÉSENT			PASSÉ		
que	je	remette	que	j'	aie	remis
que	tu	remettes	que	tu	aies	remis
qu'	elle	remette	qu'	elle	ait	remis
qu'	il	remette	qu'	il	ait	remis
que	nous	remettions	que	nous	ayons	remis
que	vous	remettiez	que	vous	ayez	remis
qu'	elles	remettent	qu'	elles	aient	remis
qu'	ils	remettent	qu'	ils	aient	remis

IMPARFAIT			PLUS-QUE-PARFAIT		
que	je	remisse	que	j'	eusse	remis
que	tu	remisses	que	tu	eusses	remis
qu'	elle	remît	qu'	elle	eût	remis
qu'	il	remît	qu'	il	eût	remis
que	nous	remissions	que	nous	eussions	remis
que	vous	remissiez	que	vous	eussiez	remis
qu'	elles	remissent	qu'	elles	eussent	remis
qu'	ils	remissent	qu'	ils	eussent	remis

CONDITIONNEL

PRÉSENT		PASSÉ		
je	remettrais	j'	aurais	remis
tu	remettrais	tu	aurais	remis
elle	remettrait	elle	aurait	remis
il	remettrait	il	aurait	remis
nous	remettrions	nous	aurions	remis
vous	remettriez	vous	auriez	remis
elles	remettraient	elles	auraient	remis
ils	remettraient	ils	auraient	remis

IMPÉRATIF

PRÉSENT	PASSÉ	
remets	aie	remis
remettons	ayons	remis
remettez	ayez	remis

INFINITIF

PRÉSENT	PASSÉ
remettre	avoir remis

PARTICIPE

PRÉSENT	PASSÉ
remettant	remis, ise
	ayant remis

CONJUGAISON DU VERBE **RÉSOUDRE**

INDICATIF

PRÉSENT / PASSÉ COMPOSÉ

je	résou**s**	j'	ai	résolu
tu	résou**s**	tu	as	résolu
elle	résou**t**	elle	a	résolu
il	résou**t**	il	a	résolu
nous	réso**lvons**	nous	avons	résolu
vous	réso**lvez**	vous	avez	résolu
elles	réso**lvent**	elles	ont	résolu
ils	réso**lvent**	ils	ont	résolu

IMPARFAIT / PLUS-QUE-PARFAIT

je	réso**lvais**	j'	avais	résolu
tu	réso**lvais**	tu	avais	résolu
elle	réso**lvait**	elle	avait	résolu
il	réso**lvait**	il	avait	résolu
nous	réso**lvions**	nous	avions	résolu
vous	réso**lviez**	vous	aviez	résolu
elles	réso**lvaient**	elles	avaient	résolu
ils	réso**lvaient**	ils	avaient	résolu

PASSÉ SIMPLE / PASSÉ ANTÉRIEUR

je	réso**lus**	j'	eus	résolu
tu	réso**lus**	tu	eus	résolu
elle	réso**lut**	elle	eut	résolu
il	réso**lut**	il	eut	résolu
nous	réso**lûmes**	nous	eûmes	résolu
vous	réso**lûtes**	vous	eûtes	résolu
elles	réso**lurent**	elles	eurent	résolu
ils	réso**lurent**	ils	eurent	résolu

FUTUR SIMPLE / FUTUR ANTÉRIEUR

je	réso**udrai**	j'	aurai	résolu
tu	réso**udras**	tu	auras	résolu
elle	réso**udra**	elle	aura	résolu
il	réso**udra**	il	aura	résolu
nous	réso**udrons**	nous	aurons	résolu
vous	réso**udrez**	vous	aurez	résolu
elles	réso**udront**	elles	auront	résolu
ils	réso**udront**	ils	auront	résolu

SUBJONCTIF

PRÉSENT / PASSÉ

que	je	réso**lve**	que	j'	aie	résolu
que	tu	réso**lves**	que	tu	aies	résolu
qu'	elle	réso**lve**	qu'	elle	ait	résolu
qu'	il	réso**lve**	qu'	il	ait	résolu
que	nous	réso**lvions**	que	nous	ayons	résolu
que	vous	réso**lviez**	que	vous	ayez	résolu
qu'	elles	réso**lvent**	qu'	elles	aient	résolu
qu'	ils	réso**lvent**	qu'	ils	aient	résolu

IMPARFAIT / PLUS-QUE-PARFAIT

que	je	réso**lusse**	que	j'	eusse	résolu
que	tu	réso**lusses**	que	tu	eusses	résolu
qu'	elle	réso**lût**	qu'	elle	eût	résolu
qu'	il	réso**lût**	qu'	il	eût	résolu
que	nous	réso**lussions**	que	nous	eussions	résolu
que	vous	réso**lussiez**	que	vous	eussiez	résolu
qu'	elles	réso**lussent**	qu'	elles	eussent	résolu
qu'	ils	réso**lussent**	qu'	ils	eussent	résolu

CONDITIONNEL

PRÉSENT / PASSÉ

je	réso**udrais**	j'	aurais	résolu
tu	réso**udrais**	tu	aurais	résolu
elle	réso**udrait**	elle	aurait	résolu
il	réso**udrait**	il	aurait	résolu
nous	réso**udrions**	nous	aurions	résolu
vous	réso**udriez**	vous	auriez	résolu
elles	réso**udraient**	elles	auraient	résolu
ils	réso**udraient**	ils	auraient	résolu

IMPÉRATIF

PRÉSENT / PASSÉ

résou**s**	aie	résolu
réso**lvons**	ayons	résolu
réso**lvez**	ayez	résolu

INFINITIF

PRÉSENT / PASSÉ

réso**udre**	avoir résolu

PARTICIPE

PRÉSENT / PASSÉ

réso**lvant**	résolu, ue
	ayant résolu

Le verbe *absoudre* se conjugue comme *résoudre*, mais il ne s'emploie ni au passé simple ni à l'imparfait du subjonctif. Le participe passé de ce verbe est *absous, absoute*.
Le verbe *dissoudre* se conjugue comme *résoudre*, mais il ne s'emploie ni au passé simple ni à l'imparfait du subjonctif. Le participe passé de ce verbe est *dissous, dissoute*.

CONJUGAISON DU VERBE **SAVOIR**

INDICATIF

PRÉSENT
je	**sais**
tu	**sais**
elle	**sait**
il	**sait**
nous	**savons**
vous	**savez**
elles	**savent**
ils	**savent**

PASSÉ COMPOSÉ
j'	ai	su
tu	as	su
elle	a	su
il	a	su
nous	avons	su
vous	avez	su
elles	ont	su
ils	ont	su

IMPARFAIT
je	**savais**
tu	**savais**
elle	**savait**
il	**savait**
nous	**savions**
vous	**saviez**
elles	**savaient**
ils	**savaient**

PLUS-QUE-PARFAIT
j'	avais	su
tu	avais	su
elle	avait	su
il	avait	su
nous	avions	su
vous	aviez	su
elles	avaient	su
ils	avaient	su

PASSÉ SIMPLE
je	**sus**
tu	**sus**
elle	**sut**
il	**sut**
nous	**sûmes**
vous	**sûtes**
elles	**surent**
ils	**surent**

PASSÉ ANTÉRIEUR
j'	eus	su
tu	eus	su
elle	eut	su
il	eut	su
nous	eûmes	su
vous	eûtes	su
elles	eurent	su
ils	eurent	su

FUTUR SIMPLE
je	**saurai**
tu	**sauras**
elle	**saura**
il	**saura**
nous	**saurons**
vous	**saurez**
elles	**sauront**
ils	**sauront**

FUTUR ANTÉRIEUR
j'	aurai	su
tu	auras	su
elle	aura	su
il	aura	su
nous	aurons	su
vous	aurez	su
elles	auront	su
ils	auront	su

SUBJONCTIF

PRÉSENT
que	je	**sache**
que	tu	**saches**
qu'	elle	**sache**
qu'	il	**sache**
que	nous	**sachions**
que	vous	**sachiez**
qu'	elles	**sachent**
qu'	ils	**sachent**

PASSÉ
que	j'	aie	su
que	tu	aies	su
qu'	elle	ait	su
qu'	il	ait	su
que	nous	ayons	su
que	vous	ayez	su
qu'	elles	aient	su
qu'	ils	aient	su

IMPARFAIT
que	je	**susse**
que	tu	**susses**
qu'	elle	**sût**
qu'	il	**sût**
que	nous	**sussions**
que	vous	**sussiez**
qu'	elles	**sussent**
qu'	ils	**sussent**

PLUS-QUE-PARFAIT
que	j'	eusse	su
que	tu	eusses	su
qu'	elle	eût	su
qu'	il	eût	su
que	nous	eussions	su
que	vous	eussiez	su
qu'	elles	eussent	su
qu'	ils	eussent	su

CONDITIONNEL

PRÉSENT
je	**saurais**
tu	**saurais**
elle	**saurait**
il	**saurait**
nous	**saurions**
vous	**sauriez**
elles	**sauraient**
ils	**sauraient**

PASSÉ
j'	aurais	su
tu	aurais	su
elle	aurait	su
il	aurait	su
nous	aurions	su
vous	auriez	su
elles	auraient	su
ils	auraient	su

IMPÉRATIF

PRÉSENT
sache
sachons
sachez

PASSÉ
aie	su
ayons	su
ayez	su

INFINITIF

PRÉSENT
savoir

PASSÉ
avoir su

PARTICIPE

PRÉSENT
sachant

PASSÉ
su, sue
ayant su

CONJUGAISON DU VERBE **SERVIR**

INDICATIF

PRÉSENT		PASSÉ COMPOSÉ		
je	sers	j'	ai	servi
tu	sers	tu	as	servi
elle	sert	elle	a	servi
il	sert	il	a	servi
nous	servons	nous	avons	servi
vous	servez	vous	avez	servi
elles	servent	elles	ont	servi
ils	servent	ils	ont	servi

IMPARFAIT		PLUS-QUE-PARFAIT		
je	servais	j'	avais	servi
tu	servais	tu	avais	servi
elle	servait	elle	avait	servi
il	servait	il	avait	servi
nous	servions	nous	avions	servi
vous	serviez	vous	aviez	servi
elles	servaient	elles	avaient	servi
ils	servaient	ils	avaient	servi

PASSÉ SIMPLE		PASSÉ ANTÉRIEUR		
je	servis	j'	eus	servi
tu	servis	tu	eus	servi
elle	servit	elle	eut	servi
il	servit	il	eut	servi
nous	servîmes	nous	eûmes	servi
vous	servîtes	vous	eûtes	servi
elles	servirent	elles	eurent	servi
ils	servirent	ils	eurent	servi

FUTUR SIMPLE		FUTUR ANTÉRIEUR		
je	servirai	j'	aurai	servi
tu	serviras	tu	auras	servi
elle	servira	elle	aura	servi
il	servira	il	aura	servi
nous	servirons	nous	aurons	servi
vous	servirez	vous	aurez	servi
elles	serviront	elles	auront	servi
ils	serviront	ils	auront	servi

SUBJONCTIF

PRÉSENT		PASSÉ		
que je	serve	que j'	aie	servi
que tu	serves	que tu	aies	servi
qu' elle	serve	qu' elle	ait	servi
qu' il	serve	qu' il	ait	servi
que nous	servions	que nous	ayons	servi
que vous	serviez	que vous	ayez	servi
qu' elles	servent	qu' elles	aient	servi
qu' ils	servent	qu' ils	aient	servi

IMPARFAIT		PLUS-QUE-PARFAIT		
que je	servisse	que j'	eusse	servi
que tu	servisses	que tu	eusses	servi
qu' elle	servît	qu' elle	eût	servi
qu' il	servît	qu' il	eût	servi
que nous	servissions	que nous	eussions	servi
que vous	servissiez	que vous	eussiez	servi
qu' elles	servissent	qu' elles	eussent	servi
qu' ils	servissent	qu' ils	eussent	servi

CONDITIONNEL

PRÉSENT		PASSÉ		
je	servirais	j'	aurais	servi
tu	servirais	tu	aurais	servi
elle	servirait	elle	aurait	servi
il	servirait	il	aurait	servi
nous	servirions	nous	aurions	servi
vous	serviriez	vous	auriez	servi
elles	serviraient	elles	auraient	servi
ils	serviraient	ils	auraient	servi

IMPÉRATIF

PRÉSENT	PASSÉ	
sers	aie	servi
servons	ayons	servi
servez	ayez	servi

INFINITIF

PRÉSENT	PASSÉ
servir	avoir servi

PARTICIPE

PRÉSENT	PASSÉ
servant	servi, ie
	ayant servi

CONJUGAISON DU VERBE **SORTIR**

INDICATIF

PRÉSENT
je	sors
tu	sors
elle	sort
il	sort
nous	sortons
vous	sortez
elles	sortent
ils	sortent

PASSÉ COMPOSÉ
je	suis	sorti, ie
tu	es	sorti, ie
elle	est	sortie
il	est	sorti
nous	sommes	sortis, ies
vous	êtes	sortis, ies
elles	sont	sorties
ils	sont	sortis

IMPARFAIT
je	sortais
tu	sortais
elle	sortait
il	sortait
nous	sortions
vous	sortiez
elles	sortaient
ils	sortaient

PLUS-QUE-PARFAIT
j'	étais	sorti, ie
tu	étais	sorti, ie
elle	était	sortie
il	était	sorti
nous	étions	sortis, ies
vous	étiez	sortis, ies
elles	étaient	sorties
ils	étaient	sortis

PASSÉ SIMPLE
je	sortis
tu	sortis
elle	sortit
il	sortit
nous	sortîmes
vous	sortîtes
elles	sortirent
ils	sortirent

PASSÉ ANTÉRIEUR
je	fus	sorti, ie
tu	fus	sorti, ie
elle	fut	sortie
il	fut	sorti
nous	fûmes	sortis, ies
vous	fûtes	sortis, ies
elles	furent	sorties
ils	furent	sortis

FUTUR SIMPLE
je	sortirai
tu	sortiras
elle	sortira
il	sortira
nous	sortirons
vous	sortirez
elles	sortiront
ils	sortiront

FUTUR ANTÉRIEUR
je	serai	sorti, ie
tu	seras	sorti, ie
elle	sera	sortie
il	sera	sorti
nous	serons	sortis, ies
vous	serez	sortis, ies
elles	seront	sorties
ils	seront	sortis

SUBJONCTIF

PRÉSENT
que	je	sorte
que	tu	sortes
qu'	elle	sorte
qu'	il	sorte
que	nous	sortions
que	vous	sortiez
qu'	elles	sortent
qu'	ils	sortent

PASSÉ
que	je	sois	sorti, ie
que	tu	sois	sorti, ie
qu'	elle	soit	sortie
qu'	il	soit	sorti
que	nous	soyons	sortis, ies
que	vous	soyez	sortis, ies
qu'	elles	soient	sorties
qu'	ils	soient	sortis

IMPARFAIT
que	je	sortisse
que	tu	sortisses
qu'	elle	sortît
qu'	il	sortît
que	nous	sortissions
que	vous	sortissiez
qu'	elles	sortissent
qu'	ils	sortissent

PLUS-QUE-PARFAIT
que	je	fusse	sorti, ie
que	tu	fusses	sorti, ie
qu'	elle	fût	sortie
qu'	il	fût	sorti
que	nous	fussions	sortis, ies
que	vous	fussiez	sortis, ies
qu'	elles	fussent	sorties
qu'	ils	fussent	sortis

CONDITIONNEL

PRÉSENT
je	sortirais
tu	sortirais
elle	sortirait
il	sortirait
nous	sortirions
vous	sortiriez
elles	sortiraient
ils	sortiraient

PASSÉ
je	serais	sorti, ie
tu	serais	sorti, ie
elle	serait	sortie
il	serait	sorti
nous	serions	sortis, ies
vous	seriez	sortis, ies
elles	seraient	sorties
ils	seraient	sortis

IMPÉRATIF

PRÉSENT
sors
sortons
sortez

PASSÉ
sois	sorti, ie
soyons	sortis, ies
soyez	sortis, ies

INFINITIF

PRÉSENT
sortir

PASSÉ
être sorti, ie

PARTICIPE

PRÉSENT
sortant

PASSÉ
sorti, ie
étant sorti, ie

CONJUGAISON DU VERBE **SOURIRE**

INDICATIF

PRÉSENT

		PASSÉ COMPOSÉ		
je	souris	j'	ai	souri
tu	souris	tu	as	souri
elle	sourit	elle	a	souri
il	sourit	il	a	souri
nous	sourions	nous	avons	souri
vous	souriez	vous	avez	souri
elles	sourient	elles	ont	souri
ils	sourient	ils	ont	souri

IMPARFAIT

		PLUS-QUE-PARFAIT		
je	souriais	j'	avais	souri
tu	souriais	tu	avais	souri
elle	souriait	elle	avait	souri
il	souriait	il	avait	souri
nous	souriions	nous	avions	souri
vous	souriiez	vous	aviez	souri
elles	souriaient	elles	avaient	souri
ils	souriaient	ils	avaient	souri

PASSÉ SIMPLE

		PASSÉ ANTÉRIEUR		
je	souris	j'	eus	souri
tu	souris	tu	eus	souri
elle	sourit	elle	eut	souri
il	sourit	il	eut	souri
nous	sourîmes	nous	eûmes	souri
vous	sourîtes	vous	eûtes	souri
elles	sourirent	elles	eurent	souri
ils	sourirent	ils	eurent	souri

FUTUR SIMPLE

		FUTUR ANTÉRIEUR		
je	sourirai	j'	aurai	souri
tu	souriras	tu	auras	souri
elle	sourira	elle	aura	souri
il	sourira	il	aura	souri
nous	sourirons	nous	aurons	souri
vous	sourirez	vous	aurez	souri
elles	souriront	elles	auront	souri
ils	souriront	ils	auront	souri

SUBJONCTIF

PRÉSENT

			PASSÉ		
que je	sourie	que j'	aie	souri
que tu	souries	que tu	aies	souri
qu' elle	sourie	qu' elle	ait	souri
qu' il	sourie	qu' il	ait	souri
que nous	souriions	que nous	ayons	souri
que vous	souriiez	que vous	ayez	souri
qu' elles	sourient	qu' elles	aient	souri
qu' ils	sourient	qu' ils	aient	souri

IMPARFAIT

			PLUS-QUE-PARFAIT		
que je	sourisse	que j'	eusse	souri
que tu	sourisses	que tu	eusses	souri
qu' elle	sourît	qu' elle	eût	souri
qu' il	sourît	qu' il	eût	souri
que nous	sourissions	que nous	eussions	souri
que vous	sourissiez	que vous	eussiez	souri
qu' elles	sourissent	qu' elles	eussent	souri
qu' ils	sourissent	qu' ils	eussent	souri

CONDITIONNEL

PRÉSENT

			PASSÉ		
je	sourirais	j'	aurais	souri
tu	sourirais	tu	aurais	souri
elle	sourirait	elle	aurait	souri
il	sourirait	il	aurait	souri
nous	souririons	nous	aurions	souri
vous	souririez	vous	auriez	souri
elles	souriraient	elles	auraient	souri
ils	souriraient	ils	auraient	souri

IMPÉRATIF

PRÉSENT

	PASSÉ	
souris	aie	souri
sourions	ayons	souri
souriez	ayez	souri

INFINITIF

PRÉSENT	PASSÉ
sourire	avoir souri

PARTICIPE

PRÉSENT	PASSÉ
souriant	souri
	ayant souri

CONJUGAISON DU VERBE **SOUSTRAIRE**

INDICATIF

PRÉSENT
je	soustra**is**
tu	soustra**is**
elle	soustra**it**
il	soustra**it**
nous	soustra**yons**
vous	soustra**yez**
elles	soustra**ient**
ils	soustra**ient**

PASSÉ COMPOSÉ
j'	ai	soustrait
tu	as	soustrait
elle	a	soustrait
il	a	soustrait
nous	avons	soustrait
vous	avez	soustrait
elles	ont	soustrait
ils	ont	soustrait

IMPARFAIT
je	soustra**yais**
tu	soustra**yais**
elle	soustra**yait**
il	soustra**yait**
nous	soustra**yions**
vous	soustra**yiez**
elles	soustra**yaient**
ils	soustra**yaient**

PLUS-QUE-PARFAIT
j'	avais	soustrait
tu	avais	soustrait
elle	avait	soustrait
il	avait	soustrait
nous	avions	soustrait
vous	aviez	soustrait
elles	avaient	soustrait
ils	avaient	soustrait

PASSÉ SIMPLE
(n'existe pas)

PASSÉ ANTÉRIEUR
j'	eus	soustrait
tu	eus	soustrait
elle	eut	soustrait
il	eut	soustrait
nous	eûmes	soustrait
vous	eûtes	soustrait
elles	eurent	soustrait
ils	eurent	soustrait

FUTUR SIMPLE
je	soustra**irai**
tu	soustra**iras**
elle	soustra**ira**
il	soustra**ira**
nous	soustra**irons**
vous	soustra**irez**
elles	soustra**iront**
ils	soustra**iront**

FUTUR ANTÉRIEUR
j'	aurai	soustrait
tu	auras	soustrait
elle	aura	soustrait
il	aura	soustrait
nous	aurons	soustrait
vous	aurez	soustrait
elles	auront	soustrait
ils	auront	soustrait

SUBJONCTIF

PRÉSENT
que	je	soustra**ie**
que	tu	soustra**ies**
qu'	elle	soustra**ie**
qu'	il	soustra**ie**
que	nous	soustra**yions**
que	vous	soustra**yiez**
qu'	elles	soustra**ient**
qu'	ils	soustra**ient**

PASSÉ
que	j'	aie	soustrait
que	tu	aies	soustrait
qu'	elle	ait	soustrait
qu'	il	ait	soustrait
que	nous	ayons	soustrait
que	vous	ayez	soustrait
qu'	elles	aient	soustrait
qu'	ils	aient	soustrait

IMPARFAIT
(n'existe pas)

PLUS-QUE-PARFAIT
que	j'	eusse	soustrait
que	tu	eusses	soustrait
qu'	elle	eût	soustrait
qu'	il	eût	soustrait
que	nous	eussions	soustrait
que	vous	eussiez	soustrait
qu'	elles	eussent	soustrait
qu'	ils	eussent	soustrait

CONDITIONNEL

PRÉSENT
je	soustra**irais**
tu	soustra**irais**
elle	soustra**irait**
il	soustra**irait**
nous	soustra**irions**
vous	soustra**iriez**
elles	soustra**iraient**
ils	soustra**iraient**

PASSÉ
j'	aurais	soustrait
tu	aurais	soustrait
elle	aurait	soustrait
il	aurait	soustrait
nous	aurions	soustrait
vous	auriez	soustrait
elles	auraient	soustrait
ils	auraient	soustrait

IMPÉRATIF

PRÉSENT
soustra**is**
soustra**yons**
soustra**yez**

PASSÉ
aie	soustrait
ayons	soustrait
ayez	soustrait

INFINITIF

PRÉSENT
soustra**ire**

PASSÉ
avoir soustrait

PARTICIPE

PRÉSENT
soustra**yant**

PASSÉ
soustrait, aite
ayant soustrait

CONJUGAISON DU VERBE **SUFFIRE**

INDICATIF

	PRÉSENT		PASSÉ COMPOSÉ	
je	suffis	j'	ai	suffi
tu	suffis	tu	as	suffi
elle	suffit	elle	a	suffi
il	suffit	il	a	suffi
nous	suffisons	nous	avons	suffi
vous	suffisez	vous	avez	suffi
elles	suffisent	elles	ont	suffi
ils	suffisent	ils	ont	suffi

	IMPARFAIT		PLUS-QUE-PARFAIT	
je	suffisais	j'	avais	suffi
tu	suffisais	tu	avais	suffi
elle	suffisait	elle	avait	suffi
il	suffisait	il	avait	suffi
nous	suffisions	nous	avions	suffi
vous	suffisiez	vous	aviez	suffi
elles	suffisaient	elles	avaient	suffi
ils	suffisaient	ils	avaient	suffi

	PASSÉ SIMPLE		PASSÉ ANTÉRIEUR	
je	suffis	j'	eus	suffi
tu	suffis	tu	eus	suffi
elle	suffit	elle	eut	suffi
il	suffit	il	eut	suffi
nous	suffîmes	nous	eûmes	suffi
vous	suffîtes	vous	eûtes	suffi
elles	suffirent	elles	eurent	suffi
ils	suffirent	ils	eurent	suffi

	FUTUR SIMPLE		FUTUR ANTÉRIEUR	
je	suffirai	j'	aurai	suffi
tu	suffiras	tu	auras	suffi
elle	suffira	elle	aura	suffi
il	suffira	il	aura	suffi
nous	suffirons	nous	aurons	suffi
vous	suffirez	vous	aurez	suffi
elles	suffiront	elles	auront	suffi
ils	suffiront	ils	auront	suffi

SUBJONCTIF

	PRÉSENT		PASSÉ	
que je	suffise	que j'	aie	suffi
que tu	suffises	que tu	aies	suffi
qu' elle	suffise	qu' elle	ait	suffi
qu' il	suffise	qu' il	ait	suffi
que nous	suffisions	que nous	ayons	suffi
que vous	suffisiez	que vous	ayez	suffi
qu' elles	suffisent	qu' elles	aient	suffi
qu' ils	suffisent	qu' ils	aient	suffi

	IMPARFAIT		PLUS-QUE-PARFAIT	
que je	suffisse	que j'	eusse	suffi
que tu	suffisses	que tu	eusses	suffi
qu' elle	suffît	qu' elle	eût	suffi
qu' il	suffît	qu' il	eût	suffi
que nous	suffissions	que nous	eussions	suffi
que vous	suffissiez	que vous	eussiez	suffi
qu' elles	suffissent	qu' elles	eussent	suffi
qu' ils	suffissent	qu' ils	eussent	suffi

CONDITIONNEL

	PRÉSENT		PASSÉ	
je	suffirais	j'	aurais	suffi
tu	suffirais	tu	aurais	suffi
elle	suffirait	elle	aurait	suffi
il	suffirait	il	aurait	suffi
nous	suffirions	nous	aurions	suffi
vous	suffiriez	vous	auriez	suffi
elles	suffiraient	elles	auraient	suffi
ils	suffiraient	ils	auraient	suffi

IMPÉRATIF

PRÉSENT	PASSÉ	
suffis	aie	suffi
suffisons	ayons	suffi
suffisez	ayez	suffi

INFINITIF

PRÉSENT	PASSÉ
suffire	avoir suffi

PARTICIPE

PRÉSENT	PASSÉ
suffisant	suffi
	ayant suffi

Le verbe *circoncire* se conjugue comme *suffire*, à l'exception du participe passé qui s'écrit avec un *s* (*circoncis, circoncise*).

Le verbe *frire* se conjugue comme *suffire*, mais il ne s'emploie qu'au singulier du présent de l'indicatif (*je fris, tu fris, elle/il frit*) et de l'impératif (*fris*) ; rarement utilisé au futur (*je frirai*) et au conditionnel (*je frirais*), il est courant au participe passé (*frit, frite*) et aux temps composés formés avec l'auxiliaire avoir (*j'ai frit, …*).

CONJUGAISON DU VERBE **SUIVRE**

INDICATIF

PRÉSENT
je sui**s**
tu sui**s**
elle sui**t**
il sui**t**

nous sui**vons**
vous sui**vez**
elles sui**vent**
ils sui**vent**

PASSÉ COMPOSÉ
j' ai suivi
tu as suivi
elle a suivi
il a suivi

nous avons suivi
vous avez suivi
elles ont suivi
ils ont suivi

IMPARFAIT
je sui**vais**
tu sui**vais**
elle sui**vait**
il sui**vait**

nous sui**vions**
vous sui**viez**
elles sui**vaient**
ils sui**vaient**

PLUS-QUE-PARFAIT
j' avais suivi
tu avais suivi
elle avait suivi
il avait suivi

nous avions suivi
vous aviez suivi
elles avaient suivi
ils avaient suivi

PASSÉ SIMPLE
je sui**vis**
tu sui**vis**
elle sui**vit**
il sui**vit**

nous sui**vîmes**
vous sui**vîtes**
elles sui**virent**
ils sui**virent**

PASSÉ ANTÉRIEUR
j' eus suivi
tu eus suivi
elle eut suivi
il eut suivi

nous eûmes suivi
vous eûtes suivi
elles eurent suivi
ils eurent suivi

FUTUR SIMPLE
je sui**vrai**
tu sui**vras**
elle sui**vra**
il sui**vra**

nous sui**vrons**
vous sui**vrez**
elles sui**vront**
ils sui**vront**

FUTUR ANTÉRIEUR
j' aurai suivi
tu auras suivi
elle aura suivi
il aura suivi

nous aurons suivi
vous aurez suivi
elles auront suivi
ils auront suivi

SUBJONCTIF

PRÉSENT
que je sui**ve**
que tu sui**ves**
qu' elle sui**ve**
qu' il sui**ve**

que nous sui**vions**
que vous sui**viez**
qu' elles sui**vent**
qu' ils sui**vent**

PASSÉ
que j' aie suivi
que tu aies suivi
qu' elle ait suivi
qu' il ait suivi

que nous ayons suivi
que vous ayez suivi
qu' elles aient suivi
qu' ils aient suivi

IMPARFAIT
que je sui**visse**
que tu sui**visses**
qu' elle sui**vît**
qu' il sui**vît**

que nous sui**vissions**
que vous sui**vissiez**
qu' elles sui**vissent**
qu' ils sui**vissent**

PLUS-QUE-PARFAIT
que j' eusse suivi
que tu eusses suivi
qu' elle eût suivi
qu' il eût suivi

que nous eussions suivi
que vous eussiez suivi
qu' elles eussent suivi
qu' ils eussent suivi

CONDITIONNEL

PRÉSENT
je sui**vrais**
tu sui**vrais**
elle sui**vrait**
il sui**vrait**

nous sui**vrions**
vous sui**vriez**
elles sui**vraient**
ils sui**vraient**

PASSÉ
j' aurais suivi
tu aurais suivi
elle aurait suivi
il aurait suivi

nous aurions suivi
vous auriez suivi
elles auraient suivi
ils auraient suivi

IMPÉRATIF

PRÉSENT
suis
sui**vons**
sui**vez**

PASSÉ
aie suivi
ayons suivi
ayez suivi

INFINITIF

PRÉSENT
suivre

PASSÉ
avoir suivi

PARTICIPE

PRÉSENT
sui**vant**

PASSÉ
suivi, ie
ayant suivi

Le verbe *s'ensuivre* se conjugue sur le modèle de *suivre*, mais il ne s'emploie qu'à la 3ᵉ personne du singulier et du pluriel. Il n'y a pas de forme impérative et les temps composés sont formés avec l'auxiliaire *être*.

CONJUGAISON DU VERBE **SURSEOIR**

INDICATIF

PRÉSENT / PASSÉ COMPOSÉ

je	sursois	j'	ai	sursis
tu	sursois	tu	as	sursis
elle	sursoit	elle	a	sursis
il	sursoit	il	a	sursis
nous	sursoyons	nous	avons	sursis
vous	sursoyez	vous	avez	sursis
elles	sursoient	elles	ont	sursis
ils	sursoient	ils	ont	sursis

IMPARFAIT / PLUS-QUE-PARFAIT

je	sursoyais	j'	avais	sursis
tu	sursoyais	tu	avais	sursis
elle	sursoyait	elle	avait	sursis
il	sursoyait	il	avait	sursis
nous	sursoyions	nous	avions	sursis
vous	sursoyiez	vous	aviez	sursis
elles	sursoyaient	elles	avaient	sursis
ils	sursoyaient	ils	avaient	sursis

PASSÉ SIMPLE / PASSÉ ANTÉRIEUR

je	sursis	j'	eus	sursis
tu	sursis	tu	eus	sursis
elle	sursit	elle	eut	sursis
il	sursit	il	eut	sursis
nous	sursîmes	nous	eûmes	sursis
vous	sursîtes	vous	eûtes	sursis
elles	sursirent	elles	eurent	sursis
ils	sursirent	ils	eurent	sursis

FUTUR SIMPLE / FUTUR ANTÉRIEUR

je	surseoirai	j'	aurai	sursis
tu	surseoiras	tu	auras	sursis
elle	surseoira	elle	aura	sursis
il	surseoira	il	aura	sursis
nous	surseoirons	nous	aurons	sursis
vous	surseoirez	vous	aurez	sursis
elles	surseoiront	elles	auront	sursis
ils	surseoiront	ils	auront	sursis

INFINITIF

PRÉSENT / PASSÉ

surseoir	avoir sursis

SUBJONCTIF

PRÉSENT / PASSÉ

que	je	sursoie	que	j'	aie	sursis
que	tu	sursoies	que	tu	aies	sursis
qu'	elle	sursoie	qu'	elle	ait	sursis
qu'	il	sursoie	qu'	il	ait	sursis
que	nous	sursoyions	que	nous	ayons	sursis
que	vous	sursoyiez	que	vous	ayez	sursis
qu'	elles	sursoient	qu'	elles	aient	sursis
qu'	ils	sursoient	qu'	ils	aient	sursis

IMPARFAIT / PLUS-QUE-PARFAIT

que	je	sursisse	que	j'	eusse	sursis
que	tu	sursisses	que	tu	eusses	sursis
qu'	elle	sursît	qu'	elle	eût	sursis
qu'	il	sursît	qu'	il	eût	sursis
que	nous	sursissions	que	nous	eussions	sursis
que	vous	sursissiez	que	vous	eussiez	sursis
qu'	elles	sursissent	qu'	elles	eussent	sursis
qu'	ils	sursissent	qu'	ils	eussent	sursis

CONDITIONNEL

PRÉSENT / PASSÉ

je	surseoirais	j'	aurais	sursis
tu	surseoirais	tu	aurais	sursis
elle	surseoirait	elle	aurait	sursis
il	surseoirait	il	aurait	sursis
nous	surseoirions	nous	aurions	sursis
vous	surseoiriez	vous	auriez	sursis
elles	surseoiraient	elles	auraient	sursis
ils	surseoiraient	ils	auraient	sursis

IMPÉRATIF

PRÉSENT / PASSÉ

sursois	aie	sursis
sursoyons	ayons	sursis
sursoyez	ayez	sursis

PARTICIPE

PRÉSENT / PASSÉ

sursoyant	sursis, ise
	ayant sursis

CONJUGAISON DU VERBE **TRESSAILLIR**

INDICATIF

PRÉSENT
je	tressaille
tu	tressailles
elle	tressaille
il	tressaille
nous	tressaillons
vous	tressaillez
elles	tressaillent
ils	tressaillent

PASSÉ COMPOSÉ
j'	ai	tressailli
tu	as	tressailli
elle	a	tressailli
il	a	tressailli
nous	avons	tressailli
vous	avez	tressailli
elles	ont	tressailli
ils	ont	tressailli

IMPARFAIT
je	tressaillais
tu	tressaillais
elle	tressaillait
il	tressaillait
nous	tressaillions
vous	tressailliez
elles	tressaillaient
ils	tressaillaient

PLUS-QUE-PARFAIT
j'	avais	tressailli
tu	avais	tressailli
elle	avait	tressailli
il	avait	tressailli
nous	avions	tressailli
vous	aviez	tressailli
elles	avaient	tressailli
ils	avaient	tressailli

PASSÉ SIMPLE
je	tressaillis
tu	tressaillis
elle	tressaillit
il	tressaillit
nous	tressaillîmes
vous	tressaillîtes
elles	tressaillirent
ils	tressaillirent

PASSÉ ANTÉRIEUR
j'	eus	tressailli
tu	eus	tressailli
elle	eut	tressailli
il	eut	tressailli
nous	eûmes	tressailli
vous	eûtes	tressailli
elles	eurent	tressailli
ils	eurent	tressailli

FUTUR SIMPLE
je	tressaillirai
tu	tressailliras
elle	tressaillira
il	tressaillira
nous	tressaillirons
vous	tressaillirez
elles	tressailliront
ils	tressailliront

FUTUR ANTÉRIEUR
j'	aurai	tressailli
tu	auras	tressailli
elle	aura	tressailli
il	aura	tressailli
nous	aurons	tressailli
vous	aurez	tressailli
elles	auront	tressailli
ils	auront	tressailli

SUBJONCTIF

PRÉSENT
que	je	tressaille
que	tu	tressailles
qu'	elle	tressaille
qu'	il	tressaille
que	nous	tressaillions
que	vous	tressailliez
qu'	elles	tressaillent
qu'	ils	tressaillent

PASSÉ
que	j'	aie	tressailli
que	tu	aies	tressailli
qu'	elle	ait	tressailli
qu'	il	ait	tressailli
que	nous	ayons	tressailli
que	vous	ayez	tressailli
qu'	elles	aient	tressailli
qu'	ils	aient	tressailli

IMPARFAIT
que	je	tressaillisse
que	tu	tressaillisses
qu'	elle	tressaillît
qu'	il	tressaillît
que	nous	tressaillissions
que	vous	tressaillissiez
qu'	elles	tressaillissent
qu'	ils	tressaillissent

PLUS-QUE-PARFAIT
que	j'	eusse	tressailli
que	tu	eusses	tressailli
qu'	elle	eût	tressailli
qu'	il	eût	tressailli
que	nous	eussions	tressailli
que	vous	eussiez	tressailli
qu'	elles	eussent	tressailli
qu'	ils	eussent	tressailli

CONDITIONNEL

PRÉSENT
je	tressaillirais
tu	tressaillirais
elle	tressaillirait
il	tressaillirait
nous	tressaillirions
vous	tressailliriez
elles	tressailliraient
ils	tressailliraient

PASSÉ
j'	aurais	tressailli
tu	aurais	tressailli
elle	aurait	tressailli
il	aurait	tressailli
nous	aurions	tressailli
vous	auriez	tressailli
elles	auraient	tressailli
ils	auraient	tressailli

IMPÉRATIF

PRÉSENT
tressaille
tressaillons
tressaillez

PASSÉ
aie	tressailli
ayons	tressailli
ayez	tressailli

INFINITIF

PRÉSENT
tressaillir

PASSÉ
avoir tressailli

PARTICIPE

PRÉSENT
tressaillant

PASSÉ
tressailli, ie
ayant tressailli

Le verbe *saillir* se conjugue sur le modèle de *tressaillir*, à l'exception du futur (*il saillera, ils sailleront*).

CONJUGAISON DU VERBE **VAINCRE**

INDICATIF

PRÉSENT		PASSÉ COMPOSÉ		
je	vaincs	j'	ai	vaincu
tu	vaincs	tu	as	vaincu
elle	vainc	elle	a	vaincu
il	vainc	il	a	vaincu
nous	vainquons	nous	avons	vaincu
vous	vainquez	vous	avez	vaincu
elles	vainquent	elles	ont	vaincu
ils	vainquent	ils	ont	vaincu

IMPARFAIT		PLUS-QUE-PARFAIT		
je	vainquais	j'	avais	vaincu
tu	vainquais	tu	avais	vaincu
elle	vainquait	elle	avait	vaincu
il	vainquait	il	avait	vaincu
nous	vainquions	nous	avions	vaincu
vous	vainquiez	vous	aviez	vaincu
elles	vainquaient	elles	avaient	vaincu
ils	vainquaient	ils	avaient	vaincu

PASSÉ SIMPLE		PASSÉ ANTÉRIEUR		
je	vainquis	j'	eus	vaincu
tu	vainquis	tu	eus	vaincu
elle	vainquit	elle	eut	vaincu
il	vainquit	il	eut	vaincu
nous	vainquîmes	nous	eûmes	vaincu
vous	vainquîtes	vous	eûtes	vaincu
elles	vainquirent	elles	eurent	vaincu
ils	vainquirent	ils	eurent	vaincu

FUTUR SIMPLE		FUTUR ANTÉRIEUR		
je	vaincrai	j'	aurai	vaincu
tu	vaincras	tu	auras	vaincu
elle	vaincra	elle	aura	vaincu
il	vaincra	il	aura	vaincu
nous	vaincrons	nous	aurons	vaincu
vous	vaincrez	vous	aurez	vaincu
elles	vaincront	elles	auront	vaincu
ils	vaincront	ils	auront	vaincu

SUBJONCTIF

PRÉSENT			PASSÉ		
que je	vainque	que j'	aie	vaincu
que tu	vainques	que tu	aies	vaincu
qu' elle	vainque	qu' elle	ait	vaincu
qu' il	vainque	qu' il	ait	vaincu
que nous	vainquions	que nous	ayons	vaincu
que vous	vainquiez	que vous	ayez	vaincu
qu' elles	vainquent	qu' elles	aient	vaincu
qu' ils	vainquent	qu' ils	aient	vaincu

IMPARFAIT			PLUS-QUE-PARFAIT		
que je	vainquisse	que j'	eusse	vaincu
que tu	vainquisses	que tu	eusses	vaincu
qu' elle	vainquît	qu' elle	eût	vaincu
qu' il	vainquît	qu' il	eût	vaincu
que nous	vainquissions	que nous	eussions	vaincu
que vous	vainquissiez	que vous	eussiez	vaincu
qu' elles	vainquissent	qu' elles	eussent	vaincu
qu' ils	vainquissent	qu' ils	eussent	vaincu

CONDITIONNEL

PRÉSENT		PASSÉ		
je	vaincrais	j'	aurais	vaincu
tu	vaincrais	tu	aurais	vaincu
elle	vaincrait	elle	aurait	vaincu
il	vaincrait	il	aurait	vaincu
nous	vaincrions	nous	aurions	vaincu
vous	vaincriez	vous	auriez	vaincu
elles	vaincraient	elles	auraient	vaincu
ils	vaincraient	ils	auraient	vaincu

IMPÉRATIF

PRÉSENT	PASSÉ	
vaincs	aie	vaincu
vainquons	ayons	vaincu
vainquez	ayez	vaincu

INFINITIF

PRÉSENT	PASSÉ
vaincre	avoir vaincu

PARTICIPE

PRÉSENT	PASSÉ
vainquant	vaincu, ue
	ayant vaincu

CONJUGAISON DU VERBE **VALOIR**

INDICATIF

PRÉSENT		PASSÉ COMPOSÉ		
je	vaux	j'	ai	valu
tu	vaux	tu	as	valu
elle	vaut	elle	a	valu
il	vaut	il	a	valu
nous	valons	nous	avons	valu
vous	valez	vous	avez	valu
elles	valent	elles	ont	valu
ils	valent	ils	ont	valu

IMPARFAIT		PLUS-QUE-PARFAIT		
je	valais	j'	avais	valu
tu	valais	tu	avais	valu
elle	valait	elle	avait	valu
il	valait	il	avait	valu
nous	valions	nous	avions	valu
vous	valiez	vous	aviez	valu
elles	valaient	elles	avaient	valu
ils	valaient	ils	avaient	valu

PASSÉ SIMPLE		PASSÉ ANTÉRIEUR		
je	valus	j'	eus	valu
tu	valus	tu	eus	valu
elle	valut	elle	eut	valu
il	valut	il	eut	valu
nous	valûmes	nous	eûmes	valu
vous	valûtes	vous	eûtes	valu
elles	valurent	elles	eurent	valu
ils	valurent	ils	eurent	valu

FUTUR SIMPLE		FUTUR ANTÉRIEUR		
je	vaudrai	j'	aurai	valu
tu	vaudras	tu	auras	valu
elle	vaudra	elle	aura	valu
il	vaudra	il	aura	valu
nous	vaudrons	nous	aurons	valu
vous	vaudrez	vous	aurez	valu
elles	vaudront	elles	auront	valu
ils	vaudront	ils	auront	valu

SUBJONCTIF

PRÉSENT			PASSÉ		
que	je	vaille	que	j'	aie	valu
que	tu	vailles	que	tu	aies	valu
qu'	elle	vaille	qu'	elle	ait	valu
qu'	il	vaille	qu'	il	ait	valu
que	nous	valions	que	nous	ayons	valu
que	vous	valiez	que	vous	ayez	valu
qu'	elles	vaillent	qu'	elles	aient	valu
qu'	ils	vaillent	qu'	ils	aient	valu

IMPARFAIT			PLUS-QUE-PARFAIT		
que	je	valusse	que	j'	eusse	valu
que	tu	valusses	que	tu	eusses	valu
qu'	elle	valût	qu'	elle	eût	valu
qu'	il	valût	qu'	il	eût	valu
que	nous	valussions	que	nous	eussions	valu
que	vous	valussiez	que	vous	eussiez	valu
qu'	elles	valussent	qu'	elles	eussent	valu
qu'	ils	valussent	qu'	ils	eussent	valu

CONDITIONNEL

PRÉSENT		PASSÉ		
je	vaudrais	j'	aurais	valu
tu	vaudrais	tu	aurais	valu
elle	vaudrait	elle	aurait	valu
il	vaudrait	il	aurait	valu
nous	vaudrions	nous	aurions	valu
vous	vaudriez	vous	auriez	valu
elles	vaudraient	elles	auraient	valu
ils	vaudraient	ils	auraient	valu

IMPÉRATIF

PRÉSENT	PASSÉ	
vaux	aie	valu
valons	ayons	valu
valez	ayez	valu

INFINITIF

PRÉSENT	PASSÉ
valoir	avoir valu

PARTICIPE

PRÉSENT	PASSÉ
valant	valu, ue
	ayant valu

Le verbe *prévaloir* se conjugue comme *valoir*, à l'exception des 1re, 2e et 3e personnes du singulier du subjonctif présent (*que je prévale, que tu prévales, qu'elle/il prévale*).

CONJUGAISON DU VERBE **VENIR**

INDICATIF

PRÉSENT

je	viens
tu	viens
elle	vient
il	vient

nous	venons
vous	venez
elles	viennent
ils	viennent

PASSÉ COMPOSÉ

je	suis	venu, ue
tu	es	venu, ue
elle	est	venue
il	est	venu

ns	sommes	venus, ues
vs	êtes	venus, ues
elles	sont	venues
ils	sont	venus

IMPARFAIT

je	venais
tu	venais
elle	venait
il	venait

nous	venions
vous	veniez
elles	venaient
ils	venaient

PLUS-QUE-PARFAIT

j'	étais	venu, ue
tu	étais	venu, ue
elle	était	venue
il	était	venu

ns	étions	venus, ues
vs	étiez	venus, ues
elles	étaient	venues
ils	étaient	venus

PASSÉ SIMPLE

je	vins
tu	vins
elle	vint
il	vint

nous	vînmes
vous	vîntes
elles	vinrent
ils	vinrent

PASSÉ ANTÉRIEUR

je	fus	venu, ue
tu	fus	venu, ue
elle	fut	venue
il	fut	venu

ns	fûmes	venus, ues
vs	fûtes	venus, ues
elles	furent	venues
ils	furent	venus

FUTUR SIMPLE

je	viendrai
tu	viendras
elle	viendra
il	viendra

nous	viendrons
vous	viendrez
elles	viendront
ils	viendront

FUTUR ANTÉRIEUR

je	serai	venu, ue
tu	seras	venu, ue
elle	sera	venue
il	sera	venu

ns	serons	venus, ues
vs	serez	venus, ues
elles	seront	venues
ils	seront	venus

SUBJONCTIF

PRÉSENT

que	je	vienne
que	tu	viennes
qu'	elle	vienne
qu'	il	vienne

que	nous	venions
que	vous	veniez
qu'	elles	viennent
qu'	ils	viennent

PASSÉ

que	je	sois	venu, ue
que	tu	sois	venu, ue
qu'	elle	soit	venue
qu'	il	soit	venu

que	nous	soyons	venus, ues
que	vous	soyez	venus, ues
qu'	elles	soient	venues
qu'	ils	soient	venus

IMPARFAIT

que	je	vinsse
que	tu	vinsses
qu'	elle	vînt
qu'	il	vînt

que	nous	vinssions
que	vous	vinssiez
qu'	elles	vinssent
qu'	ils	vinssent

PLUS-QUE-PARFAIT

que	je	fusse	venu, ue
que	tu	fusses	venu, ue
qu'	elle	fût	venue
qu'	il	fût	venu

que	nous	fussions	venus, ues
que	vous	fussiez	venus, ues
qu'	elles	fussent	venues
qu'	ils	fussent	venus

CONDITIONNEL

PRÉSENT

je	viendrais
tu	viendrais
elle	viendrait
il	viendrait

nous	viendrions
vous	viendriez
elles	viendraient
ils	viendraient

PASSÉ

je	serais	venu, ue
tu	serais	venu, ue
elle	serait	venue
il	serait	venu

nous	serions	venus, ues
vous	seriez	venus, ues
elles	seraient	venues
ils	seraient	venus

IMPÉRATIF

PRÉSENT

| viens |
| venons |
| venez |

PASSÉ

sois	venu, ue
soyons	venus, ues
soyez	venus, ues

INFINITIF

PRÉSENT

venir

PASSÉ

être venu, ue

PARTICIPE

PRÉSENT

venant

PASSÉ

venu, ue
étant venu, ue

Le verbe *advenir* se conjugue sur le modèle de *venir*, mais il ne s'emploie qu'à la 3e personne du singulier et du pluriel.

CONJUGAISON DU VERBE **VÊTIR**

INDICATIF

PRÉSENT | PASSÉ COMPOSÉ

je	vêts	j'	ai	vêtu
tu	vêts	tu	as	vêtu
elle	vêt	elle	a	vêtu
il	vêt	il	a	vêtu
nous	vêtons	nous	avons	vêtu
vous	vêtez	vous	avez	vêtu
elles	vêtent	elles	ont	vêtu
ils	vêtent	ils	ont	vêtu

IMPARFAIT | PLUS-QUE-PARFAIT

je	vêtais	j'	avais	vêtu
tu	vêtais	tu	avais	vêtu
elle	vêtait	elle	avait	vêtu
il	vêtait	il	avait	vêtu
nous	vêtions	nous	avions	vêtu
vous	vêtiez	vous	aviez	vêtu
elles	vêtaient	elles	avaient	vêtu
ils	vêtaient	ils	avaient	vêtu

PASSÉ SIMPLE | PASSÉ ANTÉRIEUR

je	vêtis	j'	eus	vêtu
tu	vêtis	tu	eus	vêtu
elle	vêtit	elle	eut	vêtu
il	vêtit	il	eut	vêtu
nous	vêtîmes	nous	eûmes	vêtu
vous	vêtîtes	vous	eûtes	vêtu
elles	vêtirent	elles	eurent	vêtu
ils	vêtirent	ils	eurent	vêtu

FUTUR SIMPLE | FUTUR ANTÉRIEUR

je	vêtirai	j'	aurai	vêtu
tu	vêtiras	tu	auras	vêtu
elle	vêtira	elle	aura	vêtu
il	vêtira	il	aura	vêtu
nous	vêtirons	nous	aurons	vêtu
vous	vêtirez	vous	aurez	vêtu
elles	vêtiront	elles	auront	vêtu
ils	vêtiront	ils	auront	vêtu

SUBJONCTIF

PRÉSENT | PASSÉ

que je	vête	que j'	aie	vêtu
que tu	vêtes	que tu	aies	vêtu
qu' elle	vête	qu' elle	ait	vêtu
qu' il	vête	qu' il	ait	vêtu
que nous	vêtions	que nous	ayons	vêtu
que vous	vêtiez	que vous	ayez	vêtu
qu' elles	vêtent	qu' elles	aient	vêtu
qu' ils	vêtent	qu' ils	aient	vêtu

IMPARFAIT | PLUS-QUE-PARFAIT

que je	vêtisse	que j'	eusse	vêtu
que tu	vêtisses	que tu	eusses	vêtu
qu' elle	vêtît	qu' elle	eût	vêtu
qu' il	vêtît	qu' il	eût	vêtu
que nous	vêtissions	que nous	eussions	vêtu
que vous	vêtissiez	que vous	eussiez	vêtu
qu' elles	vêtissent	qu' elles	eussent	vêtu
qu' ils	vêtissent	qu' ils	eussent	vêtu

CONDITIONNEL

PRÉSENT | PASSÉ

je	vêtirais	j'	aurais	vêtu
tu	vêtirais	tu	aurais	vêtu
elle	vêtirait	elle	aurait	vêtu
il	vêtirait	il	aurait	vêtu
nous	vêtirions	nous	aurions	vêtu
vous	vêtiriez	vous	auriez	vêtu
elles	vêtiraient	elles	auraient	vêtu
ils	vêtiraient	ils	auraient	vêtu

IMPÉRATIF

PRÉSENT | PASSÉ

vêts		aie	vêtu
vêtons		ayons	vêtu
vêtez		ayez	vêtu

INFINITIF

PRÉSENT | PASSÉ

vêtir	avoir vêtu

PARTICIPE

PRÉSENT | PASSÉ

vêtant	vêtu, ue
	ayant vêtu

CONJUGAISON DU VERBE **VIVRE**

INDICATIF

PRÉSENT

je	vis
tu	vis
elle	vit
il	vit
nous	vivons
vous	vivez
elles	vivent
ils	vivent

PASSÉ COMPOSÉ

j'	ai	vécu
tu	as	vécu
elle	a	vécu
il	a	vécu
nous	avons	vécu
vous	avez	vécu
elles	ont	vécu
ils	ont	vécu

IMPARFAIT

je	vivais
tu	vivais
elle	vivait
il	vivait
nous	vivions
vous	viviez
elles	vivaient
ils	vivaient

PLUS-QUE-PARFAIT

j'	avais	vécu
tu	avais	vécu
elle	avait	vécu
il	avait	vécu
nous	avions	vécu
vous	aviez	vécu
elles	avaient	vécu
ils	avaient	vécu

PASSÉ SIMPLE

je	vécus
tu	vécus
elle	vécut
il	vécut
nous	vécûmes
vous	vécûtes
elles	vécurent
ils	vécurent

PASSÉ ANTÉRIEUR

j'	eus	vécu
tu	eus	vécu
elle	eut	vécu
il	eut	vécu
nous	eûmes	vécu
vous	eûtes	vécu
elles	eurent	vécu
ils	eurent	vécu

FUTUR SIMPLE

je	vivrai
tu	vivras
elle	vivra
il	vivra
nous	vivrons
vous	vivrez
elles	vivront
ils	vivront

FUTUR ANTÉRIEUR

j'	aurai	vécu
tu	auras	vécu
elle	aura	vécu
il	aura	vécu
nous	aurons	vécu
vous	aurez	vécu
elles	auront	vécu
ils	auront	vécu

SUBJONCTIF

PRÉSENT

que	je	vive
que	tu	vives
qu'	elle	vive
qu'	il	vive
que	nous	vivions
que	vous	viviez
qu'	elles	vivent
qu'	ils	vivent

PASSÉ

que	j'	aie	vécu
que	tu	aies	vécu
qu'	elle	ait	vécu
qu'	il	ait	vécu
que	nous	ayons	vécu
que	vous	ayez	vécu
qu'	elles	aient	vécu
qu'	ils	aient	vécu

IMPARFAIT

que	je	vécusse
que	tu	vécusses
qu'	elle	vécût
qu'	il	vécût
que	nous	vécussions
que	vous	vécussiez
qu'	elles	vécussent
qu'	ils	vécussent

PLUS-QUE-PARFAIT

que	j'	eusse	vécu
que	tu	eusses	vécu
qu'	elle	eût	vécu
qu'	il	eût	vécu
que	nous	eussions	vécu
que	vous	eussiez	vécu
qu'	elles	eussent	vécu
qu'	ils	eussent	vécu

CONDITIONNEL

PRÉSENT

je	vivrais
tu	vivrais
elle	vivrait
il	vivrait
nous	vivrions
vous	vivriez
elles	vivraient
ils	vivraient

PASSÉ

j'	aurais	vécu
tu	aurais	vécu
elle	aurait	vécu
il	aurait	vécu
nous	aurions	vécu
vous	auriez	vécu
elles	auraient	vécu
ils	auraient	vécu

IMPÉRATIF

PRÉSENT

vis
vivons
vivez

PASSÉ

aie	vécu
ayons	vécu
ayez	vécu

INFINITIF

PRÉSENT

vivre

PASSÉ

avoir vécu

PARTICIPE

PRÉSENT

vivant

PASSÉ

vécu, ue
ayant vécu

CONJUGAISON DU VERBE **VOIR**

INDICATIF

PRÉSENT		PASSÉ COMPOSÉ		
je	**vois**	j'	ai	vu
tu	**vois**	tu	as	vu
elle	**voit**	elle	a	vu
il	**voit**	il	a	vu
nous	**voyons**	nous	avons	vu
vous	**voyez**	vous	avez	vu
elles	**voient**	elles	ont	vu
ils	**voient**	ils	ont	vu

IMPARFAIT		PLUS-QUE-PARFAIT		
je	**voyais**	j'	avais	vu
tu	**voyais**	tu	avais	vu
elle	**voyait**	elle	avait	vu
il	**voyait**	il	avait	vu
nous	**voyions**	nous	avions	vu
vous	**voyiez**	vous	aviez	vu
elles	**voyaient**	elles	avaient	vu
ils	**voyaient**	ils	avaient	vu

PASSÉ SIMPLE		PASSÉ ANTÉRIEUR		
je	**vis**	j'	eus	vu
tu	**vis**	tu	eus	vu
elle	**vit**	elle	eut	vu
il	**vit**	il	eut	vu
nous	**vîmes**	nous	eûmes	vu
vous	**vîtes**	vous	eûtes	vu
elles	**virent**	elles	eurent	vu
ils	**virent**	ils	eurent	vu

FUTUR SIMPLE		FUTUR ANTÉRIEUR		
je	**verrai**	j'	aurai	vu
tu	**verras**	tu	auras	vu
elle	**verra**	elle	aura	vu
il	**verra**	il	aura	vu
nous	**verrons**	nous	aurons	vu
vous	**verrez**	vous	aurez	vu
elles	**verront**	elles	auront	vu
ils	**verront**	ils	auront	vu

SUBJONCTIF

PRÉSENT			PASSÉ		
que	je	**voie**	que	j'	aie vu
que	tu	**voies**	que	tu	aies vu
qu'	elle	**voie**	qu'	elle	ait vu
qu'	il	**voie**	qu'	il	ait vu
que	nous	**voyions**	que	nous	ayons vu
que	vous	**voyiez**	que	vous	ayez vu
qu'	elles	**voient**	qu'	elles	aient vu
qu'	ils	**voient**	qu'	ils	aient vu

IMPARFAIT			PLUS-QUE-PARFAIT		
que	je	**visse**	que	j'	eusse vu
que	tu	**visses**	que	tu	eusses vu
qu'	elle	**vît**	qu'	elle	eût vu
qu'	il	**vît**	qu'	il	eût vu
que	nous	**vissions**	que	nous	eussions vu
que	vous	**vissiez**	que	vous	eussiez vu
qu'	elles	**vissent**	qu'	elles	eussent vu
qu'	ils	**vissent**	qu'	ils	eussent vu

CONDITIONNEL

PRÉSENT		PASSÉ		
je	**verrais**	j'	aurais	vu
tu	**verrais**	tu	aurais	vu
elle	**verrait**	elle	aurait	vu
il	**verrait**	il	aurait	vu
nous	**verrions**	nous	aurions	vu
vous	**verriez**	vous	auriez	vu
elles	**verraient**	elles	auraient	vu
ils	**verraient**	ils	auraient	vu

IMPÉRATIF

PRÉSENT	PASSÉ	
vois	aie	vu
voyons	ayons	vu
voyez	ayez	vu

INFINITIF

PRÉSENT	PASSÉ
voir	avoir vu

PARTICIPE

PRÉSENT	PASSÉ
voyant	vu, ue
	ayant vu

Le verbe *prévoir* se conjugue sur le modèle de *voir*, à l'exception du futur simple (*je prévoirai, tu prévoiras, il prévoira, nous prévoirons, vous prévoirez, ils prévoiront*) et du conditionnel présent (*je prévoirais, tu prévoirais, il prévoirait, nous prévoirions, vous prévoiriez, ils prévoiraient*).

CONJUGAISON DU VERBE **VOULOIR**

INDICATIF

PRÉSENT		PASSÉ COMPOSÉ		
je	**veux**	j'	ai	voulu
tu	**veux**	tu	as	voulu
elle	**veut**	elle	a	voulu
il	**veut**	il	a	voulu
nous	**voulons**	nous	avons	voulu
vous	**voulez**	vous	avez	voulu
elles	**veulent**	elles	ont	voulu
ils	**veulent**	ils	ont	voulu

IMPARFAIT		PLUS-QUE-PARFAIT		
je	**voulais**	j'	avais	voulu
tu	**voulais**	tu	avais	voulu
elle	**voulait**	elle	avait	voulu
il	**voulait**	il	avait	voulu
nous	**voulions**	nous	avions	voulu
vous	**vouliez**	vous	aviez	voulu
elles	**voulaient**	elles	avaient	voulu
ils	**voulaient**	ils	avaient	voulu

PASSÉ SIMPLE		PASSÉ ANTÉRIEUR		
je	**voulus**	j'	eus	voulu
tu	**voulus**	tu	eus	voulu
elle	**voulut**	elle	eut	voulu
il	**voulut**	il	eut	voulu
nous	**voulûmes**	nous	eûmes	voulu
vous	**voulûtes**	vous	eûtes	voulu
elles	**voulurent**	elles	eurent	voulu
ils	**voulurent**	ils	eurent	voulu

FUTUR SIMPLE		FUTUR ANTÉRIEUR		
je	**voudrai**	j'	aurai	voulu
tu	**voudras**	tu	auras	voulu
elle	**voudra**	elle	aura	voulu
il	**voudra**	il	aura	voulu
nous	**voudrons**	nous	aurons	voulu
vous	**voudrez**	vous	aurez	voulu
elles	**voudront**	elles	auront	voulu
ils	**voudront**	ils	auront	voulu

INFINITIF

PRÉSENT	PASSÉ
vouloir	avoir voulu

SUBJONCTIF

PRÉSENT			PASSÉ			
que	je	**veuille**	que	j'	aie	voulu
que	tu	**veuilles**	que	tu	aies	voulu
qu'	elle	**veuille**	qu'	elle	ait	voulu
qu'	il	**veuille**	qu'	il	ait	voulu
que	nous	**voulions**	que	nous	ayons	voulu
que	vous	**vouliez**	que	vous	ayez	voulu
qu'	elles	**veuillent**	qu'	elles	aient	voulu
qu'	ils	**veuillent**	qu'	ils	aient	voulu

IMPARFAIT			PLUS-QUE-PARFAIT			
que	je	**voulusse**	que	j'	eusse	voulu
que	tu	**voulusses**	que	tu	eusses	voulu
qu'	elle	**voulût**	qu'	elle	eût	voulu
qu'	il	**voulût**	qu'	il	eût	voulu
que	nous	**voulussions**	que	nous	eussions	voulu
que	vous	**voulussiez**	que	vous	eussiez	voulu
qu'	elles	**voulussent**	qu'	elles	eussent	voulu
qu'	ils	**voulussent**	qu'	ils	eussent	voulu

CONDITIONNEL

PRÉSENT		PASSÉ		
je	**voudrais**	j'	aurais	voulu
tu	**voudrais**	tu	aurais	voulu
elle	**voudrait**	elle	aurait	voulu
il	**voudrait**	il	aurait	voulu
nous	**voudrions**	nous	aurions	voulu
vous	**voudriez**	vous	auriez	voulu
elles	**voudraient**	elles	auraient	voulu
ils	**voudraient**	ils	auraient	voulu

IMPÉRATIF

PRÉSENT	PASSÉ	
veux	aie	voulu
voulons	ayons	voulu
voulez	ayez	voulu

PARTICIPE

PRÉSENT	PASSÉ
voulant	voulu, ue
	ayant voulu

DICTIONNAIRE DES VERBES

Le dictionnaire des verbes répertorie dans
l'ordre alphabétique la majorité des verbes de
la langue française et renvoie aux 75 modèles
complets de conjugaison (p. 174 à 249).
La mention du modèle figure *en italique*
à la droite de chaque verbe.

DICTIONNAIRE DES VERBES

abaisser — *aimer*	acharner (s') — *aimer*	agglomérer — *posséder*	améliorer — *aimer*
abandonner — *aimer*	acheminer — *aimer*	agglutiner — *aimer*	aménager — *changer*
abasourdir — *finir*	acheter — *congeler*	aggraver — *aimer*	amender — *aimer*
abâtardir — *finir*	achever — *lever*	agir — *finir*	amener — *lever*
abattre — *combattre*	achopper — *aimer*	agiter — *aimer*	amenuiser — *aimer*
abdiquer — *aimer*	aciérer — *posséder*	agneler — *appeler*	américaniser — *aimer*
abêtir — *finir*	acoquiner (s') — *aimer*	agonir — *finir*	amerrir — *finir*
abhorrer — *aimer*	acquérir — *acquérir*	agoniser — *aimer*	ameublir — *finir*
abîmer — *aimer*	acquiescer — *avancer*	agrafer — *aimer*	ameuter — *aimer*
abjurer — *aimer*	acquitter — *aimer*	agrandir — *finir*	amidonner — *aimer*
abolir — *finir*	actionner — *aimer*	agréer — *créer*	amincir — *finir*
abominer — *aimer*	activer — *aimer*	agrémenter — *aimer*	amnistier — *étudier*
abonder — *aimer*	actualiser — *aimer*	agresser — *aimer*	amocher — *aimer*
abonner — *aimer*	adapter — *aimer*	agripper — *aimer*	amoindrir — *finir*
aborder — *aimer*	additionner — *aimer*	aguerrir — *finir*	amollir — *finir*
aboucher — *aimer*	adhérer — *posséder*	aguicher — *aimer*	amonceler — *appeler*
abouter — *aimer*	adjectiver ou	ahaner — *aimer*	amorcer — *avancer*
aboutir — *finir*	adjectiviser — *aimer*	ahurir — *finir*	amortir — *finir*
aboyer — *employer*	adjoindre — *joindre*	aider — *aimer*	amouracher (s') — *aimer*
abréger — *protéger*	adjuger — *changer*	aigrir — *finir*	amplifier — *étudier*
abreuver — *aimer*	adjurer — *aimer*	aiguiller — *aimer*	amputer — *aimer*
abrier — *étudier*	admettre — *remettre*	aiguillonner — *aimer*	amuïr (s') — *finir*
abriter — *aimer*	administrer — *aimer*	aiguiser — *aimer*	amuser — *aimer*
abroger — *changer*	admirer — *aimer*	ailler — *aimer*	analyser — *aimer*
abrutir — *finir*	admonester — *aimer*	aimanter — *aimer*	ancrer — *aimer*
absenter (s') — *aimer*	adonner — *aimer*	aimer — *aimer*	anéantir — *finir*
absorber — *aimer*	adopter — *aimer*	airer — *aimer*	anémier — *étudier*
absoudre — *résoudre*	adorer — *aimer*	ajourer — *aimer*	anesthésier — *étudier*
abstenir (s') — *venir*	adosser — *aimer*	ajourner — *aimer*	angliciser — *aimer*
abstraire — *soustraire*	adouber — *aimer*	ajouter — *aimer*	angoisser — *aimer*
abuser — *aimer*	adoucir — *finir*	ajuster — *aimer*	animer — *aimer*
accabler — *aimer*	adresser — *aimer*	alanguir — *finir*	aniser — *aimer*
accaparer — *aimer*	aduler — *aimer*	alarmer — *aimer*	ankyloser — *aimer*
accéder — *posséder*	advenir — *venir*	alcaliniser — *aimer*	anneler — *appeler*
accélérer — *posséder*	aérer — *posséder*	alcooliser — *aimer*	annexer — *aimer*
accentuer — *aimer*	affabuler — *aimer*	alerter — *aimer*	annihiler — *aimer*
accepter — *aimer*	affadir — *finir*	aléser — *posséder*	annoncer — *avancer*
acclamer — *aimer*	affaiblir — *finir*	aleviner — *aimer*	annoter — *aimer*
acclimater — *aimer*	affairer (s') — *aimer*	aliéner — *posséder*	annuler — *aimer*
accoler — *aimer*	affaisser (s') — *aimer*	aligner — *aimer*	anoblir — *finir*
accommoder — *aimer*	affaler — *aimer*	alimenter — *aimer*	anodiser — *aimer*
accompagner — *aimer*	affamer — *aimer*	aliter — *aimer*	ânonner — *aimer*
accomplir — *finir*	affecter — *aimer*	allaiter — *aimer*	anticiper — *aimer*
accorder — *aimer*	affectionner — *aimer*	allécher — *posséder*	antidater — *aimer*
accoster — *aimer*	affermer — *aimer*	alléger — *protéger*	apaiser — *aimer*
accoter — *aimer*	affermir — *finir*	alléguer — *posséder*	apercevoir — *apercevoir*
accoucher — *aimer*	afficher — *aimer*	allier — *étudier*	apeurer — *aimer*
accouder (s') — *aimer*	affiler — *aimer*	allonger — *changer*	apitoyer — *employer*
accoupler — *aimer*	affilier — *étudier*	allouer — *aimer*	aplanir — *finir*
accourir — *courir*	affiner — *aimer*	allumer — *aimer*	aplatir — *finir*
accoutrer — *aimer*	affirmer — *aimer*	alluvionner — *aimer*	apostasier — *étudier*
accoutumer — *aimer*	affleurer — *aimer*	alourdir — *finir*	apostiller — *aimer*
accréditer — *aimer*	affliger — *changer*	alphabétiser — *aimer*	apostropher — *aimer*
accrocher — *aimer*	affluer — *aimer*	altérer — *posséder*	apparaître — *paraître*
accroire — *croire*	affoler — *aimer*	alterner — *aimer*	appareiller — *aimer*
accroître — *accroître*	affranchir — *finir*	aluminer — *aimer*	apparenter (s') — *aimer*
accroupir (s') — *finir*	affréter — *posséder*	alunir — *finir*	apparier — *étudier*
accueillir — *cueillir*	affrioler — *aimer*	amadouer — *aimer*	appartenir — *venir*
acculer — *aimer*	affronter — *aimer*	amaigrir — *finir*	appâter — *aimer*
acculturer — *aimer*	affubler — *aimer*	amalgamer — *aimer*	appauvrir — *finir*
accumuler — *aimer*	affûter — *aimer*	amarrer — *aimer*	appeler — *appeler*
accuser — *aimer*	agacer — *avancer*	amasser — *aimer*	appesantir — *finir*
acérer — *posséder*	agencer — *avancer*	ambitionner — *aimer*	applaudir — *finir*
achaler — *aimer*	agenouiller (s') — *aimer*	ambler — *aimer*	appliquer — *aimer*

apponter	*aimer*	assombrir	*finir*	avorter	*aimer*	bécoter	*aimer*
apporter	*aimer*	assommer	*aimer*	avouer	*aimer*	becqueter ou	
apposer	*aimer*	assortir	*finir*	axer	*aimer*	béqueter	*appeler*
apprécier	*étudier*	assoupir	*finir*	azurer	*aimer*	bedonner	*almer*
appréhender	*aimer*	assouplir	*finir*			béer	*créer*
apprendre	*apprendre*	assourdir	*finir*	babiller	*aimer*	bégayer	*payer*
apprêter	*aimer*	assouvir	*finir*	bâcher	*aimer*	bêler	*aimer*
apprivoiser	*aimer*	assujettir	*finir*	bachoter	*aimer*	bénéficier	*étudier*
approcher	*aimer*	assumer	*aimer*	bâcler	*aimer*	bénir	*finir*
approfondir	*finir*	assurer	*aimer*	badigeonner	*aimer*	bercer	*avancer*
approprier	*étudier*	asticoter	*aimer*	badiner	*aimer*	berner	*aimer*
approuver	*aimer*	astiquer	*aimer*	bafouer	*aimer*	besogner	*aimer*
approvisionner	*aimer*	astreindre	*éteindre*	bafouiller	*aimer*	bêtifier	*étudier*
appuyer	*employer*	atermoyer	*employer*	bâfrer	*aimer*	bétonner	*aimer*
apurer	*aimer*	atomiser	*aimer*	bagarrer	*aimer*	beugler	*aimer*
arabiser	*aimer*	atrophier (s')	*étudier*	baguenauder	*aimer*	beurrer	*aimer*
arbitrer	*aimer*	attabler (s')	*aimer*	baguer	*aimer*	biaiser	*aimer*
arborer	*aimer*	attacher	*aimer*	baigner	*aimer*	bichonner	*aimer*
arc-bouter	*aimer*	attaquer	*aimer*	bailler	*aimer*	bidonner (se)	*aimer*
archiver	*aimer*	attarder (s')	*aimer*	bâiller	*aimer*	biffer	*aimer*
argenter	*aimer*	atteindre	*éteindre*	bâillonner	*aimer*	bifurquer	*aimer*
arguer	*aimer*	atteler	*appeler*	baiser	*aimer*	bigarrer	*aimer*
argumenter	*aimer*	attendre	*fendre*	baisoter	*aimer*	biner	*aimer*
armer	*aimer*	attendrir	*finir*	baisser	*aimer*	biseauter	*aimer*
armorier	*étudier*	attenter	*aimer*	balader	*aimer*	bisser	*aimer*
arnaquer	*aimer*	atténuer	*aimer*	balafrer	*aimer*	bistrer	*aimer*
aromatiser	*aimer*	atterrer	*aimer*	balancer	*avancer*	bitumer	*aimer*
arpéger	*protéger*	atterrir	*finir*	balayer	*payer*	bivouaquer	*aimer*
arpenter	*aimer*	attester	*aimer*	balbutier	*étudier*	blaguer	*aimer*
arquer	*aimer*	attiédir	*finir*	baliser	*aimer*	blairer	*aimer*
arracher	*aimer*	attifer	*aimer*	balkaniser	*aimer*	blâmer	*aimer*
arraisonner	*aimer*	attirer	*aimer*	ballonner	*aimer*	blanchir	*finir*
arranger	*changer*	attiser	*aimer*	ballotter	*aimer*	blaser	*aimer*
arrêter	*aimer*	attraper	*aimer*	bambocher	*aimer*	blasphémer	*posséder*
arriérer	*posséder*	attribuer	*aimer*	banaliser	*aimer*	blatérer	*posséder*
arrimer	*aimer*	attrister	*aimer*	bander	*aimer*	blêmir	*finir*
arriver	*aimer*	attrouper	*aimer*	bannir	*finir*	blesser	*aimer*
arroger (s')	*changer*	auditionner	*aimer*	banqueter	*appeler*	blettir	*finir*
arrondir	*finir*	augmenter	*aimer*	baptiser	*aimer*	bleuir	*finir*
arroser	*aimer*	augurer	*aimer*	baragouiner	*aimer*	blinder	*aimer*
articuler	*aimer*	auréoler	*aimer*	baratiner	*aimer*	blondir	*finir*
aseptiser	*aimer*	ausculter	*aimer*	baratter	*aimer*	bloquer	*aimer*
asperger	*changer*	authentifier	*étudier*	barber	*aimer*	blottir (se)	*finir*
asphalter	*aimer*	autodétruire (s')	*conduire*	barboter	*aimer*	blouser	*aimer*
asphyxier	*étudier*	autofinancer (s')	*avancer*	barbouiller	*aimer*	bluffer	*aimer*
aspirer	*aimer*	automatiser	*aimer*	barder	*aimer*	bluter	*aimer*
assagir	*finir*	autoproclamer (s')	*aimer*	barioler	*aimer*	bobiner	*aimer*
assaillir	*tressaillir*	autopsier	*étudier*	barrer	*aimer*	boire	*boire*
assainir	*finir*	autoriser	*aimer*	barricader	*aimer*	boiser	*aimer*
assaisonner	*aimer*	avachir (s')	*finir*	barrir	*finir*	boiter	*aimer*
assassiner	*aimer*	avaler	*aimer*	basaner	*aimer*	boitiller	*aimer*
assécher	*posséder*	avaliser	*aimer*	basculer	*aimer*	bombarder	*aimer*
assembler	*aimer*	avancer	*avancer*	baser	*aimer*	bomber	*aimer*
assener ou		avantager	*changer*	batailler	*aimer*	bondir	*finir*
asséner	*peser*	avarier	*étudier*	batifoler	*aimer*	bonifier	*étudier*
asseoir	*asseoir*	aventurer (s')	*aimer*	bâtir	*finir*	bonimenter	*aimer*
assermenter	*aimer*	avérer (s')	*posséder*	battre	*combattre*	border	*aimer*
asservir	*finir*	avertir	*finir*	bavarder	*aimer*	borner	*aimer*
assiéger	*protéger*	aveugler	*aimer*	bavasser	*aimer*	bornoyer	*employer*
assigner	*aimer*	avilir	*finir*	baver	*aimer*	bosseler	*appeler*
assimiler	*aimer*	aviser	*aimer*	bayer	*payer*	bosser	*aimer*
assister	*aimer*	avitailler	*aimer*	bazarder	*aimer*	bossuer	*aimer*
associer	*étudier*	aviver	*aimer*	béatifier	*étudier*	botteler	*appeler*
assoler	*aimer*	avoisiner	*aimer*	bêcher	*aimer*	botter	*aimer*

boucaner .... *aimer*	broncher .... *aimer*	caoutchouter .... *aimer*	chanfreiner .... *aimer*
boucher .... *aimer*	bronzer .... *aimer*	caparaçonner ...... *aimer*	changer .... *changer*
bouchonner .... *aimer*	brosser .... *aimer*	capitaliser .... *aimer*	chanter .... *aimer*
boucler .... *aimer*	brouetter .... *aimer*	capitonner .... *aimer*	chantonner .... *aimer*
bouder .... *aimer*	brouiller .... *aimer*	capituler .... *aimer*	chantourner .... *aimer*
boudiner .... *aimer*	brouter .... *aimer*	capoter .... *aimer*	chaparder .... *aimer*
bouffer .... *aimer*	broyer .... *employer*	capsuler .... *aimer*	chapeauter .... *aimer*
bouffir .... *finir*	bruiner .... *aimer*	capter .... *aimer*	chaperonner .... *aimer*
bouffonner .... *aimer*	brûler .... *aimer*	captiver .... *aimer*	chapitrer .... *aimer*
bouger .... *changer*	brumer .... *aimer*	capturer .... *aimer*	charbonner .... *aimer*
bougonner .... *aimer*	brunir .... *finir*	caqueter .... *appeler*	charcuter .... *aimer*
bouillir .... *bouillir*	brusquer .... *aimer*	caracoler .... *aimer*	charger .... *changer*
bouillonner .... *aimer*	brutaliser .... *aimer*	caractériser .... *aimer*	charmer .... *aimer*
boulanger .... *changer*	bûcher .... *aimer*	caramboler .... *aimer*	charrier .... *étudier*
bouler .... *aimer*	budgétiser .... *aimer*	caraméliser .... *aimer*	charroyer .... *employer*
bouleverser .... *aimer*	bureaucratiser ..... *aimer*	carapater (se) ..... *aimer*	chasser .... *aimer*
boulonner .... *aimer*	buriner .... *aimer*	carboniser .... *aimer*	châtier .... *étudier*
bouquiner .... *aimer*	buter .... *aimer*	carburer .... *aimer*	chatouiller .... *aimer*
bourdonner .... *aimer*	butiner .... *aimer*	carder .... *aimer*	chatoyer .... *employer*
bourgeonner ...... *aimer*	butter .... *aimer*	caréner .... *posséder*	châtrer .... *aimer*
bourlinguer .... *aimer*		caresser .... *aimer*	chauffer .... *aimer*
bourreler .... *appeler*	câbler .... *aimer*	carguer .... *aimer*	chauler .... *aimer*
bourrer .... *aimer*	cabosser .... *aimer*	caricaturer .... *aimer*	chaumer .... *aimer*
boursicoter .... *aimer*	cabotiner .... *aimer*	carier .... *étudier*	chausser .... *aimer*
boursoufler .... *aimer*	cabrer .... *aimer*	carillonner .... *aimer*	chavirer .... *aimer*
bousculer .... *aimer*	cabrioler .... *aimer*	carotter .... *aimer*	cheminer .... *aimer*
bousiller .... *aimer*	cacaber .... *aimer*	carreler .... *appeler*	chercher .... *aimer*
bouter .... *aimer*	cacher .... *aimer*	carrer .... *aimer*	chérir .... *finir*
boutonner .... *aimer*	cacheter .... *appeler*	carrosser .... *aimer*	chevaucher .... *aimer*
bouturer .... *aimer*	cadastrer .... *aimer*	cartonner .... *aimer*	cheviller .... *aimer*
bouveter .... *appeler*	cadenasser .... *aimer*	cascader .... *aimer*	chevroter .... *aimer*
boxer .... *aimer*	cadencer .... *avancer*	caser .... *aimer*	chialer .... *aimer*
boycotter .... *aimer*	cadrer .... *aimer*	casquer .... *aimer*	chicaner .... *aimer*
braconner .... *aimer*	cafarder .... *aimer*	casser .... *aimer*	chicoter .... *aimer*
brader .... *aimer*	cafouiller .... *aimer*	castrer .... *aimer*	chiffonner .... *aimer*
brailler .... *aimer*	cahoter .... *aimer*	cataloguer .... *aimer*	chiffrer .... *aimer*
braire .... *soustraire*	cailler .... *aimer*	catalyser .... *aimer*	chiner .... *aimer*
braiser .... *aimer*	cajoler .... *aimer*	catastropher .... *aimer*	chiper .... *aimer*
bramer .... *aimer*	calciner .... *aimer*	causer .... *aimer*	chipoter .... *aimer*
brancher .... *aimer*	calculer .... *aimer*	cautériser .... *aimer*	chiquer .... *aimer*
brandir .... *finir*	caler .... *aimer*	cautionner .... *aimer*	chloroformer .... *aimer*
branler .... *aimer*	calfater .... *aimer*	cavaler .... *aimer*	choisir .... *finir*
braquer .... *aimer*	calfeutrer .... *aimer*	céder .... *posséder*	chômer .... *aimer*
brasser .... *aimer*	calibrer .... *aimer*	ceindre .... *éteindre*	choquer .... *aimer*
braver .... *aimer*	câliner .... *aimer*	ceinturer .... *aimer*	chouchouter .... *aimer*
bredouiller .... *aimer*	calligraphier .... *étudier*	célébrer .... *posséder*	choyer .... *employer*
breveter .... *appeler*	calmer .... *aimer*	celer .... *congeler*	christianiser .... *aimer*
bricoler .... *aimer*	calomnier .... *étudier*	censurer .... *aimer*	chromer .... *aimer*
brider .... *aimer*	calorifuger .... *changer*	centraliser .... *aimer*	chronométrer .... *posséder*
bridger .... *changer*	calotter .... *aimer*	centrer .... *aimer*	chuchoter .... *aimer*
briguer .... *aimer*	calquer .... *aimer*	centrifuger .... *changer*	chuinter .... *aimer*
brillanter .... *aimer*	cambrer .... *aimer*	centupler .... *aimer*	chuter .... *aimer*
brillantiner.......... *aimer*	cambrioler .... *aimer*	cerner .... *aimer*	cibler .... *aimer*
briller .... *aimer*	camoufler .... *aimer*	certifier .... *étudier*	cicatriser .... *aimer*
brimbaler .... *aimer*	camper .... *aimer*	cesser .... *aimer*	ciller .... *aimer*
brimer .... *aimer*	canaliser .... *aimer*	chagriner .... *aimer*	cimenter .... *aimer*
bringuebaler ou	canarder .... *aimer*	chahuter .... *aimer*	cingler .... *aimer*
brinquebaler .....*aimer*	cancaner .... *aimer*	chamailler (se) ..... *aimer*	cintrer .... *aimer*
briquer .... *aimer*	canneler .... *appeler*	chamarrer .... *aimer*	circoncire .... *suffire*
briqueter .... *appeler*	cannibaliser .... *aimer*	chambarder .... *aimer*	circonscrire .... *écrire*
briser .... *aimer*	canoniser .... *aimer*	chambouler .... *aimer*	circonvenir .... *venir*
brocanter.......... *aimer*	canonner .... *aimer*	chambranler .... *aimer*	circuler .... *aimer*
brocher .... *aimer*	canoter.............. *aimer*	chambrer .... *aimer*	cirer .... *aimer*
broder .... *aimer*	cantonner .... *aimer*	chanceler .... *appeler*	cisailler .... *aimer*

ciseler	congeler	commenter	aimer	conforter	aimer	converger	changer
citer	aimer	commercer	avancer	confronter	aimer	converser	aimer
civiliser	aimer	commercialiser	aimer	congédier	étudier	convertir	finir
claironner	aimer	commérer	posséder	congeler	congeler	convier	étudier
clamer	aimer	commettre	remettre	congestionner	aimer	convoiter	aimer
claquemurer	aimer	commotionner	aimer	congratuler	aimer	convoler	aimer
claquer	aimer	commuer	aimer	conjecturer	aimer	convoquer	aimer
clarifier	étudier	communier	étudier	conjuguer	aimer	convoyer	employer
classer	aimer	communiquer	aimer	conjurer	aimer	convulser	aimer
classifier	étudier	commuter	aimer	connaître	paraître	coopérer	posséder
claudiquer	aimer	comparaître	paraître	connecter	aimer	coordonner	aimer
claustrer	aimer	comparer	aimer	conquérir	acquérir	copier	étudier
cligner	aimer	compartimenter	aimer	consacrer	aimer	corder	aimer
clignoter	aimer	compatir	finir	conscientiser	aimer	corner	aimer
climatiser	aimer	compenser	aimer	conseiller	aimer	correspondre	fendre
cliquer	aimer	compétitionner	aimer	consentir	sortir	corriger	changer
cliqueter	appeler	compiler	aimer	conserver	aimer	corroborer	aimer
cliver	aimer	complaire (se)	plaire	considérer	posséder	corroder	aimer
clocher	aimer	compléter	posséder	consigner	aimer	corrompre	fendre
cloisonner	aimer	complexer	aimer	consister	aimer	corser	aimer
cloîtrer	aimer	complimenter	aimer	consoler	aimer	corseter	congeler
cloner	aimer	compliquer	aimer	consolider	aimer	costumer	aimer
cloquer	aimer	comploter	aimer	consommer	aimer	coter	aimer
clore	clore	comporter	aimer	conspirer	aimer	cotiser	aimer
clôturer	aimer	composer	aimer	conspuer	aimer	cotonner (se)	aimer
clouer	aimer	composter	aimer	constater	aimer	côtoyer	employer
clouter	aimer	comprendre	apprendre	consteller	aimer	coucher	aimer
coaguler	aimer	compresser	aimer	consterner	aimer	couder	aimer
coaliser	aimer	comprimer	aimer	constiper	aimer	coudoyer	employer
coasser	aimer	compromettre	remettre	constituer	aimer	coudre	coudre
cocher	aimer	comptabiliser	aimer	construire	conduire	couiner	aimer
côcher	aimer	compter	aimer	consulter	aimer	couler	aimer
cochonner	aimer	compulser	aimer	consumer	aimer	coulisser	aimer
cocufier	étudier	concasser	aimer	contacter	aimer	couper	aimer
coder	aimer	concéder	posséder	contaminer	aimer	coupler	aimer
codifier	étudier	concentrer	aimer	contempler	aimer	courailler	aimer
coexister	aimer	conceptualiser	aimer	contenir	venir	courbaturer	aimer
coffrer	aimer	concerner	aimer	contenter	aimer	courber	aimer
cogiter	aimer	concerter	aimer	conter	aimer	courir	courir
cogner	aimer	concevoir	apercevoir	contester	aimer	couronner	aimer
cohabiter	aimer	concilier	étudier	contingenter	aimer	courroucer	avancer
coiffer	aimer	conclure	inclure	continuer	aimer	court-circuiter	aimer
coincer	avancer	concocter	aimer	contorsionner (se)	aimer	courtiser	aimer
coïncider	aimer	concorder	aimer	contourner	aimer	coûter	aimer
collaborer	aimer	concourir	courir	contracter	aimer	couver	aimer
collecter	aimer	concrétiser	aimer	contraindre	craindre	couvrir	ouvrir
collectionner	aimer	concurrencer	avancer	contrarier	étudier	cracher	aimer
coller	aimer	condamner	aimer	contraster	aimer	crachoter	aimer
colleter	appeler	condenser	aimer	contre-attaquer	aimer	craindre	craindre
colliger	changer	condescendre	fendre	contrebalancer	avancer	cramponner (se)	aimer
colmater	aimer	conditionner	aimer	contrecarrer	aimer	crâner	aimer
coloniser	aimer	conduire	conduire	contredire	dire	craqueler	appeler
colorer	aimer	confectionner	aimer	contrefaire	faire	craquer	aimer
colorier	étudier	confédérer	posséder	contreficher (se)	aimer	craqueter	appeler
colporter	aimer	conférer	posséder	contrefoutre (se)	fendre	cravacher	aimer
coltiner	aimer	confesser	aimer	contre-indiquer	aimer	cravater	aimer
combattre	combattre	confier	étudier	contremander	aimer	crayonner	aimer
combiner	aimer	configurer	aimer	contrer	aimer	créditer	aimer
combler	aimer	confiner	aimer	contresigner	aimer	créer	créer
commander	aimer	confire	suffire	contrevenir	venir	créneler	appeler
commanditer	aimer	confirmer	aimer	contribuer	aimer	crêper	aimer
commémorer	aimer	confisquer	aimer	contrôler	aimer	crépir	finir
commencer	avancer	confondre	fendre	convaincre	vaincre	crépiter	aimer
		conformer	aimer	convenir	venir	crétiniser	aimer

creuser .... aimer	débouler .... aimer	décompresser ...... aimer	défrayer .... payer
crevasser .... aimer	débourser .... aimer	décomprimer ...... aimer	défricher .... aimer
crever .... lever	déboussoler .... aimer	déconcentrer ...... aimer	défriser .... aimer
criailler .... aimer	débouter .... aimer	déconcerter .... aimer	défroisser .... aimer
crier .... étudier	déboutonner ...... aimer	décongeler .... congeler	défroncer .... avancer
crisper .... aimer	débrailler (se) ...... aimer	décongestionner .. aimer	dégager .... changer
crisser .... aimer	débrancher .... aimer	déconnecter .... aimer	dégainer .... aimer
cristalliser .... aimer	débrayer .... payer	déconner .... aimer	déganter (se) .... aimer
critiquer .... aimer	débrider .... aimer	déconseiller .... aimer	dégarnir .... finir
croasser .... aimer	débrouiller .... aimer	déconsidérer .... posséder	dégeler .... congeler
crocheter .... congeler	débroussailler ..... aimer	déconsigner .... aimer	dégénérer .... posséder
croire .... croire	débusquer .... aimer	décontaminer ..... aimer	dégivrer .... aimer
croiser .... aimer	débuter .... aimer	décontenancer ... avancer	déglacer .... aimer
croître .... accroître	décacheter .... appeler	décontracter ...... aimer	déglutir .... finir
croquer .... aimer	décaféiner .... aimer	décorer .... aimer	dégommer .... aimer
crouler .... aimer	décalcifier .... étudier	décortiquer .... aimer	dégonfler .... aimer
croupir .... finir	décaler .... aimer	découcher .... aimer	dégorger .... changer
croustiller .... aimer	décalquer .... aimer	découdre .... coudre	dégoter ou
crucifier .... étudier	décamper .... aimer	découper .... aimer	dégotter .... aimer
cueillir .... cueillir	décanter .... aimer	décourager .... changer	dégouliner .... aimer
cuire .... conduire	décaper .... aimer	découvrir .... ouvrir	dégourdir .... finir
cuisiner .... aimer	décapiter .... aimer	décrasser .... aimer	dégoûter .... aimer
cuivrer .... aimer	décapsuler .... aimer	décrêper .... aimer	dégoutter .... aimer
culbuter .... aimer	décarcasser (se) .... aimer	décrépir .... finir	dégrader .... aimer
culminer .... aimer	décatir .... finir	décréter .... posséder	dégrafer .... aimer
culpabiliser .... aimer	décéder .... posséder	décrier .... étudier	dégraisser .... aimer
cultiver .... aimer	déceler .... congeler	décrire .... écrire	dégrever .... lever
cumuler .... aimer	décélérer .... posséder	décrocher .... aimer	dégringoler .... aimer
curer .... aimer	décentraliser ...... aimer	décroiser .... aimer	dégriser .... aimer
cureter .... appeler	décentrer .... aimer	décroître .... accroître	dégrossir .... finir
cuver .... aimer	décérébrer .... posséder	décrotter .... aimer	déguerpir .... finir
	décerner .... aimer	décrypter .... aimer	déguiser .... aimer
dactylographier ... étudier	déceveler .... appeler	déculotter .... aimer	déguster .... aimer
daigner .... aimer	décevoir .... apercevoir	déculpabiliser ..... aimer	déhancher (se) ..... aimer
daller .... aimer	déchaîner .... aimer	décupler .... aimer	déifier .... étudier
damasquiner ...... aimer	déchanter .... aimer	dédaigner .... aimer	déjeuner .... aimer
damasser .... aimer	décharger .... changer	dédicacer .... avancer	déjouer .... aimer
damer .... aimer	décharner .... aimer	dédier .... étudier	déjuger (se) .... changer
damner .... aimer	déchausser .... aimer	dédire (se) .... dire	délabrer .... aimer
dandiner (se) ...... aimer	déchiffrer .... aimer	dédommager ..... changer	délacer .... avancer
danser .... aimer	déchiqueter .... appeler	dédouaner .... aimer	délaisser .... aimer
darder .... aimer	déchirer .... aimer	dédoubler .... aimer	délasser .... aimer
dater .... aimer	décider .... aimer	dédramatiser ..... aimer	délaver .... aimer
dauber .... aimer	décimer .... aimer	déduire .... conduire	délayer .... payer
déambuler .... aimer	décintrer .... aimer	défaillir .... tressaillir	délecter (se) .... aimer
déballer .... aimer	déclamer .... aimer	défaire .... faire	déléguer .... posséder
débarbouiller ..... aimer	déclarer .... aimer	défalquer .... aimer	délester .... aimer
débarquer .... aimer	déclasser .... aimer	défavoriser .... aimer	délibérer .... posséder
débarrasser .... aimer	déclencher .... aimer	défendre .... fendre	délier .... étudier
débarrer .... aimer	décliner .... aimer	déféquer .... posséder	délimiter .... aimer
débattre .... combattre	décliqueter .... appeler	déférer .... posséder	délirer .... aimer
débaucher .... aimer	décloisonner ...... aimer	déferler .... aimer	délivrer .... aimer
débiliter .... aimer	déclouer .... aimer	déferrer .... aimer	délocaliser .... aimer
débiter .... aimer	décocher .... aimer	déficeler .... appeler	déloger .... changer
déblatérer .... posséder	décoder .... aimer	défier .... étudier	démagnétiser ...... aimer
déblayer .... payer	décoiffer .... aimer	défigurer .... aimer	démailloter .... aimer
débloquer .... aimer	décoincer .... avancer	défiler .... aimer	demander .... aimer
déboiser .... aimer	décolérer .... posséder	définir .... finir	démanger .... changer
déboîter .... aimer	décoller .... aimer	déflorer .... aimer	démanteler .... congeler
déborder .... aimer	décolleter .... appeler	défolier .... étudier	démantibuler ..... aimer
débosseler .... appeler	décoloniser .... aimer	défoncer .... avancer	démaquiller .... aimer
débotter .... aimer	décolorer .... aimer	déformer .... aimer	démarquer .... aimer
déboucher .... aimer	décommander .... aimer	défouler (se) ...... aimer	démarrer .... aimer
déboucler .... aimer	décomposer .... aimer	défraîchir .... finir	démasquer .... aimer

démêler	*aimer*	déphaser	*aimer*	descendre	*fendre*	dételer	*appeler*
démembrer	*aimer*	dépister	*aimer*	désemparer	*aimer*	détendre	*fendre*
déménager	*changer*	dépiter	*aimer*	désemplir	*finir*	détenir	*venir*
démener (se)	*lever*	déplacer	*avancer*	désenchanter	*aimer*	détériorer	*aimer*
démentir	*sortir*	déplaire	*plaire*	désencombrer	*aimer*	déterminer	*aimer*
démerder (se)	*aimer*	déplier	*étudier*	désendetter (se)	*aimer*	déterrer	*aimer*
démériter	*aimer*	déplisser	*aimer*	désenfler	*aimer*	détester	*aimer*
démettre	*remettre*	déplorer	*aimer*	désengager	*changer*	détoner	*aimer*
demeurer	*aimer*	déployer	*employer*	désengorger	*changer*	détonner	*aimer*
démilitariser	*aimer*	déplumer	*aimer*	désennuyer	*employer*	détordre	*fendre*
déminer	*aimer*	dépolir	*finir*	désensibiliser	*aimer*	détortiller	*aimer*
déminéraliser	*aimer*	dépolitiser	*aimer*	déséquilibrer	*aimer*	détourner	*aimer*
démissionner	*aimer*	dépolluer	*aimer*	déserter	*aimer*	détraquer	*aimer*
démobiliser	*aimer*	déporter	*aimer*	désertifier (se)	*étudier*	détremper	*aimer*
démocratiser	*aimer*	déposer	*aimer*	désespérer	*posséder*	détromper	*aimer*
démoder (se)	*aimer*	déposséder	*posséder*	déshabiller	*aimer*	détrôner	*aimer*
démolir	*finir*	dépoter	*aimer*	déshabituer	*aimer*	détrousser	*aimer*
démonter	*aimer*	dépouiller	*aimer*	désherber	*aimer*	détruire	*conduire*
démontrer	*aimer*	dépoussiérer	*posséder*	déshériter	*aimer*	dévaler	*aimer*
démoraliser	*aimer*	dépraver	*aimer*	déshonorer	*aimer*	dévaliser	*aimer*
démordre	*fendre*	déprécier	*étudier*	déshumaniser	*aimer*	dévaloriser	*aimer*
démotiver	*aimer*	déprendre (se)	*apprendre*	déshydrater	*aimer*	dévaluer	*aimer*
démouler	*aimer*	dépressuriser	*aimer*	désigner	*aimer*	devancer	*avancer*
démunir	*finir*	déprimer	*aimer*	désillusionner	*aimer*	dévaster	*aimer*
démystifier	*étudier*	déprogrammer	*aimer*	désincruster	*aimer*	développer	*aimer*
démythifier	*étudier*	dépuceler	*appeler*	désinfecter	*aimer*	devenir	*venir*
dénationaliser	*aimer*	déraciner	*aimer*	désintégrer	*posséder*	dévergonder (se)	*aimer*
dénaturaliser	*aimer*	dérailler	*aimer*	désintéresser	*aimer*	déverrouiller	*aimer*
dénaturer	*aimer*	déraisonner	*aimer*	désintoxiquer	*aimer*	déverser	*aimer*
déneiger	*changer*	déranger	*changer*	désirer	*aimer*	dévêtir	*vêtir*
déniaiser	*aimer*	déraper	*aimer*	désister (se)	*aimer*	dévier	*étudier*
dénicher	*aimer*	dératiser	*aimer*	désobéir	*finir*	deviner	*aimer*
dénier	*étudier*	déréglementer	*aimer*	désobliger	*changer*	dévisager	*changer*
dénigrer	*aimer*	dérégler	*posséder*	désodoriser	*aimer*	deviser	*aimer*
déniveler	*appeler*	dérider	*aimer*	désoler	*aimer*	dévisser	*aimer*
dénombrer	*aimer*	dériver	*aimer*	désolidariser	*aimer*	dévoiler	*aimer*
dénommer	*aimer*	dérober	*aimer*	désorganiser	*aimer*	devoir	*devoir*
dénoncer	*avancer*	déroger	*changer*	désorienter	*aimer*	dévorer	*aimer*
dénoter	*aimer*	dérougir	*finir*	désosser	*aimer*	dévouer (se)	*aimer*
dénouer	*aimer*	dérouiller	*aimer*	desquamer	*aimer*	dévoyer	*employer*
dénoyauter	*aimer*	dérouler	*aimer*	dessaisir	*finir*	diagnostiquer	*aimer*
denteler	*appeler*	dérouter	*aimer*	dessécher	*posséder*	dialoguer	*aimer*
dénuder	*aimer*	désabuser	*aimer*	desseller	*aimer*	dialyser	*aimer*
dépailler	*aimer*	désaccorder	*aimer*	desserrer	*aimer*	dicter	*aimer*
dépanner	*aimer*	désaccoutumer	*aimer*	dessertir	*finir*	diffamer	*aimer*
dépaqueter	*appeler*	désactiver	*aimer*	desservir	*servir*	différencier	*étudier*
dépareiller	*aimer*	désaffecter	*aimer*	dessiller	*aimer*	différentier	*étudier*
déparer	*aimer*	désaffilier	*étudier*	dessiner	*aimer*	différer	*posséder*
déparier	*étudier*	désagréger	*protéger*	dessouder	*aimer*	diffuser	*aimer*
départager	*changer*	désaisonnaliser	*aimer*	dessoûler ou		digérer	*posséder*
départir	*sortir*	désaltérer	*posséder*	dessaouler	*aimer*	dilapider	*aimer*
dépasser	*aimer*	désamorcer	*avancer*	déstabiliser	*aimer*	dilater	*aimer*
dépayser	*aimer*	désappointer	*aimer*	destiner	*aimer*	diluer	*aimer*
dépecer	*avancer*	désapprendre	*apprendre*	destituer	*aimer*	diminuer	*aimer*
	ou lever	désapprouver	*aimer*	déstructurer	*aimer*	dîner	*aimer*
dépêcher	*aimer*	désarçonner	*aimer*	désunir	*finir*	diphtonguer	*aimer*
dépeigner	*aimer*	désargenter	*aimer*	désynchroniser	*aimer*	diplômer	*aimer*
dépeindre	*éteindre*	désarmer	*aimer*	détacher	*aimer*	dire	*dire*
dépendre	*fendre*	désarticuler	*aimer*	détailler	*aimer*	diriger	*changer*
dépenser	*aimer*	désassortir	*finir*	détaler	*aimer*	discerner	*aimer*
dépérir	*finir*	désavantager	*changer*	détartrer	*aimer*	discipliner	*aimer*
dépersonnaliser	*aimer*	désavouer	*aimer*	détaxer	*aimer*	discontinuer	*aimer*
dépêtrer (se)	*aimer*	désaxer	*aimer*	détecter	*aimer*	disconvenir	*venir*
dépeupler	*aimer*	desceller	*aimer*	déteindre	*éteindre*	discourir	*courir*

discréditer .... *aimer*	dynamiter .... *aimer*	effectuer .... *aimer*	embusquer .... *aimer*
discriminer .... *aimer*		effeuiller .... *aimer*	émerger .... *changer*
disculper .... *aimer*	ébahir .... *finir*	effiler .... *aimer*	émerveiller .... *aimer*
discuter .... *aimer*	ébattre (s') .... *combattre*	effilocher .... *aimer*	émettre .... *remettre*
disgracier .... *étudier*	ébaucher .... *aimer*	effleurer .... *aimer*	émietter .... *aimer*
disjoindre .... *joindre*	éberluer .... *aimer*	effondrer (s') ...... *aimer*	émigrer .... *aimer*
disloquer .... *aimer*	éblouir .... *finir*	efforcer (s') .... *avancer*	émincer .... *avancer*
disparaître .... *paraître*	éborgner .... *aimer*	effranger .... *changer*	emmagasiner ...... *aimer*
dispenser .... *aimer*	ébouillanter .... *aimer*	effrayer .... *payer*	emmailloter .... *aimer*
disperser .... *aimer*	ébouler .... *aimer*	effriter .... *aimer*	emmêler .... *aimer*
disposer .... *aimer*	ébouriffer .... *aimer*	égailler (s') .... *aimer*	emménager .... *changer*
disputer .... *aimer*	ébranler .... *aimer*	égaler .... *aimer*	emmener .... *lever*
disqualifier .... *étudier*	ébrécher .... *posséder*	égaliser .... *aimer*	emmerder .... *aimer*
disséminer .... *aimer*	ébrouer (s') .... *aimer*	égarer .... *aimer*	emmitoufler .... *aimer*
disséquer .... *posséder*	ébruiter .... *aimer*	égayer .... *payer*	emmurer .... *aimer*
disserter .... *aimer*	écailler .... *aimer*	égorger .... *changer*	émonder .... *aimer*
dissimuler .... *aimer*	écaler .... *aimer*	égosiller (s') .... *aimer*	émousser .... *aimer*
dissiper .... *aimer*	écarquiller .... *aimer*	égoutter .... *aimer*	émoustiller .... *aimer*
dissocier .... *étudier*	écarteler .... *congeler*	égratigner .... *aimer*	émouvoir .... *émouvoir*
dissoudre .... *résoudre*	écarter .... *aimer*	égrener ou	empailler .... *aimer*
dissuader .... *aimer*	échafauder .... *aimer*	égrainer .... *lever*	empaler .... *aimer*
distancer .... *avancer*	échancrer .... *aimer*	éjaculer .... *aimer*	empanacher .... *aimer*
distendre .... *fendre*	échanger .... *changer*	éjecter .... *aimer*	empaqueter .... *appeler*
distiller .... *aimer*	échantillonner ...... *aimer*	élaborer .... *aimer*	emparer (s') .... *aimer*
distinguer .... *aimer*	échapper .... *aimer*	élaguer .... *aimer*	empâter (s') .... *aimer*
distordre .... *fendre*	échauder .... *aimer*	élancer .... *avancer*	empêcher .... *aimer*
distraire .... *soustraire*	échauffer .... *aimer*	élargir .... *finir*	empeser .... *lever*
distribuer .... *aimer*	échelonner .... *aimer*	électrifier .... *étudier*	empester .... *aimer*
divaguer .... *aimer*	écheveler .... *appeler*	électriser .... *aimer*	empêtrer .... *aimer*
diverger .... *changer*	échiner (s') .... *aimer*	électrocuter .... *aimer*	empiéter .... *posséder*
diversifier .... *étudier*	échouer .... *aimer*	élever .... *lever*	empiffrer (s') ...... *aimer*
divertir .... *finir*	éclabousser .... *aimer*	élider .... *aimer*	empiler .... *aimer*
diviniser .... *aimer*	éclaircir .... *finir*	éliminer .... *aimer*	empirer .... *aimer*
diviser .... *aimer*	éclairer .... *aimer*	élire .... *lire*	emplir .... *finir*
divorcer .... *avancer*	éclater .... *aimer*	éloigner .... *aimer*	employer .... *employer*
divulguer .... *aimer*	éclipser .... *aimer*	élucider .... *aimer*	empocher .... *aimer*
documenter .... *aimer*	éclore .... *clore*	éluder .... *aimer*	empoigner .... *aimer*
dodeliner .... *aimer*	écœurer .... *aimer*	émacier .... *étudier*	empoisonner .... *aimer*
domestiquer .... *aimer*	éconduire .... *conduire*	émailler .... *aimer*	emporter .... *aimer*
domicilier .... *étudier*	économiser .... *aimer*	émanciper .... *aimer*	empoter .... *aimer*
dominer .... *aimer*	écoper .... *aimer*	émaner .... *aimer*	empreindre .... *éteindre*
dompter .... *aimer*	écorcer .... *avancer*	émarger .... *changer*	empresser (s') ...... *aimer*
donner .... *aimer*	écorcher .... *aimer*	émasculer .... *aimer*	emprisonner .... *aimer*
doper .... *aimer*	écornifler .... *aimer*	emballer .... *aimer*	emprunter .... *aimer*
dorer .... *aimer*	écosser .... *aimer*	embarquer .... *aimer*	encadrer .... *aimer*
dorloter .... *aimer*	écouler .... *aimer*	embarrasser .... *aimer*	encaisser .... *aimer*
dormir .... *dormir*	écouter .... *aimer*	embaucher .... *aimer*	encanailler (s') .... *aimer*
doser .... *aimer*	écrabouiller .... *aimer*	embaumer .... *aimer*	encapuchonner .... *aimer*
doter .... *aimer*	écraser .... *aimer*	embellir .... *finir*	encastrer .... *aimer*
doubler .... *aimer*	écrémer .... *posséder*	emberlificoter ...... *aimer*	encenser .... *aimer*
doucher .... *aimer*	écrier (s') .... *étudier*	embêter .... *aimer*	encercler .... *aimer*
douer .... *aimer*	écrire .... *écrire*	embobiner .... *aimer*	enchaîner .... *aimer*
douter .... *aimer*	écrouer .... *aimer*	emboîter .... *aimer*	enchanter .... *aimer*
draguer .... *aimer*	écrouler (s') .... *aimer*	embourber .... *aimer*	enchâsser .... *aimer*
drainer .... *étudier*	écumer .... *aimer*	embourgeoiser ...... *aimer*	enchevêtrer .... *aimer*
dramatiser .... *aimer*	édenter .... *aimer*	embouteiller .... *aimer*	enclaver .... *aimer*
draper .... *aimer*	édicter .... *aimer*	emboutir .... *finir*	enclencher .... *aimer*
draver .... *aimer*	édifier .... *étudier*	embraser .... *aimer*	enclore .... *clore*
dresser .... *aimer*	éditer .... *aimer*	embrasser .... *aimer*	encoder .... *aimer*
droguer .... *aimer*	édulcorer .... *aimer*	embrayer .... *payer*	encoller .... *aimer*
duper .... *aimer*	éduquer .... *aimer*	embrigader .... *aimer*	encombrer .... *aimer*
durcir .... *finir*	effacer .... *avancer*	embrocher .... *aimer*	encourager .... *changer*
durer .... *aimer*	effarer .... *aimer*	embrouiller .... *aimer*	encourir .... *courir*
dynamiser .... *aimer*	effaroucher .... *aimer*	embuer .... *aimer*	encrasser .... *aimer*

encroûter .... *aimer*	enrhumer .... *aimer*	envisager .... *changer*	essuyer .... *employer*
endetter .... *aimer*	enrichir .... *finir*	envoler (s') .... *aimer*	estamper .... *aimer*
endeuiller .... *aimer*	enrober .... *aimer*	envoûter .... *aimer*	estampiller .... *aimer*
endiguer .... *aimer*	enrôler .... *aimer*	envoyer .... *envoyer*	estimer .... *aimer*
endimancher (s') .. *aimer*	enrouer .... *aimer*	épaissir .... *finir*	estomaquer .... *aimer*
endolorir .... *finir*	enrouler .... *aimer*	épancher .... *aimer*	estomper .... *aimer*
endommager ...... *changer*	enrubanner .... *aimer*	épandre .... *fendre*	estropier .... *étudier*
endormir .... *dormir*	ensabler .... *aimer*	épanouir .... *finir*	établir .... *finir*
endosser .... *aimer*	ensacher .... *aimer*	épargner .... *aimer*	étager .... *changer*
enduire .... *conduire*	ensanglanter ...... *aimer*	éparpiller .... *aimer*	étaler .... *aimer*
endurcir .... *finir*	enseigner .... *aimer*	épater .... *aimer*	étalonner .... *aimer*
endurer .... *aimer*	ensemencer .... *avancer*	épauler .... *aimer*	étamper .... *aimer*
énerver .... *aimer*	enserrer .... *aimer*	épeler .... *appeler*	étancher .... *aimer*
enfanter .... *aimer*	ensevelir .... *finir*	éperonner .... *aimer*	étatiser .... *aimer*
enfarger .... *changer*	ensoleiller .... *aimer*	épeurer .... *aimer*	étayer .... *payer*
enfermer .... *aimer*	ensorceler .... *appeler*	épicer .... *avancer*	éteindre .... *éteindre*
enfiévrer .... *posséder*	ensuivre (s') .... *suivre*	épier .... *étudier*	étendre .... *fendre*
enfiler .... *aimer*	entacher .... *aimer*	épiler .... *aimer*	éterniser .... *aimer*
enflammer .... *aimer*	entailler .... *aimer*	épiloguer .... *aimer*	éternuer .... *aimer*
enfler .... *aimer*	entamer .... *aimer*	épingler .... *aimer*	étinceler .... *appeler*
enfoncer .... *avancer*	entartrer .... *aimer*	éployer .... *employer*	étioler (s') .... *aimer*
enfouir .... *finir*	entasser .... *aimer*	éplucher .... *aimer*	étiqueter .... *appeler*
enfourcher .... *aimer*	entendre .... *fendre*	éponger .... *changer*	étirer .... *aimer*
enfourner .... *aimer*	enter .... *aimer*	époumoner (s') ... *aimer*	étoffer .... *aimer*
enfreindre .... *éteindre*	entériner .... *aimer*	épouser .... *aimer*	étoiler .... *aimer*
enfuir (s') .... *fuir*	enterrer .... *aimer*	épousseter .... *appeler*	étonner .... *aimer*
engager .... *changer*	entêter (s') .... *aimer*	époustoufler ...... *aimer*	étouffer .... *aimer*
engendrer .... *aimer*	enthousiasmer .... *aimer*	épouvanter .... *aimer*	étourdir .... *finir*
englober .... *aimer*	enticher (s') .... *aimer*	éprendre (s') ...... *apprendre*	étrangler .... *aimer*
engloutir .... *finir*	entonner .... *aimer*	éprouver .... *aimer*	être .... *être*
engoncer .... *avancer*	entortiller .... *aimer*	épuiser .... *aimer*	étreindre .... *éteindre*
engorger .... *changer*	entourer .... *aimer*	épurer .... *aimer*	étrenner .... *aimer*
engouer (s') .... *aimer*	entraider (s') ...... *aimer*	équarrir .... *finir*	étriller .... *aimer*
engouffrer .... *aimer*	entr'*aimer* (s') ..... *aimer*	équeuter .... *aimer*	étriper .... *aimer*
engourdir .... *finir*	entraîner .... *aimer*	équilibrer .... *aimer*	étriquer .... *aimer*
engraisser .... *aimer*	entrapercevoir ou	équiper .... *aimer*	étudier .... *étudier*
engranger .... *changer*	entr'apercevoir .. *apercevoir*	équivaloir .... *valoir*	étuver .... *aimer*
engueuler .... *aimer*	entraver .... *aimer*	éradiquer .... *aimer*	européaniser .... *aimer*
enguirlander ...... *aimer*	entrebâiller .... *aimer*	érafler .... *aimer*	évacuer .... *aimer*
enhardir .... *finir*	entrechoquer ..... *aimer*	érailler .... *aimer*	évader (s') .... *aimer*
enivrer .... *aimer*	entrecouper .... *aimer*	éreinter .... *aimer*	évaluer .... *aimer*
enjamber .... *aimer*	entrecroiser (s') .... *aimer*	ergoter .... *aimer*	évangéliser .... *aimer*
enjoindre .... *joindre*	entre-déchirer (s') .*aimer*	ériger .... *changer*	évanouir (s') .... *finir*
enjôler .... *aimer*	entre-dévorer (s') .*aimer*	éroder .... *aimer*	évaporer (s') .... *aimer*
enjoliver .... *aimer*	entr'égorger (s') .. *changer*	errer .... *aimer*	évaser .... *aimer*
enlacer .... *avancer*	entrelacer .... *avancer*	éructer .... *aimer*	éveiller .... *aimer*
enlaidir .... *finir*	entrelarder .... *aimer*	escalader .... *aimer*	éventer .... *aimer*
enlever .... *lever*	entremêler .... *aimer*	escamoter .... *aimer*	éventrer .... *aimer*
enliser .... *aimer*	entremettre (s') ... *remettre*	esclaffer (s') .... *aimer*	évertuer (s') .... *aimer*
enluminer .... *aimer*	entreposer .... *aimer*	escompter .... *aimer*	évider .... *aimer*
enneiger .... *changer*	entreprendre ...... *apprendre*	escorter .... *aimer*	évincer .... *avancer*
ennoblir .... *finir*	entrer .... *aimer*	escrimer (s') .... *aimer*	éviscérer .... *posséder*
ennuager (s') ...... *changer*	entretenir .... *venir*	escroquer .... *aimer*	éviter .... *aimer*
ennuyer .... *employer*	entretuer (s') ou	espacer .... *avancer*	évoluer .... *aimer*
énoncer .... *avancer*	entre-tuer (s') ... *aimer*	espérer .... *posséder*	évoquer .... *aimer*
enorgueillir .... *finir*	entrevoir .... *voir*	espionner .... *aimer*	exacerber .... *aimer*
enquérir (s') .... *acquérir*	entrouvrir .... *ouvrir*	esquinter .... *aimer*	exagérer .... *posséder*
enquêter .... *aimer*	énucléer .... *créer*	esquisser .... *aimer*	exalter .... *aimer*
enquiquiner .... *aimer*	énumérer .... *posséder*	esquiver .... *aimer*	examiner .... *aimer*
enraciner .... *aimer*	envahir .... *finir*	ess*aimer* .... *aimer*	exaspérer .... *posséder*
enrager .... *changer*	envelopper .... *aimer*	essayer .... *payer*	exaucer .... *avancer*
enrayer .... *payer*	envenimer .... *aimer*	essorer .... *aimer*	excaver .... *aimer*
enrégimenter ...... *aimer*	envier .... *étudier*	essoucher .... *aimer*	excéder .... *posséder*
enregistrer .... *aimer*	environner .... *aimer*	essouffler .... *aimer*	exceller .... *aimer*

DICTIONNAIRE DES VERBES

excepter ... *aimer*	falsifier ... *étudier*	flécher ... *posséder*	frimer ... *aimer*
exciser ... *aimer*	familiariser ... *aimer*	fléchir ... *finir*	friper ... *aimer*
exciter ... *aimer*	faner ... *aimer*	flétrir ... *finir*	frire ... *suffire*
exclamer (s') ... *aimer*	fanfaronner ... *aimer*	fleurer ... *aimer*	friser ... *aimer*
exclure ... *inclure*	fantasmer ... *aimer*	fleurir ... *finir*	frisotter ... *aimer*
excommunier ... *étudier*	farcir ... *finir*	flirter ... *aimer*	frissonner ... *aimer*
excréter ... *posséder*	farder ... *aimer*	floconner ... *aimer*	froisser ... *aimer*
excuser ... *aimer*	farfouiller ... *aimer*	flotter ... *aimer*	frôler ... *aimer*
exécrer ... *posséder*	farter ... *aimer*	fluctuer ... *aimer*	froncer ... *avancer*
exécuter ... *aimer*	fasciner ... *aimer*	fluidifier ... *étudier*	fronder ... *aimer*
exempter ... *aimer*	fatiguer ... *aimer*	focaliser ... *aimer*	frotter ... *aimer*
exercer ... *avancer*	faucher ... *aimer*	foirer ... *aimer*	fructifier ... *étudier*
exhaler ... *aimer*	faufiler ... *aimer*	foisonner ... *aimer*	frustrer ... *aimer*
exhausser ... *aimer*	fausser ... *aimer*	folâtrer ... *aimer*	fuguer ... *aimer*
exhiber ... *aimer*	favoriser ... *aimer*	fomenter ... *aimer*	fuir ... *fuir*
exhorter ... *aimer*	féconder ... *aimer*	foncer ... *avancer*	fulminer ... *aimer*
exhumer ... *aimer*	fédérer ... *posséder*	fonctionner ... *aimer*	fumer ... *aimer*
exiger ... *changer*	feindre ... *éteindre*	fonder ... *aimer*	fureter ... *congeler*
exiler ... *aimer*	feinter ... *aimer*	fondre ... *fendre*	fuseler ... *appeler*
exister ... *aimer*	fêler ... *aimer*	forcer ... *avancer*	fuser ... *aimer*
exonérer ... *posséder*	féliciter ... *aimer*	forcir ... *finir*	fusiller ... *aimer*
exorciser ... *aimer*	féminiser ... *aimer*	forer ... *aimer*	fusionner ... *aimer*
expatrier ... *étudier*	fendiller ... *aimer*	forger ... *changer*	fustiger ... *changer*
expectorer ... *aimer*	fendre ... *fendre*	formaliser ... *aimer*	
expédier ... *étudier*	fermenter ... *aimer*	formater ... *aimer*	gâcher ... *aimer*
expérimenter ... *aimer*	fermer ... *aimer*	former ... *aimer*	gaffer ... *aimer*
expertiser ... *aimer*	ferrailler ... *aimer*	formuler ... *aimer*	gager ... *changer*
expier ... *étudier*	ferrer ... *aimer*	forniquer ... *aimer*	gagner ... *aimer*
expirer ... *aimer*	fertiliser ... *aimer*	fortifier ... *étudier*	gainer ... *aimer*
expliciter ... *aimer*	fesser ... *aimer*	foudroyer ... *employer*	galber ... *aimer*
expliquer ... *aimer*	festoyer ... *employer*	fouetter ... *aimer*	galoper ... *aimer*
exploiter ... *aimer*	fêter ... *aimer*	fouiller ... *aimer*	galvaniser ... *aimer*
explorer ... *aimer*	feuilleter ... *appeler*	fouiner ... *aimer*	galvauder ... *aimer*
exploser ... *aimer*	feuler ... *aimer*	fouler ... *aimer*	gambader ... *aimer*
exporter ... *aimer*	feutrer ... *aimer*	fourbir ... *finir*	gangrener ... *lever*
exposer ... *aimer*	fiabiliser ... *aimer*	fourmiller ... *aimer*	ganser ... *aimer*
exprimer ... *aimer*	fiancer ... *avancer*	fournir ... *finir*	ganter ... *aimer*
exproprier ... *étudier*	ficeler ... *appeler*	fourrager ... *changer*	garantir ... *finir*
expulser ... *aimer*	ficher ... *aimer*	fourrer ... *aimer*	garder ... *aimer*
expurger ... *changer*	fier (se) ... *étudier*	fourvoyer ... *employer*	garer ... *aimer*
exsuder ... *aimer*	figer ... *changer*	foutre ... *fendre*	gargariser (se) ... *aimer*
extasier (s') ... *étudier*	fignoler ... *aimer*	fracasser ... *aimer*	garnir ... *finir*
exténuer ... *aimer*	figurer ... *aimer*	fractionner ... *aimer*	garrocher ... *aimer*
extérioriser ... *aimer*	filer ... *aimer*	fracturer ... *aimer*	garrotter ... *aimer*
exterminer ... *aimer*	fileter ... *congeler*	fragiliser ... *aimer*	gaspiller ... *aimer*
extirper ... *aimer*	filmer ... *aimer*	fragmenter ... *aimer*	gâter ... *aimer*
extorquer ... *aimer*	filouter ... *aimer*	fraîchir ... *finir*	gauchir ... *finir*
extrader ... *aimer*	filtrer ... *aimer*	fraiser ... *aimer*	gaufrer ... *aimer*
extraire ... *soustraire*	finaliser ... *aimer*	franchir ... *finir*	gauler ... *aimer*
extrapoler ... *aimer*	financer ... *avancer*	franciser ... *aimer*	gausser (se) ... *aimer*
exulter ... *aimer*	finasser ... *aimer*	franger ... *changer*	gaver ... *aimer*
	finir ... *finir*	frapper ... *aimer*	gazonner ... *aimer*
fabriquer ... *aimer*	fissurer ... *aimer*	fraterniser ... *aimer*	gazouiller ... *aimer*
fâcher ... *aimer*	fixer ... *aimer*	frauder ... *aimer*	geindre ... *éteindre*
faciliter ... *aimer*	flageller ... *aimer*	frayer ... *payer*	geler ... *congeler*
façonner ... *aimer*	flageoler ... *aimer*	fredonner ... *aimer*	gémir ... *finir*
facturer ... *aimer*	flagorner ... *aimer*	freiner ... *aimer*	gendarmer (se) ... *aimer*
fagoter ... *aimer*	flairer ... *aimer*	frelater ... *aimer*	gêner ... *aimer*
faiblir ... *finir*	flamber ... *aimer*	frémir ... *finir*	généraliser ... *aimer*
faillir ... *faillir*	flamboyer ... *employer*	fréquenter ... *aimer*	générer ... *posséder*
fainéanter ... *aimer*	flancher ... *aimer*	frétiller ... *aimer*	gerber ... *aimer*
faire ... *faire*	flâner ... *aimer*	fricoter ... *aimer*	gercer ... *avancer*
faisander ... *aimer*	flanquer ... *aimer*	frictionner ... *aimer*	gérer ... *posséder*
falloir ... *falloir*	flatter ... *aimer*	frigorifier ... *étudier*	germer ... *aimer*

gesticuler	aimer
gicler	aimer
gifler	aimer
gigoter	aimer
gîter	aimer
givrer	aimer
glacer	avancer
glaner	aimer
glapir	finir
glisser	aimer
glorifier	étudier
gloser	aimer
glousser	aimer
gober	aimer
goberger (se)	changer
godiller	aimer
goinfrer	aimer
gominer	aimer
gommer	aimer
gondoler	aimer
gonfler	aimer
gorger	changer
gouailler	aimer
goudronner	aimer
goupiller	aimer
gourer (se)	aimer
gourmander	aimer
goûter	aimer
goutter	aimer
gouverner	aimer
gracier	étudier
graduer	aimer
graisser	aimer
grandir	finir
granuler	aimer
grappiller	aimer
grasseyer	aimer
gratifier	étudier
gratiner	aimer
gratter	aimer
graver	aimer
gravir	finir
graviter	aimer
gréer	créer
greffer	aimer
grêler	aimer
grelotter	aimer
grenouiller	aimer
grésiller	aimer
grever	lever
gribouiller	aimer
griffer	aimer
griffonner	aimer
grignoter	aimer
grillager	changer
griller	aimer
grimacer	avancer
grimer	aimer
grimper	aimer
grincer	avancer
gripper	aimer
griser	aimer
grisonner	aimer
grogner	aimer

grommeler	appeler
gronder	aimer
grossir	finir
grouiller	aimer
grouper	aimer
gruger	changer
grumeler (se)	appeler
guérir	finir
guerroyer	employer
guetter	aimer
gueuler	aimer
guider	aimer
guigner	aimer
guillemeter	appeler
guillotiner	aimer
habiliter	aimer
habiller	aimer
habiter	aimer
habituer	aimer
hacher	aimer
hachurer	aimer
haïr	haïr
hâler	aimer
haler	aimer
haleter	congeler
handicaper	aimer
hanter	aimer
happer	aimer
haranguer	aimer
harasser	aimer
harceler	congeler
harmoniser	aimer
harnacher	aimer
harponner	aimer
hasarder	aimer
hâter	aimer
haubaner	aimer
hausser	aimer
héberger	changer
hébéter	posséder
héler	posséder
helléniser	aimer
hennir	finir
herboriser	aimer
hérisser	aimer
hériter	aimer
hésiter	aimer
heurter	aimer
hiberner	aimer
hiérarchiser	aimer
hisser	aimer
hiverner	aimer
hocher	aimer
homogénéiser	aimer
homologuer	aimer
honnir	finir
honorer	aimer
hoqueter	appeler
horrifier	étudier
horripiler	aimer
hospitaliser	aimer
houspiller	aimer
huer	aimer

huiler	aimer
hululer	aimer
humaniser	aimer
humecter	aimer
humer	aimer
humidifier	étudier
humilier	étudier
hurler	aimer
hydrater	aimer
hydrofuger	changer
hypertrophier	étudier
hypnotiser	aimer
hypothéquer	aimer
idéaliser	aimer
identifier	étudier
idolâtrer	aimer
ignifuger	changer
ignorer	aimer
illuminer	aimer
illusionner	aimer
illustrer	aimer
imaginer	aimer
imbiber	aimer
imbriquer	aimer
imiter	aimer
immatriculer	aimer
immerger	changer
immigrer	aimer
immiscer (s')	avancer
immobiliser	aimer
immoler	aimer
immortaliser	aimer
immuniser	aimer
impartir	finir
impatienter	aimer
imperméabiliser	aimer
implanter	aimer
impliquer	aimer
implorer	aimer
imploser	aimer
importer	aimer
importuner	aimer
imposer	aimer
imprégner	posséder
impressionner	aimer
imprimer	aimer
improviser	aimer
imputer	aimer
inactiver	aimer
inaugurer	aimer
incarcérer	posséder
incarner	aimer
incendier	étudier
incinérer	posséder
inciser	aimer
inciter	aimer
incliner	aimer
inclure	inclure
incomber	aimer
incommoder	aimer
incorporer	aimer
incriminer	aimer
incruster	aimer

inculper	aimer
inculquer	aimer
incurver	aimer
indemniser	aimer
indexer	aimer
indifférer	posséder
indigner	aimer
indiquer	aimer
indisposer	aimer
individualiser	aimer
induire	conduire
industrialiser	aimer
infecter	aimer
inféoder	aimer
inférer	posséder
infester	aimer
infiltrer	aimer
infirmer	aimer
infléchir	finir
infliger	changer
influencer	avancer
influer	aimer
informatiser	aimer
informer	aimer
infuser	aimer
ingénier (s')	étudier
ingérer	posséder
ingurgiter	aimer
inhaler	aimer
inhiber	aimer
inhumer	aimer
initialiser	aimer
initier	étudier
injecter	aimer
injurier	étudier
innerver	aimer
innocenter	aimer
innover	aimer
inoculer	aimer
inonder	aimer
inquiéter	posséder
inscrire	écrire
inséminer	aimer
insensibiliser	aimer
insérer	posséder
insinuer	aimer
insister	aimer
insonoriser	aimer
inspecter	aimer
inspirer	aimer
installer	aimer
instaurer	aimer
instiller	aimer
instituer	aimer
institutionnaliser	aimer
instruire	conduire
insuffler	aimer
insulter	aimer
insurger (s')	changer
intégrer	posséder
intellectualiser	aimer
intensifier	étudier
intenter	aimer
intercaler	aimer

Verbe	Modèle
intercéder	posséder
intercepter	aimer
interdire	dire
intéresser	aimer
interférer	posséder
intérioriser	aimer
interjeter	appeler
interloquer	aimer
internationaliser	aimer
interner	aimer
interpeller	aimer
interpénétrer (s')	posséder
interposer	aimer
interpréter	posséder
interroger	changer
interrompre	fendre
intervenir	venir
intervertir	finir
interviewer	aimer
intimer	aimer
intimider	aimer
intituler	aimer
intoxiquer	aimer
intriguer	aimer
introduire	conduire
introniser	aimer
invalider	aimer
invectiver	aimer
inventer	aimer
inventorier	étudier
inverser	aimer
investir	finir
inviter	aimer
invoquer	aimer
iriser	aimer
ironiser	aimer
irradier	étudier
irriguer	aimer
irriter	aimer
isoler	aimer
italianiser	aimer
jacasser	aimer
jaillir	finir
jalonner	aimer
jalouser	aimer
japper	aimer
jardiner	aimer
jaspiner	aimer
jauger	changer
jaunir	finir
javeler	appeler
javelliser	aimer
jeter	appeler
jeûner	aimer
joindre	joindre
jointoyer	employer
joncher	aimer
jongler	aimer
jouer	aimer
jouir	finir
jouxter	aimer
jubiler	aimer
jucher	aimer
juger	changer
juguler	aimer
jumeler	appeler
jurer	aimer
justifier	étudier
juxtaposer	aimer
kidnapper	aimer
kilométrer	posséder
klaxonner	aimer
labourer	aimer
lacer	avancer
lacérer	posséder
lâcher	aimer
laïciser	aimer
laisser	aimer
lambiner	aimer
lambrisser	aimer
lamenter (se)	aimer
laminer	aimer
lamper	aimer
lancer	avancer
lanciner	aimer
langer	changer
languir	finir
lanterner	aimer
laper	aimer
lapider	aimer
lapiner	aimer
laquer	aimer
larder	aimer
larguer	aimer
larmoyer	employer
lasser	aimer
laver	aimer
lécher	posséder
légaliser	aimer
légiférer	posséder
légitimer	aimer
léguer	posséder
lénifier	étudier
léser	posséder
lésiner	aimer
lessiver	aimer
lester	aimer
leurrer	aimer
lever	lever
levretter	aimer
lézarder	aimer
libeller	aimer
libéraliser	aimer
libérer	posséder
licencier	étudier
lier	étudier
ligaturer	aimer
ligner	aimer
ligoter	aimer
liguer	aimer
limer	aimer
limiter	aimer
limoger	changer
liquéfier	étudier
liquider	aimer
lire	lire
liserer ou lisérer	congeler ou posséder
lisser	aimer
lister	aimer
lithographier	étudier
livrer	aimer
localiser	aimer
loger	changer
longer	changer
lorgner	aimer
lotir	finir
louanger	changer
loucher	aimer
louer	aimer
louper	aimer
louveter	appeler
louvoyer	employer
lover (se)	aimer
lubrifier	étudier
luire	conduire
lustrer	aimer
lutter	aimer
luxer	aimer
lyncher	aimer
lyophiliser	aimer
macérer	posséder
mâcher	aimer
machiner	aimer
mâchonner	aimer
mâchouiller	aimer
maculer	aimer
maganer	aimer
magasiner	aimer
magner (se)	aimer
magnétiser	aimer
magnifier	étudier
magouiller	aimer
maigrir	finir
mailler	aimer
maintenir	venir
maîtriser	aimer
majorer	aimer
malaxer	aimer
malmener	lever
maltraiter	aimer
mandater	aimer
mander	aimer
manger	changer
manier	étudier
manifester	aimer
manigancer	avancer
manipuler	aimer
manœuvrer	aimer
manquer	aimer
manufacturer	aimer
manutentionner	aimer
maquignonner	aimer
maquiller	aimer
marauder	aimer
marbrer	aimer
marchander	aimer
marcher	aimer
marginaliser	aimer
marier	étudier
mariner	aimer
marivauder	aimer
marmonner	aimer
marmotter	aimer
marquer	aimer
marrer (se)	aimer
marteler	congeler
martyriser	aimer
masquer	aimer
massacrer	aimer
masser	aimer
mastiquer	aimer
masturber	aimer
matelasser	aimer
mater	aimer
mâter	aimer
matérialiser	aimer
materner	aimer
matraquer	aimer
maudire	finir
maugréer	créer
maximiser ou maximaliser	aimer
mécaniser	aimer
méconnaître	paraître
mécontenter	aimer
médailler	aimer
médicaliser	aimer
médire	dire
méditer	aimer
méduser	aimer
méfier (se)	étudier
mélanger	changer
mêler	aimer
mémoriser	aimer
menacer	avancer
ménager	changer
mendier	étudier
mener	lever
mensualiser	aimer
mentionner	aimer
mentir	sortir
méprendre (se)	apprendre
mépriser	aimer
mériter	aimer
mésallier (se)	étudier
mésestimer	aimer
mesurer	aimer
métalliser	aimer
métamorphoser	aimer
métisser	aimer
métrer	posséder
mettre	remettre
meubler	aimer
meugler	aimer
meuler	aimer
meurtrir	finir
miauler	aimer
microfilmer	aimer
migrer	aimer
mijoter	aimer

militariser .... *aimer*	muscler .... *aimer*	obtenir .... *venir*	pallier .... *étudier*
militer .... *aimer*	museler .... *appeler*	obturer .... *aimer*	palper .... *aimer*
mimer .... *aimer*	muser .... *aimer*	obvier .... *étudier*	palpiter .... *aimer*
minauder .... *aimer*	muter .... *aimer*	occasionner .... *aimer*	pâmer (se) .... *aimer*
mincir .... *finir*	mutiler .... *aimer*	occidentaliser ...... *aimer*	panacher .... *aimer*
miner .... *aimer*	mutiner (se) .... *aimer*	occlure .... *inclure*	paner .... *aimer*
minéraliser .... *aimer*	mystifier .... *étudier*	occulter .... *aimer*	paniquer .... *aimer*
miniaturiser .... *aimer*	mythifier .... *étudier*	occuper .... *aimer*	panser .... *aimer*
minimiser .... *aimer*		octroyer .... *employer*	panteler .... *appeler*
minuter .... *aimer*	nacrer .... *aimer*	œuvrer .... *aimer*	papillonner .... *aimer*
mirer .... *aimer*	nager .... *changer*	offenser .... *aimer*	papilloter .... *aimer*
miroiter .... *aimer*	naître .... *naître*	officialiser .... *aimer*	papoter .... *aimer*
miser .... *aimer*	nantir .... *finir*	officier .... *étudier*	parachever .... *lever*
mitonner .... *aimer*	napper .... *aimer*	offrir .... *ouvrir*	parachuter .... *aimer*
mitrailler .... *aimer*	narguer .... *aimer*	offusquer .... *aimer*	parader .... *aimer*
mixer .... *aimer*	narrer .... *aimer*	oindre .... *joindre*	paraître .... *paraître*
mobiliser .... *aimer*	nasaliser .... *aimer*	ombrager .... *changer*	paralyser .... *aimer*
modeler .... *congeler*	nasiller .... *aimer*	ombrer .... *aimer*	parapher ou
modérer .... *posséder*	nationaliser .... *aimer*	omettre .... *remettre*	parafer .... *aimer*
moderniser .... *aimer*	natter .... *aimer*	ondoyer .... *employer*	paraphraser .... *aimer*
modifier .... *étudier*	naturaliser .... *aimer*	onduler .... *aimer*	parcheminer .... *aimer*
moduler .... *aimer*	naviguer .... *aimer*	opacifier .... *étudier*	parcourir .... *courir*
moirer .... *aimer*	navrer .... *aimer*	opérer .... *posséder*	pardonner .... *aimer*
moisir .... *finir*	nécessiter .... *aimer*	opiner .... *aimer*	parer .... *aimer*
moissonner .... *aimer*	nécroser .... *aimer*	opposer .... *aimer*	paresser .... *aimer*
molester .... *aimer*	négliger .... *changer*	oppresser .... *aimer*	parfaire .... *faire*
moleter .... *appeler*	négocier .... *étudier*	opprimer .... *aimer*	parfumer .... *aimer*
molletonner .... *aimer*	neiger .... *changer*	opter .... *aimer*	parier .... *étudier*
mollir .... *finir*	nettoyer .... *employer*	optimiser .... *aimer*	parjurer (se) .... *aimer*
momifier .... *étudier*	neutraliser .... *aimer*	orchestrer .... *aimer*	parlementer .... *aimer*
mondialiser .... *aimer*	niaiser .... *aimer*	ordonner .... *aimer*	parler .... *aimer*
monnayer .... *payer*	nicher .... *aimer*	organiser .... *aimer*	parodier .... *étudier*
monologuer .... *aimer*	nickeler .... *appeler*	orienter .... *aimer*	parquer .... *aimer*
monopoliser .... *aimer*	nier .... *étudier*	ornementer .... *aimer*	parqueter .... *appeler*
monter .... *aimer*	nimber .... *aimer*	orner .... *aimer*	parrainer .... *aimer*
montrer .... *aimer*	niveler .... *appeler*	orthographier ..... *étudier*	parsemer .... *lever*
moquer (se) .... *aimer*	noircir .... *finir*	osciller .... *aimer*	partager .... *changer*
moraliser .... *aimer*	noliser .... *aimer*	oser .... *aimer*	participer .... *aimer*
morceler .... *appeler*	nommer .... *aimer*	ôter .... *aimer*	particulariser .... *aimer*
mordiller .... *aimer*	normaliser .... *aimer*	ouater .... *aimer*	partir .... *sortir*
mordre .... *fendre*	noter .... *aimer*	oublier .... *étudier*	parvenir .... *venir*
morfondre (se) .... *fendre*	notifier .... *étudier*	ourdir .... *finir*	passer .... *aimer*
morigéner .... *posséder*	nouer .... *aimer*	ourler .... *aimer*	passionner .... *aimer*
mortifier .... *étudier*	nourrir .... *finir*	outiller .... *aimer*	pasteuriser .... *aimer*
motiver .... *aimer*	noyauter .... *aimer*	outrager .... *changer*	pasticher .... *aimer*
motoriser .... *aimer*	noyer .... *employer*	outrepasser .... *aimer*	patauger .... *changer*
moucher .... *aimer*	nuancer .... *avancer*	outrer .... *aimer*	patenter .... *aimer*
moucheter .... *appeler*	nuire .... *conduire*	ouvrager .... *changer*	patienter .... *aimer*
moudre .... *moudre*	numériser .... *aimer*	ouvrer .... *aimer*	patiner .... *aimer*
mouiller .... *aimer*	numéroter .... *aimer*	ouvrir .... *ouvrir*	pâtir .... *finir*
mouler .... *aimer*		ovationner .... *aimer*	patrouiller .... *aimer*
moulurer .... *aimer*	obéir .... *finir*	ovuler .... *aimer*	paumer .... *aimer*
mourir .... *mourir*	objecter .... *aimer*	oxyder .... *aimer*	paupériser .... *aimer*
mousser .... *aimer*	objectiver .... *aimer*	oxygéner .... *posséder*	pavaner (se) .... *aimer*
moutonner .... *aimer*	obliger .... *changer*		paver .... *aimer*
mouvoir .... *émouvoir*	obliquer .... *aimer*	pacifier .... *étudier*	pavoiser .... *aimer*
muer .... *aimer*	oblitérer .... *posséder*	pactiser .... *aimer*	payer .... *payer*
mugir .... *finir*	obnubiler .... *aimer*	pagayer .... *payer*	peaufiner .... *aimer*
multiplier .... *étudier*	obscurcir .... *finir*	paginer .... *aimer*	pécher .... *posséder*
munir .... *finir*	obséder .... *posséder*	pailleter .... *appeler*	pêcher .... *aimer*
murer .... *aimer*	observer .... *aimer*	paître .... *paître*	pédaler .... *aimer*
mûrir .... *finir*	obstiner (s') .... *aimer*	palabrer .... *aimer*	peigner .... *aimer*
murmurer .... *aimer*	obstruer .... *aimer*	palettiser .... *aimer*	peindre .... *éteindre*
musarder .... *aimer*	obtempérer .... *posséder*	pâlir .... *finir*	peiner .... *aimer*

peinturer	aimer	piloter	aimer	pontifier	étudier	prévoir	voir
peinturlurer	aimer	pimenter	aimer	populariser	aimer	prier	étudier
peler	congeler	pincer	avancer	porter	aimer	primer	aimer
pelleter	appeler	piocher	aimer	poser	aimer	priser	aimer
peloter	aimer	piper	aimer	positionner	aimer	privatiser	aimer
pelotonner (se)	aimer	pique-niquer	aimer	posséder	posséder	priver	aimer
pénaliser	aimer	piquer	aimer	postdater	aimer	privilégier	étudier
pencher	aimer	piqueter	appeler	poster	aimer	procéder	posséder
pendre	fendre	pirater	aimer	postuler	aimer	proclamer	aimer
pénétrer	posséder	pisser	aimer	potasser	aimer	procréer	créer
penser	aimer	pistonner	aimer	potiner	aimer	procurer	aimer
pensionner	aimer	pitonner	aimer	poudrer	aimer	prodiguer	aimer
pépier	étudier	pivoter	aimer	poudroyer	employer	produire	conduire
percer	avancer	placarder	aimer	pouffer	aimer	profaner	aimer
percevoir	apercevoir	placer	avancer	pouliner	aimer	proférer	posséder
percher	aimer	placoter	aimer	pourchasser	aimer	professer	aimer
percuter	aimer	plafonner	aimer	pourfendre	fendre	profiler	aimer
perdre	fendre	plagier	étudier	pourlécher (se)	posséder	profiter	aimer
perdurer	aimer	plaider	aimer	pourrir	finir	programmer	aimer
perfectionner	aimer	plaindre	craindre	poursuivre	suivre	progresser	aimer
perforer	aimer	plaire	plaire	pourvoir	pourvoir	prohiber	aimer
péricliter	aimer	plaisanter	aimer	pousser	aimer	projeter	appeler
périmer (se)	aimer	plancher	aimer	pouvoir	pouvoir	proliférer	posséder
périr	finir	planer	aimer	praliner	aimer	prolonger	changer
perler	aimer	planifier	étudier	pratiquer	aimer	promener	lever
permettre	remettre	planquer	aimer	précéder	posséder	promettre	remettre
permuter	aimer	planter	aimer	prêcher	aimer	promouvoir	émouvoir
pérorer	aimer	plaquer	aimer	précipiter	aimer	promulguer	aimer
perpétrer	posséder	plastifier	étudier	préciser	aimer	prôner	aimer
perpétuer	aimer	plastiquer	aimer	préconiser	aimer	prononcer	avancer
perquisitionner	aimer	platiner	aimer	prédestiner	aimer	pronostiquer	aimer
persécuter	aimer	plâtrer	aimer	prédire	dire	propager	changer
persévérer	posséder	plébisciter	aimer	prédisposer	aimer	prophétiser	aimer
persifler	aimer	pleurer	aimer	prédominer	aimer	proportionner	aimer
persister	aimer	pleurnicher	aimer	préétablir	finir	proposer	aimer
personnaliser	aimer	pleuvoir	pleuvoir	préfacer	avancer	propulser	aimer
personnifier	étudier	plier	étudier	préférer	posséder	proroger	changer
persuader	aimer	plisser	aimer	préfigurer	aimer	proscrire	écrire
perturber	aimer	plomber	aimer	préfixer	aimer	prospecter	aimer
pervertir	finir	plonger	changer	préjuger	changer	prospérer	posséder
peser	lever	ployer	employer	prélasser (se)	aimer	prosterner (se)	aimer
pester	aimer	plumer	aimer	prélever	lever	prostituer	aimer
pétarader	aimer	pocher	aimer	préluder	aimer	protéger	protéger
péter	posséder	poêler	aimer	préméditer	aimer	protester	aimer
pétiller	aimer	poignarder	aimer	prémunir	finir	prouver	aimer
petit-déjeuner	aimer	poinçonner	aimer	prendre	apprendre	provenir	venir
pétrifier	étudier	poindre	joindre	prénommer	aimer	provisionner	aimer
pétrir	finir	pointer	aimer	préoccuper	aimer	provoquer	aimer
peupler	aimer	pointiller	aimer	préparer	aimer	psalmodier	étudier
philosopher	aimer	poireauter	aimer	préposer	aimer	psychanalyser	aimer
photocopier	étudier	poisser	aimer	présager	changer	psychiatriser	aimer
photographier	étudier	poivrer	aimer	prescrire	écrire	publier	étudier
piaffer	aimer	polariser	aimer	présenter	aimer	puer	aimer
piailler	aimer	polir	finir	préserver	aimer	puiser	aimer
pianoter	aimer	politiser	aimer	présider	aimer	pulluler	aimer
picoler	aimer	polluer	aimer	pressentir	sortir	pulvériser	aimer
picorer	aimer	polycopier	étudier	presser	aimer	punir	finir
picoter	aimer	pommeler (se)	appeler	pressurer	aimer	purger	changer
piéger	protéger	pomper	aimer	pressuriser	aimer	purifier	étudier
piétiner	aimer	pomponner	aimer	présumer	aimer	putréfier	étudier
piger	changer	poncer	avancer	prétendre	fendre		
piler	aimer	ponctuer	aimer	prêter	aimer	quadriller	aimer
piller	aimer	pondérer	posséder	prétexter	aimer	quadrupler	aimer
pilonner	aimer	pondre	fendre	prévaloir	valoir	qualifier	étudier
				prévenir	venir		

quantifier .... *étudier*
quémander .... *aimer*
quereller .... *aimer*
questionner .... *aimer*
quêter .... *aimer*
quintupler .... *aimer*
quitter .... *aimer*

rabâcher .... *aimer*
rabaisser .... *aimer*
rabattre .... *combattre*
rabibocher .... *aimer*
raboter .... *aimer*
rabrouer .... *aimer*
raccommoder ..... *aimer*
raccompagner ..... *aimer*
raccorder .... *aimer*
raccourcir .... *finir*
raccrocher .... *aimer*
racheter .... *congeler*
racler .... *aimer*
racoler .... *aimer*
raconter .... *aimer*
racornir .... *finir*
radicaliser .... *aimer*
radier .... *étudier*
radiodiffuser ...... *aimer*
radiographier ..... *étudier*
radoter .... *aimer*
radoucir .... *finir*
rafaler .... *aimer*
raffermir .... *finir*
raffiner .... *aimer*
raffoler .... *aimer*
rafistoler .... *aimer*
rafler .... *aimer*
rafraîchir .... *finir*
ragaillardir .... *finir*
rager .... *changer*
raidir .... *finir*
railler .... *aimer*
raisonner .... *aimer*
rajeunir .... *finir*
rajouter .... *aimer*
rajuster ou
  réajuster .... *aimer*
ralentir .... *finir*
râler .... *aimer*
rallier .... *étudier*
rallonger .... *changer*
rallumer .... *aimer*
ramasser .... *aimer*
ramener .... *lever*
ramer .... *aimer*
ramifier (se) .... *étudier*
ramollir .... *finir*
ramoner .... *aimer*
ramper .... *aimer*
rancir .... *finir*
rançonner .... *aimer*
ranger .... *changer*
ranimer .... *aimer*
rapailler .... *aimer*
rapatrier .... *étudier*

râper .... *aimer*
rapetisser .... *aimer*
rapiécer .... *avancer*
  ou
  posséder
rappeler .... *appeler*
rappliquer .... *aimer*
rapporter .... *aimer*
rapprendre ou
  réapprendre ..... *apprendre*
rapprocher .... *aimer*
raréfier .... *étudier*
raser .... *aimer*
rassasier .... *étudier*
rassembler .... *aimer*
rasseoir .... *asseoir*
rasséréner .... *posséder*
rassurer .... *aimer*
ratatiner .... *aimer*
rater .... *aimer*
ratiboiser .... *aimer*
ratifier .... *étudier*
ratiociner .... *aimer*
rationaliser .... *aimer*
rationner .... *aimer*
ratisser .... *aimer*
rattacher .... *aimer*
rattraper .... *aimer*
raturer .... *aimer*
ravager .... *changer*
ravaler .... *aimer*
ravauder .... *aimer*
ravigoter .... *aimer*
raviner .... *aimer*
ravir .... *finir*
raviser (se) .... *aimer*
ravitailler .... *aimer*
raviver .... *aimer*
rayer .... *payer*
rayonner .... *aimer*
réadapter .... *aimer*
réagir .... *finir*
réaliser .... *aimer*
réaménager .... *changer*
réanimer .... *aimer*
réapparaître .... *paraître*
réapprovisionner .. *aimer*
rebattre .... *combattre*
rebeller (se) .... *aimer*
rebiffer (se) .... *aimer*
reboiser .... *aimer*
rebondir .... *finir*
rebrousser .... *aimer*
rebuter .... *aimer*
recaler .... *aimer*
récapituler .... *aimer*
receler ou recéler . *congeler*
recenser .... *aimer*
réceptionner ...... *aimer*
recevoir .... *apercevoir*
rechaper .... *aimer*
réchapper .... *aimer*
recharger .... *changer*
réchauffer .... *aimer*

rechercher .... *aimer*
récidiver .... *aimer*
réciter .... *aimer*
réclamer .... *aimer*
recoller .... *aimer*
récolter .... *aimer*
recommander ..... *aimer*
recommencer ..... *avancer*
récompenser ...... *aimer*
réconcilier .... *étudier*
reconduire .... *conduire*
réconforter .... *aimer*
reconnaître .... *apparaître*
reconsidérer ...... *posséder*
reconstituer .... *aimer*
recouper .... *aimer*
recourber .... *aimer*
recourir .... *courir*
recouvrer .... *aimer*
recouvrir .... *ouvrir*
recréer .... *créer*
récréer .... *créer*
récrier (se) .... *étudier*
récriminer .... *aimer*
récrire ou réécrire . *écrire*
recroqueviller (se) . *aimer*
recruter .... *aimer*
rectifier .... *étudier*
recueillir .... *cueillir*
reculer .... *aimer*
récupérer .... *posséder*
récurer .... *aimer*
récuser .... *aimer*
recycler .... *aimer*
redémarrer .... *aimer*
redescendre .... *fendre*
rédiger .... *changer*
redire .... *dire*
redonner .... *aimer*
redoubler .... *aimer*
redouter .... *aimer*
redresser .... *aimer*
réduire .... *conduire*
réécouter .... *aimer*
rééditer .... *aimer*
rééduquer .... *aimer*
réélire .... *lire*
réexaminer .... *aimer*
réexpédier .... *étudier*
refaire .... *faire*
référencer .... *avancer*
référer .... *posséder*
refermer .... *aimer*
refiler .... *aimer*
réfléchir .... *finir*
refléter .... *posséder*
refluer .... *aimer*
refondre .... *fendre*
reformer .... *aimer*
réformer .... *aimer*
refouler .... *aimer*
refréner ou
  réfréner .... *posséder*
réfrigérer .... *posséder*

refroidir .... *finir*
réfugier (se) .... *étudier*
refuser .... *aimer*
réfuter .... *aimer*
regagner .... *aimer*
régaler .... *aimer*
regarder .... *aimer*
régénérer .... *posséder*
régenter .... *aimer*
regimber .... *aimer*
régionaliser .... *aimer*
régir .... *finir*
réglementer .... *aimer*
régler .... *posséder*
régner .... *posséder*
regorger .... *changer*
régresser .... *aimer*
regretter .... *aimer*
regrouper .... *aimer*
régulariser .... *aimer*
régurgiter .... *aimer*
réhabiliter .... *aimer*
réhabituer .... *aimer*
rehausser .... *aimer*
réimprimer .... *aimer*
réincarner (se) .... *aimer*
réinsérer .... *posséder*
réintégrer .... *posséder*
réitérer .... *posséder*
rejaillir .... *finir*
rejeter .... *appeler*
rejoindre .... *joindre*
réjouir .... *finir*
relâcher .... *aimer*
relancer .... *avancer*
relater .... *aimer*
relativiser .... *aimer*
relaxer .... *aimer*
relayer .... *payer*
reléguer .... *posséder*
relever .... *lever*
relier .... *étudier*
relire .... *lire*
reloger .... *changer*
reluire .... *conduire*
reluquer .... *aimer*
remanier .... *étudier*
remarquer .... *aimer*
remblayer .... *payer*
rembobiner .... *aimer*
rembourrer .... *aimer*
rembourser .... *aimer*
rembrunir (se) .... *finir*
remédier .... *étudier*
remembrer .... *aimer*
remémorer .... *aimer*
remercier .... *étudier*
remettre .... *remettre*
remiser .... *aimer*
remmener .... *lever*
remonter .... *aimer*
remontrer .... *aimer*
remorquer .... *aimer*
remplacer .... *avancer*

remplir	finir	réprouver	aimer	révéler	posséder	sabler	aimer
remplumer (se)	aimer	répudier	étudier	revendiquer	aimer	saborder	aimer
remporter	aimer	répugner	aimer	revenir	venir	saboter	aimer
remuer	aimer	réputer	aimer	rêver	aimer	sabrer	aimer
rémunérer	posséder	requérir	acquérir	réverbérer	posséder	saccager	changer
renâcler	aimer	réquisitionner	aimer	révérer	posséder	sacrer	aimer
renaître	naître	rescaper	aimer	revêtir	vêtir	sacrifier	étudier
renchérir	finir	rescinder	aimer	revigorer	aimer	saigner	aimer
rencontrer	aimer	réserver	aimer	réviser	aimer	saillir	tressaillir
rendormir	dormir	résider	aimer	revivre	vivre	saillir	finir
rendre	fendre	résigner (se)	aimer	revoir	voir	saisir	finir
renfermer	aimer	résilier	étudier	revoler	aimer	saler	aimer
renfler	aimer	résister	aimer	révolter	aimer	salir	finir
renflouer	aimer	résonner	aimer	révolutionner	aimer	saliver	aimer
renfoncer	avancer	résorber	aimer	révoquer	aimer	saluer	aimer
renforcer	avancer	résoudre	résoudre	révulser	aimer	sanctifier	étudier
renfrogner (se)	aimer	respecter	aimer	rhabiller	aimer	sanctionner	aimer
rengager ou		respirer	aimer	ricaner	aimer	sangler	aimer
réengager	changer	resplendir	finir	ricocher	aimer	sangloter	aimer
rengainer	aimer	ressaisir	finir	rider	aimer	saper	aimer
rengorger (se)	changer	ressasser	aimer	ridiculiser	aimer	saponifier	étudier
renier	étudier	ressembler	aimer	rigoler	aimer	sarcler	aimer
renifler	aimer	ressemeler	appeler	rimer	aimer	satiner	aimer
renommer	aimer	ressentir	sortir	rincer	avancer	satisfaire	faire
renoncer	avancer	resserrer	aimer	riposter	aimer	saturer	aimer
renouer	aimer	ressortir	sortir	rire	sourire	saucer	avancer
renouveler	appeler	ressortir	finir	risquer	aimer	saucissonner	aimer
rénover	aimer	ressourcer (se)	avancer	rissoler	aimer	saupoudrer	aimer
renseigner	aimer	ressusciter	aimer	rivaliser	aimer	sauter	aimer
rentabiliser	aimer	restaurer	aimer	river	aimer	sautiller	aimer
rentrer	aimer	rester	aimer	riveter	appeler	sauvegarder	aimer
renverser	aimer	restituer	aimer	robotiser	aimer	sauver	aimer
renvoyer	envoyer	restreindre	éteindre	roder	aimer	savoir	savoir
réorganiser	aimer	restructurer	aimer	rôder	aimer	savonner	aimer
réorienter	aimer	résulter	aimer	rogner	aimer	savourer	aimer
repaître	paître	résumer	aimer	romancer	avancer	scalper	aimer
répandre	fendre	resurgir ou		rompre	fendre	scandaliser	aimer
réparer	aimer	ressurgir	finir	ronchonner	aimer	scander	aimer
repartir	sortir	rétablir	finir	ronfler	aimer	sceller	aimer
repartir	sortir	retaper	aimer	ronger	changer	schématiser	aimer
répartir	finir	retarder	aimer	ronronner	aimer	scier	étudier
repasser	aimer	retenir	venir	rosir	finir	scinder	aimer
repeindre	éteindre	retentir	finir	roter	aimer	scintiller	aimer
repenser	aimer	retirer	aimer	rôtir	finir	scléroser (se)	aimer
repentir (se)	sortir	retomber	aimer	roucouler	aimer	scolariser	aimer
répercuter	aimer	rétorquer	aimer	rouer	aimer	scruter	aimer
repérer	posséder	retoucher	aimer	rougeoyer	employer	sculpter	aimer
répertorier	étudier	retourner	aimer	rougir	finir	sécher	posséder
répéter	posséder	retracer	avancer	rouiller	aimer	seconder	aimer
repeupler	aimer	rétracter	aimer	rouler	aimer	secouer	aimer
repiquer	aimer	retrancher	aimer	roupiller	aimer	secourir	courir
replier	étudier	rétrécir	finir	rouspéter	posséder	sécréter	posséder
répliquer	aimer	rétribuer	aimer	rousseler	appeler	sectionner	aimer
répondre	fendre	rétroagir	finir	roussir	finir	séculariser	aimer
reporter	aimer	rétrograder	aimer	rouvrir	ouvrir	sécuriser	aimer
reposer	aimer	retrousser	aimer	rudoyer	employer	séduire	conduire
repousser	aimer	retrouver	aimer	ruer	aimer	segmenter	aimer
reprendre	apprendre	réunifier	étudier	rugir	finir	séjourner	aimer
représenter	aimer	réunir	finir	ruiner	aimer	sélectionner	aimer
réprimander	aimer	réussir	finir	ruisseler	appeler	seller	aimer
réprimer	aimer	revaloriser	aimer	ruminer	aimer	sembler	aimer
repriser	aimer	rêvasser	aimer	ruser	aimer	semer	lever
reprocher	aimer	réveiller	aimer	rutiler	aimer	semoncer	avancer
reproduire	conduire	réveillonner	aimer	rythmer	aimer	sensibiliser	aimer

sentir .... *sortir*	soumissionner .... *aimer*	suffire .... *suffire*
séparer .... *aimer*	soupçonner .... *aimer*	suffoquer .... *aimer*
septupler .... *aimer*	souper .... *aimer*	suggérer .... *posséder*
séquestrer .... *aimer*	soupeser .... *lever*	suicider (se) .... *aimer*
seriner .... *aimer*	soupirer .... *aimer*	suinter .... *aimer*
sermonner .... *aimer*	sourciller .... *aimer*	suivre .... *suivre*
serpenter .... *aimer*	sourire .... *sourire*	superposer .... *aimer*
serrer .... *aimer*	souscrire .... *écrire*	superviser .... *aimer*
sertir .... *finir*	sous-entendre ...... *fendre*	supplanter .... *aimer*
servir .... *servir*	sous-estimer .... *aimer*	suppléer .... *créer*
sévir .... *finir*	sous-évaluer .... *aimer*	supplicier .... *étudier*
sevrer .... *aimer*	sous-louer .... *aimer*	supplier .... *étudier*
sextupler .... *aimer*	sous-*payer* .... *payer*	supporter .... *aimer*
shampouiner ou	sous-tendre .... *fendre*	supposer .... *aimer*
shampooiner .... *aimer*	sous-titrer .... *aimer*	supprimer .... *aimer*
sidérer .... *posséder*	soustraire .... *soustraire*	suppurer .... *aimer*
siéger .... *protéger*	sous-traiter .... *aimer*	supputer .... *aimer*
siffler .... *aimer*	sous-virer .... *aimer*	surabonder .... *aimer*
siffloter .... *aimer*	soutenir .... *venir*	surajouter .... *aimer*
signaler .... *aimer*	soutirer .... *aimer*	suralimenter .... *aimer*
signaliser .... *aimer*	souvenir (se) .... *venir*	surcharger .... *changer*
signer .... *aimer*	spécialiser .... *aimer*	surchauffer .... *aimer*
signifier .... *étudier*	spécifier .... *étudier*	surclasser .... *aimer*
sillonner .... *aimer*	spéculer .... *aimer*	surélever .... *lever*
simplifier .... *étudier*	spolier .... *étudier*	surenchérir .... *finir*
simuler .... *aimer*	sponsoriser .... *aimer*	surestimer .... *aimer*
singer .... *changer*	stabiliser .... *aimer*	surévaluer .... *aimer*
singulariser .... *aimer*	stagner .... *aimer*	surexciter .... *aimer*
siphonner .... *aimer*	standardiser .... *aimer*	surexposer .... *aimer*
siroter .... *aimer*	stationner .... *aimer*	surfaire .... *faire*
situer .... *aimer*	statuer .... *aimer*	surgeler .... *congeler*
skier .... *étudier*	sténographier ...... *étudier*	surgir .... *finir*
snober .... *aimer*	stériliser .... *aimer*	surir .... *finir*
sodomiser .... *aimer*	stigmatiser .... *aimer*	surjeter .... *appeler*
soigner .... *aimer*	stimuler .... *aimer*	surmener .... *lever*
solder .... *aimer*	stipendier .... *étudier*	surmonter .... *aimer*
solidariser .... *aimer*	stipuler .... *aimer*	surnager .... *changer*
solidifier .... *étudier*	stocker .... *aimer*	surnommer .... *aimer*
soliloquer .... *aimer*	stopper .... *aimer*	surpasser .... *aimer*
solliciter .... *aimer*	stresser .... *aimer*	surplomber .... *aimer*
solutionner .... *aimer*	striduler .... *aimer*	surprendre .... *apprendre*
sombrer .... *aimer*	strier .... *étudier*	sursauter .... *aimer*
sommeiller .... *aimer*	structurer .... *aimer*	surseoir .... *surseoir*
sommer .... *aimer*	stupéfier .... *étudier*	surtaxer .... *aimer*
somnoler .... *aimer*	styliser .... *aimer*	surveiller .... *aimer*
sonder .... *aimer*	subdiviser .... *aimer*	survenir .... *venir*
songer .... *changer*	subir .... *finir*	survirer .... *aimer*
sonner .... *aimer*	subjuguer .... *aimer*	survivre .... *vivre*
sonoriser .... *aimer*	sublimer .... *aimer*	survoler .... *aimer*
sophistiquer .... *aimer*	submerger .... *changer*	survolter .... *aimer*
sortir .... *sortir*	subodorer .... *aimer*	susciter .... *aimer*
soucier (se) .... *étudier*	subordonner .... *aimer*	suspecter .... *aimer*
souder .... *aimer*	suborner .... *aimer*	suspendre .... *fendre*
soudoyer .... *employer*	subsister .... *aimer*	sustenter .... *aimer*
souffler .... *aimer*	substantiver .... *aimer*	susurrer .... *aimer*
souffleter .... *appeler*	substituer .... *aimer*	suturer .... *aimer*
souffrir .... *ouvrir*	subtiliser .... *aimer*	symboliser .... *aimer*
souhaiter .... *aimer*	subvenir .... *venir*	sympathiser .... *aimer*
souiller .... *aimer*	subventionner ...... *aimer*	synchroniser .... *aimer*
soulager .... *changer*	succéder .... *posséder*	syndiquer .... *aimer*
soûler .... *aimer*	succomber .... *aimer*	synthétiser .... *aimer*
soulever .... *lever*	sucer .... *avancer*	syntoniser .... *aimer*
souligner .... *aimer*	sucrer .... *aimer*	systématiser .... *aimer*
soumettre .... *remettre*	suer .... *aimer*	

tabasser .... *aimer*
tabler .... *aimer*
tacher .... *aimer*
tâcher .... *aimer*
tacheter .... *appeler*
taillader .... *aimer*
tailler .... *aimer*
taire .... *plaire*
talonner .... *aimer*
talquer .... *aimer*
tambouriner .... *aimer*
tamiser .... *aimer*
tamponner .... *aimer*
tancer .... *avancer*
tanguer .... *aimer*
tanner .... *aimer*
taper .... *aimer*
tapir (se) .... *finir*
tapisser .... *aimer*
taponner .... *aimer*
tapoter .... *aimer*
taquiner .... *aimer*
tarabuster .... *aimer*
tarauder .... *aimer*
tarder .... *aimer*
targuer (se) .... *aimer*
tarifer .... *aimer*
tarir .... *finir*
tartiner .... *aimer*
tasser .... *aimer*
tâter .... *aimer*
tâtonner .... *aimer*
tatouer .... *aimer*
taveler .... *appeler*
taxer .... *aimer*
teindre .... *éteindre*
teinter .... *aimer*
télécommander ... *aimer*
télégraphier .... *étudier*
téléquider .... *aimer*
téléphoner .... *aimer*
télescoper .... *aimer*
téléviser .... *aimer*
télexer .... *aimer*
témoigner .... *aimer*
tempérer .... *posséder*
temporiser .... *aimer*
tenailler .... *aimer*
tendre .... *fendre*
tenir .... *venir*
tenter .... *aimer*
tergiverser .... *aimer*
terminer .... *aimer*
ternir .... *finir*
terrasser .... *aimer*
terrer (se) .... *aimer*
terrifier .... *étudier*
terroriser .... *aimer*
tester .... *aimer*
téter .... *posséder*
texturer ou
texturiser .... *aimer*
thésauriser .... *aimer*
tiédir .... *finir*

timbrer .... *aimer*	transcrire .... *écrire*	truander .... *aimer*	vérifier .... *étudier*
tinter .... *aimer*	transférer .... *posséder*	trucider .... *aimer*	vernir .... *finir*
tintinnabuler .... *aimer*	transfigurer .... *aimer*	truffer .... *aimer*	vernisser .... *aimer*
tiquer .... *aimer*	transformer .... *aimer*	truquer .... *aimer*	verrouiller .... *aimer*
tirailler .... *aimer*	transfuser .... *aimer*	tuer .... *aimer*	verser .... *aimer*
tire-bouchonner ou	transgresser .... *aimer*	tuméfier .... *étudier*	vêtir .... *vêtir*
tirebouchonner .. *aimer*	transhumer .... *aimer*	turlupiner .... *aimer*	vexer .... *aimer*
tirer .... *aimer*	transiger .... *changer*	turluter .... *aimer*	viabiliser .... *aimer*
tisonner .... *aimer*	transir .... *finir*	tutoyer .... *employer*	vibrer .... *aimer*
tisser .... *aimer*	transistoriser .... *aimer*	typer .... *aimer*	vicier .... *étudier*
titiller .... *aimer*	transiter .... *aimer*	tyranniser .... *aimer*	vidanger .... *changer*
titrer .... *aimer*	transmettre .... *remettre*		vider .... *aimer*
tituber .... *aimer*	transmuter ou	ulcérer .... *posséder*	vieillir .... *finir*
titulariser .... *aimer*	transmuer	ululer ou hululer .. *aimer*	vilipender .... *aimer*
toiletter .... *aimer*	transmuer .... *aimer*	unifier .... *étudier*	vinaigrer .... *aimer*
toiser .... *aimer*	transparaître ...... *paraître*	uniformiser .... *aimer*	violenter .... *aimer*
tolérer .... *posséder*	transpercer .... *avancer*	unir .... *finir*	violer .... *aimer*
tomber .... *aimer*	transpirer .... *aimer*	universaliser .... *aimer*	virer .... *aimer*
tondre .... *fendre*	transplanter .... *aimer*	urger .... *changer*	virevolter .... *aimer*
tonifier .... *étudier*	transporter .... *aimer*	uriner .... *aimer*	viser .... *aimer*
tonner .... *aimer*	transposer .... *aimer*	user .... *aimer*	visionner .... *aimer*
tonsurer .... *aimer*	transvaser .... *aimer*	usiner .... *aimer*	visiter .... *aimer*
toquer (se) .... *aimer*	transvider .... *aimer*	usurper .... *aimer*	visser .... *aimer*
torcher .... *aimer*	traquer .... *aimer*	utiliser .... *aimer*	visualiser .... *aimer*
tordre .... *fendre*	traumatiser .... *aimer*		vitrer .... *aimer*
toréer .... *créer*	travailler .... *aimer*	vacciner .... *aimer*	vitupérer .... *posséder*
torpiller .... *aimer*	traverser .... *aimer*	vaciller .... *aimer*	vivifier .... *étudier*
torréfier .... *étudier*	travestir .... *finir*	vadrouiller .... *aimer*	vivoter .... *aimer*
torsader .... *aimer*	trébucher .... *aimer*	vagabonder .... *aimer*	vivre .... *vivre*
tortiller .... *aimer*	trembler .... *aimer*	vagir .... *finir*	vocaliser .... *aimer*
torturer .... *aimer*	trembloter .... *aimer*	vaguer .... *aimer*	vociférer .... *posséder*
totaliser .... *aimer*	trémousser (se) .... *aimer*	vaincre .... *vaincre*	voguer .... *aimer*
toucher .... *aimer*	tremper .... *aimer*	valider .... *aimer*	voiler .... *aimer*
touer .... *aimer*	trépaner .... *aimer*	valoir .... *valoir*	voir .... *voir*
touiller .... *aimer*	trépasser .... *aimer*	valoriser .... *aimer*	voisiner .... *aimer*
tourbillonner .... *aimer*	trépigner .... *aimer*	valser .... *aimer*	volatiliser .... *aimer*
tourmenter .... *aimer*	tressaillir .... *tressaillir*	vanner .... *aimer*	voler .... *aimer*
tournebouler .... *aimer*	tresser .... *aimer*	vanter .... *aimer*	voleter .... *appeler*
tourner .... *aimer*	tricher .... *aimer*	vaporiser .... *aimer*	voltiger .... *changer*
tournicoter .... *aimer*	tricoter .... *aimer*	vaquer .... *aimer*	vomir .... *finir*
tournoyer .... *employer*	trier .... *étudier*	varier .... *étudier*	voter .... *aimer*
tousser .... *aimer*	trimbaler ou	varloper .... *aimer*	vouer .... *aimer*
toussoter .... *aimer*	trimballer .... *aimer*	vasectomiser .... *aimer*	vouloir .... *vouloir*
tracasser .... *aimer*	trimer .... *aimer*	vautrer (se) .... *aimer*	voûter .... *aimer*
tracer .... *avancer*	trinquer .... *aimer*	végéter .... *posséder*	vouvoyer ou
tracter .... *aimer*	triompher .... *aimer*	véhiculer .... *aimer*	voussoyer .... *employer*
traduire .... *conduire*	tripler .... *aimer*	veiller .... *aimer*	voyager .... *changer*
traficoter .... *aimer*	tripoter .... *aimer*	vêler .... *aimer*	vriller .... *aimer*
trafiquer .... *aimer*	triturer .... *aimer*	vendanger .... *changer*	vrombir .... *finir*
trahir .... *finir*	tromper .... *aimer*	vendre .... *fendre*	vulgariser .... *aimer*
traîner .... *aimer*	tronçonner .... *aimer*	vénérer .... *posséder*	
traire .... *soustraire*	trôner .... *aimer*	venger .... *changer*	zébrer .... *posséder*
traiter .... *aimer*	tronquer .... *aimer*	venir .... *venir*	zézayer .... *payer*
tramer .... *aimer*	troquer .... *aimer*	venter .... *aimer*	zigzaguer .... *aimer*
trancher .... *aimer*	trotter .... *aimer*	ventiler .... *aimer*	zoner .... *aimer*
tranquilliser .... *aimer*	trottiner .... *aimer*	verbaliser .... *aimer*	zozoter .... *aimer*
transbahuter .... *aimer*	troubler .... *aimer*	verdir .... *finir*	
transborder .... *aimer*	trouer .... *aimer*	verdoyer .... *employer*	
transcender .... *aimer*	trousser .... *aimer*	verglacer .... *avancer*	
	trouver .... *aimer*		

INDEX DES MOTS CLÉS

INDEX DES MOTS CLÉS